図解で学ぶ

医療機器業界参入の必要知識

第3版

法令・規制，技術規格と市場

山梨大学客員教授
宇喜多 義敬 監修
宇喜多白川医療設計株式会社 著

じほう

序　文

　本書は，2013年の初版発行後，2017年に発行された「図解で学ぶ　医療機器業界参入の必要知識　第2版」の改訂版で，医療機器業界にたずさわる人が，医療機器事業の実務で必要な知識を得るための参考書として使われることを想定して，第3版を出版いたしました。

　初版また第2版出版後にも，監修者は多くの企業で，医療機器事業に必要な知識をコンサルする機会や医療機器の設計開発の実務の指導の依頼を受ける機会に恵まれましたが，その中には本書の読者も多くおられ，その方々から初版や第2版に対するご意見をいただくことがあり，国内では医薬品医療機器等法（略名）の改正があり，また本法に関連する省令や国際標準規格の改正を受け，その変更点を組み込んだ改訂版の出版を強く望まれました。
　このような背景から第3版では，この間のマーケティング・データの更新はもとより，国内では令和元年の改正医薬品医療機器等法，また令和3年に改正されたQMS省令（略名）への対応，さらに医療機器プログラムの編纂，海外では主にEUでの医療機器の法規制がMDDからMDRに大きく変わったことによる内容を加え，本書の特色である医療機器に関連する最新のISO等の国際標準規格の変更や追加を網羅いたしました。

　初版の出版から9年の間，医療機器市場がさらに大きく成長した背景には，先進国の少子高齢化と新興国の成長を受け世界的に健康や医療に対する関心の高まりという需要の側面と，企業や大学発ベンチャーが検討段階であった医療機器事業を自社の実事業として踏み込みさらに継続するように成っていた供給の側面があります。
　この変化へ対応すべく第3版でも，医療機器産業への新規参入や自社内の医療機器事業をさらに大きくしたいと考えている企業，大学発ベンチャー等の新規起業の実務者の目線で，医療機器業界で必要な知識を体系的にまとめた，実務者向けの書籍という基本コンセプトを守っております。

　このコンセプトのもと，本書の編集では以下の3つの特色が出せるよう考慮しました。
　1つ目は，法令や規格関連の説明は文章が長くなり，かつ難解になりがちですがそれを避けるため，図解を主体とし図中に必要な情報を網羅・整理し直感的な理解を心がけ，文章による説明より図解による説明を主にしました。

2つ目の特色は，著者自身が電気業界から医療機器業界に身を移した際に，感じた医療機器業界の疑問点や知りたかった必要情報など，医療機器業界だけで育った人では気づかないが，外部からみて必要な知識や疑問を図解の標題として取り上げ，図中でその疑問に答える形で編集しました。

　3つ目の特色は，執筆者全員が医療機器の設計開発の実務者であり，医療機器の製品化の際必要な法的また国際規格の知識を実務者の視点で，加えて，昨今さらに重要になってきている医療機器ソフトウェア（医療機器プログラム）も含めて図解している点です。

　本書は，この編集の特色にそって5章から構成されています。第1章では医療機器市場と業界を最新の統計データを中心に説明し，第2章では新規参入のポイントや業界の主な特徴や製品化プロセス，加えて日本の保険制度ならびに医療機器に係る関連行政機関を簡潔にまとめ，医療機器業界の大枠をつかめるようにしました。

　次の第3章では，本書のポイントの1つである日本の医療機器関連の法令について，医薬品医療機器等法を中心に令和元年の改正医薬品医療機器等法，また令和3年の改正QMS省令への対応等を，比較的詳しく説明しております。なお，本書の特色とした医療機器ソフトウェアの解説は第3章に編纂しております。

　第4章では，米国（FDA）やEU（MDR）の医療機器関連の法令や法に対応するための業務を，できるだけ平易なことばで説明するように心がけました。

　最後の第5章では，もう1つのポイントである医療機器の設計開発や生産で必要となる最新の国際標準規格を，できるだけかみ砕いて解説しました。

　したがって，本書の対象読者は，医療機器業界へ参入を考える企業の経営者や管理者であり，かつ事業企画および開発・生産の責任者や実務者であるとともに，医療機器メーカーの薬事・開発・生産部門の担当者，加えて内部研修や新人教育，また各地域の商工会議所や産業振興支援機構等が主催する勉強会のメンバーなどを想定しております。

　なお，本書の真の目的は，日本の医療機器関連産業を強化し国際化させるため，わが国の医療機器業界の底辺を拡大することにあります。日本の優れたものづくり力が医療機器に生かされ，多くの患者や医療従事者に喜んでいただける製品やサービスを生み，世界をリードするには医療機器関連産業の底辺の拡大が不可欠であると信じているからです。

　本書が医療機器業界に新たに参入する方や，現在の医療機器業界の関係者の

方々の参考になれば著者の幸とするところですが，今後いろいろなご意見をいただき，さらに有用な参考書になることを願っております。

　最後に，本書の執筆に際し，図解作成に尽力いただいた印刷所の担当者，校正など直接間接的に助言していただいた株式会社じほうの橋都なほみ編集長，そして資料集めに奔走してくれたライターの高橋学氏に対し，心より感謝の辞をささげたいと思います。

2022年5月吉日

監修者　しるす

目 次

第1章 医療機器市場と医療機器業界 ……………………………………… 1
- 1.1 医療機器市場 …………………………………………………………… 2
- 1.2 医療機器業界 …………………………………………………………… 14
- 1.3 日本の病院の概要 ……………………………………………………… 22
- 1.4 医療機器卸業 …………………………………………………………… 27

第2章 医療機器事業新規参入のポイントと特徴 ……………………… 29
- 2.1 新規参入のポイント …………………………………………………… 30
- 2.2 製品化プロセスの特徴 ………………………………………………… 39
- 2.3 日本の保険制度と医療機器 …………………………………………… 45
- 2.4 医療機器の関連行政機関 ……………………………………………… 59

第3章 医療機器業界参入のための国内の法を知る …………………… 63
- 3.1 法規制の基礎知識 ……………………………………………………… 64
  - 3.1.1 日本の医療機器関連法体系 …………………………………… 64
  - 3.1.2 医薬品医療機器等法の章立て ………………………………… 66
- 3.2 日本の法規制―医薬品医療機器等法 ………………………………… 68
  - 3.2.1 医薬品医療機器等法の目的と定義 …………………………… 68
  - 3.2.2 医療機器の分類方法 …………………………………………… 74
- 3.3 組織に対する規制―業許可 …………………………………………… 86
  - 3.3.1 業許可の種類 …………………………………………………… 86
  - 3.3.2 製造販売業許可（製造販売業三役・QMS体制省令・GVP省令）…… 87
  - 3.3.3 製造業登録 ……………………………………………………… 104
  - 3.3.4 販売業・貸与業の許可・届出 ………………………………… 111
  - 3.3.5 修理業許可 ……………………………………………………… 114
  - 3.3.6 業許可の俯瞰図 ………………………………………………… 118
- 3.4 製品に対する規制―製造販売承認・認証・届出 …………………… 119
  - 3.4.1 医療機器に対する規制 ………………………………………… 119
  - 3.4.2 承認とそのプロセス …………………………………………… 121
  - 3.4.3 認証・届出とそのプロセス …………………………………… 137
  - 3.4.4 QMS省令とQMS適合性調査 ………………………………… 149
  - 3.4.5 基準適合証と製品群省令 ……………………………………… 164

  3.4.6　添付文書とラベリング（表示） ……………………………… 167
 3.5　医療機器の基準 ………………………………………………………… 171
 3.6　医療機器プログラムへの対応 ………………………………………… 176
 3.7　広告 ……………………………………………………………………… 187
 3.8　罰則 ……………………………………………………………………… 193

第4章　医療機器業界参入のための海外の法を知る　195

 4.1　米国の法規制（FDA） ………………………………………………… 196
  4.1.1　米国の医療機器関連法体系とFDA ……………………………… 196
  4.1.2　米国での医療機器上市プロセス ………………………………… 205
  4.1.3　QSRの概要 ………………………………………………………… 219
 4.2　欧州の法規制（MDR） ………………………………………………… 227
  4.2.1　欧州の医療機器関連法体系とMDR ……………………………… 227
  4.2.2　EUでの医療機器上市プロセス …………………………………… 237
  4.2.3　MDRの重要トピック ……………………………………………… 254
 4.3　その他の国の法規制 …………………………………………………… 257
  4.3.1　中国の法規制 ……………………………………………………… 257
  4.3.2　ASEANの法規制 …………………………………………………… 267
 4.4　医療機器とPL法 ………………………………………………………… 271
 4.5　UDI（Unique Device Identification；医療機器の固有識別） ……… 281

第5章　医療機器業界参入のための規格を知る　285

 5.1　国際規格の基礎知識 …………………………………………………… 286
 5.2　品質マネジメントシステム（QMS）規格 …………………………… 296
  5.2.1　ISO 13485：2016 …………………………………………………… 296
  5.2.2　ISO 13485：2016と改正QMS省令およびQSRとの関係 ……… 318
 5.3　医療機器－リスクマネジメントの医療機器への適用の規格
   （ISO 14971：2019） …………………………………………………… 327
 5.4　医療機器－第1部：基礎安全及び基本性能に関する一般要求事項の規格
   （IEC 60601-1：2012，第3.1版） …………………………………… 357
 5.5　医療機器ソフトウェア－ソフトウェアライフサイクルプロセスの規格
   （IEC 62304：2006/Amd 1：2015） ………………………………… 370
 5.6　医療機器－第1部：医療機器へのユーザビリティエンジニアリングの
   適用の規格（IEC 62366-1：2015/Amd 1：2020） ………………… 392

付　録 ……………………………………………………………………………… 409
　　付録1　基本要件基準に関するチェックリスト雛形…………………… 410
　　付録2　受付時確認項目チェックリスト
　　　　　　後発医療機器承認申請チェックリスト ……………………… 423
あとがき …………………………………………………………………………… 428
索　引 ……………………………………………………………………………… 429

第1章

医療機器市場と医療機器業界

　われわれが日々行っている生産活動は市場の要求を捉え，その要求に確実に応える行為の積み重ねである。そして，要求に正しく応えられた企業のみが利益を生み，存続し続けることができるのである。

　一方，市場はまさに生き物であり，常に変化し，さらに，その速度は年々早まっている。また，市場には地域性があり，個々の国の文化に基づく習慣や国民の価値判断が異なるので，医療機器市場の変化や成長も捉えながら，市場を世界レベルでみた地域性でも捉えなければならない。これがグローバル社会の生産活動である。

　この生産活動の根本は市場を知ることにあるので，スタートとして医療機器市場の概要を本章でまとめる。

2　第1章　医療機器市場と医療機器業界

1.1
医療機器市場

▶ 日本の総人口推移

医療費の増える65歳以上の人口は増加し続ける。

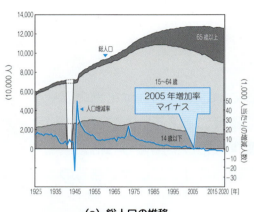

(a) 総人口の推移

(総務省統計局統計データより作成)
※1941〜1943年は年齢別の推計未実施のためデータがない
2020年4月1日現在

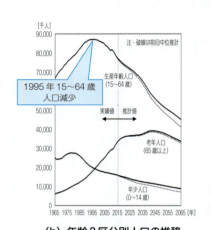

(b) 年齢3区分別人口の推移
（出生中位・死亡中位推計）

(国立社会保障・人口問題研究所「日本の将来推計人口（平成29年推計）」より)

　上の左のグラフは総務省統計局の統計データから作成した「日本の総人口推移」であり，右のグラフは国立社会保障・人口問題研究所の「日本の将来推計人口（平成29年推計）」より引用した「年齢3区分別人口の推移（出生中位・死亡中位推計）」である。

　これらから，1995年が1つの変曲点で，生産年齢人口（15〜64歳）が減り出したこと，また，2005年がもう1つの変曲点で，総人口の増加率がマイナスに転じたことがわかる。一方，65歳以上の老年人口は2020年くらいまでは急激に増え，その後もなだらかに転じることはあっても2050年くらいまでは増加し続けるとされている。

　1995年というと，日本経済がいわゆる「バブル崩壊」を1980年代後半に経験し，まだ立ち直れず，政府が財政出動等を模索していた時期であるが，事業的観点からみると1995年以前はおおむね全産業で日本市場が膨張していて，一方，1995年以後は縮小に向かっていると考えられる。1995年以前は黙っていても市場が拡大していた。消費人口が多く，総人口も増加していた。だが，1995年以降は失われた10年，あるいは失われた20年といわれる期間に入り，消費人口が減少したことが，市場縮小の本質的要因である。

前述の内容は多少乱暴な表現であるが，事業を考える際，その市場のユーザー数の増減は本質的な経営的要因である。

一方，医療機器市場に視点を移すと，日本では65歳以上の人口がこれから20～30年にわたって増え続けるということは，医療機器の市場もこの間，拡大し続ける可能性が高いことを示している。

世界の高齢化率の推移

日本だけでなく，アジアを含め，世界の主要国（主要市場）の高齢化が進み，医療費は増大（市場は拡大）し続ける。

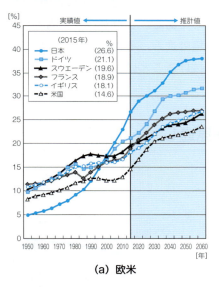
(a) 欧米

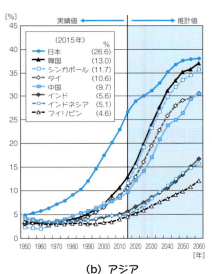
(b) アジア

UN, World Population Prospects: The 2017 Revison，内閣府ホームページのデータをもとに作成
http://www8.cao.go.jp/kourei/whitepaper/w-2019/html/zenbun/s1_1_2.html

上のグラフから，高齢者の増加は日本だけでなく，世界の先進国や新興国諸国でも同様であることがわかる。

縦軸は，65歳以上の人口が全体の人口の何％を占めるかを表している（網掛け部分は推計値）。

2015年に，総人口に対して65歳以上の割合が日本で26.6％であるのに対し，ドイツ21.1％，スウェーデン19.6％，フランス18.9％，イギリス18.1％と続き，米国は14.6％である。

一方，日本を除くアジア圏は，同じく2015年時点の65歳以上の総人口に対する割合が韓国13.0％，シンガポール11.7％，タイ10.6％，中国9.7％であり，欧米諸国よりだい

ぶ若い。

65歳以上の増加は，2040～2050年に向けて欧米諸国も日本と同じように右肩上がりで，日本が30％ラインを2025年に超え，その後も増加するのと同じく，先進欧米諸国も軒並み上昇する。ドイツが2040年には30％を超えると予想されており，老年人口の増加は先進地域全体の傾向である。

それに対してアジア地域では，2015年時点では前述のように老年人口比率が日本の半分以下で比較的低いが，今後，急激な増加期を迎え，2035年ごろには韓国やシンガポールは多くの欧米諸国を抜いて27％前後となり，その後，両国ともに2040～2045年に30％を超えると予測されている。また，中国も急増傾向がみられ，2060年には30％を超えると予想されている。

すなわち，65歳以上の老年人口の急激な増加は，日本および欧米諸国だけではなく，アジアの韓国やシンガポール，また中国も同じである。したがって，高齢化は日本だけでなくアジアを含めた世界の主要国・主要市場で進み，そのため世界規模で医療費は増大し，医療機器市場もそれに合わせて拡大し続けることになる。

▶ 国内の年齢別医療費と今後の推移見通し

- 生涯医療費の58％は，65歳以上の医療費。
- 今後毎年1.3～1.8兆円ずつ医療費は増加。

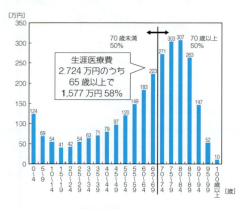

(a) 生涯医療費（男女計）2017年度推計

厚生労働省ホームページ，医療保険に関する基礎資料〈生涯医療費〉平成29年度より引用

(b) 国民医療費・後期高齢者医療費及び高齢者割合の見通し

出典：健康保険組合連合会資料，総務省「国勢調査」，日本の将来推計人口（平成29年推計，国立社会保障・人口問題研究所）をもとに作成

✓ 医療費に占める医療機器の割合は約7％。

次に，日本で65歳以上の老年人口が増加し，それに伴って医療費が増加することを

裏づけるデータとして，上図の左のグラフで年齢別の医療費推移，右のグラフで2010年度の実績および2015年度実績見込みと今後の予想をみてみる。

まず年齢別医療費をみてみると，ピークは80〜84歳で年間307万円，次いで75〜79歳で303万円，続いて70〜74歳で271万円である。さらに，65歳以降の医療費が1,577万円なので，生涯医療費2,724万円のうちの約58％となっている。

また，国民医療費の実績を2010年でみてみると37.4兆円である。2015年は42.3兆円であり，5年で5兆円弱の増加，2020年は48.8兆円，2025年は57.8兆円と推計されており，毎年約1.3〜1.8兆円ずつ増加することになる。

これを市場としてみると，日本で毎年1.3〜1.8兆円ずつ増加するような市場はほかになく，有望であることは間違いない。また，この傾向は日本だけではないことは前述のとおりである。なお，医療費に占める医療機器の割合は約7％となっている。

▶ 世界の医薬・医療機器関連市場の大枠

・医薬・医療機器関連市場の約1/4が医療機器市場。
・診断系機器と治療系機器に大別される。

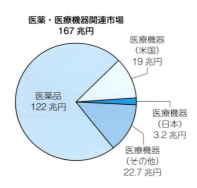
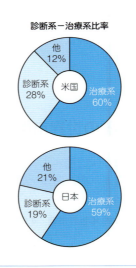

Fitch Solutions「Worldwide Medical Devices Market Forecasts 2020」などの資料をもとに作成

✓ 治療系医療機器は使い捨て（1回ごとに使う）が多く，規模は大きくなる。

2019年の医薬品を含めた世界の医薬・医療機器関連市場は大枠で167兆円で，医薬品の市場規模は医療機器の約2.7倍となっている。世界の医療機器市場は全体の約27％で，医薬品の世界市場は122兆円，医療機器が44.9兆円である。

また，その44.9兆円の医療機器市場の約42％が米国であり，米国の医療機器市場は19兆円規模である。日本は約7％で3.2兆円規模となるが，資料によっては円とドルの

換算レートにも影響され変動する。

　さらに，医療機器は大きく「診断系医療機器」と「治療系医療機器」に大別される。診断系医療機器で，その世界の市場規模は10.4兆円である。製品ジャンル別の市場規模の内訳は，心電計・超音波・MRIなど電気診断系が5.8兆円，CTスキャナー・その他医療用X線装置など放射線機器系2.4兆円，造影剤・X線用フィルムなど画像用パーツ・アクセサリー2.1兆円である。

　また，治療系医療機器の世界の市場規模は28.7兆円で，製品ジャンル別の内訳は，包帯・縫合材料など医用消耗品系が1位で7.3兆円，聴覚補助具・ペースメーカ・治療用呼吸装置など患者補助具系5.6兆円，人工関節など整形外科系5.3兆円である。加えて，その他の医療機器の市場規模は5.5兆円で，歯科用製品3.4兆円，眼科機器9,300億円などである。

　治療系の市場規模が大きい理由の1つは，治療系医療機器が使い捨て（1回ごとに使う）が多いからである。したがって一度購入するとしばらくは使い続けられる診断系よりはるかに数量が大きく，市場規模が大きくなる。

　なお，診断系医療機器と治療系医療機器の米国と日本の比率をみてみると，米国では治療系が60％であるのに対し，診断系が28％，その他が12％である。一方，日本では治療系が59％に対し，診断系が19％，その他が21％となっている（米国のデータを日本の分類に可能な限り合わせたが，出所が異なるため単純に比較はできず，数値は参考値）。

▶ 医療機器の世界市場と成長率予測

・世界市場4,043億ドル（2019年）。
・主要市場は米国，西ヨーロッパ，日本。
・今後アジアを中心に世界年率6.6％成長。

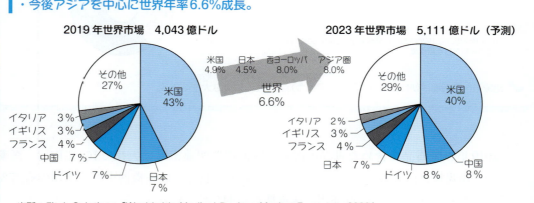

出所：Fitch Solutions「Worldwide Medical Devices Market Forecasts 2020」

✓ とくに中国・メキシコ・インドの成長が見込まれる。

2019年時点の医療機器の世界市場と成長率予測をFitch Solutionsの「Worldwide Medical Devices Market Forecasts 2020」からみてみる。

　2019年の世界市場は総額4,043億ドルで，そのうち米国43％，日本，ドイツ，中国がそれぞれ7％，フランスが4％，イギリスとイタリアが共に3％で，その他27％である。

　また，市場の成長予測は2019～2023年にかけて世界全体で年率6.6％と予測されており，とくにアジア，西ヨーロッパ圏の成長が8.0％と高くなるとしている（米国4.9％，日本4.5％）。

　その結果，2023年に世界の医療機器市場は5,111億ドルに達し，国別市場規模比率は米国40％，中国8％，ドイツ8％，日本7％，フランス4％，イギリス3％，イタリア2％となっている。

　この比率の変化をみてもわかるが，中国が伸び，その他，メキシコやインド，タイ，ベトナム，マレーシア，ポーランド，ノルウェーも大きく伸長すると予測されている。

　一方，2020年のCOVID-19（新型コロナウイルス）による重症者の増加により，体外診断装置，人工呼吸器などの需要が大幅に上昇し，こうした傾向は同様の感染症の出現に備えるため，継続すると考えられる。The Business Research Companyによると，2020年は世界各国政府のロックダウンによって，医療機器製造業界のサプライチェーンが妨げられた影響で市場は一時縮小するが，2021年からは年平均6.1％で回復・成長し，2023年には6,035億ドルに達すると予想。「Worldwide Medical Devices Market Forecasts 2020」の予想よりも高い成長になるとしている。また，KPMGにおいては，2030年には市場は8,000億ドル近くまで成長すると予測している。

日本の医療機器市場の推移と貿易収支推移

- 国内市場2.9兆円（2018年時点）。
- 過去5年で1,170億円増，年率0.8％成長。

[兆円]

年	市場規模	国内生産	輸入	輸出	貿易収支
2014年	2.79	1.99	1.37	0.57	-0.80
2015年	2.75	1.95	1.42	0.62	-0.80
2016年	2.89	1.91	1.56	0.58	-0.97
2017年	3.02	1.99	1.65	0.62	-1.03
2018年	2.90	1.95	1.62	0.67	-0.95

資料：薬事工業生産動態統計年報（2018年）

✓ 輸入超過は年約1兆円。

　上のグラフは，薬事工業生産動態統計年報（2018年）から「国内医療機器市場の推移と貿易収支推移」について2014〜2018年の5年間の実績を示したものである。

　このグラフから，2014年に2.79兆円の市場が2015年に2.75兆円に若干下がり，2016年に2.89兆円，2017年に3.02兆円と増加したが，2018年は2.90兆円へと減少している。中長期的に増加傾向を示しているが，伸びは2011〜2014年の5年間の総額3,600億円，年平均伸び率2.7％に比べ，1,170億円，0.8％と鈍化傾向となっている。

　また，各年度ごとの医療機器の国内の生産高と輸出高，および輸入高も示してある（先にあげた市場規模は，国内生産高に輸入高を加え，輸出高を引いた値）。

　さらに，各年ごとの貿易収支（輸入高から輸出高を引いた額）を示してあるが，毎年8,000億円〜1兆円の輸入超になっている。

　消費の原則からすると，消費地に近いところで生産し，消費地で使われるのが理想でもあり，また，日本国民の健康を守る医療機器を海外に頼ってよいのかという声もあるのが現状である。

日本の医療機器大分類別市場規模（2018年時点）

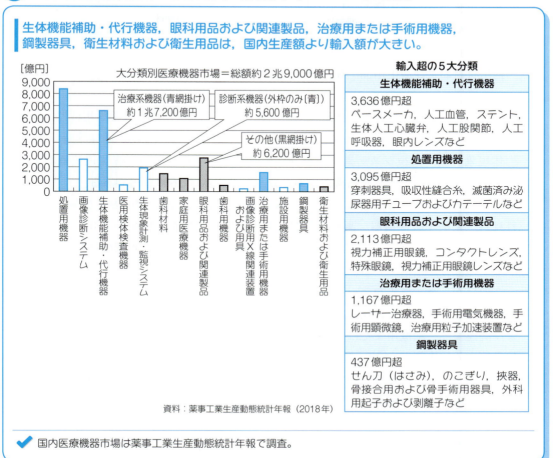

資料：薬事工業生産動態統計年報（2018年）

✓ 国内医療機器市場は薬事工業生産動態統計年報で調査。

　日本における医療機器の大分類別の医療機器市場規模を「薬事工業生産動態統計年報」（2018年）でみてみる。

　14大分類別の2018年の市場規模の内訳は以下のとおりである。

・処置用機器　8,388億円
・画像診断システム　2,620億円
・生体機能補助・代行機器　6,594億円
・生体現象計測・監視システム　1,918億円
・医用検体検査機器　521億円
・眼科用品および関連製品　2,750億円
・歯科材料　1,451億円
・家庭用医療機器　1,061億円
・画像診断用X線関連装置および用具　232億円

- 歯科用機器　509億円
- 治療用または手術用機器　1,572億円
- 施設用機器　342億円
- 鋼製器具　664億円
- 衛生材料および衛生用品　407億円

　このうち，処置用機器，生体機能補助・代行機器，治療用または手術用機器，鋼製器具が治療系機器にあたり，その総額は1兆7,200億円である。また，画像診断システム，生体現象計測・監視システム，医用検体検査機器，画像診断用X線関連装置および用具，施設用機器などが診断系機器にあたり，その総額は5,600億円である。

　さらに，診断系でも治療系でもないその他の区分には，眼科用品および関連製品，歯科材料，家庭用医療機器，歯科用機器，衛生材料および衛生用品が入り，総額は6,200億円である。「その他」という区分名ではあるが，医療機器市場総額の2兆9,000億円のかなりの部分を占めている。

　このほか，さまざまなデータを「薬事工業生産動態統計年報」から見つけ出すことができるので，現状把握に使うとよい。たとえば，生体機能補助・代行機器，眼科用品および関連製品，治療用または手術用機器，鋼製器具，衛生材料および衛生用品は，国内生産額より輸入額が大きいことなどもわかる。

　輸入超となっている5つの大分類に入る製品と輸入超の金額を以下に示す。

生体機能補助・代行機器：ペースメーカ，人工血管，ステント，生体人工心臓弁，人工股関節，人工呼吸器，眼内レンズなど　3,636億円

処置用機器：穿刺器具，吸収性縫合糸など　3,095億円

眼科用品および関連製品：視力補正用眼鏡，コンタクトレンズ，特殊眼鏡，視力補正用眼鏡レンズなど　2,113億円

治療用または手術用機器：レーザー治療器，手術用電気機器，手術用顕微鏡，治療用粒子加速装置など　1,167億円

鋼製器具：せん刀（はさみ），のこぎり，挟器，骨接合用および骨手術用器具，外科用起子および剥離子など　437億円

日本の医療機器の大分類別にみた強みと弱み

> 診断系医療機器は強く，とくに医用検体検査機器は生産の83％を輸出している。

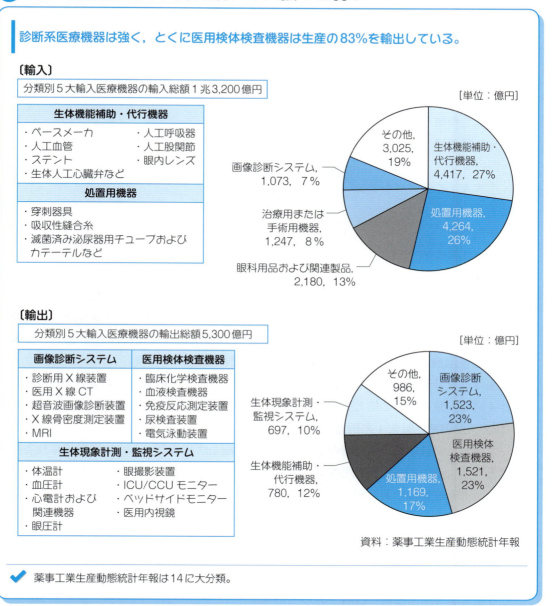

資料：薬事工業生産動態統計年報

✓ 薬事工業生産動態統計年報は14に大分類。

　さらに，「薬事工業生産動態統計年報」の14大分類のデータからみえてくる日本の医療機器の強み（輸出等）や弱み（輸入等）を分析してみる。
　大分類別でみた5大輸入医療機器は，生体機能補助・代行機器がトップで4,417億円（輸入総額1兆6,200億円の27％），続いて，輸入額2位処置用機器4,264億円（26％），3位眼科用品および関連製品2,180億円（13％），4位治療用または手術用機器1,247億円（8％），画像診断システム1,073億円（7％），その他3,025億円（19％）となってい

る。輸入イコール弱みと決めつけるのも短絡的だが，これに入る製品群は以下のとおりである。

生体機能補助・代行機器：
- ペースメーカ
- 人工血管
- ステント
- 人工股関節
- 人工呼吸器
- 眼内レンズ
- 生体人工心臓弁　など

処置用機器：
- 穿刺器具
- 吸収性縫合糸
- 滅菌済み泌尿器用チューブおよびカテーテル　など

　輸入を弱みとすれば輸出は強みとなるが，大分類別5大輸出医療機器は，1位画像診断システム1,523億円（輸出総額の23％）。2位医用検体検査機器1,521億円（23％），3位処置用機器1,169億円（17％），4位生体機能補助・代行機器780億円（12％），5位生体現象計測・監視システム697億円（10％），その他986億円（15％）である。3位と4位は，輸入超の2位と1位でもあり，全体の市場が大きいことがわかる。輸出総額は6,676億円で，毎年1兆円近い輸入超である。

　すなわち，日本の医療機器の強い分野は，診断系医療機器，とくに医用検体検査機器であり，生産の83％を輸出している。

　診断系医療機器の製品例を大分類別に以下に記載する。

画像診断システム：
- 診断用X線装置
- 医用X線CT
- 超音波画像診断装置
- X線骨密度測定装置，MRI　など

医用検体検査機器：
- 臨床化学検査機器
- 血液検査機器
- 免疫反応測定装置
- 尿検査装置
- 電気泳動装置　など

生体現象計測・監視システム：
・体温計
・血圧計
・心電計および関連機器
・眼圧計
・眼撮影装置
・ICU/CCUモニター
・ベッドサイドモニター
・医用内視鏡　など

1.2 医療機器業界

　多くの業界が存在し，それぞれ独自の文化・特色をもっている。したがって，他の業界から新規に医療機器業界に参入し，成果を上げるには，法規制や規格，また顧客のニーズ等を学ばなければならない。とくに重要なのが医療機器業界を知ること，溶け込むことであろう。業界を知り尽くし，業界に溶け込むことができれば，医療機器業界への参入に成功したことになる。異業種からの新規参入は「業界を知ることに始まり，業界を知ることで終わる」ともいえる。

　以下に，医療機器業界にはどのような企業があり，どのような特色があるのかをまとめる。

▶ 世界の医療機器メーカー，日本の医療機器メーカー

日本の医療機器メーカーの売上規模は世界の20位前後である。

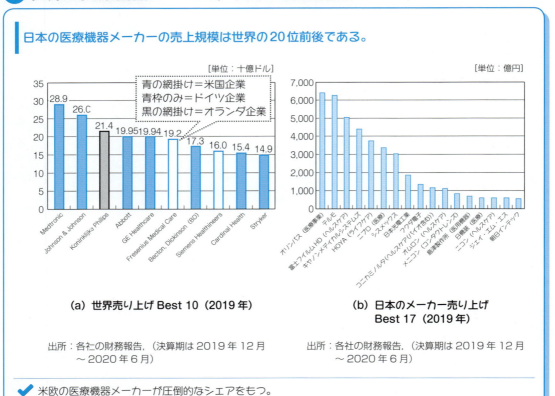

(a) 世界売り上げ Best 10（2019年）

出所：各社の財務報告．（決算期は2019年12月～2020年6月）

(b) 日本のメーカー売り上げ Best 17（2019年）

出所：各社の財務報告．（決算期は2019年12月～2020年6月）

✓ 米欧の医療機器メーカーが圧倒的なシェアをもつ。

先に，世界の医療機器市場の4割は米国にあり，それにヨーロッパが続くことを述べた。世界の医療機器メーカーを売上規模順に並べると前ページのグラフになる。これは各社の財務報告をもとにまとめた2019年の順位であるが，市場規模に沿うようにトップ10位のうち米国の企業が7社，ヨーロッパが3社となっている。

1位はメドトロニックで289億ドルである。主な製品は心臓ペースメーカで，世界で最初に電池式心臓ペースメーカを開発したEarl Bakkenが設立して以来，心臓ペースメーカで不動のNo.1企業である。その他，植込み型除細動器や脊髄疾患用機器などの製品がある。

また，2位は260億ドルのジョンソン・エンド・ジョンソンである。同社はバンドエイドや歯ブラシなども有名だが，世界に君臨する医療機器メーカーである。治療系の医療機器に特化し，手術用医療機器，硬性内視鏡および手術器具，人工股関節等の整形，バルーンカテーテル等の心臓内科など，ラインアップは幅広い。

さらに，3位はコーニンクレッカ・フィリップス（オランダ企業，214億ドル）で，同社は経営資源をヘルスケア，医療機器に集中し，X線撮影装置，CT，MRI，画像誘導治療，患者モニタリング，健康情報学分野，在宅治療分野など総合的なヘルスケアに関する製品とサービスを提供している。

続いて，4位はアボット（199億ドル）である。糖尿病治療関連製品，検査ソリューション，心疾患治療ソリューション，分子科学診療機器，リアルタイムPCR測定装置など，幅広く展開している。また，僅差で5位となったのが，GEヘルスケアで，199億ドルである。GEヘルスケアはX線装置などの診断系医療機器からスタートし，MRIや超音波診断装置のほか，パートナー企業とともに，人工知能の導入やデジタル画像処理の高速化，デジタル診断支援プラットフォームの開発など，新たなソリューションの展開に注力している。

以下，フレゼニウス・メディカルケア（192億ドル），ベクトン・ディッキンソン（173億ドル），シーメンス・ヘルシニアーズ（160億ドル），カーディナル・ヘルス（154億ドル），ストライカー（149億ドル）と続いている。

これに対して，日本の医療機器メーカーの2019年の順位は以下の順である。1位：オリンパス（医療事業部門），2位：テルモ，3位：富士フイルムホールディングス（ヘルスケア，2019年12月に日立製作所から画像診断機器事業を買収），4位：キヤノン（メディカルシステム），5位：HOYA（ライフケア部門），6位：ニプロ（医療部門），7位：シスメックス，8位：日本光電工業，9位：フクダ電子，10位：コニカミノルタ（ヘルスケア部門（バイオ含む）），11位：オムロン（ヘルスケア部門），12位：メニコン（コンタクトレンズ部門），13位：島津製作所（医用機器），14位：日機装（医療部門），15位：ニコン（ヘルスケア部門），16位：ジェイ・エム・エス，17位：朝日インテック。

ただし，決算期や公表時期の関係で2019年12月期，2020年3月期，同6月期など売上

高の時期にはズレがある。ここで掲載されている売上数値は大枠を捉えるための参考数値であり，今後変動する。日本の医療機器メーカーの規模は世界のトップ10には遠く，為替レートを考慮しても，国内トップメーカーでも世界では20位前後の売上規模の位置にある。

▶ 医療機器の製造販売業者，製造業者，修理業者の数

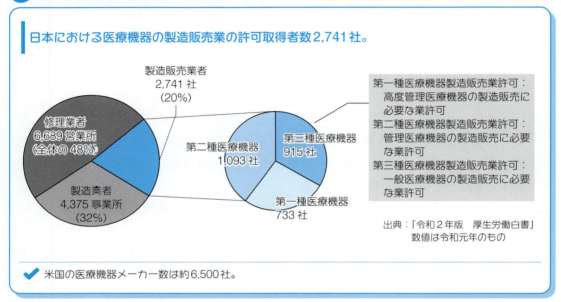

日本の医療機器の法規制については第3章で述べるが，日本で医療機器に関連した業を行う場合には，業種ごとに業許可を取らなければならない。

その業許可には「医療機器製造販売業許可」，「医療機器製造業登録」，「医療機器修理業許可」等があるが，ここではこの3つの業許可を受けた企業がどのくらいあるかを「令和2年版 厚生労働白書」より転記している。

いわゆる医療機器メーカー（たとえばオリンパス，テルモ）に相当する業許可が「医療機器製造販売業許可」で2,741社が取得している。

さらに，製造販売許可は医療機器の種類で第一種から第三種に分けられる。

第一種医療機器製造販売業許可：高度管理医療機器の製造販売に必要な業許可で733社
第二種医療機器製造販売業許可：管理医療機器の製造販売に必要な業許可で1,093社
第三種医療機器製造販売業許可：一般医療機器の製造販売に必要な業許可で915社

なお，これに相当する米国の医療機器メーカーは約6,500社といわれている。

また，医療機器製造販売業者の委託を受け，医療機器の製造を行うための登録が「医

療機器製造業登録」で，登録事業所数は4,375事業所である。さらに，医療機器の修理をするにも許可が必要だが，この許可数が6,689営業所である。

これを関連業界の企業数と比較してみると，医療機器業界の一端が垣間見える。

日本の医療機器製造販売業者の規模

国内の医療機器製造販売業者の52%は社員数100人以下。

(a) 年間売上別の会社数割合 (n=637)
(b) 従業員数別の会社数割合 (n=659)
(c) 資本金別の会社数割合 (n=659)

出典：厚生労働省，平成30年度医薬品・医療機器産業実態調査

✓ 米国では従業員数が100人未満の会社が86%。

　前述の2,741社の医療機器製造販売業者について，厚生労働省の2018年度の「医薬品・医療機器産業実態調査」によると，「年間売上別の会社数割合」で，会社数が一番多いのは年間売上1～10億円の243社，これは全体の38%にあたる。次が10～50億円の143社（22%），続いて5,000万円以下の109社（17%），50～100億円の46社（7%），100～500億円の45社（7%），5,000万～1億円の32社（5%），最後が年間の売上高500億円以上の19社（3%）となっている。

　また，製造販売業659社の「従業員数別の会社数割合」をみると，9人以下11%，10～49人28%，50～99人14%，100～299人19%，300～999人14%，1,000～2,999人8%，それ以上7%である。したがって，医療機器製造販売業者の半分以上の52%は，従業員100人以下の会社ということとなる。

　さらに，「資本金別の会社数割合」をみると，資本金1,000～5,000万円の会社は659社中232社で，これは全体の35%にあたる。5,000万～1億円123社（19%），1～3億円

72社（11％），3〜10億円71社（11％），10〜50億円49社（7％），50〜100億円23社（3％），100〜200億円17社（3％），200億円超39社（6％）である。なお，資本金1,000万円以下の会社も659社中33社で，5％に相当する。

これらのデータをみても医療機器製造販売業者の主な規模は資本金1,000〜5,000万円で従業員が50名以下，年間の売上高は1〜10億円となり，いわゆる中小企業が中心であることがわかる。

米国でも，ジョンソン・エンド・ジョンソンのような巨大企業もあるが，従業員数でいうと100人未満の医療機器メーカーが全体の86％を占めるというデータがあり，世界的にも医療機器メーカーの多くは中小企業であるといえる。

医療機器製造業者の生産規模と収支構造

- 規模が小さければ高付加価値に特化。
- 規模が大きければ販売効率による利益確保。

(a) 生産規模別医療機器製造所数（2018年）　　(b) 資本金別資本形態別損益計算（2012年度）

出典：厚生労働省「薬事工業生産動態統計調査」（2018年），「医薬品・医療機器産業実態調査」（2012年度）
医薬品・医療機器産業実態調査では，2013年度以降，外資系の損益計算を公表していないため，2012年度の数値を使用

✓ 製造業登録数4,375事業所に対し，製造実態は1,673事業所。

医療機器製造業者の生産規模と収支構造を厚生労働省の「薬事工業生産動態統計調査」（2018年）および「医薬品・医療機器産業実態調査」（2012年度）からみる。

まず，「生産規模別の医療機器製造所数」の対象となる製造所数が合計で1,673であり，これは前述の医療機器製造業登録済の製造所数4,375事業所と比べてかなり少ない。実情は，業許可をもっていても恒常的に生産をしていない事業所も多く，コンスタント

に生産しているのは1,600〜1,700事業所ぐらいなのかもしれない（厚生労働白書では，2018年の医療機器製造業登録数を未公表のため，2019年の登録数を参考値として比較）。

さて，「生産規模別医療機器製造所数」（2018年）をみると，月の生産金額が100万円未満の製造所は820であり，これは全体の49%で突出している。次に多いのは，月の生産金額が100万〜500万円未満の製造所数214（13%）である。その他，1,000万〜5,000万円未満の162（10%），1億〜5億円未満の158（9%），500万〜1,000万円未満の81（5%），5,000万〜1億円未満の71（4%），5億〜10億円未満の64（4%）となっている。また，月の生産金額が10億円以上の製造所は103であり，その割合は全体の6%である。

これに対して，「資本金別資本形態別損益計算」（2012年度）から，資本金1,000万円未満の規模の会社と資本金200億円以上の会社の損益計算（PL）比較，および内資系489社と外資系99社の損益計算（PL）を比較（資本金200億円以上のPLと内資系のPLはほぼ同じ数値）すると，前者の比較では売上原価が資本金1,000万円未満が75.2%（売上総利益24.8%）に対し，200億円以上が70.5%（29.5%），同じくSGA（販売費および一般管理費）が18.7%で営業利益が6.1%に対し，SGAが24.1%で営業利益が5.5%である。中小企業，大企業ともに原価の圧縮に苦しみ，売上原価が高くなっており，とくに中小企業では，その傾向が大きく，売上総利益も大企業に比べて低くなっている。ただし，SGAをできるだけ抑えることで，大企業より若干多くの営業利益を出していると推察できる。

また，内資系と外資系の比較で大きいのは売上原価で，外資系が59.1%と内資系の70.5%を大きく引き離している。SGAでは外資29.9%に対して内資24.1%であるにもかかわらず，営業利益が11.0%に対して5.5%と大差を生んでいる原因である。

外資系は市場が世界規模で大きく，生産原価に規模の原理が働いているが，日本では大企業でも世界の規模からするとまだまだ小さいためなのかもしれない。

医療機器事業は規模が小さい場合は高付加価値製品への特化によって売価を高めにする必要があり，規模が大きい場合は販売効率による利益確保，さらには市場を世界に広げ，数の原理に働きかける，という基本戦略がみえてくる。

第1章 医療機器市場と医療機器業界

▶ 製品ごとのメインプレーヤー

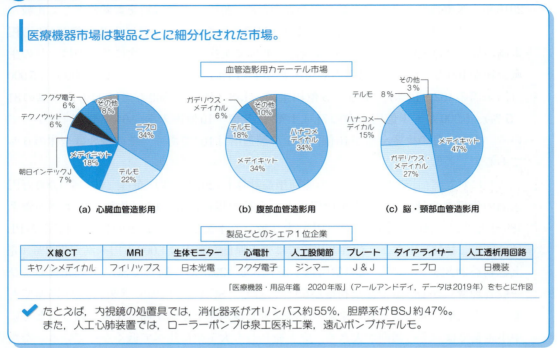

> 医療機器市場は製品ごとに細分化された市場。

✓ たとえば、内視鏡の処置具では、消化器系がオリンパス約55％、胆膵系がBSJ約47％。
また、人工心肺装置では、ローラーポンプは泉工医科工業、遠心ポンプがテルモ。

　電機業界等では、ある時点での各製品ジャンルごとの強者は決まっていて、たとえば小型テレビのシェアが高ければ大型テレビでも強いという傾向がある。

　一方、医療機器業界は他の業界と違う。たとえば、血管造影用カテーテルの市場でみてみると、心臓血管造影用ではニプロが首位で34％の占有率があるが、腹部血管造影用ではハナコメディカルが43％でトップシェアとなっている。一方、脳・頸部血管造影用ではメディキットが47％でシェアNo.1となっており、ハナコメディカルやテルモは追う立場だ。このように同じ血管造影用カテーテルでも部位によってプレーヤーの強弱が異なっている。

　また、内視鏡の処置具でも、消化器系はオリンパスが約55％で高いシェアを維持しているが、胆膵系はBSJ（ボストン・サイエンティフィックジャパン）の約47％がNo.1である。さらに、心臓系の手術などに使われる人工心肺装置では、ローラーポンプは泉工医科工業に対し、遠心ポンプはテルモがそれぞれトップ企業となっている。

　これらの例からもわかるように、医療機器市場の大きな特徴の1つが、製品ごとに細分化された市場であることで、医療機器メーカーの中心が中小企業規模であることと合わせて戦略を練る際、重要なポイントになっている。

　本図中、表にいくつかの製品のシェアNo.1企業名を『医療機器・用品年鑑 2020年版』から引用した。X線CTはキヤノンメディカルシステムズ、MRIはフィリップス、生体モニターは日本光電、心電計はフクダ電子、人工股関節はジンマー・バイオメッ

ト，プレートはJ＆J，ダイアライザーはニプロ，人工透析用回路は日機装となっている。

▶ 日本市場の医療機器メーカーと製品例

医療機器専門メーカー，医薬品会社の医療機器部門，および総合製造メーカーの医療材料・医療機器部門が存在。

企業名	主な製品
キヤノンメディカルシステムズ（旧東芝メディカルシステムズ）	診断用X線装置，医用X線CT装置，磁気共鳴画像診断装置（MRI）
オリンパス（医療事業）	内視鏡分野，処置具分野
テルモ	使い捨て医療器具，カテーテル，血液バッグ，人工心肺装置
富士フイルムホールディングス	経鼻内視鏡，MRI，X線CT，画像情報システム，超音波診断装置
ニプロ	ダイアライザー，透析監視システム，血液回路，人工心肺
GEヘルスケア	超音波画像診断装置，医用画像診断システム
シスメックス	臨床検査機器，血液検査装置，尿検査装置，遺伝子検査装置
日本光電工業	心電計，呼気分析器，筋電計，脳波計，AED
フクダ電子	心電図検査機器，人工呼吸機器，ホルスター心電計，植込み型心臓ペースメーカ
オムロン（ヘルスケア事業）	体組成計，血圧計，歩数計，体温計
旭化成メディカル	ダイアライザー（人工腎臓），血液浄化（アフェレシス）商品，輸血用白血球除去フィルター（セパセル）
HOYA（ライフケア事業）	医療用内視鏡，アパタイト製品，白内障治療用レンズ
島津製作所（医用機器事業）	X線TVシステム，PET，近赤外光イメージング装置
カネカ	血管内治療用カテーテル，吸着型血漿浄化器，胆管拡張バルーン
ジェイ・エム・エス	ダイアライザー，透析キット，処置用手袋，穿刺針，注射器
日機装（医療部門）	血液透析装置，ダイアライザー，透析用血液回路セット
川澄化学工業	ダイアライザー，血液バッグ，血液ろ過器，輸液セット

※医療機器の製品数は30万点以上。

出典：各社ホームページ

　医療機器の製品数は，分類の仕方でその数は異なるが一般的には全部で30万点以上といわれ，細かい分類では60万点といわれているので，医薬品の1万7,000点から比べると明らかに多いことは確かである。
　上表には主に日本市場の医療機器専門メーカーの主な製品を載せたが，ここに掲げた以外にも，医薬品会社の医療機器部門や総合製造メーカーの医療材料や医療機器部門が存在し医療機器業界の中でも影響力をもっている。さらに，規模の小さな会社だが市場に高く評価されている製品や評判の良い会社が多く存在することを強調しておく。

1.3 日本の病院の概要

　医療機器業界に参入する際，知っておかなければならないのがエンドユーザーである医療現場のことである。なぜなら，そこには常に既存の商品やサービスに対する不満があり，新しい需要があるからである。
　ここでは以降を読み進めるにあたり必要な医療現場の概要をまとめる。

▶ 日本の病院数と病床数

2019年現在の病院数8,300，病床数153万床。

出所：「令和元年医療施設（動態）調査・病院報告」

・病院の区分には，病床の種類での分類や，病院の機能で分ける方法がある。
・たとえば，機能分類だと，特定機能病院，地域医療支援病院，臨床研究中核病院，一般病院，診療所。

　まず医療機器の市場の1つである病院の数，およびその規模を表す病床数（ベッド数）をみる。
　「令和元年医療施設（動態）調査・病院報告」によると，2019年の病院数は8,300病院であり，ピークの1990年が10,096病院であったので，約30年で1,796病院減少したこととなる。一方，病床数はピークの1992年から約157,500床減り，2019年には約1,529,000床となっている。
　また，2019年時点での病床の種類と病床数をみると，病床の種類と数は，結核病床（4,370床），精神病床（326,666床），感染症病床（1,888床）のほかに，主に急性期の疾患を扱う一般病床（887,847床）と，主に慢性期の疾患を扱う療養病床（308,444床）の

5つがある。この病床の区分を通じて病院の機能の違いが明示され，各病床ごとの構造設備基準や人員基準が決められている。

さらに，機能分類があり，病床数400床以上の病院で，高度先端医療を提供でき，紹介率50％以上を維持している等の条件にも対応している厚生労働大臣が承認した病院である「特定機能病院」（2020年時点87施設，国立がん研究センター，国立循環器病研究センター，および慶應義塾大学病院など複数の大学病院），また，地域の病院や診療所などを後方支援する目的で医療機関の機能の役割分担と連携を担う「地域医療支援病院」がある。この「地域医療支援病院」は救急医療を提供する能力を有すること，病床数が200床以上であることが原則であり，さらに他の医療機関からの紹介患者数の比率が80％以上などの条件があり，都道府県知事によって承認される。

医療機器に対するニーズも個々の病院の病床数や機能で変わってくるので，基礎的な知識として覚えておくとよい。

▶ 日本の一般診療所の数と病床数

2009年から約3,000施設増え，近年は増加傾向。

有床一般診療所：6,644
病床総数 90,825床

無床一般診療所：95,972

加えて，
歯科診療所数 68,500
がある

出所：「令和元年医療施設（動態）調査・病院報告」

✓ ・無床または病床数19床以下の医療施設が一般診療所。
・20床以上，医師3名以上，およびその他の条件を満たすのが病院。

「一般診療所」（クリニック）と病院には法的な違いがあり，病床数19床以下の医療施設が「一般診療所」，病床数が20床以上で医師3名以上，薬剤師1名以上，さらに看護師数等の一定の条件を満たすものが「病院」である。

さらに，一般診療所も病床があるかないかで「有床一般診療所」と「無床一般診療所」に分かれ，前者は全国に6,644施設あり，病床総数は90,825床である。また，無床一般診療所は95,972施設ある。

すなわち，一般診療所の総数は2019年で102,616になる。なお，2009年から約3,000施設，1999年から約11,100施設増えており，近年は増加傾向にある。

この一般診療所も医療機器事業の大切な顧客である。このほかに忘れてはならないのが歯科診療所で，全国に68,500施設ある。

▶ 医療供給体制の国別比較

日本は医師32.7万人，看護職員121.9万人（2018年）。

	人口1,000人あたり（人）		100病床あたり（人）		平均入院日数（日）
	医師数	看護職員数	医師数	看護職員数	
日本	2.5	11.8	19.2	90.6	27.8
米国	2.6	11.9	91.5	417.0	6.1
イギリス	2.8	7.8	113.8	311.7	6.8
フランス	3.2	10.8	53.7	182.6	8.8
ドイツ	4.3	13.2	54.0	165.7	8.9

出典：OECD Health Data 2020，医師数，看護職員数は2018年，100病床あたりの人数を病院のベッド総数で割り，100を掛けた数値，平均入院日数は米国，ドイツが2017年，それ以外は2018年の数値

 人口あたりの医師の数，看護職員数ともに米国・EU諸国並みだが，100床あたりでは大幅に不足。

医療機器の事業を考える際，実際に医療機器を使う医師や看護職員の数をつかんでおくのも大切である。

厚生労働省によると，日本の医師数（届出数）は327,210人，看護職員数は1,218,606人である（2018年）。

また，各国の人口1,000人あたりの医師数は日本2.5人に対して，米国2.6人，イギリス2.8人，フランス3.2人，ドイツ4.3人，さらに看護職員は日本11.8人に対して，それぞれ11.9人，7.8人，10.8人，13.2人であるので，医師・看護職員の数は他の医療先進国の人口あたりで比較する範囲では違いが大きくない。

しかし，100床あたりでは日本は大きく引き離される。日本の医師数が19.2人・看護職員が90.6人に対し，米国，イギリス，フランス，ドイツの順で，それぞれ，91.5人・417.0人，113.8人・311.7人，53.7人・182.6人，54.0人・165.7人で，日本は圧倒的に少ない。

主な理由は，病院での入院日数であり，日本のそれが27.8日に対し，米国6.1日，イギリス6.8日，フランス8.8日，ドイツが8.9日と短く，これが100床あたりの数を押し

下げる要因となっている。

つまり，入院が長いからベッド数も多く必要で，医師も看護職員もより多く必要になっているのである。さらに，この入院日数が，一説では入院経費1日3万円ともいわれ，医療費全体を押し上げているので，国としても入院日数の欧米化を推進する立場にある。この辺にも医療機器事業の参入の戦略が隠れているようにも感じる。

▶ 医療施設の概要と施設関係者

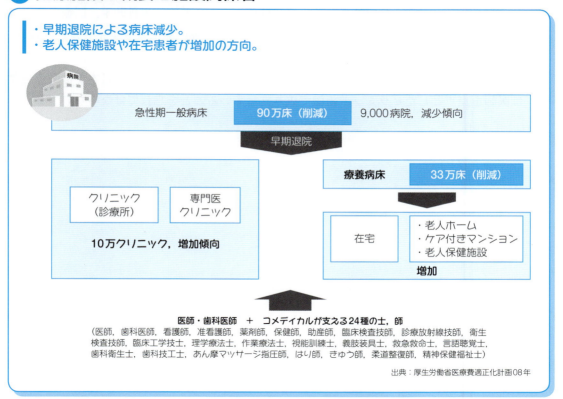

入院日数削減と病床数削減は「厚生労働省医療費適正化計画08年」にもうたわれていて医療機器事業の参入戦略立案においても重要である。

急性期病院のベッド数削減の受け皿は，主に一般診療所であり専門クリニックとなる。また，療養病床のそれは，在宅医療であり介護老人保健施設（老健）である。また，法的な立ち位置が老人福祉法であり老人保健法とは異なるが，老人ホーム，ケア付きマンション，特別養護老人ホーム（特養）なども，その一部である。

したがって，専門クリニックや在宅および老健が増えている。事業からみると医療から介護は一連の流れで，介護も見据える必要がある。

さらに，医療施設で働く人たちは医療機器事業の大切な顧客であるが，それは医師や

看護師だけではないことを強調しておく。医療の現場では実にさまざまな専門家が業務を分担して患者を支えているが，たとえば個人情報保護法の守秘義務が求められる医療関連専門職でも24ある。

すなわち，医師，歯科医師，看護師，准看護師，薬剤師，保健師，助産師，臨床検査技師，診療放射線技師，衛生検査技師，臨床工学技士，理学療法士，作業療法士，視能訓練士，義肢装具士，救急救命士，言語聴覚士，歯科衛生士，歯科技工士，あん摩マッサージ指圧師，はり師，きゅう師，柔道整復師，精神保健福祉士である。

これ以外にも，臨床心理士，管理栄養士，衛生管理者，社会福祉士，介護支援専門員（ケアマネジャー），介護福祉士，診療情報管理士，看護助手，歯科助手，医療事務などの医療従事者がいる。これらの医師・歯科医師を除く専門職はコメディカルと呼ばれ，医療を支える重要で欠かせない役割を担っている。

ただし，専門職でも医師の指示や監視が必要な業務が多く，とくに日本では医療施設は医師を頂点としたピラミッド組織で成り立っていることを忘れてはならない。

1.4 医療機器卸業

▶ 日本の医療機器卸の概要

- 医薬品卸と医療機器ディーラーの2つに分類。
- 商品紹介，受注，納品，売上回収，アフターケアの5つの機能。

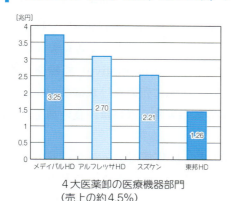

4大医薬卸の医療機器部門
（売上の約4.5%）

(a) 医薬品卸（医専系卸）売上（2020年）

地域色が強い医療機器ディーラーの
グループ化急進

(b) 医療機器ディーラー（器械系卸）売上（2020年）

※一部決算期，公表時期の関係で2019年の売上高を採用

- 物流管理でSPDを手がける。
- 医療経営コンサルが話題。
- 多くのMS（マーケティングスペシャリスト）を抱え，病院との長い関係が強み。
- 薬事対応品で供給責任を果たすこと，MR（メディカル リプレゼンタティブ）の組織化が期待されている。

　日本の医療機器卸の概要について触れておく。医療機器の卸は，最終顧客の病院や診療所との接点をもっている。

　メーカーからみたときの卸の役割は5つあり，「メーカーの商品の医療従事者へのPR，セールス機能」，「病院等からの受注機能」，「遅延なく，要求された商品を，要求された数だけ確実に届ける納品機能」，「売上金を回収する機能」そして「クレーム等の対応を含めたアフターケアの機能」である。

　対して，医療施設である病院からみると，病院の物流管理でもあり，医療機械の導入や維持・修理等の設備支援，病院の経営に関するコンサル支援等の機能ももっている。

　とくに物流管理では，SPD（Supply Processing & Distribution）を手がける卸も増えている。これは，医療材料，医薬品など，主に日常的に購入する物品の購買・供給・

搬送等を一元管理することを病院に代わって行うことを指しているが，さらに，物品の標準化，物流や業務の効率化，また購買管理，在庫管理，消費管理等をITなどで一元管理することにより，医療業務とこれらの業務を切り離し，病院は医療業務に専念できるようにする提案なども手がけている。

一方，卸から医療機器メーカーへの要望は，常に新しく改善された薬事対応品の医療機器の導入を求め，かついかなる場合でも製品の「供給責任を果たすこと」を強調している。これは，新規参入は一過性でなく，一度参入したらその業務をやり続けることに対する要望であり期待であるとともに，新規参入に対する不安の表明でもある。このことは，重く受けとめる必要がある。

さらに卸が強調するのが，「卸社内に多くのMS（Marketing Specialist）を抱え，日本全国の10万を超える医療施設との長い関係が強み」であり，これは新規参入の際には心強い。一方で医療機器メーカー側にMR（Medical Representative）組織をもたないと大きな事業になりづらいことも卸が指摘していて，頭に留めなければならない。

どちらにしても，ものづくりとして医療機器業界に参入する際には，良い卸を見つけることも成功の大きな要因である。

また，日本の医療機器関連の卸は，「医薬品卸」と「医療機器ディーラー」の2つに分類できる。前者は売上の95.5％が医薬品関連であるが，売上額が1〜3兆円を超えているので，医療機器でも大きな力をもっているし，社内に医療機器専門の部隊が組織化されている。この医薬品卸（医専系卸ともいう）はすでに4つの大きな組織に集約が進み，1位がメディパルHDで2017年の売上が約3兆640億円，2位がアルフレッサHDで約2兆5,500億円，3位がスズケンで約2兆1,300億円，それに東邦HDの約1兆3,100億円が続いている。対して，医療機器ディーラーは機械系卸ともいわれ，まさに現在，グループ化が進んでいる。医療機器ディーラーは地域の病院に密着しており，1病院1ディーラーともいわれる時代があったが，時代の流れで各地域を中心にまとまりつつあり，さらに全国展開を進めている。

1位は急激に売上が伸びたグリーンホスピタルサプライで，同社も属するシップヘルスケアホールディングス50社連結で4,085億円の売上，2位は三菱商事系で近年売上が急伸しているエム・シー・ヘルスケアで2,279億円の売上。3位のメディアスHDは群馬の栗原医療器械店と静岡の協和医科器械がグループ化し，1,584億円の売上，さらにムトウはもともと北海道の札幌を中心とした医療機器ディーラーだったが，いまでは1,254億円の売上で2017年では4位の規模である。続いて名古屋の八神製作所1,217億円，岡山のカワニシHD（1,015億円），神戸市の宮野医療器（990億円），東京のMMコーポレーション（796億円）と続いている。

なお，各売上は各社のホームページ等を参考にしたが，情報公開の違いやグループ化の影響で必ずしも同一の条件で比較できていないので，参考に留めてほしい。

第2章

医療機器事業
新規参入のポイントと特徴

　新規参入の事業の成否には，その市場を知るとともにその業界を深く理解することが重要な要素となる。

　そこで本章では医療機器業界の理解の一助として，他の業界から新規に参入する際まず理解してほしい，業界全体の特色を5つのポイントとして整理するとともに，医療機器を製品化する際の独特なプロセスや，日本で医療機器の事業を行う際，大きく関わる保険制度ならびに医療機器に係る関連行政機関等について簡潔にまとめる。

第2章　医療機器事業新規参入のポイントと特徴

2.1 新規参入のポイント

▶ ポイントⅠ：医療機器と法的規制とのかかわりの強さ

医療機器は法的規制とのかかわりが他業界より強い。

医療機器
- コンタクトレンズ
- 眼鏡
- 補聴器
- 体温計
- 血圧計
- 注射器
- 家庭用マッサージ器

見た目，構造などが同じでも，医療機器ではないことがある。

計測機器類
- 体重計
- 運動量計
- 気体・液体分析計

健康介護機器類
- 車いす
- 電動ベッド
- コルセット
- 杖
- 電動歯ブラシ
- 空気清浄機

法律で定められている

人若しくは動物の疾病の診断，治療若しくは予防に使用されることが目的とされている機械器具等であって，政令で定めるものをいう。

人若しくは動物の身体の構造若しくは機能に影響を及ぼすことが目的とされている機械器具等であって，政令で定めるものをいう。

- 医療機器にあたる製品，あたらない製品で参入の戦略が異なる。
- 医薬品医療機器等法，PL法，保険制度など，法をよく知る必要がある。

　どの業界にしても何かしらの法的規制があり，さらにコンプライアンス遵守は企業の社会的評価を高めるが，医療機器では法とのかかわりが他の業界よりはるかに強い。
　その理由は，基本的には人間の生死や心身の健康に直接かかわり，また，人間らしい生活や人生での幸福感にも関係するQOL（Quality of Life；クオリティ・オブ・ライフ）に，医療や医療機器が強く関わるからである。医療機器規制の三要素である，有効性，安全性および品質（維持）の概念も，まさにQOLに関係する概念でもある。
　まず，「何が医療機器で，何が医療機器でないか」を知らなければならない。
　たとえば，注射器や輸血装置は病院で使っているので誰でも医療機器だと思うし，普段，家庭で使っている体温計や血圧計も健康予防に使われているので医療機器といわれて納得する。一方，体重計や体組成計，運動量計は医療機器ではない。ところが，家庭用マッサージ器は医療機器である。また，気体・液体分析計は一般計測機器であり医療

機器ではないが，医用検体検査機器と構造や中身がよく似ている。見た目や構造などが同じでも，医療機器であるときとないときがある。

このような混乱を避け，明確に有効性，安全性や品質（維持）を規制するため，法律で医療機器を定義する必要があり，医薬品医療機器等法の第2条第4項にその定義が載っている。本図にもこの定義を2つに分解して記載している。また，第3章でさらに詳しく説明している。

定義でいう，「疾病の診断，治療若しくは予防に使用されることが目的とされている機械器具等であって，政令で定めるものをいう」，および「身体の構造若しくは機能に影響を及ぼすことが目的とされている機械器具等であって，政令で定めるものをいう」に基づけば，本図のコンタクトレンズ，眼鏡，補聴器，体温計，血圧計，注射器，家庭用マッサージ器などは「医療機器」になり，車いす，電動ベッド，コルセット，杖，電動歯ブラシ，空気清浄機などは「健康介護機器類，その他」であり，体重計，運動量計，気体・液体分析計などは，「計測機器類」とわかる。

医療機器と思い，法が要求することへの対応に投資したが，実は医療機器ではなく投資は必要なかったとか，医療機器とは思わず開発し，市場に出してから医薬品医療機器等法違反で罪になることがないようにしなければならない。

医療機器にあたる製品，あたらない製品で参入の戦略が異なるし，その他の基本戦略立案においても医薬品医療機器等法，PL法，また保険制度など，医療機器の関連法をよく知ることが必須である。

医療機器事業参入の基本戦略の1つ目のポイントが，医療機器関連の法を知ることである。

▶ポイントⅡ：医療機器関連の法と国際規格の関係

2つ目のポイントは医療機器と国際規格との関係を知ることである。国際規格とは，国際標準化機構（ISO）や国際電気標準会議（IEC）などで決められる規格のことである。法が求めている医療機器の有効性，安全性，品質（維持）を具体的に製品やサービスに落とし込むには，設計等に使える具体的な規格が必要になる。そのため，他の業界でも製品やサービスを開発する際，ISOやJIS規格を採用し，それを各社の品質基準とする場合は多い。しかし，医療機器の場合，規格が各国の法律にひもづかれて，規格を守ることが法的に求められている。

たとえば，品質マネジメントシステムの規格であるISO 9001を導入している企業は多いが，これは別に法で決められているから導入したのではなく，社会的な信用や自社の品質管理のレベルの高さをこの規格の準拠により示すなどの狙いからであろう（ISO 9001は任意規格）。

医療機器の場合は，品質マネジメントシステムのISO 13485に準拠することを法で要求している（厳密にいうと，ISO 13485をもとにつくられたQMS省令を守ることを要求している。詳細は第3章で述べる）。

このほか，有効性や安全性では，たとえばISO 14971のリスクマネジメントやIEC 62304の医療機器ソフトウェア，またIEC 62366，IEC 60601-1などの国際規格の多くが，さまざまな形で医療機器関連の法と結びつけられている。

したがって，医療機器業界に参入し，製品やサービスの開発・生産に携わるのであれば，これらの国際規格を十分理解することが不可欠である。さらに，規格は常に更新されるのでそのフォローも含めると容易なことではないが，国際規格の熟知は医療機器業界参入の大きなポイントであり，基本戦略である。

▶ ポイントⅢ：医療機器で使われる技術

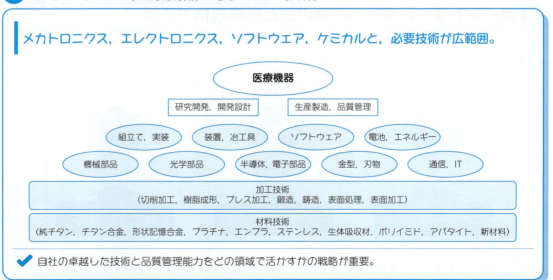

ポイントの3番目は技術である。医療機器に関連する技術の把握は，製造業者が医療機器事業に参入する際，自社技術の何をコアとして医療機器を開発するかの基本的な見きわめに必須である。

　上図には代表的な医療機器に関連する技術を載せた。まずベースの材料技術では，ステンレス，純チタン，チタン合金，形状記憶合金，プラチナなどの先端金属，エンプラ（エンジニアリング・プラスチック），生体吸収材，ポリイミド，アパタイト，新材料などの高分子材料やセラミック材料はいずれも医療現場では不可欠になっている。たとえばチタンは骨折時の整形の材料として汎用されているし，また冠動脈閉塞におけるステント治療ではステンレスや，最近では生体吸収材の使用も検討されている。

　また，加工技術の切削加工，樹脂成形，プレス加工，鍛造，鋳造，表面処理，表面加工もすでに汎用されており，たとえばテルモの"痛くない針"（マイクロテーパー針）は岡野工業のプレス加工によってつくられていることは有名である。加工技術をもった事業者が直接，医療機器を生産する動きも多くみられるようになった。

　図の円の部分は医療機器の製品を構成している代表的な要素技術と関連部品を表しているが，どれも現在の医療機器業界にとって不可欠なものとなっている。たとえば，「光学部品」は内視鏡等の技術として使われているし，「電池，エネルギー」技術は体内に医療機器を埋め込む際，欠かせない技術である。ソフトウェアやIT，また通信技術も医療機器の高度化にあいまって不可欠になっている。

　その上に記載した研究開発，開発設計，生産製造，品質管理の技術も，ポイントⅡの図で述べたように法とのひもづけから不可欠な，特別で重要な技術となっている。

　以上のとおり，現在の医療機器は，メカトロニクス，エレクトロニクス，ソフトウェア，ケミカルなど必要技術が広範囲で，材料技術，加工技術，部品および他の要素技術に，さらに開発や生産・品質管理などの技術も併せた集合体である。

　したがって，他社より優れた卓越した技術と品質管理能力が自社製品の差別化において不可欠で，それらの比較優位な資産を医療機器のどの領域で活かすかの戦略的見きわめが重要である。

ポイントⅣ：市場や業界の特性

顧客の希望を細かくつかみ，細かい対応が必要な，B to B の市場。

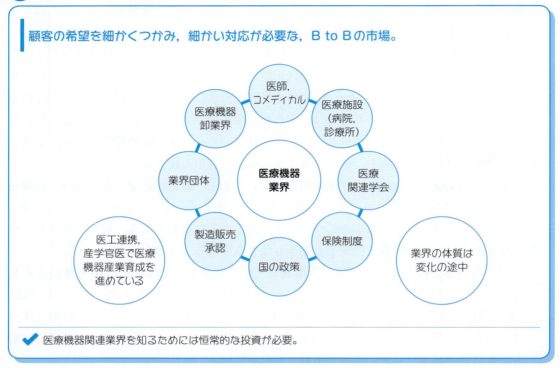

✓ 医療機器関連業界を知るためには恒常的な投資が必要。

　次に医療機器の市場や業界の特性をみてみる。

　医師やコメディカル，および医療施設ばかりでなく，医療関連の学会も新規参入に際し，重要である。学会に入り人脈をつくることを医療機器メーカーはよくやっているし，それが自社開発品に関係するキーの医師と知り合うきっかけともなる。一方で，情報や人脈を得る以上，企業側もそれなりの負担として人や技術の投資が必要なのはどこの世界も同じであるが，その重要性は他の業界よりはるかに高い。さらに，学会は保険適用の際も力を発する場合がある。なお，保険制度については2.3節で記載している。

　また，国の政策も医療機器事業に当然，大きく影響する。保険制度により医療機器の値段や治療費そのものが国によりコントロールされているし，また，医薬品医療機器等法等の法律そのものの変化が事業に大きく影響することからも，その影響力は他の産業の比ではない。

　なお，医療機器メーカーにとって国とのかかわりで最も重要となる医療機器の製造販売承認については，第3章の3.2節で詳しく説明している。

　一方，わが国は現在，医療機器を自動車や電子機器並みに大きな産業に育成する戦略を立てているところであり，新規参入企業にとっても大きなプラス要因である。筆者自身もかかわる医工連携推進に国の力が大きくかかわっているし，医工のみならず産学官医で医療機器産業育成を進めることが国の戦略である。したがって，国の戦略や政策に

目を配ることも，新たな事業の可能性を見出す機会となる．

続いて，業界団体との付き合いも重要である．以前は医療機器関連の分野ごとに存在し，個々の関連性は薄かったが，いまは関連分野21団体（会員企業約4,900社）で構成される日本医療機器産業連合会（医機連）ができ，業界をまとめている．医機連では，医療機器関連の講習会等も定期的に行っており，情報も集まるので加盟することを勧める．医機連加盟の21団体を表2.1にまとめるが，参入分野が決まったらそれらの関係団体に加盟するのもよい．

表2.1　医機連加盟21団体

（2020年6月現在）

団体名（略称）	主要取扱製品
（社）日本画像医療システム工業会（JIRA）	・診断用X線装置，X線CT装置，MR装置，X線フィルム ほか
（社）電子情報技術産業協会（JEITA）	・生体現象測定記録装置，映像検査装置，医療システム，超音波画像診断装置　ほか
（社）日本医療機器工業会（日医工）	・麻酔器，人工呼吸器，ペースメーカ，手術用メス等処置用機器，手術台等施設用機器　ほか
（社）日本医療機器テクノロジー協会（MTJAPAN）	・ディスポーザブル製品（注射器・カテーテル等），人工関節，人工骨・材料，人工腎臓装置，透析器，人工心肺，人工膵臓，人工血管，人工心臓弁　ほか
（社）日本医療機器販売業協会（医器販協）	・医療機器・医療用品販売業
（社）日本ホームヘルス機器協会（ホームヘルス）	・家庭用低周波治療器，家庭用電位治療器，家庭用吸入器，家庭用マッサージ器　ほか
（社）日本歯科商工協会（歯科商工）	・歯科器械，歯科材料，歯科用薬品（製造，輸入，流通事業）
（社）日本眼科医療機器協会（眼医器協）	・眼科用検査器械，眼科用手術器械　ほか
日本医用光学機器工業会（日医光）	・医用内視鏡，眼科機器　眼鏡レンズ，眼鏡機器　ほか
（社）日本分析機器工業会（分析工）	・臨床化学自動分析装置，血液検査装置，検体検査装置 ほか
（社）日本コンタクトレンズ協会（CL協会）	・コンタクトレンズ，コンタクトレンズ用ケア用品　ほか
日本理学療法機器工業会（日理機工）	・低周波治療器，温熱療法用機器，マッサージ器　牽引器 ほか
日本在宅医療福祉協会（日在協）	・在宅医療用具，介護機器，福祉機器　ほか
（社）日本補聴器工業会（日補工）	・補聴器
商工組合 日本医療機器協会（日医協）	・診察・診断用機器，ディスポーザブル用品，研究室用機器，医療機器・用具全般に関する情報提供，コンサル　ほか
（社）日本補聴器販売店協会（JHIDA）	・補聴器の販売業
（社）日本衛生材料工業連合会（日衛連）	・医療脱脂綿，医療ガーゼ，生理処理用タンポン，メディカル用ペーパーシーツ，救急絆創膏　ほか
日本医療用縫合糸協会（日縫協）	・医療用縫合糸，医療用針付縫合糸，医療用縫合針　ほか
日本コンドーム工業会（コンドーム工）	・男性用および女性用コンドーム
（社）日本医療機器ネットワーク協会（@MD-Net）	・医療機器業界EDI，トレーサビリティー
（社）日本臨床検査薬協会（臨薬協）	・体外診断用医薬品（臨床検査薬），検体検査に用いる機器，研究用試薬，OTC検査薬　ほか

さらに，医療機器卸業界であるが，医療機器を自社で製造販売するなら関連が必要な団体である．詳しくは2.4節にまとめた．

以上は，新規に医療機器業界に参入する企業にとって，またすでに業界に入りさらに拡大しようとしている企業にとっても重要な業界関係図である．

ただし，筆者の電気・電子業界の経験からすると，医療機器業界の体質はまだまだ発展の途中で，いままでに電気・電子業界や自動車業界が経験した変化がこれから起きようとしている業界でもある．これは新規参入企業が今まで培ってきた他業界での経験が有利に働くことも意味しているが，それにはまず現状の医療機器業界に溶け込むことと，中に入り業界をリードする覚悟も必要である．

医療機器業界は，顧客の希望を細かくつかみ，細かい対応が必要な，B to B（Business to Business；企業間取り引き）の市場で，医療機器関連業界を知るためには恒常的な投資が必要であることを強調しておく．

▶ ポイントⅤ：医療機器市場の要求

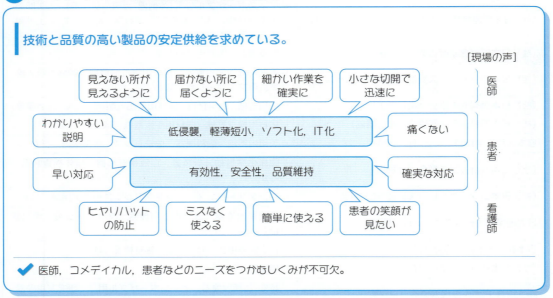

新規参入の5つ目のポイントである「市場の要求に応えること」は，事業で最も基本となるポイントである．事業の成功は現場にあり，現場の声にあり，顧客の要求に耳を傾ける真摯な態度と行動にあることは，どの業界でも同じである．上図に，医療の本質的な観点からの要求と，医療現場の要求と現場の声のほんの一部をまとめた．

市場の本質的な要求は，本当に医療の現場が求めている有効で安全で品質が常に維持されている医療機器を安定的に供給してほしいということである．有効性，安全性，品

質（維持）についてはいままでにも述べてきたが，さらに「医療機器の安定的供給」も重要である。

ただし，単に在庫を減らしたり物流の効率の改善を目指すサプライチェーンの構築ではなく，2011年の大震災レベルの災害でも医療機器を個々の医療機関に届けること，仮にサプライチェーンが寸断されても必要な医療機器を届けることがこの要求である。そのため現状の近代的なサプライチェーンをさらに発展し進化させないと，医療機器市場の要求に応えられない。

次に現場の要求だが，「低侵襲，軽薄短小，ソフト化，IT化」は現在の医療の方向性でもある。このような方向性を現場の声から実際の事例でつかめれば，成功はみえてくる。

上図の吹き出しには現場の声を立場別に4つずつ載せた。上段の4つが医師の声，中段が患者の声，下の段が看護師の声であるが，これはほんの一部の声であるはいうまでもない。

医師やコメディカル，また患者などのニーズを常に早くつかむしくみを会得することが成功の道であり，不可欠なポイントである。

▶ **医療機器事業への参入方法**

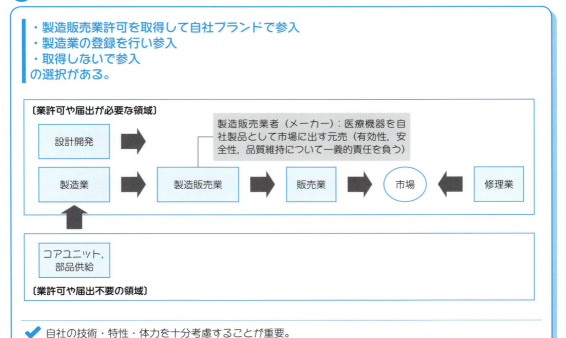

以上，5つのポイントをまとめた。以後の章でそれぞれ詳しく説明している。

本図は医療機器事業への参入方法を分類している。

法的な観点では，医療機器関連の業許可や届出を行って参入する方法と，業許可や届出をしないで参入する方法に分けられる。業許可には，いわゆる医療機器メーカー，たとえばニプロ，テルモ，オリンパスなどがこれにあたる医療機器製造販売業，また，医療機器販売業・貸与業と医療機器修理業の全部で3つがあり，それぞれに許可の要件がある。

とくに医療機器の製造販売業者は，医療機器を自社製品として市場に出す元売のことで，販売する医療機器の有効性，安全性や品質（維持）への一義的責任を負う立場であり，事業としてのベネフィットもリスクもともに大きい。また，販売業・貸与業や修理業はリスクの少ない参入方法だが，守らなければならない規制がある。

また，医療機器の設計開発や製造を受けもつ医療機器製造業には，登録が必要である。一方，製品に使われるユニットとして供給するなどの製造，また部品事業であれば，許可等は不要である。

ただし，どの方法を選択するにしても，先の5つのポイントを忘れてはならない。

とくに自社の技術力，特性や考え方，および体力を十分考慮することが重要である。

2.2 製品化プロセスの特徴

▶ 医療機器の製品化プロセス

医療機器の分類区分，承認審査上の区分でプロセスに違いがある。

非臨床試験 GLP → 臨床試験 治験 GCP → 薬事審査 承認／認証，届出 → 生産品質管理システム調査 QMS → 保険適用 C1，C2 → 市販後調査 GVP／GPSP

承認審査上の区分（申請区分）の名称	臨床
新医療機器等（再審あり）	あり
改良医療機器（再審なし）	あり
	なし
後発医療機器	なし

注）新／改良／後発区分は高度管理医療機器のみに存在するわけではない

クラス分類	法的分類区分	例
クラスⅠ	一般医療機器	・鋼製小物 ・X線フィルム
クラスⅡ	管理医療機器 指定管理医療機器	・MRI ・電子式血圧計 ・超音波診断装置
クラスⅢ	指定高度管理医療機器	・透析器 ・人工骨・関節
クラスⅣ	高度管理医療機器	・ペースメーカ ・人工心臓弁

 医療機器のリスク分類と市販に至るプロセスをよく理解する必要がある。

　どのような業界でも開発された製品やサービスで顧客のニーズに応えるのが事業の柱である。そのため製品やサービスを生み出すため独自の製品化プロセスを確立し，常に維持・発展させている。そのプロセスは業界ごとに特徴があるが，医療機器業界でも医療機器特有の製品化プロセスがある。

　また，医療機器には法的分類区分やリスクの区分（クラス分類）があり，その区分によっては承認申請または認証申請が必要になる。さらに，承認審査上の区分によっても，製品化のプロセスが異なる大きな特徴をもっている。

　まず，開発設計段階等において，「医療機器の安全性に関する非臨床試験の実施の基準に関する省令」（GLP〔Good Laboratory Practice〕省令）に適合した「非臨床試験」を要求される製品がある。「非臨床試験」とは動物などを使って開発しようとする医療機器の安全性を試験することであり，GLP省令は医療機器の生物学的安全性の試験が正

しく行われるために組織や方法を定めている。これが他の業界との違いの1つである。

　次に，「新医療機器」や「改良医療機器」の一部では治験（人に対する有効性や安全性を確認する試験である臨床試験の試験成績に関する資料の収集を目的とする試験の実施）を要求される製品があることである。このときには，「医療機器の臨床試験の実施の基準に関する省令」（GCP〔Good Clinical Practice〕省令）の定めに基づき資料を用意しなければならない。つまり，「治験」を依頼する者，依頼を受ける者，実施する者はGCP省令を守らなければならない。また，各省令の審査を含めた薬事審査にかかる時間や費用も大きく，他業界からみて大きな違いとなっている。

　そして，医療機器の製造販売承認審査（薬事審査）を受けなければならない製品がある。電気・電子業界でも製品試験はあり，たとえばUL（Underwriters Laboratories Inc.）の認証等を得る場合はその審査を受けるが，これらが開発設計プロセスの1つに過ぎないのに対し，医療機器では「薬事審査」を出すに至ったこと，また「薬事審査」に合格することが，開発設計の終了を意味し，大きな製品化プロセス上の違いである。

　薬事承認（または認証）がとれれば生産がスタートできるが，医療機器の製造には，製造業者に対して，重要な規制として品質管理システムを定めた「医療機器及び体外診断用医薬品の製造管理及び品質管理の基準に関する省令」（QMS〔Quality Management System〕省令）がある。

　品質管理システムはISO 9001対応の企業も多いので理解しやすいが，QMS省令のほうが押しなべて要求事項が多い。したがって，すでにISO 9001に対応していたとしても，QMS省令に適合した新しいシステムが必要になる。

　さらに，生産が始まり製品ができてくるとすぐ市場に出せるのかというと，医療機器市場ではそうはいかない。日本には健康保険制度があり，基本的に医療用の医療機器であれば保険適用を受けないと事業にならないからである。自由診療もあるが，これに頼る市場はまだほとんどないのでやはり保険適用（収載）を受けなければならない。

　なお，詳しくは2.3節で述べるが，C1（新機能），C2（新機能・新技術）の評価を受けるには，開発の初期段階からの戦略的対応が必要である。

　加えて市販後の調査等もある。省令は「医薬品，医薬部外品，化粧品及び医療機器の製造販売後安全管理の基準に関する省令」（GVP〔Good Vigilance Practice〕省令）で，市販後の適正使用情報の収集，検討および安全確保措置を定めている。もう1つ，「医療機器の製造販売後の調査及び試験の実施の基準に関する省令」（GPSP〔Good Post-marketing Study Practice〕省令）があり，製造販売承認の再審査を要求される新医療機器等の再審査，再評価資料の収集・作成のために実施する試験，調査を定めている。他の業界も市販後のデータは大切にしているが，法で規制している業界は少ない。

　なお，前ページの図のとおり，医療機器のクラス分類や法的分類区分，また医療機器の承認審査上の区分によって，製品化のプロセス要求が異なる。その違いをよく理解し医療機器分野を決めることが重要である。

▶ 医療機器の製品化プロセス I

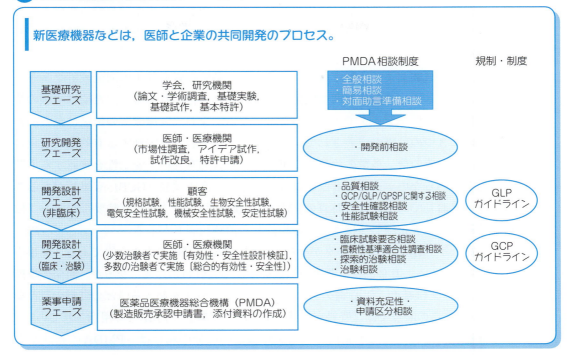

　申請区分が新医療機器の区分になる医用電気（ME）機器を例に，標準的製品化プロセスをみてみる。

　まず「基礎研究（R&D）フェーズ」であるが，学会や他の研究機関，また医師や医療機関とも関係しながら，論文・学術調査，基礎実験，基礎試作などの探索や基礎アイデア出しを行う。ここで基本特許が出せれば，事業としても大いに期待できる。

　次におおよその方向性を定めて，「研究開発フェーズ」に入る。このフェーズでは，基礎研究（R&D）フェーズの成果と関連のある有力な医師や医療機関との関係を構築し，その医師や医療機関との共同開発のプロセスの構築を目指す。ここで築いた有力なドクターとの共同開発の関係は，その後の治験および薬事審査，また保険収載の際にも大きく影響する。最終的に意図した製品が完成することが前提であるが，このフェーズで有力なドクターを見つけ出せるかが開発成功の鍵といっても過言ではない。そのほか，このフェーズでは，市場性調査，アイデア試作，試作改良等，および特許申請も重要である。また，この時点から薬事申請の準備をスタートしておく必要がある。薬事審査を行う独立行政法人 医薬品医療機器総合機構（PMDA）でも「全般相談」，「簡易相談」，「対面助言準備相談」や「開発前相談」を行っている。

　続いて，いよいよ具体的な「製品仕様」を顧客の要求事項やいままでのフェーズからのアウトプットにより固めて，具体的な製品化を進める「開発設計フェーズ」に入る。ここで特筆しなければならないのが前述した非臨床試験である。非臨床試験は医療機器

の主に安全性を試験する目的で行うが，規格試験，性能試験，生物学的安全性試験，電気安全性試験，機械安全性試験，安定性試験など，必要な項目の確認を怠ってはならない。PMDAでも「品質相談」，「GCP/GLP/GPSPに関する相談」，「安全性確認相談」や「性能試験相談」を実施している。

　そして，臨床試験および治験を行い，薬事申請に必要な資料収集の開発設計フェーズに入る。治験は，所定の医療機関で医師の指導のもとに行われるので，企業は治験の結果の有効性や安全性をデータで確認することとなる。なお，医療機器の治験は医薬品のように明確に3つの段階が定義されていないが，少数治験者で実施する有効性・安全性の設計検証と，その後，多数の治験者で実施し，総合的有効性・安全性を確認する手順は医薬品と変わらない。また，非臨床試験（GLP）も臨床試験（GCP）も規制があることは前述のとおりである。この時点のPMDA相談制度では，「臨床試験要否相談」，「信頼性基準適合性調査相談」，「探索的治験相談」，「治験相談」がある。

　治験が終わり，期待されたデータがそろうと医療機器開発の最大の山場である「薬事申請フェーズ」に入る。具体的には薬事製造販売承認申請資料の作成になるが，開発の規模が大きな，たとえば補助人工心臓クラスになると，人の背丈を超えるほどの資料の量となることもある。この時点では「資料充足性・申請区分相談」がPMDAで用意されている。

　医療機器の製品化，特に申請区分が新医療機器の区分の場合は，PMDAの相談制度を使い相談しながら進めることが肝要である。なお，PMDAの各相談の概要を，第3章3.4節の3.4.2「承認とそのプロセス」で説明する。

▶ 医療機器の製品化プロセスⅡ

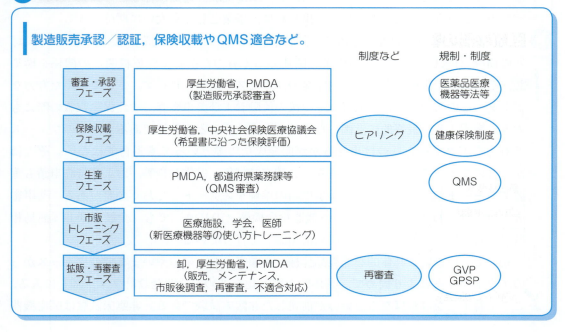

厚生労働省とPMDAによる製造販売承認審査を通ると，開発設計は終わりとする習慣がある。しかし，生産移管を正しく行うことが「生産フェーズ」に入る際のQMSの要求事項でもあるので，まだまだ手は抜けない。

　生産フェーズでは，前述のQMS適合性調査等があり，この担当はPMDAになる。この詳細は第3章3.4節の3.4.4項で述べる。

　さらに，日本の医療機器事業としては「保険収載フェーズ」が重要である。これには，「保険適用の希望書」を厚生労働省の窓口に提出する。その後，中央社会保険医療協議会（中医協）の承認を経て，医療機器個々の点数が決まる。詳しくは次の2.3節で述べるが，医療機器は薬剤と違い，1つひとつに保険点数が付くのではなく基本的には技術料に包括される。ただし，「特定保険医療材料」に評価されると個々に点数（1点10円）が付く。企業としては少しでも高い点数が付くと事業の採算に有利になる。そのために，別の戦略も必要である。なお，保険収載フェーズは市販前に完了していればよい。

　「市販トレーニングフェーズ」も最近とくに注目されてきた。それだけ医療機器が高度化してきて，購入後すぐに使える医療機器よりも，何らかのトレーニングが必要な医療機器が増えてきた結果でもある。トレーニング実施は医療施設・学会や個々の医師の要望でもあり，顧客の抱え込みにもつながるので，企業からすると必要な投資である。

　最後が「拡販・再審査フェーズ」であり，市販後のGVP対応，GPSP対応は前述のとおりである。とくに新医療機器は販売後，一定の期間にわたって市場で使用後，その結果によって本承認が決定するので，真の開発プロセスの終了はこのときともいえる。

　さらに，医療機器でもメンテナンスは重要で，定期的な保守点検が法的に要求されているものもある。詳細は第3章3.3節の3.3.5項で述べる。

▶ 医療機器の審査期間と費用，および開発期間

臨床試験，GLP下の非臨床試験，承認基準などの有無が開発期間に大きく影響する。

厚生労働省の総審査期間の数値目標値（中央値）

申請区分		審査期間目標値 ［単位：月］			審査費用 ［単位：万円］
		2011年	2012年	2013〜 2023年	審査費用： クラスIV（クラスII・III）
新医療機器	通常	20	17	14	1,643.13 (1,172.7)
改良医療機器	臨床あり	14	12	10	938.14　(561.88)
	臨床なし	10	9	6	299.12　(179.05)
後発医療機器 （基準あり）	指定管理医療機器 を除く	5	4	4	54.5　　(43.7)

（出所：独立行政法人 医薬品医療機器総合機構（PMDA）ホームページ）

 規制下での開発は，ME系の指定管理医療機器でも他業界の1.5倍から2倍かかる。

医療機器の製品化プロセスの特徴の1つである「審査期間と費用，および開発期間」について簡単に触れる。

薬事申請の期間について，よく「デバイスラグ」と表現され，米国と比較して遅いことがクローズアップされている。これは医療機器の国際競争力にも影響するので，厚生労働省やPMDAも審査の3部制を敷いたり審査員の増強を図り，改善を続けている。

図中の表は，総審査期間の数値目標値（中央値）である。

2013～2023年の目標値が「新医療機器」で通常（優先もある）14カ月，改良医療機器（臨床あり）で10カ月，（臨床なし）で6カ月，後発医療機器（基準あり）で4カ月となっている。

また，管理医療機器クラスⅡで指定管理医療機器となっている医療機器（一部高度管理医療機器を含む）は，PMDAではなく登録認証機関で認証審査が行われる。その期間は経験からすると2カ月以内で完了（製品による）していた。今後，後発医療機器（基準あり）の医療機器は，登録認証機関による承認認証行為に変わるようなので，総審査期間はさらに早まることが予想される。

以上でわかるように，臨床試験やGLP下の非臨床試験が要求される医療機器，また承認基準などのない医療機器は，開発期間が長い。前ページの表には審査費用の一部を載せているが，長い開発期間は当然トータルでも大きな投資になる。

以上，簡単に開発期間について触れたが，筆者の他の業界経験からすると医薬品医療機器等法等の規制下での開発期間は，ME系の指定管理医療機器でも他業界の基準の1.5倍から2倍になる印象である。

2.3 日本の保険制度と医療機器

　日本国内で医療機器の事業を行うには，日本の医療保険制度のしくみをよく理解し，その制度の中で事業の戦略を練り，それらを実行していかなければならない。

　このことは，私たちの普段の生活の中に医療保険制度が根づいていることからも，肌感覚で理解できるであろう。その一方，患者として医療サービスに接する際に感じる医療と医薬品との密接な関係と比べると，医療機器との関係は薄いことに改めて気づく。

　医療機器事業の特徴を整理する中で，日本の保険制度と医療機器の関連を正しく理解することは，医療機器事業を進めるにあたって不可欠な要素である。

▶ 日本の医療保険制度

日本の医療保険制度は全国民を公的医療保険で保障する国民皆保険制度。
全国民が医療機関を自由に選べる。

医療保険制度体系

後期高齢者医療制度（1,800万人，16兆円）			
前期高齢者財政調整制度（1,680万人，7兆円）			
国民健康保険 (都道府県・市町村国保等) 〔自営業，年金生活者，非正規雇用者等，3,170万人〕	協会健康保険 (健保協会) 〔中小企業の従業員，4,070万人〕	組合健康保険 (健保組合) 〔大企業の従業員，2,830万人〕	共済組合 (共済組合) 〔公務員，850万人〕
国民健康保険	健康保険		共済組合
9兆円	6兆円	5兆円	

医療保険給付内容（法定給付）

法定給付	医療給付	・現物給付（療養の給付 ＝ 医療機器に関連した給付） ・現金給付 ＝ 高額療養費等
	現金給付	・傷病手当金 ・葬儀費，埋葬料 ・出産手当金，出産育児一時金等

出所：厚生労働省基礎資料（令和元年2月27日）。加入者数，金額は令和元年予算ベースの数値

✓ 厚生労働省が認めた医療機関，認めた医療メニューによる現物給付。

日本の医療保険制度の大きな特徴は国民皆保険制度だということである。これは全国民が必要なときに，どこにいても医療機関を自由に選べ，安価で良質な医療を受けられることを公的医療保険で保障するしくみである。日本は世界と比較しても高い平均寿命を維持し，高度な医療水準をもてているが，この制度のおかげともいわれる。

　上図は医療保険制度の体系図で，厚生労働省基礎資料（令和元年2月27日）にある図を引用したものだが，日本の医療保険制度の体系はここにあるように大きく2つの種類に分けられる。

　その1つが，75歳以上の約1,800万人を対象とした後期高齢者医療制度である。もう1つが，いわゆる医療保険で，これはさらに4つに分かれる。1つが自営業，年金生活者，非正規雇用者等を被保険者，市町村が保険者として運営する「国民健康保険」である。この被保険者数は約3,170万人（2019年度予算ベース，以下同）で給付の総額が約9兆円である。2つ目は中小企業の従業員を対象とし，全国健康保険協会が運営する「全国健康保険協会管掌健康保険（協会けんぽ健康保険）」で，被保険者は約4,070万人，給付額は約6兆円である。3つ目は大企業の従業員約2,830万人を対象に各健康保険組合が保険者として運営している「組合健康保険」，さらに4つ目は各種共済組合が保険者となり，主に国家公務員や地方公務員または私学教員，計約850万人を対象としている「共済組合（保険）」である。なお，組合健康保険と共済組合の給付金は約5兆円である。

　この保険給付は主に法定給付であり，「医療給付」と「現金給付」に分かれる。「医療給付」は，さらに2つに分かれ，「現物給付」と「現金給付」がある。「現金給付」は，傷病手当金，葬儀費，埋葬料，出産手当金や出産育児一時金等で，それぞれの状況において一定の条件下で現金給付される。

　以下で主に取り上げる医療や医療機器に関連した給付である「療養の給付」は，「現物給付」である。患者が医療現場から受ける診断や治療等のサービスのことを現物といっている。なお，「現金給付」の例は「高額療養費の給付」がある。

　すなわち，医療保険制度とは，厚生労働省が認めた医療機関だけに，認めた医療メニューの範囲で行う，医療サービスの現物給付ともいえる。

▶ 診療報酬制度

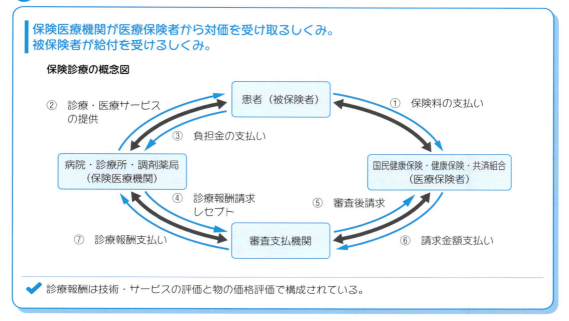

保険医療機関が医療保険者から対価を受け取るしくみ。
被保険者が給付を受けるしくみ。

診療報酬は技術・サービスの評価と物の価格評価で構成されている。

　病院・診療所または調剤薬局などの「保険医療機関」が，国民健康保険，健康保険や共済組合等の「医療保険者」から対価を受け取るしくみ，および患者であり，保険金を支払う「被保険者」が医療行為等のサービスの「給付」を受けるしくみをまとめた。

　図の番号に沿って，①で「被保険者」が月々決められる保険料を加盟している「医療保険者」に支払う。②では，医療機関である「保険医療機関」により「被保険者」が病気などでサービスが必要になったとき，その診療・医療サービスを提供する。その際，「被保険者」はそのサービスへの対価として，その一部を負担金として支払うのが③である。なお，その際受ける給付の率は年齢や制度によって異なる。さらに，④で医療行為を行った「保険医療機関」はその診療内容によって決められた点数を診療報酬請求（レセプト）として「審査支払機関」に請求する。

　続いて，⑤において「審査支払機関」で審査確認された診療報酬額が「医療保険者」に請求され，それに沿って⑥で請求金額が支払われる。なお，「医療保険者」には「被保険者」からの保険料のほかに税金で公費負担がなされている。最後に「医療保険者」から請求に沿って支払われた請求金額は，⑦で，「審査支払機関」を通して「保険医療機関」に支払われる。これが「診療報酬制度」の骨格である。

▶ 医療給付の構成

> 医療給付は療養給付（現物給付）と現金給付で構成される。

療養の給付の範囲
① 診察
② 薬剤または治療材料の支給
③ 処置，手術，その他の治療
④ 在宅で療養する上での管理，その療養のための世話，その他の看護
⑤ 病院／診療所への入院，その療養のための世話，その他の看護

給付の費用の決定（厚生労働大臣）
・出来高払い方式（診療報酬点数表）：給付費用の決定方法の基本
・包括的診療報酬制度（DPC：Diagnosis Procedure Combination）

診療報酬点数表（診療項目＋報酬額）
・初・再診料　　・注射
・入院基本料　　・処置
・入院基本料等加算　・手術
・検査　　　　　・在宅医療
・画像診断　　　・医学管理等
・投薬

（1点＝10円）※ ほかDPC点数表等。

薬剤料：薬価基準
材料費：材料価格基準（制度）
＝
特定保険医療材料
（機能区分を定め，その機能区分ごとの基準材料価格）

✓ 材料価格基準は，医療保険から保険医療機関や保険薬局に支払われる際の特定保険医療材料の価格を定めたもの。基本2年に1回の改定は医療機器の事業にも大きな影響を与える。

　医療給付は「現物給付」の「療養給付」と「現金給付」で構成されることはすでに述べたが，ここでは「療養給付」をもう少し掘り下げてみる。

　まず給付が受けられる「療養の給付の範囲」であるが，①診察，②薬剤または治療材料の支給，③処置，手術，その他の治療，④在宅で療養する上での管理，その療養のための世話，その他の看護，⑤病院／診療所への入院，その療養のための世話，その他の看護である。

　そして，医療機器事業からみても重要な「給付の費用」は，厚生労働大臣が中央社会保険医療協議会（中医協）に諮問し，その結果を受け，厚生労働大臣が決めることとなっている。この決定により「診療報酬点数表」が更新されるが，この「診療報酬点数表」はどのような診療項目を保険給付対象として認め，その額はいくらかを表した表で，「診療項目」およびその「報酬額」（点数，1点＝10円）で構成されている。したがって，この基本2年に1回行われる諮問による「診療報酬点数表」の更新は，医療機器の事業に直接大きな影響を与える。

　「診療報酬点数表」で認められている医療行為には，初診料，再診料，入院基本料，入院基本料等加算，検査，画像診断，投薬，注射，処置，手術，在宅医療，医学管理等

がある。また，認められ実施された医療行為の各診療項目の点数を合計して，トータルの診療報酬を決めるのが「出来高払い」の制度といわれ日本の医療給付費用の決定の基本だが，これとは別に，包括的診療報酬制度がある。このための「DPC点数表」も「診療報酬点数表」の1つである。DPC（Diagnosis Procedure Combination）とは診断群分類包括評価で，診断群分類に基づいて評価される入院1日あたりの「定額支払い制度」（実際は，定額部分と出来高の部分を組み合わせ計算する方式）のことであり，対象は一定の手続きをしたDPC対象病院（2020年4月1日時点で1,757病院）である。

医療機器の費用は，基本的には医薬品のように薬価基準での医薬品に点数が付いているのとは違い，医療機器では一定のルールに基づき限られた医療機器にのみ点数（値段）が付いているのが特徴である。そのほかの医療機器は診療報酬項目において診療技術料に包括される。認められた限られた医療機器は，医療材料価格として「材料価格基準（特定保険医療材料及びその材料価格）」に載る。これらは，医療機器の保険適用決定区分のB区分（次項で説明）として「特定保険医療材料」と呼ばれるもので，機能区分ごとの基準材料価格が設定されている。したがって「材料価格基準」は医療保険から保険医療機関や保険薬局に支払われる際の「特定保険医療材料」の価格を定めたものと考えてよい。これも「診療報酬点数表」同様，基本2年に1回改定され，原則，陳腐化した医療機器の点数は漸次減点されるなど，この改定も医療機器事業に大きな影響を与える。

医療機器の保険適用

- クラスⅡ以上の医療機器の保険適用には申請が必要である。
- 保険適用を受けられなければ，その医療機器の市場は実質ない。

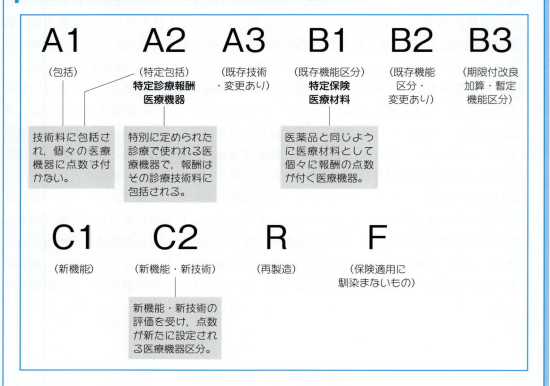

- 「特定診療報酬医療機器の定義等について」は，厚生労働省保険局医療課長通知保医発0305第11号（令和2年3月5日）で調べられる。
- 「特定保険医療材料」は令和2年厚生労働省告示第61号等で確認できる。

　医療機器を開発し，認証や承認を受けた医療機器がすぐに保険の医療現場で使われるかというと，そうではない。日本では国民皆保険制度により保険適用を受けないと事実上，事業は成り立たない。自由診療の市場はきわめて小さい。したがって保険適用を受けなければならないが，クラスⅠの医療機器は申請が免除されている。一方，クラスⅡ以上の医療機器は申請が必要である。

　医療機器の申請区分であり，その結果の決定区分がA1，A2，A3，B1，B2，B3，C1，C2，R，F（52ページで説明）である。主なものを説明すると，A1は「包括」といわれ，医療行為等の技術料に包括され，個々の医療機器に点数は付かない区分である。A2は「特定包括」といわれ，特別に定められた診療で使われる医療機器で，報酬は特定の診療技術料に包括もしくは加算される区分である。たとえば，インスリンの皮下持続注入などで，汎用の輸液ポンプやポータブルインスリン用輸液ポンプを使う場合

には，診療技術料に注入器加算が認められる。また，心電図検査で汎用の心電図計や多機能心電図計が使われる場合にも加算が認められる。このように，医療機器自体には材料としての点数は付かないが，その医療機器を特定して使う診療報酬項目がある医療機器を，「特定診療報酬医療機器」と呼んでいる。さらに，B1区分は「既存機能区分」といい，前図でも取り上げた「特定保険医療材料」を指している。これは医薬品と同じように医療材料として個々に報酬の点数が付く医療機器で，概念としては1回の治療で使い切る医療機器で，たとえば，ペースメーカなどが代表である。

　医療機器を開発する際，どの医療機器を開発すれば，日本でおよそいくらの金額で販売できるかは，類似の既存の医療機器がどの区分にあり，さらに，その医療機器がB1区分なら，「特定保険医療材料」を調べれば点数がわかる。また，A2区分の「特定診療報酬医療機器」にあたるかどうかは，「特定診療報酬医療機器の定義等について」で調べられる。ただし，告示等は基本的に2年に一度変更があるので，最新であることの確認が必要である。

　さらに，C1は「新機能」で，C2は「新機能・新技術」の区分である。C1は医療機器を用いた技術自体はすでに診療報酬項目として設定されているが，特定保険医療材料としての機能区分が設定されていない新機能の医療機器の区分であり，C2は技術料も特定保険医療材料機能区分も設定されていないため，新たな機能区分や新技術料を設定する必要があるものである。

医療機器の保険適用分類

医療機器の保険適用区分は10区分。
医政発0207第3号保発0207第4号「医療機器の保険適用等に関する取扱いについて」(令和2年2月7日)より

区分	定義	医療機器の例
A1（包括）	当該医療機器を用いた技術が，診療報酬の算定方法（平成20年厚生労働省告示第59号。以下「算定方法告示」という。）に掲げられている項目のいずれかによって評価され，保険診療で使用できるものであって，A2（特定包括）・A3（既存技術・変更あり）以外のもの（C1（新機能），C2（新機能・新技術）又はR（再製造）に相当しないもの）	縫合糸，滅菌済み注射器，電子体温計，電子血圧計，体液誘導チューブ
A2（特定包括）	当該医療機器を用いた技術が，算定方法告示に掲げられている項目のうち特定のものにおいて評価され，保険診療で使用できる別に定める特定診療報酬算定医療機器の区分のいずれかに該当するもの（C1（新機能），C2（新機能・新技術）又はR（再製造）に相当しないもの）	超音波白内障手術装置，人工呼吸器，高周波治療器，MRI装置，CT撮影装置，診断用X線装置，心電計
A3（既存技術・変更あり）	当該医療機器を用いた技術が，算定方法告示に掲げられている項目のいずれかによって評価されるが，算定にあたり定められている留意事項等に変更を伴うもの（C1（新機能），C2（新機能・新技術）又はR（再製造）に相当しないもの）	―
B1（既存機能区分）	当該医療機器が，特定保険医療材料及びその材料価格（以下「材料価格基準」という。）に掲げられている機能区分若しくは暫定機能区分のいずれかに該当するもの（C1（新機能），C2（新機能・新技術）又はR（再製造）に相当しないもの）	在宅中心静脈栄養用輸液セット，血管内超音波プローブ，気管内チューブ，ペースメーカ
B2（既存機能区分・変更あり）	当該医療機器が，材料価格基準に掲げられている機能区分若しくは暫定機能区分のいずれかにおいて評価されるが，機能区分の定義又は算定にあたり定められている留意事項等に変更を伴うもの（C1（新機能），C2（新機能・新技術）又はR（再製造）に相当しないもの）	―
B3（期限付改良加算・暫定機能区分）	当該医療機器を用いた技術は算定方法告示に掲げられている項目のいずれかによって評価されているが，材料価格基準において既存機能区分に対して期限付改良加算を付すことについて中央社会保険医療協議会（以下「中医協」という。）における審議が必要なもの（C1（新機能），C2（新機能・新技術）又はR（再製造）に相当しないもの）	―
C1（新機能）	当該医療機器を用いた技術は算定方法告示に掲げられている項目のいずれかによって評価されているが，中医協において材料価格基準における新たな機能区分の設定について審議が必要なもの（R（再製造）に相当しないもの）	薬剤溶出型ステント（DES）
C2（新機能・新技術）	当該医療機器（改良がなされた医療機器を含む。）を用いた技術が算定方法告示において，新たな技術料を設定し評価すべきものであって，中医協において保険適用の可否について審議が必要なもの	人工補助心臓
R（再製造）	当該再製造単回使用医療機器（以下「再製造品」という。）の原型医療機器が，材料価格基準に掲げられている機能区分又は暫定機能区分のいずれかに属するものであり，中医協において材料価格基準における新たな機能区分の設定について審議が必要なもの（C1（新機能），C2（新機能・新技術）に相当しないもの）	心臓電気生理学的検査用「再製ラッソー2515」
F	保険適用に馴染まないもの	先端医療等で見送り・時期尚早

医療機器の保険適用区分は申請時点では9区分であるが，審査決定では保険適用に馴染まないものとしての決定区分Fがあるので，全部で10区分となる。

それぞれ医政発0207第3号保発0207第4号「医療機器の保険適用等に関する取扱いについて」に正式な定義が記載されている。本通知は令和2年2月7日に出されたもので，最新情報に注意されたい。

A1（包括）：

当該医療機器を用いた技術が，診療報酬の算定方法（平成20年厚生労働省告示第59号。以下「算定方法告示」という。）に掲げられている項目のいずれかによって評価され，保険診療で使用できるものであって，A2（特定包括）・A3（既存技術・変更あり）以外のもの（C1（新機能），C2（新機能・新技術）又はR（再製造）に相当しないもの）。

A1に該当する医療機器の例としては，縫合糸，滅菌済み注射器，電子体温計，電子血圧計，体液誘導チューブなどがあげられる。

A2（特定包括）：

当該医療機器を用いた技術が，算定方法告示に掲げられている項目のうち特定のものにおいて評価され，保険診療で使用できる別に定める特定診療報酬算定医療機器の区分のいずれかに該当するもの（C1（新機能），C2（新機能・新技術）又はR（再製造）に相当しないもの）。

A2に該当する医療機器の例としては，超音波白内障手術装置，人工呼吸器，高周波治療器，MRI装置，CT撮影装置，診断用X線装置，心電計などがあげられる。

A3（既存技術・変更あり）：

当該医療機器を用いた技術が，算定方法告示に掲げられている項目のいずれかによって評価されるが，算定にあたり定められている留意事項等に変更を伴うもの（C1（新機能），C2（新機能・新技術）又はR（再製造）に相当しないもの）。

B1（既存機能区分）：

当該医療機器が，特定保険医療材料及びその材料価格（以下「材料価格基準」という。）に掲げられている機能区分若しくは暫定機能区分のいずれかに該当するもの（C1（新機能），C2（新機能・新技術）又はR（再製造）に相当しないもの）。

B1に該当する医療機器の例としては，在宅中心静脈栄養用輸液セット，血管内超音波プローブ，気管内チューブ，ペースメーカなどがあげられる。

B2（既存機能区分・変更あり）：

当該医療機器が，材料価格基準に掲げられている機能区分若しくは暫定機能区分のいずれかにおいて評価されるが，機能区分の定義又は算定にあたり定められている留意事項等に変更を伴うもの（C1（新機能），C2（新機能・新技術）又はR（再製造）に相当しないもの）。

B3（期限付改良加算・暫定機能区分）：
　当該医療機器を用いた技術は算定方法告示に掲げられている項目のいずれかによって評価されているが，材料価格基準において既存機能区分に対して期限付改良加算を付すことについて中央社会保険医療協議会（以下「中医協」という。）における審議が必要なもの（C1（新機能），C2（新機能・新技術）又はR（再製造）に相当しないもの）。

C1（新機能）：
　当該医療機器を用いた技術は算定方法告示に掲げられている項目のいずれかによって評価されているが，中医協において材料価格基準における新たな機能区分の設定について審議が必要なもの（R（再製造）に相当しないもの）で，例としては薬剤溶出型ステント（DES）がわかりやすい。

C2（新機能・新技術）：
　当該医療機器（改良がなされた医療機器を含む。）を用いた技術が算定方法告示において，新たな技術料を設定し評価すべきものであって，中医協において保険適用の可否について審議が必要なもの。例としては人口補助心臓があげられる。

R（再製造）：
　当該再製造単回使用医療機器（以下「再製造品」という。）の原型医療機器が，材料価格基準に掲げられている機能区分又は暫定機能区分のいずれかに属するものであり，中医協において材料価格基準における新たな機能区分の設定について審議が必要なもの（C1（新機能），C2（新機能・新技術）に相当しないもの）。
　Rに該当する例としては，不整脈の検査などで使われるカテーテル「再製ラッソー2515」などがあげられる。
　なお，ここに記載された例は，令和2年2月7日時点の例で，C1，C2は新機能・新技術の「新」の表記からもわかるように，改定時に見直される。

F：保険適用に馴染まないもの。

▶ 医療機器の保険適用審査の流れ

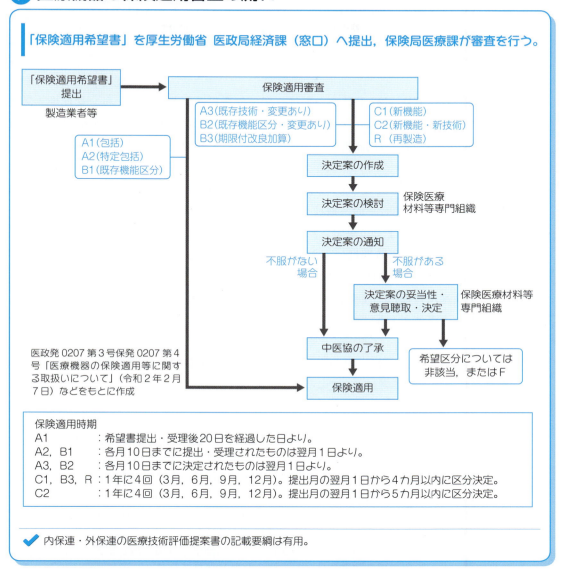

クラスⅡ以上の医療機器が保険適用を受けるには，承認や認証の取得後，クラスⅡ以上のすべてを対象とした「保険適用希望書」を厚生労働省の医政局経済課を窓口として提出し，保険局医療課で審査を受けることが必要となる。

A1，A2，B1の区分は定義に沿って，申請者が開発した医療機器がどの区分にあたるかを判断して申請すればよい。申請が受理されると審査が行われ，医療課により医療保険適用決定案が示され，これが申請者に通知され，不服がなければ決定通知がなされる。

審査の結果，非A1，非A2，非B1となる可能性もあるが，そのときは別区分として

あらためて再審査を受ける。

申請後，A1の場合，希望書提出後20日を経過した日より，A2とB1については各月10日までに提出されたものは翌月1日より適用を受けられる。

これからもわかるように，A1，A2，B1の申請は申請審議というよりは届出に近いといえる。

A3，B2，B3，C1，C2，Rについては，変更や新規性などの観点から，受理後「保険医療材料等専門組織」により審査される。その際，「保険適用希望書」を提出した申請者は，保険医療材料等専門組織に出席して1回だけ直接意見を主張できるが，それよりも事前相談やヒアリングでの主張が大切であることを知っておくべきである。また，保険適用希望書の記載方法として，内保連（内科系学会社会保険連合），外保連（外科系学会社会保険委員会連合）の医療技術評価提案書の記載要綱は有用である。

A3，B2は各月10月までに決定されたものは，翌月1日より適用を受けられる。一方，B3，C1，Rの保険適用時期は，1年に4回で，3月，6月，9月，12月が基準となっている。提出月の翌月1日から数えて4カ月以内に区分決定がなされる。

C2の保険適用時期は，1年に4回で，3月，6月，9月，12月が基準となっているのはC1などと基本的に同じであるが，提出月の翌月1日から数えて5カ月以内に区分決定がなされる。

加えてC1，C2の審議は，次の事項について保険医療材料等専門組織の専門的見地から検討されるので，参考にされたい。

> ア．決定区分C1（新機能），C2（新機能・新技術），B3（期限付改良加算・暫定機能区分）又はR（再製造）として希望のあった医療機器について，決定区分案の妥当性
> イ．類似機能区分の有無（類似機能区分比較方式か原価計算方式かの妥当性）
> ウ．類似機能区分選定の妥当性（暫定価格による保険償還を希望する場合を含む）
> エ．補正加算又は減額の適用の妥当性（補正加算の場合は加算要件への適否）
> オ．補正加算を期限付改良加算として適用する場合，その妥当性（加算要件への適否）
> カ．製品製造原価及び係数の妥当性（原価計算方式の場合）
> 　なお，保険医療材料等専門組織は，わが国への移転価格が外国価格と比較して高い場合等必要に応じ，保険適用希望者等に対し，輸入先国における価格の状況等の輸入原価の参考となる資料の提出を求めることができる。
> キ．当該再製造品の原型医療機器が属する機能区分及び再製造係数の妥当性（決定区分R（再製造）の場合）
> ク．価格調整における類似外国医療機器の選定の妥当性
> 　なお，保険医療材料等専門組織は，外国平均価格や各国の価格が大きく異なる場合等必要に応じ，保険適用希望者等に対し，販売実績などを含めた外国価格の参考となる資料の提出を求めることができる。
> ケ．新規の機能区分の定義の妥当性
> コ．当該医療機器を用いる技術が評価されている算定方法告示項目選定の妥当性（決定区分C1（新機能）の場合）

- サ．当該機能区分の基準年間販売額（決定区分C1（新機能），C2（新機能・新技術），又はR（再製造）の場合）
- シ．当該医療機器を用いる技術として準用する算定方法告示項目選定の妥当性及び両者の技術的相違点（決定区分C2（新機能・新技術）の場合）
- ス．当該医療機器を用いる技術を評価する技術料の見直しを検討する基準の設定（決定区分C2（新機能・新技術）の場合）
- セ．当該医療機器の新規収載後にチャレンジ申請を希望する場合は，チャレンジ申請を行うことの妥当性

また，医政発0207第3号保発0207第4号「医療機器の保険適用等に関する取扱いについて」（令和2年2月7日）がネット上に公開されているので，さらに詳細の情報が必要な場合は参考にするとよい。

▶ 材料価格算定のフロー

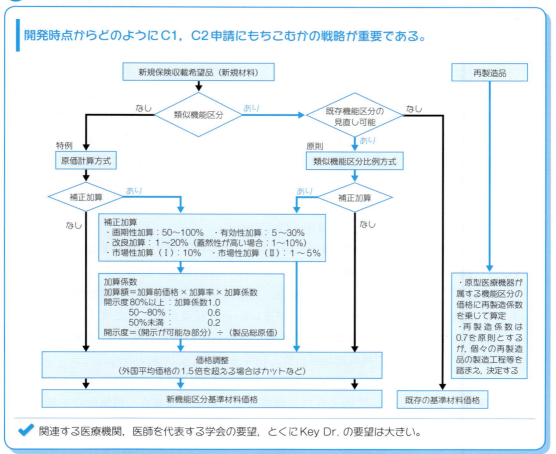

医療機器の事業の採算性を考えても，また，その新しい効能効果が患者に対し，大きなサービスを提供することを考えても，開発はC1，C2を目指すのが常道であるが，そのためには開発時点からどのようにC1，C2申請にもちこむかの戦略が重要である。これには，関連する医療機関や医師を代表する学会の要望が大きく影響し，とくにキーとなる医師の意向が流れを左右するのが通例である。さらに，2年に一度の改定時における保険の見直しには，学会要望として「医療技術評価提案書」を各保険連合でとりまとめたものが「医療技術評価分科会」に提出され，一次評価，二次評価を経たものが保険適用される。このイベントはメーカーが直接関与するものではないが，間接的な関与を行うことは，戦略的にきわめて重要である。

　上図に，C1，C2の新規保険収載希望品（新規材料）の「材料価格算定のフロー」を参考として載せる。まず一番価格が高くなる可能性は，類似の機能区分がなく，新規に機能区分をつくる必要がある場合で，その算定には「原価計算方式」が使われる。機能区分が既存の場合は，既存機能区分の見直しを判断し，なければ「既存の基準材料価格」が適用されるが，結果として想定されるなかでも最も安くなってしまう可能性が高い。もし，「既存機能区分の見直し」と判断できる場合は，「類似機能区分比例方式」がとられ，さらにその中で「補正加算の対象」となれば，補正加算として，画期性加算（50～100％），有効性加算（5～30％），改良加算（1～20％），市場性加算（Ⅰ）（10％），（Ⅱ）（1～5％）が適用される。

　また，令和2年度の保険医療材料制度改革では，保険財源の重点的・効率的な配分を行う観点から，革新的な医療材料のイノベーションの評価をより一層充実する方針となり，類似機能区分比較方式と同様に，原価計算方式においても価格全体（加算前の算定価格）に加算を行う方向となった。原価計算方式の加算では，加算率に加え，価格算定の透明性を向上させる観点から，製品総原価のうち保険医療材料等専門組織での開示が可能な部分の割合（開示度）に応じて加算係数を掛けて，加算率に差を設けるのが特徴だ。例えば，開示度が80％以上であれば加算係数は1.0となり，開示度が50％未満と低ければ加算係数は0.2となり，加算率も低くなる。

　一方，再製造単回使用医療機器（再製造品）について，新たに価格算定方式が設けられた。再製造単回使用医療機器とは，単回使用の医療機器が使用された後，新たに製造販売をすることを目的に，これに検査，分解，洗浄，滅菌など必要な処理を行ったもの。原型医療機器とは原材料費等の製造にかかる経費が異なると考えられることから，原型医療機器が属する機能区分の価格に，原則的に再製造係数0.7を乗じて算定する（再製造係数は個々の再製造品の製造工程等を踏まえて決定する）。

　このほか，特定医療材料の機能区分は以前より大幅に増え，2020年4月1日時点で1,170区分となっている。このように，価格調整や補正加算値も，保険財政を考慮して変更が多い。

2.4 医療機器の関連行政機関

　第2章冒頭で，医療機器は法との関わりが他の業界の製品よりはるかに強いことを述べた。その法律や条例などにより決定された内容を執行するのが行政機関であるので，医療機器に関連した行政機関を知っておくことも医療機器業界を知るうえで重要である。特に関連が深い行政機関は，厚生労働省と厚生労働省所管の独立行政法人である独立行政法人医薬品医療機器総合機構（Pharmaceuticals and Medical Devices Agency），通称PMDA，加えて地方公共団体の厚生行政事務担当である薬務担当部署（都道府県の薬務課や保健所等）があげられる。

　また行政機関ではない私企業ではあるが，後述する登録認証機関も医療機器の製造販売認証業務等で関係をもつことがある。

▶ 厚生労働省の組織

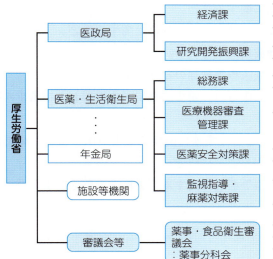

厚生労働省には11の局があるが医療機器に主に係るのは，医政局と医薬・生活衛生局，および薬事・食品衛生審議会となる。

✓ 新医療機器の承認等は，厚生労働大臣が薬事・食品衛生審議会の薬事分科会に諮る。

厚生労働省（MHLW）は，健康，医療，福祉，介護，雇用，労働，および年金等を所管する行政機関で，11の局がそれそれの担当を担っている。医療機器に関係する業務は医政局と医薬・生活衛生局が所管で，医政局の経済課が医薬品・医療機器産業の振興，薬価調査・特定保険医療材料価格調査，医療用医薬品・医療機器の流通改善等を所管事務とし，研究開発振興課は，臨床研究・治験の活性化，医療分野の情報化等を所管事務としている。とくに医療機器事業に関わっているのが，医薬品・医薬部外品・化粧品・医療機器および再生医療等製品の有効性・安全性の確保対策等，国民の生命・健康に直結する諸問題を担っている医薬・生活衛生局だが，以下に局下の関連課の主な所管業務を記載する。

総務課
・医薬・生活衛生局の所掌事務に関する総合調整に関すること。
・独立行政法人 医薬品医療機器総合機構の行う業務に関すること。

医療機器審査管理課
・医療機器，体外診断用医薬品および再生医療等製品の生産に関する技術上の指導および監督に関すること。
・再生医療等製品の製造業の許可ならびに医療機器および体外診断用医薬品の製造業の登録ならびに医療機器，体外診断用医薬品および再生医療等製品の製造販売の承認に関すること。
・再生医療等製品の再審査および再評価に関すること。
・医療機器および体外診断用医薬品の使用成績に関する評価に関すること。
・医療機器の販売業，貸与業および修理業に関すること。
・医療機器，体外診断用医薬品および再生医療等製品の基準に関すること。
・希少疾病用医薬品（体外診断用医薬品に限る。），希少疾病用医療機器および希少疾病用再生医療等製品の指定に関すること。
・独立行政法人 医薬品医療機器総合機構の行う業務に関すること（医療機器，体外診断用医薬品および再生医療等製品に関することに限る。）。
・医療機器その他衛生用品および再生医療等製品に関する工業標準の整備および普及その他の工業標準化に関すること。

医薬安全対策課
・医薬品等の安全性の確保に関する企画および立案に関すること。
・医薬品等の安全性の調査に関すること。
・医薬品等の製造販売業の許可に関すること。

監視指導・麻薬対策課
・不良な医薬品等または不正な表示のされた医薬品等の取締りに関すること。
・医薬品等の広告に関する指導監督を行うこと。

　また，厚生労働省の諮問機関の1つとして薬事・食品衛生審議会が組織され，厚生労働大臣に任命された学識経験者が調査・審議するが，医療機器の審議は薬事分科会が担当し，医療機器および体外診断用医薬品の基本要件，新医療機器の承認，高度管理医療機器等の指定などが，厚生労働大臣から諮られる。医療機器事業を行うにあたり直接厚生労働省と接することは多くはないが，医療機器が法とかかわりが強い以上，医療機器行政の動きを知るためにも，関連組織とその役割を知っていることは強みでもある。

医薬品医療機器総合機構（PMDA）の役割と組織

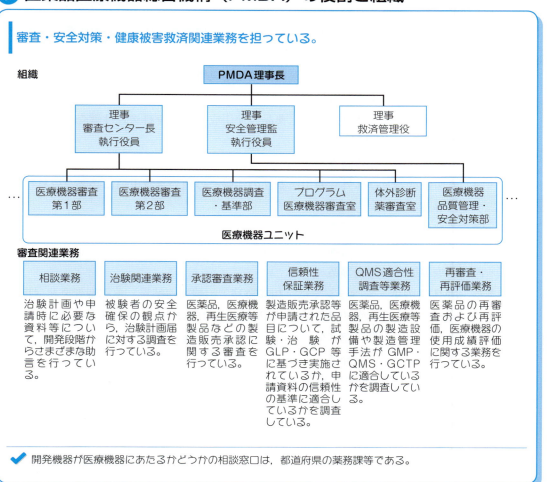

医療機器の関連業務で関係をもつことになるのが独立行政法人医薬品医療機器総合機構（Pharmaceuticals and Medical Devices Agency，PMDA）であるが，PMDAの業務は大きく分けて審査関連業務，安全対策関連業務，健康被害救済関連業務を担っている。また，令和3年4月時点の組織図によると，PMDAの理事長をトップに理事，審査センター長，執行役員下にある，医療機器審査第1部，医療機器審査第2部，医療機器調査・基準部，プログラム医療機器審査室，体外診断薬審査室が，医療機器の審査関連業務を担当し，理事，安全管理監，執行役員下にある，医療機器品質管理・安全対策部が，医療機器の安全対策関連業務を担当している。ここに記載した4部と2室が医療機器ユニットを構成している。

医療機器の製品化プロセスで関連が深いPMDAの業務が審査関連業務だが，その概要は独立行政法人医薬品医療機器総合機構審査等業務および安全対策業務関係業務方法書によると以下である。

・治験計画に係る調査等業務
・医薬品，医薬部外品及び化粧品の審査等業務
・医療機器及び体外診断用医薬品の審査等の医療機器及び体外診断用医薬品の審査等業務
・同じく医療機器及び体外診断用医薬品の使用成績評価
・同じく医療機器の基準適合性調査
・同じく医療機器及び体外診断用医薬品の使用成績評価資料適合性調査
・同じくQMS適合性調査
・同じく基準作成に係る調査等
・同じく医療機器及び体外診断用医薬品の治験その他の承認申請に必要な資料等に関する指導及び助言
・同じく登録認証機関関係業務
・同じくその他の届出の受理等に関する業務
・再生医療等製品の審査等業

また，FMDAのホームページでは，相談業務，治験関連業務，承認審査業務（申請・審査等），信頼性保証業務（GLP/GCP/GPSP），GMP/QMS/GCTP適合性調査等業務，再審査・再評価業務，登録認証機関に対する調査等業務，審査等手数料・対面助言等の手数料等が各業務として紹介されている。一方，安全対策業務では，添付文書等記載事項の届出の受付，（製造販売業者または医療機関からの）副作用等報告の受付及び情報の収集，情報の整理及び調査，（医療機器等の）情報提供，（一般及び製造販売業者からの安全対策に関する）相談・指導業務などが医療機器に関連する。

PMDAには各種の相談業務があり後述するが，開発品が医療機器に該当するかどうかの相談窓口は都道府県の薬務課等になっているのでまずは薬務課等で相談することをすすめる。

第3章

医療機器業界参入のための国内の法を知る

　新しく医療機器業界に参入する際，知っておかなければならない必要な知識にわが国の法令がある。その法令の目的の基本は，医療機器の有効性と安全性及び品質（維持）を確保し，国民の健康を守るため何らかの規制をすることであるので，医療機器の製品化においてはとくに重要な知識である。

　本章では，医薬品医療機器等法はもとより関連の施行令や規則・省令に加え告示等の概要を述べ，さらにその内容やしくみを整理することで，医療機器業界参入のための必要知識の1つとする。

3.1 法規制の基礎知識

3.1.1 日本の医療機器関連法体系

▶ 知っておくべき日本の医療機器関連法体系

医薬品医療機器等法および関連政令・省令と実務は告示・通達・通知が重要。

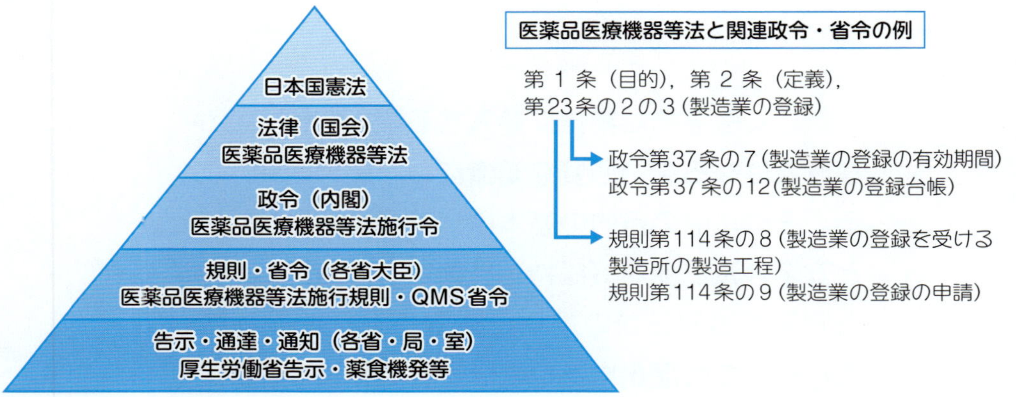

【ピラミッド図】
- 日本国憲法
- 法律（国会）医薬品医療機器等法
- 政令（内閣）医薬品医療機器等法施行令
- 規則・省令（各省大臣）医薬品医療機器等法施行規則・QMS省令
- 告示・通達・通知（各省・局・室）厚生労働省告示・薬食機発等

医薬品医療機器等法と関連政令・省令の例

第1条（目的），第2条（定義），第23条の2の3（製造業の登録）
→ 政令第37条の7（製造業の登録の有効期間）
政令第37条の12（製造業の登録台帳）
→ 規則第114条の8（製造業の登録を受ける製造所の製造工程）
規則第114条の9（製造業の登録の申請）

✓ 医薬品医療機器等法と関連する主な機関…厚生労働省，独立行政法人医薬品医療機器総合機構（PMDA），都道府県，登録認証機関

　日本の法令の構成図と，それに対応した医療機器関連の法律としての医薬品医療機器等法を中心とした法令の構成図を掲げた。日本の法律の制定や改正は，国会の承認が必要なため運用の効率も考えて，図のように日本国憲法を筆頭に階層化されている。

　医薬品医療機器等法は医療機器等に関する運用などを定めた法律だが，内閣が制定する命令である政令として医薬品医療機器等法施行令，各省の大臣が制定する命令である省令として医薬品医療機器等法施行規則とで階層化されているので，これらを含めた各関連法令を知る必要がある。ここでは医薬品医療機器等法第23条の2の3「製造業の登録」の例をあげたが，これに関連した政令では医薬品医療機器等法施行令第37条の7「製造業の登録の有効期間」，医薬品医療機器等法施行令第37条の12「製造業の登録台帳」があり，同じく関連した省令では医薬品医療機器等法施行規則第114条の8「製造業の登録を受ける製造所の製造工程」，医薬品医療機器等法施行規則第114条の9「製造業の登録の申請」がひもづけられている。とくに医療機器関連の実務には，後で

述べる「医療機器及び体外診断用医薬品の製造管理及び品質管理の基準に関する省令」（QMS省令）等が大きく関係してくる。

　さらに厚生労働省等から出される告示や通達にも気を配る必要があるが，ちなみに今後，医療機器関連の法令にかかわると，"薬食発"や"薬食機発"さらに"薬食監麻発"などを冠する通知に出会うことが多くなるが，これらは厚生労働省医薬・生活衛生局や局下の組織が発出した通達である。

　医療機器業界に参入すると行政組織との関わりをもつ必要があるが，その主な機関として，厚生労働省，独立行政法人医薬品医療機器総合機構（PMDA），都道府県，登録認証機関がある。PMDAは「健康被害救済」・「審査」・「安全対策」を主な業務とした独立行政法人で，厚生労働省所管の組織として業務を行っており，医療機器の承認等の業務で参入企業と関係することとなる。また，登録認証機関は，厚生労働大臣の登録を受けた私企業で，指定高度管理医療機器等（詳細は後述）の認証行為を行う機関として，それらの医療機器の認証時等に関係をもつこととなる。

3.1.2 医薬品医療機器等法の章立て

▶ 医薬品医療機器等法の章立てから医療機器関連を確認する

下表の青色が医療機器の主な関連章（10章，13章，18章も注意）。

令和元年改正薬機法より

第一章　総則（第一条—第二条）
第二章　地方薬事審議会（第三条）
第三章　薬局（第四条—第十一条）
第四章　医薬品，医薬部外品及び化粧品の製造販売業及び製造業（第十二条—第二十三条）
第五章　医療機器及び体外診断用医薬品の製造販売業及び製造業等
　第一節　医療機器及び体外診断用医薬品の製造販売業及び製造業（第二十三条の二—第二十三条の二の二十二）
　第二節　登録認証機関（第二十三条の二の二十三—第二十三条の十九）
第六章　再生医療等製品の製造販売業及び製造業（第二十三条の二十一—第二十三条の四十二）
第七章　医薬品，医療機器及び再生医療等製品の販売業等
　第一節　医薬品の販売業（第二十四条—第三十八条）
　第二節　医療機器の販売業，貸与業及び修理業（第三十九条—第四十条の四）
　第三節　再生医療等製品の販売業（第四十条の五—第四十条の七）
第八章　医薬品等の基準及び検定（第四十一条—第四十三条）
第九章　医薬品等の取扱い
　第一節　毒薬及び劇薬の取扱い（第四十四条—第四十八条）
　第二節　医薬品の取扱い（第四十九条—第五十八条）
　第三節　医薬部外品の取扱い（第五十九条・第六十条）
　第四節　化粧品の取扱い（第六十一条・第六十二条）
　第五節　医療機器の取扱い（第六十三条—第六十五条）
　第六節　再生医療等製品の取扱い（第六十五条の二—第六十五条の六）
第十章　医薬品等の広告（第六十六条—第六十八条）
第十一章　医薬品等の安全対策（第六十八条の二—第六十八条の十五）
第十二章　生物由来製品の特例（第六十八条の十六—第六十八条の二十五）
第十三章　監督（第六十九条—第七十六条の三の三）
第十四章　医薬品等行政評価・監視委員会（第七十六条の三の四—第七十六条の三の十二）
第十五章　指定薬物の取扱い（第七十六条の四—第七十七条）
第十六章　希少疾病用医薬品，希少疾病用医療機器及び希少疾病用再生医療等製品の指定等（第七十七条の二—第七十七条の七）
第十七章　雑則（第七十八条—第八十三条の五）
第十八章　罰則（第八十三条の六—第九十一条）
附則

✓ 目的で，国の責務・都道府県等の責務・医薬品等関連業者等の責務・医薬関係者の責務・国民の役割が明示された。

　医薬品医療機器等法の全体を俯瞰できるよう章立てを上記に示した．青色の文字で示したものがとくに医療機器の薬事に関連する章であるが，第13章や第17章など他の章でも関連するところがあるので一度は全体に目を通すよう注意が必要である．なお本書では，第1章 総則，第5章第1節 医療機器及び体外診断用医薬品の製造販売業及び製造業，第5章第2節 登録認証機関，第7章第2節 医療機器の販売業，貸与業及び修理業，第8章 医薬品等の基準及び検定，第9章第5節 医療機器の取扱い，第10章 医薬品等の広告，第17章 雑則，第18章 罰則を中心に医薬品医療機器等法の概要を説明す

る。ただし概要でもあり，かつ，本書の主旨から法令の番号等は極力省くことにする。

　平成25年「薬事法等の一部を改正する法律」（平成25年11月27日法律第84号）により，医薬品の規制と医療機器の規制を分離し，医療機器の特性を踏まえた制度改正が行われた。医療機器業界の悲願でもあった，医薬品規制の枠組みの中で扱われていた医療機器の関係条項が医薬品から独立した新たな「章」として設けられることになった。このような背景もあり，医薬品医療機器等法の章立てをみても，医薬品と医療機器が同じ法の中に混在していることがわかるが，もともと医薬品の法を医療機器まで拡張しているので，考え方の基本は医薬品に対するそれと同じになっている。医療機器に対する医薬品医療機器等法の理解の際，不明に思ったら医薬品に置き換えて考えると理解しやすい。また規制が強いように感じたならば，それは法の考え方の基本が医薬品にあると考えると納得することがある。

　また，これに合わせて薬事法の名称が，「医薬品，医療機器等の品質，有効性及び安全性の確保等に関する法律」に変更され，名称の中に医療機器が入ることとなった。今まで長い間「薬事法」と呼ばれてきたが，今後の通称として一般には「医薬品医療機器等法」，「薬機法」などと呼ばれるようになった。

　加えて「医薬品，医療機器等の品質，有効性及び安全性の確保等に関する法律等の一部を改正する法律」（2019年（令和元年）12月4日公布）が公布され，広い範囲での薬機法の改正がなされたが，これを「改正薬機法」や「令和元年改正薬機法」と呼ばれることがある。

3.2 日本の法規制 — 医薬品医療機器等法

3.2.1 医薬品医療機器等法の目的と定義

▶ 目的のために規制する医薬品医療機器等法

有効性・安全性・品質の確保が目的。

医薬品，医療機器等の品質，有効性及び安全性の確保等に関する法律　第1条（目的）

> この法律は，医薬品，医薬部外品，化粧品，医療機器及び再生医療等製品（以下「医薬品等」という。）の品質，有効性及び安全性の確保並びにこれらの使用による保健衛生上の危害の発生及び拡大の防止のために必要な規制を行うとともに，指定薬物の規制に関する措置を講ずるほか，医療上特にその必要性が高い医薬品，医療機器及び再生医療等製品の研究開発の促進のために必要な措置を講ずることにより，保健衛生の向上を図ることを目的とする。

✓ 法の中で使用される言葉が大きな意味をもっている。

医薬品医療機器等法の第1章 総則 第1条にはこの法の目的が記載されているがそこには，「この法律は，医薬品，医薬部外品，化粧品，医療機器及び再生医療等製品（以下「医薬品等」という。）の品質，有効性及び安全性の確保並びにこれらの使用による保健衛生上の危害の発生及び拡大の防止のために必要な規制を行うとともに，指定薬物の規制に関する措置を講ずるほか，医療上特にその必要性が高い医薬品，医療機器及び再生医療等製品の研究開発の促進のために必要な措置を講ずることにより，保健衛生の向上を図ることを目的とする。」とある。これを目的で整理すると，ここには3つの目的が書かれていて，1つは品質，有効性及び安全性の確保のために必要な規制を行うこと，2つ目が保健衛生上の危害の発生および拡大の防止，3つ目が研究開発の促進のために必要な措置を講ずることにより，保健衛生の向上を図ることだが，とくに重要なのが1つ目の目的である。

「有効性」，「安全性」，「品質（維持）」の確保は，開発された製品が確かに効果があり有効に効き，いわゆる副作用等の問題も少なく安全といえ，かつ，その開発された製品が意図どおりに量産され市場でもその品質が維持されることを意味し，そのために必要な規制をすることをうたった法律が医薬品医療機器等法である。

▶ 有効性・安全性・品質の確保は医療機器の三原則

これは世界共通の原則。

✓ 国や地域により規制の考え方や方法は異なる。

　有効性・安全性・品質（維持）の確保のために規制するのが医薬品医療機器等法である。なお、今後、何度も出会う「有効性」、「安全性」、「品質（維持）」は医療機器の三原則ともいえ、規制の方法や考え方は違ってもこの三原則は世界共通の原則である。

▶ 医薬品医療機器等法の規制と医療機器の三原則の概要図

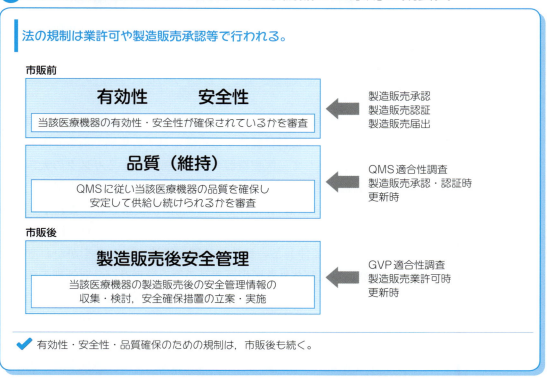

✓ 有効性・安全性・品質確保のための規制は、市販後も続く。

　三原則を確保するため医薬品医療機器等法の規制は、製品の市販前（上市前）の組織に対する規制である業許可や、製品に対する規制の製造販売承認・認証・届出等で行わ

れるが，市販後もこの三原則確保のための規制は続く。

▶ 2つの規制からなる医薬品医療機器等法

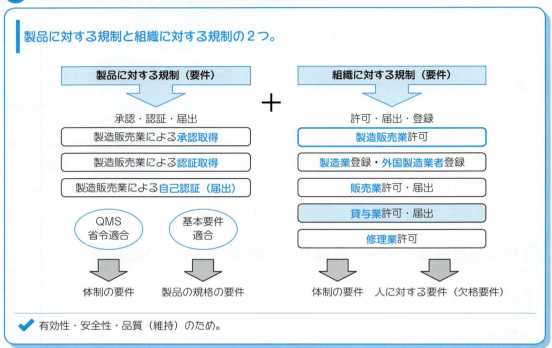

医薬品医療機器等法は2つの規制から成り立っている。1つが医療機器である製品に対する規制であり，もう1つが医療機器に関連する組織に対する規制である。医療機器である製品に対する規制の方法として，医療機器の製品がもっているリスクの大きさに合わせて　厚生労働省（名は厚生労働大臣）の承認や登録認証機関による認証，また独立行政法人医薬品医療機器総合機構（PMDA）への届出が要求され，これが具体的な規制となる。当然，承認や認証・届出を受けるにも条件があるが，有効性・安全性に大きくかかわる条件が「基本要件」といわれ，品質（維持）に大きくかかわる条件が「QMS省令適合」（医療機器及び体外診断用医薬品の製造管理及び品質管理の基準に関する省令）と理解してよい。また，この承認・認証・届出は誰でもできるわけではなく，その製品に対し一義的責任をもつ製造販売業者でなければならないが，これも製品に対する規制の1つといえる。

一方，組織に対する規制は業許可である。医療機器の開発・生産・販売などの医療機器関連に携わる業を行うには都道府県（知事）や厚生労働省の「業許可」（届出，登録を含む）が必要である。具体的には医療機器製造販売業，医療機器製造業，医療機器販売業，医療機器修理業，医療機器貸与業であるが，それぞれの業許可には要件があり，

これが具体的な規制となっている。なお，それぞれの規制も，医療機器の有効性・安全性・品質（維持）の確保のために行われている。

▶ 医療機器の定義を知る

無駄な規則にしばられない・知らないうちに法律を犯さないため。

医薬品，医療機器等の品質，有効性及び安全性の確保等に関する法律
第2条第4項，第18項（定義）

> 4　この法律で「医療機器」とは，人若しくは動物の疾病の診断，治療若しくは予防に使用されること，又は人若しくは動物の身体の構造若しくは機能に影響を及ぼすことが目的とされる機械器具等（再生医療等製品を除く。）であつて，政令で定めるものをいう。
> 18　この法律にいう「物」には，プログラムを含むものとする。

厚生労働省の説明資料の表現

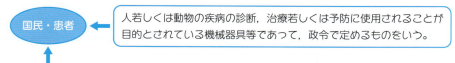

　これから開発・生産，販売しようとする製品が医療機器か医療機器でないかを知ることは，必要のない規則にしばられないためにも，また知らないうちに法律を犯し罰則を受けないためにも大変重要なことである。医薬品医療機器等法の第2条第4項では，「この法律で「医療機器」とは，人若しくは動物の疾病の診断，治療若しくは予防に使用されること，又は人若しくは動物の身体の構造若しくは機能に影響を及ぼすことが目的とされている機械器具等（再生医療等製品を除く。）であつて，政令で定めるものをいう。」と記載されている。さらに，第18項では無体物であるプログラムを「物」と明示し，医用のプログラムを医療機器の定義に加えている。

　厚生労働省の説明資料では，医療機器とは「人若しくは動物の疾病の診断，治療若しくは予防に使用されることが目的とされている機械器具等であって，政令で定めるものをいう。」と「人若しくは動物の身体の構造若しくは機能に影響を及ぼすことが目的とされている機械器具等であって，政令で定めるものをいう。」の2つに分けて定義を説明している。

医療機器の定義を分解する

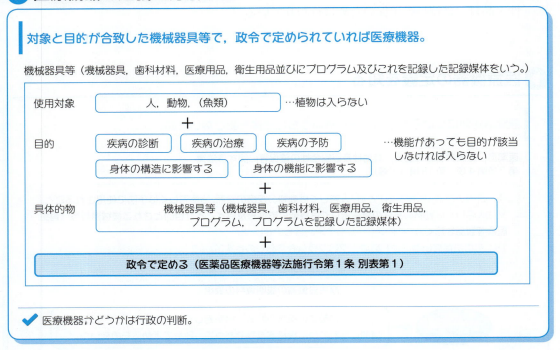

医薬品医療機器等法の第2条を分解して図示してみると、まず使用対象が人、動物であり、疾病の予防、疾病の診断、疾病の治療の医療行為であるか、身体の構造に影響する、たとえば骨折時に使用される固定プレートや、身体の機能に影響する、たとえば視力矯正用眼鏡等の使用目的であることがわかる。さらに医療機器は機械器具であり、かつ医薬品医療機器等法施行令（政令）で定める別表第1に記載されていることとなる。EUや米国、また医療機器の標準化の国際機関である医療機器規制国際整合化会議（Global Harmonization Task Force）では、医療に関連したソフトウェア単体も医療機器と定義されているが、医薬品医療機器等法においても医療機器として定義されている。プログラムの目的に応じて、疾病診断用・疾病治療用・疾病予防用プログラムに分類されている。なお、プログラムのみの特例として、一般医療機器相当のリスクの低いプログラムは、規制対象から除外される。

なお、対象の製品が医療機器に当たるか当たらないかの判断は、定義に照らして行政が行うので、この判断の担当である都道府県の薬務課等と事前相談するとよい。

ただし、プログラムの判断は、厚生労働省医薬・生活衛生局監視指導・麻薬対策課となっている。

▶ 医薬品医療機器等法施行令 別表第1をみてみる

123の類別名称が掲載されている。

類別	類別名称の数	類別コード (例)	類別名称 (例)
機械器具	84	一	手術台及び治療台
		十六	体温計
		十八	血圧検査又は脈波検査用器具
医療用品	6	二	縫合糸
歯科材料	9	三	義歯床材料
衛生用品	4	三	避妊用具
プログラム	3	一	疾病診断用プログラム
		二	疾病治療用プログラム
		三	疾病予防用プログラム
プログラムを記録した記録媒体	3	一	疾病診断用プログラムを記録した記録媒体
		二	疾病治療用プログラムを記録した記録媒体
		三	疾病予防用プログラムを記録した記録媒体
動物専用医療機器	14	八	製品蹄鉄及び蹄釘

 平成26年11月25日に施行された「医薬品医療機器等法」から類別にプログラム,プログラムを記録した記録媒体が加わった。

　医薬品医療機器等法第2条で示された医薬品医療機器等法施行令の別表第1には医療機器の分類123が掲載されている。これは類別名であるが,さらにそれが中分類名に分けられ,その下に4,406種(令和3年10月時点)の分類である「一般的名称」が決められている。この一般的名称は新しい医療機器の開発に従って増加の方向である。また,平成26年11月25日に施行された「医薬品医療機器等法」から類別にプログラム,プログラムを記録した記録媒体が加わった。

　プログラムは,一　疾病診断用プログラム,二　疾病治療用プログラム,三　疾病予防用プログラムの3類別名称が,プログラムを記録した記録媒体も,一　疾病診断用プログラムを記録した記録媒体,二　疾病治療用プログラムを記録した記録媒体,三　疾病予防用プログラムを記録した記録媒体の3類別名称が設けられた。

3.2.2 医療機器の分類方法

▶ 医療機器のいろいろな分類方法を知る

法令で定義されている医療機器の分類。

リスクの高さをもとにした分類	定義
一般医療機器	副作用又は機能の障害が生じた場合においても，人の生命及び健康に影響を与えるおそれがほとんどないもの
管理医療機器	副作用又は機能の障害が生じた場合において人の生命及び健康に影響を与えるおそれがあることからその適切な管理が必要なもの
指定管理医療機器	厚生労働大臣が基準を定めて指定する管理医療機器
高度管理医療機器	副作用又は機能の障害が生じた場合において人の生命及び健康に重大な影響を与えるおそれがあることからその適切な管理が必要なもの
指定高度管理医療機器	厚生労働大臣が基準を定めて指定する高度管理医療機器
保守点検，修理等に専門的な知識・技能の必要性からの分類	**定義**
特定保守管理医療機器	保守点検，修理その他の管理に専門的な知識及び技能を必要とすることからその適正な管理が行われなければ疾病の診断，治療又は予防に重大な影響を与えるおそれがあるものとして，厚生労働大臣が薬事・食品衛生審議会の意見を聴いて指定するもの
設置管理医療機器	設置に当たって組立てが必要な特定保守管理医療機器で，保健衛生上の危害の発生を防止するために当該組立てに係る管理が必要なもの
生物由来製品 ・原料又は材料として製造 ・特別な注意の必要性と危害発生の分類	人その他の生物（植物を除く。）に由来するものを原料又は材料として製造をされる医薬品，医薬部外品，化粧品又は医療機器のうち，保健衛生上特別の注意を要するもの
特定生物由来製品	生物由来製品のうち，販売し，貸与し，又は授与した後において当該生物由来製品による保健衛生上の危害の発生又は拡大を防止するための措置を講ずることが必要なもの

＊一部省略

✔ 法令で定義された分類名は避けて通れない。

　医薬品医療機器等法の定義に出てきて医療機器の副作用や機能の障害があった場合のそのリスクの高さをもとにした分類が「高度管理医療機器」，「管理医療機器」，「一般医療機器」でそれぞれの定義は以下となる。

高度管理医療機器：
　医療機器であって，副作用又は機能の障害が生じた場合（適正な使用目的に従い適正に使用された場合に限る。次項及び第7項において同じ。）において人の生命及び健康に重大な影響を与えるおそれがあることからその適切な管理が必要なものとして，厚生労働大臣が薬事・食品衛生審議会の意見を聴いて指定するものをいう。

高度管理医療機器のうち，クラスIVに該当するものは「特定高度管理医療機器」と，医薬品医療機器等法手数料令や製品群省令ではクラスIIIと区別して使われる。

管理医療機器：

高度管理医療機器以外の医療機器であって，副作用又は機能の障害が生じた場合（適正な使用目的に従い適正に使用された場合に限る）において人の生命及び健康に影響を与えるおそれがあることからその適切な管理が必要なものとして，厚生労働大臣が薬事・食品衛生審議会の意見を聴いて指定するものをいう。

一般医療機器：

高度管理医療機器及び管理医療機器以外の医療機器であって，副作用又は機能の障害が生じた場合（適正な使用目的に従い適正に使用された場合に限る）においても，人の生命及び健康に影響を与えるおそれがほとんどないものとして，厚生労働大臣が薬事・食品衛生審議会の意見を聴いて指定するものをいう。

一般医療機器のうち，厚生労働大臣が指定した医療機器（平成26年厚生労働省告示第316号）以外のものを「限定一般医療機器」といい，QMS省令の多くの条項の適用が免除される。

なお，高度管理医療機器及び管理医療機器の中で，厚生労働大臣が基準を定めて指定する高度管理医療機器及び管理医療機器をそれぞれ「指定高度管理医療機器」及び「指定管理医療機器」といい，本来，高度管理医療機器及び管理医療機器は厚生労働省が製品の承認を行うが，指定管理医療機器は民間の登録認証機関が認証を行う。

さらに，医療機器の保守点検，修理等に専門的な知識・技能の必要性からの分類として「特定保守管理医療機器」があり，さらに特定保守管理医療機器の中に「設置管理医療機器」が設けられ定義されている。

特定保守管理医療機器：

医療機器のうち，保守点検，修理その他の管理に専門的な知識及び技能を必要とすることからその適正な管理が行われなければ疾病の診断，治療又は予防に重大な影響を与えるおそれがあるものとして，厚生労働大臣が薬事・食品衛生審議会の意見を聴いて指定するものをいう。

設置管理医療機器：

設置に当たって組立てが必要な特定保守管理医療機器で，保健衛生上の危害の発生を防止するために当該組立てに係る管理が必要なものとして厚生労働大臣が指定するものをいう。

加えて昨今の医療機器の開発の進歩に沿って「生物由来製品」や「特定生物由来製品」が定義されている。

生物由来製品：

人その他の生物（植物を除く。）に由来するものを原料又は材料として製造（小分けを含む。以下同じ。）をされる医薬品，医薬部外品，化粧品又は医療機器のうち，保健衛生上特別の注意を要するものとして，厚生労働大臣が薬事・食品衛生審議会の意見を聴いて指定するものをいう。

特定生物由来製品：

生物由来製品のうち，販売し，貸与し，又は授与した後において当該生物由来製品による保健衛生上の危害の発生又は拡大を防止するための措置を講ずることが必要なものであって，厚生労働大臣が薬事・食品衛生審議会の意見を聴いて指定するものをいう。

医療機器の分類方法で，法令で定義された分類名は避けて通れない。

▶ 他の医療機器分類

一般的名称やクラス分類はとくに重要。

名称や分類	定義
一般的名称	GMDN（Global Medical Device Nomenclature：国際医療機器名称）の一般的名称のうち，医薬品医療機器等法の規制を受けていない物を除いた医療機器の一般名称。
クラス分類	適正な使用目的に従って適正に使用したにもかかわらず，副作用または機能障害が生じた場合の人体に与えるリスクに応じて，クラスIVからクラスIの4段階に分類する方法。
JMDNコード (Japanese Medical Device Nomenclature)	医薬品医療機器等法上の医療機器とみなされている日本の一般的名称ごとに付けられたコード番号（JMDNコードは8桁）。
滅菌医療機器	ISO 13485では「滅菌に対する要求事項を満たすことを意図した医療機器の種類」。 顧客や使用上の要求で，SAL 10^{-6} の無菌状態を求めることが多い。
製品群区分	製品群省令に基づく，QMS調査の合理化のための区分。クラスII以上の医療機器（一部を除く）は，製品群区分ごとにQMSの適合を確認される。

✔ 医療機器に関する資料等によく出てくる言葉も知る必要がある。

医療機器の分類方法はほかにもいろいろあるが，参入に際し，知っておかなければならない代表的な分類とその定義や説明を下記する。

一般的名称：

医療機器を種別した名称で，EUのCENが中心となり決めた医療機器関連のGMDN

(Global Medical Device Nomenclature：国際医療機器名称）で国際的に利用されている一般的名称のうち，医薬品医療機器等法の規制を受けていない物を除いた日本の医療機器の一般名称。

クラス分類：

GHTF（Global Harmonization Task Force：医療機器規制国際整合化会議）で定められたクラス分類ルールをもとにつくられた分類。

適正な使用目的に従って適正に使用したにもかかわらず，副作用または機能障害などの不具合が生じた場合の，人体に与えるリスクに応じて，以下に分類される。承認等の審査のやり方の分類ともいえる。

- **クラスIV**：患者への侵襲性が高く，不具合が生じた場合，生命の危険に直結するおそれがあるもの
- **クラスIII**：人体へのリスクが比較的高いと考えられるもの
- **クラスII**：人体へのリスクが比較的低いと考えられるもの
- **クラスI**：人体へのリスクがきわめて低いと考えられるもの

JMDNコード：

Japanese Medical Device Nomenclatureコードの略で，GMDNの一般的名称をもとに医薬品医療機器等法上，医療機器とみなされている日本の医療機器の一般的名称ごとに付けられた8桁のコード番号。

滅菌医療機器：

ISO 13485では「滅菌に対する要求事項を満たすことを意図した医療機器の種類」と定義され，顧客や使用上の要求で求められる医療機器。要求はSAL 10^{-6}の無菌状態を求めることが多い。

製品群区分：

製品群省令（医薬品，医療機器等の品質，有効性及び安全性の確保等に関する法律第23条の2の5第7項1号に規定する医療機器又は体外診断用医薬品の区分を定める省令，平成26年8月6日厚生労働省令第95号）に基づく，QMS調査の合理化のための区分。製品群省令の別表1と別表2に提示されている。

クラスIIからIVの医療機器（平成26年厚生労働省告示第317号により指定された品目調査医療機器を除く。）は，製品群区分ごとにQMS適合性調査が実施され，基準適合証が発行される。製品群と製造所が同一の場合は，基準適合証によりQMS適合性調査を省略することができる。

▶ 医療機器のクラス分類

医療機器の人体に与えるリスクに応じた分類で，クラスⅠからクラスⅣがあり，医療機器は必ずどこかの分類に入る。

クラス分類	クラス分類ごとのリスクの内容と医療機器の例	法律分類	リスク
Ⅰ	不具合が生じた場合でも，人体へのリスクがきわめて低いと考えられるもの。 （例）グルコース体外診断用機器，鋼製小物，X線フィルム，歯科技工用用品	一般医療機器	きわめて低い
Ⅱ	不具合が生じた場合でも，人体へのリスクが比較的低いと考えられるもの。 （例）MRI，電子式血圧計，電子内視鏡，消化器用カテーテル，超音波診断装置，歯科用合金	管理医療機器 指定管理医療機器	低い
Ⅲ	不具合が生じた場合，人体へのリスクが比較的高いと考えられるもの。 （例）透析器，人工骨・関節，人工呼吸器，コンタクトレンズ	指定高度管理医療機器 高度管理医療機器	高い
Ⅳ	患者への侵襲性が高く，不具合が生じた場合，生命の危険に直結するおそれがあるもの。 （例）ペースメーカ，人工心臓弁，ステント		極めて高い

※例の医療機器名は一般的名称と異なる

✔ GHTF（Global Harmonization Task Force：医療機器規制国際整合化会議）で定められたクラス分類ルールをもとにつくられた分類。

　クラス分類ごとのリスクの内容と医療機器の例，および医薬品医療機器等法上の分類である「高度管理医療機器」，「指定高度管理医療機器」，「管理医療機器」，「指定管理医療機器」および「一般医療機器」との関係を図示した。

▶ 医療機器のクラス分類ルール

> クラス分類ルールには15のルールがある。

関連機器と ルール番号	クラス 分類	クラス分類定義
非侵襲型機器1	Ⅰ	すべての非侵襲型機器は，ルール2，3または4が適用されない限り，クラスⅠである。
非侵襲型機器2	Ⅰ	最終的に体内に注入，投与または導入する目的で血液，体液もしくは組織，液体もしくは気体を供給または保存するように意図したすべての非侵襲型機器はクラスⅠである。
非侵襲型機器3	Ⅲ	体内への注入を意図した血液，その他の体液もしくは他の液体について，その生物学的または化学的組成を変化させることを目的としたすべての非侵襲型機器はクラスⅢである。
非侵襲型機器4	Ⅰ	損傷した皮膚に接触するすべての非侵襲型機器は： －滲出液の圧迫または吸収のために機械的なバリアとして使用するように意図した場合はクラスⅠである。
侵襲型機器5		人体開口部に関与し，外科的侵襲型機器以外のものであって， a）能動型医療機器への接続を意図しない， 　または b）クラスⅠの医療機器との接続を意図したすべての侵襲型機器は：
侵襲型機器5－①	Ⅰ	－一時的使用を意図した場合はクラスⅠである。
侵襲型機器5－②	Ⅱ	－短期的使用を意図した場合はクラスⅡである。
侵襲型機器5－④	Ⅲ	－長期的使用を意図した場合はクラスⅢである。
侵襲型機器5－⑥	Ⅱ	人体開口部に関与し，外科的侵襲型機器以外のものであって，クラスⅡまたはそれよりも高いクラスの能動型医療機器に接続するように意図したすべての侵襲型機器はクラスⅡである。
侵襲型機器6	Ⅱ	一時的使用を意図したすべての外科的侵襲型機器はクラスⅡである。
侵襲型機器7	Ⅱ	短期的使用を意図したすべての外科的侵襲型機器はクラスⅡである。
侵襲型機器8	Ⅲ	すべての植込み型機器および長期外科的侵襲型機器はクラスⅢである。
能動型機器に関する 追加ルール9	Ⅱ	エネルギーを投与または交換するように意図したすべての能動型治療機器はクラスⅡである。
能動型機器に関する 追加ルール10	Ⅱ	診断を意図した能動型機器はクラスⅡである。
能動型機器に関する 追加ルール11	Ⅱ	医薬品，体液もしくはその他の物質を人体へまたは人体から投与および／または除去するように意図したすべての能動型機器はクラスⅡである。
能動型機器に関する 追加ルール12	Ⅰ	その他のすべての能動型機器はクラスⅠである。
追加ルール13	Ⅲ又はⅣ	分離して使用すれば医薬品と考えられる物質を不可欠な成分として含有し，その物質が機器の働きを補助する目的で人体に作用を及ぼす場合，すべての機器はクラスⅢ又はクラスⅣである。
追加ルール14	Ⅲ又はⅣ	活性または不活性を問わず，動物またはヒトの細胞／組織／その由来物から製造されまたはこれを含有する場合，すべての機器はクラスⅢ又はクラスⅣである。
追加ルール15	Ⅱ	特に，医療機器を消毒または滅菌するために使用するように意図したすべての機器（消毒剤を除く）はクラスⅡである。

- 分析機器は別のルールがある。
- クラス分類ルールには例外もあるので，薬食発0510第8号平成25年5月10日別紙1で確認のこと。

一般的名称が明らかでない医療機器を新しく開発する際にも，当該の医療機器がどのクラス分類に入るかをあらかじめ想定し，法規制・各規則などを事前に確認することは大切である。

医療機器の人体に与えるリスクでクラス分類は決まるが，以下に示すものが基準となる。

①非侵襲のものは低く，侵襲性の高いものはリスクが高い。
②不具合が生じた場合に生命に危険な状況が起こりうるものはリスクが高い。
③体内で化学変化，生物学的変化，吸収が起こるものはリスクが高い。
④エネルギー，医薬品を放出するものはリスクが高い。
⑤エネルギーをもとに駆動するものはリスクを高くみる。
⑥生物由来，消毒，滅菌，避妊，性感染症などについてのリスクは高くみる。
⑦機器の使用者の関連知識レベルが低い場合はリスクを高くみる。

この基準に基づきクラス分類のルールが，薬食発第0720022号平成16年7月20日通知「薬事法第二条第五項から第七項までの規定により厚生労働大臣が指定する高度管理医療機器，管理医療機器及び一般医療機器（告示）及び薬事法第二条第八項の規定により厚生労働大臣が指定する特定保守管理医療機器（告示）の施行について」の別紙1に示されている。本図はその中の15のルールを抜粋して示したが，各ルールには例外も記載されているので詳細は本通知を確認する必要がある。

なお，図中の使用期間の定義は，一時的は通常，60分未満の継続使用，短期的は通常，60分〜30日間の継続使用，長期的は通常，30日を超える継続使用をいう。

日本の医療機器の分類例と一般的名称

> すべての医療機器には一般的名称があり，法分類とクラス分類が与えられている。

法分類	高度管理医療機器		管理医療機器	一般医療機器
	クラスⅣ（クラス分類）	クラスⅢ（クラス分類）	クラスⅡ（クラス分類）	クラスⅠ（クラス分類）
	・植込み型心臓ペースメーカ ・冠動脈用ステント ・中心循環系人工血管 ・中心静脈用カテーテル ・血管造影用カテーテル ・心血管用カテーテルガイドワイヤー ・冠動脈カニューレ ・血管用ステント	・人工上顎骨 ・血管用ステントグラフト ・中空糸型透析器 ・人工心肺用回路システム ・血管用ステント ・人工椎間板 ・体内固定用プレート	・女性向け避妊用コンドーム	・内視鏡用はさみ鉗子 ・再使用可能な採血用針 ・汎用洗浄用注射筒 ・吸引チューブ ・診療用照明器 ・メス ・はさみ ・単回使用ピンセット ・眼鏡レンズ ・救急絆創膏
指定管理医療機器			・超音波骨密度測定装置 ・電子体温計 ・電子血圧計 ・耳赤外線体温計 ・赤外線治療器 ・低周波治療器	
指定高度管理医療機器		・インスリンペン型注入器 ・ヘパリン使用人工心肺回路用血液フィルタ等 ・経腸栄養用輸液ポンプ等 ・再生使用可能な手動式肺人工蘇生器等 ・物質併用電気手術器等 ・生態情報モニタ（重要パラメータを含む） ・非吸収性縫合糸 ・持続的気道陽圧ユニット等 ・自己検査用グルコース測定器 ・脳神経外科手術用ナビゲーションユニット ・麻酔薬気化器		
特定保守管理医療機器	補助人工心臓駆動装置	・輸液ポンプ ・シリンジポンプ ・成分採血装置 ・手術用ロボットナビゲーションユニット	・ポータブル汎用X線装置 ・ポータブル乳房用X線診断装置 ・部位限定X線CT診断装置	・手術用照明器 ・電動式X線治療台
設置管理医療機器	・中心循環系アフターローディング式ブラキセラピー装置	・多人数用透析液供給装置 ・高圧酸素患者治療装置	・心臓マッピングシステムワークステーション ・除染・滅菌用洗浄器	・非電動式X線治療台 ・電動式遠隔照射治療台
生物由来製品	人工弁			

✓ 分類の方法を変えての分類なので，複数の分類に分けられる。
厚生労働省告示第298号（平成16年7月）の「クラス分類告示」を参照のこと。

ここに法的な分類やリスク分類を含め，数種の分類方法で，医療機器のいくつかを分類した．重要なのは，すべての医療機器には一般的名称があり，法分類とクラス分類が与えられているが，他の分類は分類の方法（見方）を変えての分類なので，重複することが多いことである．

▶ 医療機器分類を知るためのクラス分類表

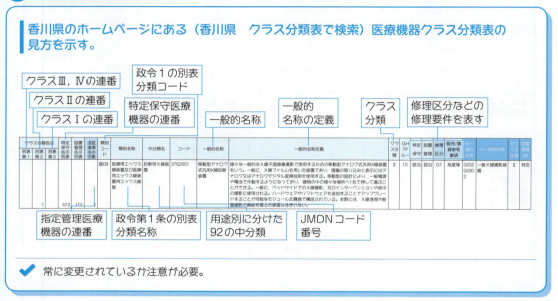

香川県のホームページにある（香川県　クラス分類表で検索）医療機器クラス分類表の見方を示す．

✔ 常に変更されているか注意が必要．

クラス分類表はすべての医療機器の基本情報が表にまとめられていて，必要な医療機器の情報を得るには便利な方法の1つであるが，告示により変化するので最新の内容であるか確認が必要である．この表の見方を以下に示す（数字は令和3年10月時点を使用した）．

クラス分類告知 別表第1：クラスⅣとクラスⅢが含まれ1～1189番までの連番
　　　　　　　　　　　厚生労働省告示第298号（平成16年7月）のクラス分類告知にある別表第1に追加される形で更新される
クラス分類告知 別表第2：1～2007番までの連番で，すべてクラスⅡ
クラス分類告知 別表第3：1～1214番までの連番で，すべてクラスⅠ
特定保守告示 別表　　　：1～1233番までの連番で特定保守医療機器を表す
設置管理告示 別表　　　：1～250番までの連番で設置管理医療機器を表す
認証基準告知 別表　　　：指定管理医療機器として941基準，指定高度管理医療機器として11基準が示されている．

類別コード	：医薬品医療機器等法施行令第1条 別表第一で定められる医療機器の類別コード
類別名称	：医薬品医療機器等法施行令第1条 別表第一で定められる医療機器の類別名称
中分類名	：医療機器を用途別に分けた92の中分類
コード	：JMDN（Japanese Medical Device Nomenclature）コード番号で8桁で表される
一般的名称	：医療機器の国が定める一般名称
一般的名称定義	：一般的名称を説明した医療機器の定義
クラス分類	：クラスⅣ，クラスⅢ，クラスⅡおよびクラスⅠかを表す
GHTFルール	：GHTF（Global Harmonization Task Force；医療機器規制国際整合化会議）のルールを表す
特定保守	：特定保守管理医療機器の該当／非該当を表す
設置管理	：設置管理医療機器の該当を表す
修理区分	：修理区分のグループ1から9を表す
販売賃貸参考事項	：販売・貸与業の規制の概要を表す

▶ クラス分類表の実例

香川県のホームページに掲載されている医療機器クラス分類表（PDFとExcelファイルがある）。

| クラス分類告示 | | | 特定保守告示別表 | 設置管理告示別表 | 認証基準告示別表 | 類別コード | 類別名称 | 中分類名 | コード | 一般的名称 | 一般的名称定義 | クラス分類 | GHTFルール | 特定保守 | 設置管理 | 修理区分 |
別表第1	別表第2	別表第3														
	89					器18	血圧検査又は脈波検査用器具	生体物理現象検査用機器	16156000	アネロイド式血圧計	腕周に巻きつける加圧可能なカフ，カフ内の空気圧を調節する弁，アネロイド式圧力計から構成される機器をいう。	Ⅰ	1	非該当		G2
	90					器18	血圧検査又は脈波検査用器具	生体物理現象検査用機器	16158000	水銀柱式血圧計	動脈血圧の間接的（非観血的）測定に用いる装置をいう。腕に巻き付ける蓄圧式のカフ，カフ及び圧力計内の圧力を調節するバルブから構成される。	Ⅰ	1	非該当		G2
		167			36	器18	血圧検査又は脈波検査用器具	生体物理現象検査用機器	16173000	自動電子血圧計	血圧の間接的（非観血的）測定に用いる電子式装置をいう。医師の指導のもと，在宅での自己血圧測定に使用するものであり，使用者の自己血圧管理を目的とするものである。耐用回数は最大30,000回であり，それを使用者に告知しなければならない。カフは自動的に加圧する。通常，収縮期及び拡張期血圧に加えて心拍数を表示する。	Ⅱ	10-③	非該当		G9
		168	490		37	器18	血圧検査又は脈波検査用器具	生体物理現象検査用機器	16173010	医用電子血圧計	血圧の間接的（非観血的）測定に用いる電子式装置をいう。適切な機能，カフの自動的な加圧等を内蔵プログラムを用いて行う。収縮期及び拡張期血圧に加えて，通常，心拍数や平均動脈圧を表示する。本品には，自動電子血圧計をきまない。	Ⅱ	10-③	該当		G2
		169			36	器18	血圧検査又は脈波検査用器具	生体物理現象検査用機器	16174000	手動式電子血圧計	動脈血圧の間接的（非観血的）測定に用いる装置をいう。カフは手動で加圧する。測定値は通常，電子ディスプレイに表示される。	Ⅱ	10-③	非該当		G9
		170	988		576	器18	血圧検査又は脈波検査用器具	生体物理現象検査用機器	16986000	容積補償式血圧計	1本の指で生じる血液量の変化を測定する自動電子血圧計をいう。指の周囲に装着するカフにより，（動脈容積変化がゼロになるように）動脈血圧に等しい逆圧力を与えることによって，又は指尖部に装着したセンサにより可視光を照射して脈波を検出することによって，微妙な動脈容積の変化を検出する。	Ⅱ	10-③	該当		G2
		171	800		577	器18	血圧検査又は脈波検査用器具	生体物理現象検査用機器	34931000	中心・末梢静脈血圧モニタ	留置カテーテル及び圧力計を用いて，中心又は末梢静脈における患者に関連した観血的血圧測定値又は中心静脈圧と末梢静脈圧の差を測定及び記録する装置をいう。	Ⅱ	10	該当		G2
		172	834		578	器18	血圧検査又は脈波検査用器具	生体物理現象検査用機器	36888000	長時間血圧記録用データレコーダ	血圧の長時間（24時間）の記録を行うために患者が携行する装置をいう。記録されたデータは，解析のため病院にて解析装置にダウンロードされる。	Ⅱ	10	該当		G2

✓ 同じ表は都道府県のホームページやPMDAにもある。

クラス分類表は，PMDAを含め，多くの都道府県の関連ホームページに掲載されているので見つけ出すことはたやすいが，たとえば香川県のホームページにはExcelのファイルが掲載されており，常に新しい情報のメンテナンスがなされていて使いやすい。

▶ PMDAのホームページでの一般的名称の検索

PMDAのホームページにある医療機器等基準関連情報に，キーワードを定義に入れると該当が表示される。

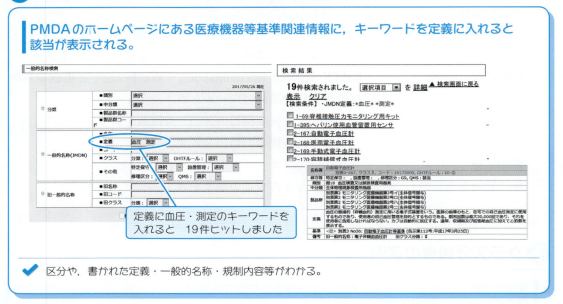

定義に血圧・測定のキーワードを入れると　19件ヒットしました

✓ 区分や，書かれた定義・一般的名称・規制内容等がわかる。

　PMDAのホームページにある医療機器等基準関連情報を利用すると一般的名称を確認したり，その医療機器に対する規制内容等がわかり，大変便利である。例として定義欄に「血圧」，「測定」のキーワードを入れ，検索してみると，19件のヒットがあった。一般的名称の定義に書かれた言葉がキーワード化してあり，それにヒットしたと思われる。そのほかJMDNコードや類別名称，また中分類名からも検索が可能である。19件の中から該当する「自動電子血圧計」を選択すると必要情報が得られ，かつ，承認や認証の基準やチェックシートがリンクされているので，一般的名称の検索だけでなく医療機器の開発において，とても重要なツールである。

▶ 医療機器の分類方法で医療機器の種類を知る

令和3年10月現在の香川県のホームページにある"クラス分類表"による。

クラス分類		一般的名称数				
リスクの高さをもとにした法的分類	審査のやり方の分類	一般的名称	QMS省令適用（告示第316号）の機器	QMS省令設計管理適用の機器	特定管理医療機器	
						設置管理医療機器
一般医療機器	クラスⅠ	1214	498+滅菌医療機器	0	186	50
管理医療機器	クラスⅡ	2005	2005	2005	702	124
高度管理医療機器	クラスⅢ	813	813	813	294	74
	クラスⅣ	374	374	374	51	2
計		4406	3690	3192	1233	250

・指定高度および管理医療機器は952の基準が制定され，該当する一般的名称は1500を超えている。
・一般的名称数や指定管理医療機器数は増加している。

　医療機器の一般的名称の数や，クラス分類の各クラスの数の全体の規模感をつかむため令和3年10月現在の香川県のクラス分類表をみると，クラスⅠは1,214種，クラスⅡは2,005種，クラスⅢは813種でクラスⅣの374種を合わせ，合計4,406種となった。

　ちなみに，平成24年7月時点の合計が4,077種であると香川県クラス分類表にあるので，9年で329種の新しい一般的名称をもつ医療機器が日本に生まれたことを意味する。なお，指定管理医療機器および指定高度管理医療機器の認証基準が952基準に増加したことを受け，該当する医療機器の一般的名称の数が令和3年10月時点で1,500種を超えた。平成24年7月時点では1,350種だったので，こちらは150種増えたことになる。

3.3 組織に対する規制 — 業許可

3.3.1 業許可の種類

▶ 医療機器に関連する仕事には業許可が必要

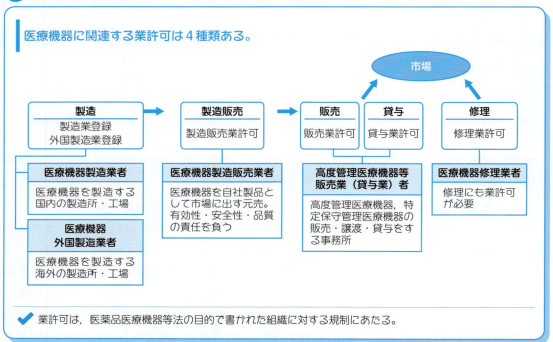

医療機器に関連する業許可は4種類ある。

✓ 業許可は，医薬品医療機器等法の目的で書かれた組織に対する規制にあたる。

　医薬品医療機器等法の医療機器の規制は2つから成り立っており，1つが医療機器である製品に対する規制であり，もう1つが医療機器に関連する組織に対する規制であると先述した。以下では組織に対する規制の具体的な方法である業許可の種類を説明する。

　業の許可には大きく分けて4種類あり，それぞれ，「製造販売業許可」，「製造業登録」，「販売・貸与業許可」，「修理業許可」であり，業の許可がないと医療機器に関連する仕事はできない。また，それぞれに許可の種類があり，許可の要件が異なるので注意が必要である。

　「製造販売業許可」は医療機器の元売として，医療機器の有効性・安全性・品質（維持）に一義的責任をもつが，製造販売許可を取得しただけでは直接医療機器を製造したり，原則，直接販売することは（特定保守管理医療機器を除く一般医療機器は可能）で

きない。「製造業登録」は国内で医療機器を生産する場合に必要な登録だが、海外の生産工場で最終的に国内で販売することを目的として医療機器を生産する際は「外国製造業登録」が必要となる。「販売・貸与業許可」は国内で定められた医療機器を市場に販売したり貸与する際に必要な許可で、「修理業許可」は販売または貸与された医療機器を修理する際、必要な業許可である。それぞれの許可・登録には有効期間があり、変更や更新の際に所定の場所で所定の手続きが必要であることや、許可や登録の要件がそれぞれ異なることも知る必要がある。

3.3.2 製造販売業許可（製造販売業三役・QMS 体制省令・GVP 省令）

▶ 医療機器の製造販売に必要な医療機器製造販売業許可

医療機器製造販売業許可の種類は3つ。

製造販売業者
医療機器に一義的責任を負う
（医薬品医療機器等法第2条第13項）

製造（他に委託して製造をする場合を含み、他から委託を受けて製造をする場合を除く。）、又は輸入をした医療機器を、販売し、貸与し、若しくは授与し、又は医療機器プログラム（医療機器のうちプログラムであるものをいう。）を電気通信回線を通じて提供する者。（販売業者等に販売できるが、直接市場に販売することはできない。）

名称	許可の種類
高度管理医療機器	第1種 医療機器製造販売許可
管理医療機器	第2種 医療機器製造販売許可
一般医療機器	第3種 医療機器製造販売許可

製造販売する医療機器で業許可が異なる
上位の許可は下位を包含する

- 業許可 法人ごと
- 都道府県知事
- 業許可 5年

- 自社の医療機器（製品）に一義的責任を負っている。
- 製造販売業者は直接製造・販売の業ではない。
- 許可証の掲示が必要。
- メガネなどの限定一般医療機器のみを製造販売する業者を限定第3種医療機器製造販売業者と呼ぶ。

「製造販売」とは、その製造（他に委託して製造をする場合を含み、他から委託を受けて製造をする場合を除く。以下「製造等」という。）をし、又は輸入をした医薬品（原薬たる医薬品を除く。）、医薬部外品、化粧品、医療機器若しくは再生医療等製品を、それぞれ販売し、貸与し、若しくは授与し、又は医療機器プログラム（医療機器のうちプログラムであるものをいう。以下同じ。）を電気通信回線を通じて提供することをい

うと医薬品医療機器等法第2条第13項で定義されているが，これだと「製造機能と販売機能を兼ね備えた医療機器メーカー」を想像する。しかし，実際の理解は，「市場に出す医療機器（製品）の有効性・安全性・品質（維持）に対し，一義的な責任をもつ法人等」である。ただし，「医療機器製造販売業」の許可をとっても，医療機器を直接，製造したり直接，市場に販売することは原則できない（自社で製造するには別に製造の登録，高度管理医療機器や特定保守管理医療機器を販売するには販売の業許可等が別途必要）。

さらに，この「医療機器製造販売業許可」は許可の種類も医療機器の法的分類によって以下のように3つの許可があり，扱う製品によって異なる。対応する製品の許可がないと製造販売をしてはならない，と法に明記されている。

第1種 医療機器製造販売業許可：高度管理医療機器の製造販売に対する許可
第2種 医療機器製造販売業許可：管理医療機器の製造販売に対する許可
第3種 医療機器製造販売業許可：一般医療機器の製造販売に対する許可

ただし，第1種 医療機器製造販売業許可を取得すれば，管理医療機器・一般医療機器の製造販売も可能である。同じように第2種 医療機器製造販売業許可を取得すれば，一般医療機器の製造販売も可能である。

また，各々の業許可は1法人1許可の取得でよく，許可権者はその法人の関連する業務の主たる事務所（総括製造販売責任者が所在する）の都道府県知事となるので，許可の申請等の対応は各都道府県の薬務課等となる。さらに製造販売業許可の有効期間は取得後5年であるので，5年に近づいたら更新の申請が必要である。

さらに，許可証を法人の関連する業務の主たる事務所に掲示することも法令で決められている。

一般医療機器の製造販売に対する許可を取得している製造販売業者を第3種 医療機器製造販売業者と呼ぶが，メガネなどの限定一般医療機器のみを製造販売する業者を限定第3種 医療機器製造業者と呼ぶ。

▶ 医療機器製造販売業者になるための要件

> 人にかかわる許可要件と，体制にかかわる要件がある。

人にかかわる許可要件 →
- 申請者の欠格条項への非該当（犯罪者，精神的な問題がないこと）
- 責任者を設置すること（管理監督者，管理責任者，および製造販売業三役）

申請者
法人の場合は，業務を行う商法上の役員を含むこと
代表取締役か担当の取締役のこと

責任者の設置
- 管理監督者，管理責任者
- 製造販売業三役
  - 総括製造販売責任者
  - 国内品質業務運営責任者
  - 安全管理責任者

 人にかかわる許可要件は許可の種類で資格が違う。

　医療機器に求められている有効性・安全性や品質（維持）を達成するには，正しい組織で，正しい人が，責任をもって関連の業を行うことが大切である。その思想が本業の認可にも表れているので，その要件も大別して「人にかかわる要件」と「体制にかかわる要件」がある。

　さらに，「人にかかわる要件」も2つあり，その1つが申請者に対する要件となる。申請者は，申請者が法人であるときは，代表取締役かその担当業務を行う商法上の取締役を含むことが要求されるので，法人の責任者を意味する。また，申請者の要件は，以下のように定められ，これを欠格条項の非該当と呼んでいる。

イ　法の規定により許可を取り消され，取消しの日から3年を経過していない者。
ロ　法の規定により登録を取り消され，取消しの日から3年を経過していない者。
ハ　禁錮以上の刑に処せられ，その執行を終わり，又は執行を受けることがなくなつた後，3年を経過していない者。
ニ　イからハまでに該当する者を除くほか，この法律，麻薬及び向精神薬取締法（昭和28年法律第14号），毒物及び劇物取締法（昭和25年法律第303号），その他薬事に関する法令で政令で定めるもの又はこれに基づく処分に違反し，その違反行為があつた日から2年を経過していない者。
ホ　成年被後見人又は麻薬，大麻，あへん若しくは覚醒剤の中毒者。
ヘ　心身の障害により，薬局開設者の業務を適正に行うことができない者として厚生労働省令で定めるもの。

　2つ目は，製品に対し市場への責任をもつ者たちとして，「総括製造販売責任者」，「国内品質業務運営責任者」，「安全管理責任者」の任命が求められ，これらは「製造販

売業三役」と呼ばれる。さらに，この製造販売業三役になるにも要件があり，その要件は許可区分により異なる。

▶ 製造販売業三役の関係と関連組織図

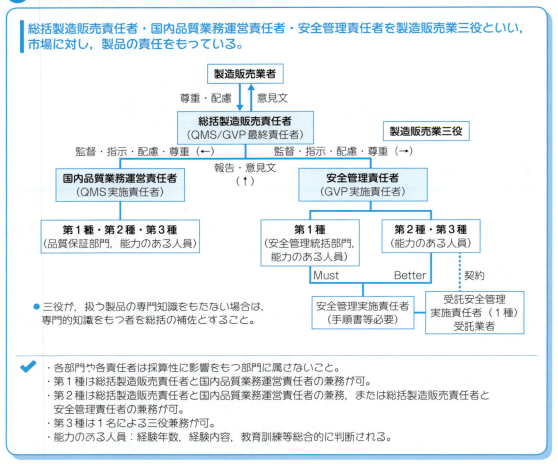

　総括製造販売責任者・国内品質業務運営責任者・安全管理責任者を製造販売業三役といい，市場に対し製品の責任をもつことは先述したが，この三者の関連とその必要な組織を図解した。

　国内品質業務運営責任者は品質管理の実務を行う組織をもたなければならず，関連業務を適切かつ円滑に遂行する能力を有する人員を十分有することも要求される。

　製造販売業の許可要件に「GVP省令適合」があるが，「GVP省令」は医療機器の市販後安全と販売後調査方法を定めた安全管理業務の省令である。そのGVP実施責任者が安全管理責任者であり，人にかかわる許可要件の1つでもある。第1種 医療機器製造販売業者は，組織として安全管理統括部門をもち，そこに安全確保業務を行う能力のあ

る人員を十分有することが必要である。一方，第2種・第3種 医療機器製造販売業者は，組織としての部門はもたなくてもよいが，安全確保業務を適切かつ円滑に遂行しうる能力のある人員を十分有することは必要になる。さらに，上記の組織や人員は，採算性に影響をもつ部門に属さないことも重要である。なお，販売後安全管理業務は，安全管理実施責任者の設置と，委託先に受託安全管理実施責任者の設置等を条件（第1種）に，外部に委託することができる。

　総括製造販売責任者はQMS省令・GVP省令実施の最終責任者であるので，重要な人にかかわる許可要件であり，品質管理や安全管理業務に精通し，「国内品質業務運営責任者」や「安全管理責任者」を指示・監督することが求められる。

　さらに，必要なときは製造販売業者に対し，文書にて意見することも求められている。同じように「国内品質業務運営責任者」や「安全管理責任者」も必要なときは総括製造販売責任者に対し文書にて意見することも求められており，適宜，関連の報告も必要である。

　もし三役が，扱う製品の専門知識をもたない場合は，専門的知識をもつ者を製造販売責任者の補佐とすることも必要である。

　「製造販売業三役」の兼務は，第1種は総括製造販売責任者と国内品質業務運営責任者の兼務が可，第2種は総括製造販売責任者と国内品質業務運営責任者の兼務，又は総括製造販売責任者と安全管理責任者の兼務が可，第3種は1名による三役の兼務が可能である（平成26年8月6日薬食発0806第3号）。

　なお，文中にある能力のある人員とは，経験年数，経験の内容，または教育訓練等の状況から総合的に製造販売業者が決める人となる。

▶ 製造販売業三役の業務と資格要件

> 新規参入には，総括製造販売責任者を確保することが課題であったが，平成24年8月の省令第120号により大きく緩和。

	主な業務
総括製造販売責任者	・品質管理・製造販売後安全管理の該当業務を行う。 ・必要な際，製造販売業者へ意見文を出せる。 ・国内品質業務運営責任者・安全管理責任者の監督と指示および配慮と尊重。
国内品質業務運営責任者	・品質保証業務を統括し，業務の確認と総括製造販売責任者へ必要事項の報告，および必要な際，意見文を出せる。 ・また，関連業者（病院，診療所，製造業者，販売業者等）に必要な際，指示を行う。
安全管理責任者	・安全確保業務を統括し，業務の確認と記録を残す。 ・必要な際，総括製造販売責任者へ意見文を出せる。

資格要件			第一種医療機器製造販売業者	第二種医療機器製造販売業者	第三種医療機器製造販売業者
業態					
分類			高度管理医療機器	管理医療機器	一般医療機器
クラス			クラスⅣ	クラスⅠ，Ⅱ	クラスⅠ
総括製造販売責任者の要件 右記(1)〜(3)のいずれか	(1)	学歴	大学（専門課程）	大学（専門課程）	高校（専門課程）
	(2)	学歴 ＋ 従事経験	高校（専門課程） ＋ 3年（QMS or GVP）	高校（専門課程） ＋ 3年（QMS or GVP）	高校（科目修得） ＋ 3年（QMS or GVP）
	(3)	従事経験 ＋ 講習受講	5年（QMS or GVP） ＋ 講習受講	5年（QMS or GVP） ＋ 講習受講	―
国内品質業務運営責任者の要件		従事経験	3年（QMS or GVP）	3年（QMS or GVP or ISO）※1	3年（QMS or GVP or ISO）※1
安全管理責任者の要件		従事経験	3年（GVP）	―	―

※1 第二種，第三種製造販売業者の国内品質業務運営責任者に対して，医薬品医療機器等法による経験の代わりに，ISOによる経験を認めることで要件を緩和した。

　総括製造販売責任者の業務は，医薬品医療機器等法施行規則第114条の49には，

> 一　品質管理及び製造販売後安全管理に係る業務に関する法令及び実務に精通し，公正かつ適正に当該業務を行うこと。
> 二　当該業務を公正かつ適正に行うために必要があると認めるときは，製造販売業者に対し文書により必要な意見を述べ，その写しを五年間保存すること。
> 三　医薬品等の品質管理に関する業務の責任者（以下「国内品質業務運営責任者」という。）及び製造販売後安全管理に関する業務の責任者（以下「安全管理責任者」という。）との相互の密接な連携を図ること。

と書かれ，GVP省令には，

> 一　次条第二項に規定する安全管理責任者を監督すること。
> 二　前号の安全管理責任者の意見を尊重すること。
> 三　第一号の安全管理責任者と品質保証責任者又は高度管理医療機器の製造販売に係る業務の責任者との密接な連携を図らせること。…※抜粋

と書かれ，またQMS省令の第三章　医療機器等の製造管理及び品質管理に係る追加的要求事項第71条には，以下のように書かれている。

> 一　製品の出荷の決定その他の製造管理及び品質管理に係る業務を統括し，これに責任を負うこと。
> 二　業務を公正かつ適正に行うために必要があると認めるときは，製造販売業者，管理監督者その他の当該業務に関して責任を有する者に対し文書により必要な意見を述べ，その写しを五年間保管すること。
> 三　次条第一項に規定する国内品質業務運営責任者を監督すること（次項の規定により医療機器等総括製造販売責任者が国内品質業務運営責任者を兼ねる場合を除く。）。
> 四　管理責任者及び次条第一項に規定する国内品質業務運営責任者（限定第三種医療機器製造販売業者にあっては，管理責任者を除く。）の意見を尊重すること。
> 五　製造管理又は品質管理に関係する部門と製造販売後安全管理基準第四条第一項に規定する安全管理統括部門（次条第二項第九号において「安全管理統括部門」という。）との密接な連携を図らせること。…※抜粋

総括製造販売責任者の資格要件は，第1種，第2種と第3種で異なり，第1種，第2種では，

> 一　大学等で物理学，化学，生物学，工学，情報学，金属学，電気学，機械学，薬学，医学又は歯学に関する専門の課程を修了した者
> 二　旧制中学若しくは高校又はこれと同等以上の学校で，物理学，化学，生物学，工学，情報学，金属学，電気学，機械学，薬学，医学又は歯学に関する専門の課程を修了した後，医薬品又は医療機器の品質管理又は製造販売後安全管理に関する業務に三年以上従事した者
> 三　医薬品又は医療機器の品質管理又は製造販売後安全管理に関する業務に五年以上従事した後，別に厚生労働省令で定めるところにより厚生労働大臣の登録を受けた者が行う講習を修了した者
> 四　厚生労働大臣が前三号に掲げる者と同等以上の知識経験を有すると認めた者

であり，第3種では以下の資格要件が適用される。

> 一　旧制中学若しくは高校又はこれと同等以上の学校で，物理学，化学，生物学，工学，情報学，金属学，電気学，機械学，薬学，医学又は歯学に関する専門の課程を修了した者
> 二　旧制中学若しくは高校又はこれと同等以上の学校で，物理学，化学，生物学，工学，情報学，金属学，電気学，機械学，薬学，医学又は歯学に関する科目を修得した後，医

> 薬品等の品質管理又は製造販売後安全管理に関する業務に三年以上従事した者
> 三　厚生労働大臣が前二号に掲げる者と同等以上の知識経験を有すると認めた者

　国内品質業務運営責任者の業務及び資格要件は，QMS省令の第三章　医療機器等の製造管理及び品質管理に係る追加的要求事項第72条に定められている。
　その資格要件は，第72条第1項に以下のように定められている。

> 一　製造販売業者における品質保証部門の責任者であること。
> 二　品質管理業務その他これに類する業務に三年以上従事した者であること。
> 三　国内の品質管理業務を適正かつ円滑に遂行しうる能力を有する者であること。
> 四　医療機器等の販売に係る部門に属する者でないことその他国内の品質管理業務の適正かつ円滑な遂行に支障を及ぼすおそれがない者であること。

　第2種，第3種製造販売業者の国内品質業務運営責任者に対しては，薬食監麻発0827第4号（平成26年8月）により，「品質管理業務その他これに類する業務」としてISO 9001またはISO 13485による経験も認めることで要件を緩和した。

薬食監麻発0827第4号（平成26年8月）
　「品質管理業務その他これに類する業務に3年以上従事した者」としては，第一種医療機器製造販売業者にあっては以下のア．からオ．までに掲げる者，第二種若しくは第三種医療機器製造販売業者又は体外診断用医薬品製造販売業者にあっては以下のア．からカ．までに掲げる者がそれぞれ該当する。なお，「3年以上」とは，自社，他社を問わず該当する業務の合計年数でもよいこと。

ア．管理監督者
イ．管理責任者
ウ．医療機器等総括製造販売責任者
エ．旧法下における品質保証責任者，製造管理及び責任技術者
オ．製造販売業者又は製造業の製造管理又は品質管理に係る業務に従事した者
カ．ISO 9001又はISO 13485の認証を受けた事業者等（製品の製造販売又は製造を行うものに限り，サービス提供等のみを行うものを除く。）に係る品質マネジメントシステムの継続的改善又は維持に係る業務に従事した者

　その業務は，第72条第2項に，以下のように定められている。
　QMS省令の規定に基づき作成された手順書等に基づいて，

> 一　国内の品質管理業務を統括すること。
> 二　国内の品質管理業務が適正かつ円滑に行われていることを確認すること。
> 三　国内に流通させる製品について，市場への出荷の決定をロットごと（ロットを構成し

ない医療機器等にあっては，製造番号又は製造記号ごと）に行い，その結果及び出荷先等市場への出荷の記録を作成すること（次項の規定により市場への出荷の可否の決定をあらかじめ指定した者に行わせる場合にあっては，当該製品の市場への出荷の可否の決定の状況について適切に把握すること。）。

四　国内に流通する製品について，当該製品の品質に影響を与えるおそれのある製造方法，試験検査方法等の変更がなされる場合にあっては，当該変更に係る情報を国内外から収集し，かつ，把握するとともに，当該変更が製品の品質に重大な影響を与えるおそれがある場合には，速やかに管理責任者（限定第三種医療機器製造販売業者の国内品質業務運営責任者にあっては，管理監督者。次号から第七号までにおいて同じ。）及び医療機器等総括製造販売責任者に対して文書により報告し，必要かつ適切な措置が採られるようにすること。

五　国内に流通する製品について，当該製品の品質等に関する情報（品質不良又はそのおそれに係る情報を含む。）を国内外から収集するとともに，当該情報を得たときは，速やかに管理責任者及び医療機器等総括製造販売責任者に対して文書により報告し，記録し，及び必要かつ適切な措置が採られるようにすること。

六　国内に流通する製品の回収を行う場合に，次に掲げる業務を行うこと。
　イ　回収した医療機器等を区分して一定期間保管した後，適正に処理すること。
　ロ　回収の内容を記載した記録を作成し，管理責任者及び医療機器等総括製造販売責任者に対して文書により報告すること。

七　第四号から前号までに掲げるもののほか，国内の品質管理業務の遂行のために必要があると認めるときは，管理責任者及び医療機器等総括製造販売責任者に対して文書により報告すること。

八　国内の品質管理業務の実施に当たり，必要に応じ，関係する登録製造所に係る製造業者又は医療機器等外国製造業者，販売業者，薬局開設者，病院及び診療所の開設者その他関係者に対し，文書による連絡又は指示を行うこと。

九　製造販売後安全管理基準第二条第二項に規定する安全確保措置に関する情報を知ったときは，安全管理統括部門に遅滞なく文書で提供すること。

3　前項第三号に規定する市場への出荷の決定は，国内品質業務運営責任者があらかじめ指定した者（品質保証部門の者又は登録製造所（市場への出荷を行うものに限る。）の構成員であって，当該業務を適正かつ円滑に遂行しうる能力を有する者に限る。）に行わせることができる。

4　前項の規定により市場への出荷の決定を行った者は，その結果及び出荷先等市場への出荷に関する記録を作成するとともに，国内品質業務運営責任者に対して文書により報告しなければならない。

さらに，安全管理責任者の業務は，（製造販売後安全管理業務手順書に記載されること。）

一　安全確保業務を統括すること。
二　安全確保業務が適正かつ円滑に行われているか確認し，その記録を作成し，保存すること。
三　安全確保業務について必要があると認めるときは，総括製造販売責任者に対し文書により意見を述べ，その写しを保存すること。

と記され，その資格要件は，第1種の場合，

> 一　安全管理統括部門の責任者であること。
> 二　安全確保業務その他これに類する業務に三年以上従事した者であること。
> 三　安全確保業務を適正かつ円滑に遂行しうる能力を有する者であること。
> 四　医薬品等の販売に係る部門に属する者でないことその他安全確保業務の適正かつ円滑な遂行に支障を及ぼすおそれがない者であること。

であり，第2種・第3種の場合，以下のとおりである。

> 一　安全確保業務を適正かつ円滑に遂行しうる能力を有する者であること。
> 二　医薬品等の販売に係る部門に属する者でないことその他安全確保業務の適正かつ円滑な遂行に支障を及ぼすおそれがない者であること。

▶ QMS体制省令，GVP省令に基づく体制構築が必要

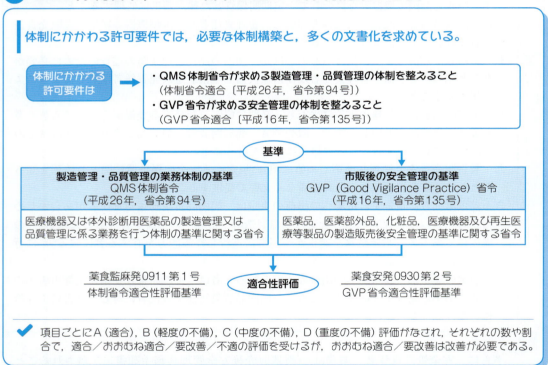

すでに製造販売業の許可要件の人にかかわる許可要件の中で，QMS体制省令およびGVP省令への適合について触れているが，製造販売業の許可要件のうちの体制にかかわる許可要件について述べる。

QMS体制省令には，製造管理・品質管理の業務体制の基準が示され，正式には「医

療機器又は体外診断用医薬品の製造管理又は品質管理に係る業務を行う体制の基準に関する省令」と呼ばれている。

またGVP（Good Vigilance Practice）省令には，市販後の安全管理の基準が示され，正式には「医薬品，医薬部外品，化粧品，医療機器及び再生医療等製品の製造販売後安全管理の基準に関する省令」と呼ばれている。

それぞれ都道府県により「適合性調査」が行われる。体制省令の適合性評価基準は，「薬食監麻発0911第1号」をもとに評価される。また，GVP省令の適合性評価基準は「薬食安発0930第2号」をもとに評価される。

これらは別添項目ごとに評価され，その結果，評価ランクA（適合），評価ランクB（軽度の不備），評価ランクC（中度の不備），評価ランクD（重度の不備）評価がなされた後，それぞれの数や割合で，適合（Aのみの場合）／おおむね適合（AとB，またはBのみの場合）／要改善（Cが全体の半分以下でDがない）／不適（上記以外）の評価を受ける。おおむね適合の場合は，申請に対する対応前までに，文書にて改善を報告されることで適合とされる。また，要改善のCについては，申請に対する対応前までに，文書にて改善を報告し，かつ，実施することが条件となる。不適合のDは改善されないと適合評価で適合とならず，業許可を受けられない。

▶ QMS体制省令が求めていること

QMS体制省令は，製造販売業の許可要件であり，QMS省令が要求する業務を遵守する体制の基準（組織の体制の整備と適切な人員の配置）が求められている。

QMS体制省令とQMS省令の関連

QMS体制省令第3条		製造管理及び品質管理に係る業務に必要な体制	
第1項	必要な組織の体制の整備	第2項	必要な人員の配置

QMS省令条項	内容	QMS省令条項等	内容
第5条	品質管理監督システムに係る要求事項	第2条第16項	定義・・管理監督者
第6条	品質管理監督システムの文書化	第10条〜第14条	管理監督者の関与関連
第7条	品質管理監督システム基準書	第15条	管理監督者の責任及び権限
第8条, 第67条	品質管理監督文書の管理・保管期限	第16条	管理責任者
第9条, 第68条	品質管理監督記録の管理・保管期限	規則第114条の49	総括製造販売責任者
		規則第114条の50 第71条	総括製造販売責任者の業務
		第72条	国内品質業務運営責任者

✓ 令和元年の医薬品医療機器等法改正では，法令遵守体制の強化，責任役員の明確化，総括製造販売責任者の選任責任として能力と経験の必要性が明示された。

QMS体制省令では，QMS省令が要求する製造管理または品質管理の業務を遵守する体制に関する基準が定められ，製造販売業の許可要件である。

その基準は2つあり，1つが組織の体制の整備の基準で，もう1つが適切な人員配置に対する基準であるが，各基準は図示したようにQMS省令の関連条項と関連づけされている。

(1) 組織の体制の整備について（体制省令第3条第1項関係）

医療機器等製造販売業者はQMS省令を遵守するための体制を整備する必要があり，以下の要求事項を満たす必要がある。

○品質管理監督システムに係る要求事項【QMS省令第5条】
○品質管理監督システムの文書化【QMS省令第6条】
○品質管理監督システム基準書【QMS省令第7条】

品質方針・品質目標等の作成については，限定第三種医療機器製造販売業を除く。

○品質管理監督文書の管理・保管期限【QMS省令第8条，第67条】
○品質管理監督記録の管理・保管期限【QMS省令第9条，第68条】

(2) 適切な人員の配置について（体制省令第3条第2項関係）

医療機器等製造販売業者はQMS省令の規定を遵守するために，それぞれの資格要件に応じた以下の人員の配置を適切に行う必要がある。

○管理監督者【QMS省令第2条第16項】……製造販売業者等の品質管理監督システムに係る業務を最上位で監督する役員等
○管理監督者の関与関連【QMS省令第10条～第14条】……品質方針を定めること等。
○管理監督者の責任及び権限【QMS省令第15条】……すべての施設において，各部門及び当該部門の構成員に係る責任及び権限が定められ，文書化され，周知されているようにしなければならない。
○管理責任者（限定第三種医療機器製造販売業者を除く）【QMS省令第16条】……製造販売業者等の役員，管理職の地位にある者その他これに相当する者
○医療機器等総括製造販売責任者【医薬品医療機器等法施行規則第114条の49】
○医療機器等総括製造販売責任者の業務【医薬品医療機器等法施行規則第114条の50】【QMS省令第71条】
○国内品質業務運営責任者【QMS省令第72条】

令和元年の医薬品医療機器等法改正では，製造販売業者の法令遵守体制の強化が求められ，薬事に関する業務の責任役員の明確化や総括製造販売責任者の権限の明確化と選任責任として能力と経験の必要性が明示された。

3.3 組織に対する規制 — 業許可

▶ GVP省令が求めていること

> GVP省令は，製造販売業の許可要件であり，市販後安全管理に関する基準を示している。
> すなわち，省令は販売後の安全管理情報の収集と安全確保措置の実行を求めている。
> 要件は区分ごとに異なる。

GVP（Good Vigilance Practice）省令の許可事項の抜粋

	GVP省令の条項	第1種	第2種	第3種
第 4 条	安全確保業務に係る組織及び職員	全		
第 5 条	製造販売後安全管理業務手順書等	全	一部	
第 6 条	安全管理責任者の業務	全	全	全
第 7 条	安全管理情報の収集	全	一部	一部
第 8 条	安全管理情報の検討及びその結果に基づく安全確保措置の立案	全	一部	一部
第 9 条	安全確保措置の実施	全	一部	一部
第11条	自己点検	全	全	
第12条	製造販売後安全管理に関する業務に従事する者に対する教育訓練	全	全	
第13条	安全確保業務に係る組織及び職員（第2種規定，第3種準用）		全	全
第16条	安全確保業務に係る記録の保存	全	全	全

全：すべての項への適用　一部：一部除外のこと

✓ 新しく許可申請する際は，「製造販売後安全管理業務手順書」を作成しなければならない。

　GVP省令は，製造販売後安全管理の基準を示し，市販後安全確保業務の実行，すなわち，安全管理情報（医療機器の有効性・安全性・適正使用に必要な情報）の収集，検討及びその結果に基づく必要な措置（安全確保措置）にかかわることを求めている。GVP省令の要件は区分ごとに異なるので，以下，区分ごとに関係する条項を解説する。また，GVP省令適合は，製造販売業許可要件の1つである。

　第1種では以下の条項が大きく関連する。

第 4 条　安全確保業務に係る組織及び職員
第 5 条　製造販売後安全管理業務手順書等
第 6 条　安全管理責任者の業務
第 7 条　安全管理情報の収集
第 8 条　安全管理情報の検討及びその結果に基づく安全確保措置の立案
第 9 条　安全確保措置の実施
第11条　自己点検
第12条　製造販売後安全管理に関する業務に従事する者に対する教育訓練
第16条　安全確保業務に係る記録の保存

第2種では，第5, 7, 8, 9条の一部と第6, 11, 12, 13, 16条の全部，第3種では，第7, 8, 9条の一部と第6, 13, 16条の全部が関係する。

とくに，「製造販売後安全管理業務手順書」の整備が必要になる。

GVP省令が求める手順書とは

GVP省令が求める業務を文書化したもの。

第1種，第2種（五は除外）

製造販売後安全管理業務手順書

一　安全管理情報の収集に関する手順
二　安全管理情報の検討及びその結果に基づく安全確保措置の立案に関する手順
三　安全確保措置の実施に関する手順
四　安全管理責任者から総括製造販売責任者への報告に関する手順
五　安全管理実施責任者から安全管理責任者への報告に関する手順
六　市販直後調査に関する手順
七　自己点検に関する手順
八　製造販売後安全管理に関する業務に従事する者に対する教育訓練に関する手順
九　製造販売後安全管理に関する業務に係る記録の保存に関する手順
十　品質保証責任者その他の処方せん医薬品又は高度管理医療機器の製造販売に係る業務の責任者との相互の連携に関する手順
十一　その他製造販売後安全管理に関する業務を適正かつ円滑に行うために必要な手順

✓ 手順書や業務を行った証拠である記録には，決められた保管期間がある。

ここにGVP省令が具体的に求める手順書類の標題を列挙する。基本的な考え方はISO 9001を代表する品質管理の考え方からきているが，各企業で行う業務を決め，それを文書化し（手順として表す），この手順に沿って業務を行った記録を残すことで，品質を管理しようとする手法である。

医薬品医療機器等法への改正時に，医療機器の製造販売業に要求されていたGQP省令が廃止され，QMS省令が改正され実施主体が製造業者から製造販売業者に代わったことにより，旧GQP省令の要求事項の一部が，改正QMS省令の第三章追加的要求事項に加えられている。

QMS省令第三章追加的要求事項においては，下記の手順が要求されている。

① 製造管理及び品質管理確保のための取決めに関する手順書
② 医療機器の修理業者からの通知の処理手順書
③ 医療機器の販売業者又は貸与業者における品質の確保手順書
④ 中古品の販売業者又は貸与業者からの通知の処理手順書

⑤　医療機器製造販売業の責任者の業務に関する手順書

　一方，GVP省令が求める製造販売後安全管理業務手順書は，以下のとおりである。
　ただし，第1種医療機器製造販売業者はすべての手順書，第2種医療機器製造販売業者は五を除くすべての手順書が対象となる。

一　　安全管理情報の収集に関する手順
二　　安全管理情報の検討及びその結果に基づく安全確保措置の立案に関する手順
三　　安全確保措置の実施に関する手順
四　　安全管理責任者から総括製造販売責任者への報告に関する手順
五　　安全管理実施責任者から安全管理責任者への報告に関する手順
六　　市販直後調査に関する手順
七　　自己点検に関する手順
八　　製造販売後安全管理に関する業務に従事する者に対する教育訓練に関する手順
九　　製造販売後安全管理に関する業務に係る記録の保存に関する手順
十　　品質保証責任者その他の処方せん医薬品又は高度管理医療機器の製造販売に係る業務の責任者との相互の連携に関する手順
十一　その他製造販売後安全管理に関する業務を適正かつ円滑に行うために必要な手順

　なお，手順書や業務に沿って行った業務の証拠である記録は，管理されることが要求されていて，決められた保管期間もある。

▶ 3省令の求める組織構築と各責任者の配置は製造販売業の許可要件

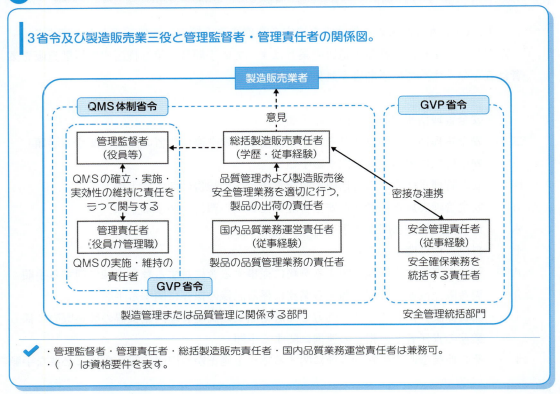

3省令及び製造販売業三役と管理監督者・管理責任者の関係図。

・管理監督者・管理責任者・総括製造販売責任者・国内品質業務運営責任者は兼務可。
・（　）は資格要件を表す。

　QMS体制省令，QMS省令，GVP省令への適合は，製造販売業の許可要件だが，許可権者である都道府県は，3省令の各規定を守るために必要な組織体制の構築の整備状況と，3省令の各規定を守るために必要な責任者の配置の整備状況を調査し評価基準に沿って評価する。その評価基準は前述したが，ここでは，3省令および製造販売業三役，管理監督者，管理責任者の各責任者の関係を，関連組織部門と各責任者の主たる役割を含めて図に示した。

　また，QMSの確立・実施・実効性の維持に責任をもって関与する管理監督者と，QMSの実施・維持の責任者である管理責任者，総括製造販売責任者，このうち国内品質業務運営責任者は各業務を行うにあたり支障がない限り兼務できる。

　ここで挙げた管理監督者や管理責任者には，製造販売業三役で求めた学歴や従事経験等の資格要件はないが，管理監督者は商法でいう役員であること，管理責任者は役員か管理職であることが求められる。

　なお，管理監督者・管理責任者・総括製造販売責任者・国内品質業務運営責任者，安全管理責任者を製造販売業の五役という場合がある。

製造販売業者の許可申請の手続きを知る

添付書類一覧，様式例，審査基準，費用があり，神奈川県薬務課の
ホームページがわかりやすい。

Step 1　業者コードの取得（業者コード登録票提出）		
Step 2　申請書（様式9）および必要添付書類提出	申請新規	申請更新
登記事項証明書（六カ月以内・法人のみ）	◎	
申請者・責任役員の医師の診断書（三カ月以内）	△	△
組織図（業務分掌表・法人のみ）	◎	
主たる機能を有する事務所の付近略図	○	○
保管設備の建物配置図・平面図	△	△
総括製造販売責任者の雇用証明書・資格を証する書類	◎	
体制QMS・GVPに係る体制に関する書類	◎	○
製造販売品目一覧表	○	○
製造販売業の許可証の写し（他県からの移転の場合）	△	
業許可証		◎

◎：必須　○：神奈川県でのお願い　△：必要に応じて
（令和3年10月時点）

- 申請は原則として電子申請により行い，申請様式は厚生労働省ホームページから無料でダウンロード。
- 処理日数は標準28日，許可申請費用は第1種約16万円，第2種約14万円，第3種約10万円とあるが，都道府県で異なるので，該当県薬務関連課等で確認が必要。

　製造販売業許可申請にあたっては，その法人の関連する業務の主たる事務所（総括製造販売責任者が所在する）のある都道府県の薬務課等となる。

　都道府県の薬務関連のホームページに，許可申請の手続方法，添付書類一覧，様式例，審査基準，費用等が掲載されていて参考になる。とくに神奈川県薬務課のホームページ，東京都健康安全研究センター医療機器監視課のホームページなどはわかりやすい。神奈川県薬務課の場合，申請者が，まず業者コードを取得（業者コード登録票を提出）した後，製造販売業許可申請書様式9に添付の資料を付けて申請する。

　申請は原則として電子申請により行い，申請様式は厚生労働省ホームページから無料でダウンロードできる。また，申請者は，代表取締役か医療機器事業担当の取締役であることが求められる。

　その添付資料は，以下となる。
・登記事項証明書（六カ月以内・法人のみ）
・申請者・責任役員の医師の診断書（三カ月以内）
・組織図（業務分掌表・法人のみ）
・主たる機能を有する事務所の付近略図
・保管設備の建物配置図・平面図
・総括製造販売責任者の雇用証明書・資格を証する書類

- 体制QMS・GVPに係る体制に関する書類
- 製造販売品目一覧表
- 製造販売業の許可証の写し（他県からの移転の場合）

　神奈川県では申請後の処理日数は標準28日，費用は第1種15万6,900円，第2種14万300円，第3種9万8,500円とあるが，都道府県で異なるので，該当県薬務関連課等で確認が必要である（費用を含め，令和3年8月時点）。

　業許可取得後5年が経過すると「更新申請」が必要となるが，その際の添付資料も本図の表に載せた。その他，変更届，休止／廃止／再開届など変更時にも申請や届出が必要になるので，注意されたい。

3.3.3　製造業登録

▶ 医療機器の製造に必要な医療機器製造業登録

医療機器の製造に必要な医療機器製造業登録。

医療機器の設計，主たる組立，滅菌，最終保管（出荷判定）を行う製造所は，国内の場合は都道府県，海外の場合は厚生労働大臣による登録が必要となる。

医療機器の承認・認証申請書に，担当工程の範囲によって登録製造所として記載される。
医療機器の種類によって，必要な登録製造所の工程区分が決まっている（下図参照）。

製造工程 医療機器	設計	主たる製造工程	滅菌	最終保管（出荷判定）
医療機器プログラム	○	−	−	−
医療機器プログラムの記録媒体	○	−	−	○
一般医療機器	−	○	○	○
上記以外の医療機器	○	○	○	○

設計（登録製造所（設計のみ））→ 部品製造（登録不要）→ 製造（その他）（登録不要）→ 主たる組立て（登録製造所（組立て等））→ 最終包装表示（登録不要）→ 最終保管（出荷判定）（登録製造所（出荷判定））→ 出荷 → 製造販売業者

✓ 医療機器の製造業は，許可制から登録制に移行し，その要件が簡素化された。
　・設計開発を行う施設が製造販売業の事務所と同じ場合は，当該施設の製造業の登録は必要ない。
　・一般医療機器のみの設計開発を行う施設の製造業登録も必要ない。
　・登録は製造工程ごとではなく「医療機器製造業」として登録されるため，医療機器を製造する製造所内で複数の製造工程がある場合でも登録は一製造所となる。

　日本で販売される医療機器を製造する製造所（工場や設計等事業所）は，設計，主たる組立，滅菌，最終保管（出荷判定時の施設）を行う場合，医療機器製造業の登録が必要であり，この登録証を持つ業者は，医療機器製造業者といわれる。また申請書等に

は，登録製造所として記載される。

図示された各製造工程の理解は，以下のようである。

設計：承認または認証を要する医療機器の設計開発に関して責任を有する者がいる施設であって，当該設計開発に係る記録を管理している場所。

主たる製造工程：製造実態がある施設のうち，当該品目に係るQMSまたは製品実現について実質的に責任を有する施設。

滅菌：滅菌医療機器について，滅菌を行う施設。

最終保管：最終製品を保管する施設のうち，市場への出荷判定時に製品を保管している施設。

なお，設計開発を行う施設が当該の医療機器の製造販売業の主たる機能を有する事務所と同じ場合は，当該施設の製造業の登録は必要ない。また，一般医療機器のみの設計開発を行う施設の製造業登録も要求されない。

加えて，登録は製造工程ごとではなく「医療機器製造業」として登録されるため，医療機器を製造する製造所内で複数の製造工程がある場合でも登録は一製造所となる。

このように医療機器製造業者は，一定の要件を満たし，厚生労働大臣の登録を受けた医療機器を製造する業者であるが，これだけでは販売業者や医療機関に直接，販売や貸与，授与することはできないことに注意が必要である。

医療機器製造業の登録権者

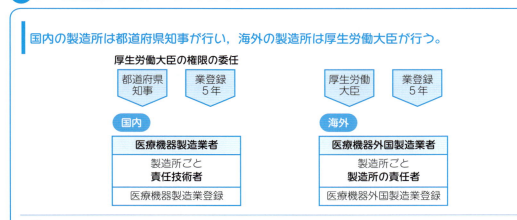

国内の製造所は都道府県知事が行い，海外の製造所は厚生労働大臣が行う。

✓ 生物由来製品，特定生物由来製品の製造の登録の申請先は，地方厚生局の担当課となる。

日本で販売される医療機器を国内で製造する場合，それぞれの製造所ごとに業登録が必要だが，登録権限はその登録権限を厚生労働省から委任された製造所がある都道府県の知事が保有している。したがって，登録の申請先は各都道府県の担当課となる。また，登録の有効期間は5年間で，それを過ぎる前に更新の登録申請が必要になる。ただ

し，生物由来製品，特定生物由来製品の製造の登録は，製造管理や品質管理に特別の注意が必要であり，地方厚生局長に登録権限が委任されているので，申請先も地方厚生局の担当課となる。

一方，日本で販売される医療機器を海外で製造する場合の製造業者を「医療機器外国製造業者」といい，国内の製造業者と同様に業登録が必要となる。医療機器外国製造業登録では，製造所ごとの取得等，および有効期間の5年は，国内の製造業登録と基本的には変わらないが，登録権限者は厚生労働大臣であり，申請の窓口はPMDAとなる。

▶ 医療機器製造業者になるための登録要件

人と構造設備にかかわる要件がある。

人にかかわる登録要件 →
- 申請者の欠格条項非該当（犯罪者，精神的な問題がないこと）
- 責任技術者の配置（海外では製造所の責任者）

申請者は法人の場合，業務を担当する役員（**商法上の取締役**）を含むこと

責任技術者（製造所の責任者）を製造所ごとに置くこと
- 大学等で専門課程を修了。
- 高校等で専門課程を修了した後，医療機器の製造に関する業務に3年以上従事。
- 5年の実務経験の後，医療機器製造責任技術者講習会の修了。

のいずれか

✓ 設計のみを行う製造所の場合，製造業者が設計部門の責任者として指定する者を，責任技術者とできる。

製造業の登録要件は，人にかかわる要件として，その法人の関連業務の責任者としての「申請者」と，製造する製品の技術や品質に対する責任者の「責任技術者」の2つが要件となる。そのために申請者は，申請者が法人であるときは，その業務を担当する役員を含むことが要求され，一般的には製造所の担当役員（商法上の取締役）となる。さらに申請者の要件は，以下のように定められ，これを欠格条項の非該当と呼んでいる。

欠格条項（法第5条第1項第3号イ〜ヘ）

イ　法の規定により許可を取り消され，取消しの日から3年を経過していない者
ロ　法の規定により登録を取り消され，取消しの日から3年を経過していない者
ハ　禁錮以上の刑に処せられ，その執行を終わり，又は執行を受けることがなくなつた後，3年を経過していない者

ニ　イからハまでに該当する者を除くほか，この法律，麻薬及び向精神薬取締法，毒物及び劇物取締法（昭和25年法律第303号）その他薬事に関する法令で政令で定めるもの又はこれに基づく処分に違反し，その違反行為があつた日から2年を経過していない者
ホ　麻薬，大麻，あへん若しくは覚醒剤の中毒者
ヘ　心身の障害により薬局開設者の業務を適正に行うことができない者として厚生労働省令で定めるもの

　下記のように，製造所の業態に応じて，責任技術者に対する要件は異なる。一般医療機器のみの製造所と，設計業務のみを行う製造所の責任技術者に対する要件は緩和されている。

責任技術者の要件

製造所業態	全クラスの医療機器製造業者	一般医療機器のみの製造所	設計のみを行う製造所（全クラスの医療機器）
根拠条項	医薬品医療機器等法施行規則第114条の53第1項下記第1～4号に該当する者	医薬品医療機器等法施行規則第114条の53第2項下記第1～3号に該当する者	医薬品医療機器等法施行規則第114条の53第3項
資格要件	(1) 大学等で，物理学，化学，生物学，工学，情報学，金属学，電気学，機械学，薬学，医学又は歯学に関する専門の課程を修了した者	(1) 旧制中学若しくは高校又はこれと同等以上の学校で，物理学，化学，生物学，工学，情報学，金属学，電気学，機械学，薬学，医学又は歯学に関する専門の課程を修了した者	医療機器の製造工程のうち設計のみを行う製造所にあって，第114条の53条の1，2項の規定にかかわらず，製造業者が設計に係る部門の責任者として指定する者を医療機器責任技術者とすることができる
	(2) 旧制中学若しくは高校又はこれと同等以上の学校で，物理学，化学，生物学，工学，情報学，金属学，電気学，機械学，薬学，医学又は歯学に関する専門の課程を修了した後，医療機器の製造に関する業務に3年以上従事した者	(2) 旧制中学若しくは高校又はこれと同等以上の学校で，物理学，化学，生物学，工学，情報学，金属学，電気学，機械学，薬学，医学又は歯学に関する科目を修得した後，医療機器の製造に関する業務に3年以上従事した者	
	(3) 医療機器の製造に関する業務に5年以上従事した後，別に厚生労働省令で定めるところにより厚生労働大臣の登録を受けた者が行う講習を修了した者		
	(4) 厚生労働大臣が前3号に掲げる者と同等以上の知識経験を有すると認めた者	(3) 厚生労働大臣が前2号に掲げる者と同等以上の知識経験を有すると認めた者	

　また，製造販売業者と製造業を併せて行う場合，責任技術者（製造業）と国内品質業

務運営責任者（製造販売業）の兼務は，下記の場合可能である。

責任技術者（製造業）と国内品質業務運営責任者（製造販売業）の兼務要件

根拠条項	薬食発 0806 第 3 号の第 6（平成 26 年 8 月 6 日）
要件	一法人において，製造販売業と製造業をあわせて行う場合であって，国内品質業務運営責任者が業務を行う事務所と同一の施設内に製造所を有する場合には，兼務を可能とする。

責任技術者は法第 23 条で規定されているも QMS 省令において特段の規定がされていないが，責任技術者は，従業者の監督，構造設備および医療機器，体外診断用医薬品その他の物品の管理，その他の製造所における業務につき必要な注意を行う義務をもつので，責任技術者について製造管理および品質管理に係る責任および権限を規定しておくことが望ましい。

実情，医療機器製造業者では，QMS 省令でいう管理責任者を責任技術者とすることが適当と考える。

▶ 登録申請の手続きを知る

添付書類一覧，様式例，審査基準，費用があり，神奈川県薬務課のホームページがわかりやすい。

Step 1　業者コードの取得（業者コード登録票提出）			新規申請	更新申請
Step 2　申請書（様式第 63 の 2）提出				
必要添付書類			新規申請	更新申請
登記事項証明書（六カ月以内・法人のみ）			◎	
製造所の場所を明らかにした図面		製造所の付近略図	◎	○
		製造所敷地内の建物配置図	◎	○
		製造所平面図	◎	○
責任技術者の雇用証明書および資格を証する書類			◎	
製造業の許可証又は登録証の写し			△	
業登録証				◎

◎：必須　○：神奈川県でのお願い　△：必要に応じて
（令和 3 年 10 月時点）

- 申請は原則として電子申請により行い，申請様式は厚生労働省ホームページから無料でダウンロード。
- 処理日数は標準 28 日，登録申請費用は新規が 3 万 8,100 円，更新費用が 2 万 9,100 円とあるが，都道府県で異なるので，該当県薬務関連課等で確認が必要。
- 申請後，都道府県の担当者が製造所の確認にくる。

都道府県の薬務関連のホームページに，登録申請の手続き方法，添付書類一覧，様式例，審査基準，費用等が掲載されていて参考になる。とくに神奈川県薬務課のホーム

ページ，東京都健康安全研究センターのホームページなどはわかりやすい。神奈川県薬務課の場合の新規申請書類は以下のとおりである。

様式第63の2　医療機器製造業登録申請書に加え以下の添付書類が必要となる。
- 登記事項証明書（六カ月以内）
- 製造所の場所を明らかにした図面（製造所の付近略図）
- 製造所の場所を明らかにした図面（製造所敷地内の建物配置図）
- 製造所の場所を明らかにした図面（製造所平面図）
- 責任技術者の雇用証明書および資格を証する書類
- 製造業の許可証又は登録証の写し（他の区分許可の場合）

神奈川県のホームページでは処理日数は標準28日，登録申請費用は新規登録が3万8,100円，更新費用が2万9,100円とあるが，都道府県で異なるので，該当都道府県の薬務関連課等で確認が必要である（費用を含め，令和3年10月時点）。

申請後，都道府県の担当者が製造所の確認にくる。また製造工程の選択や，製造品目の種類の選択は，申請書の備考の記載から選択する。

▶ 外国製造業者の登録の場合

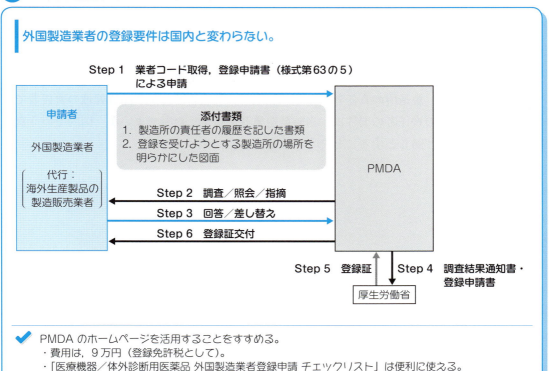

日本で使用される医療機器を他国で製造する業者を医療機器等外国製造業者（以下，外国製造業者という）といい，日本で登録が必要である。

　外国製造業者の登録の場合は，登録の要件，製造所ごとの取得等，ならびに有効期間の5年は，国内のそれと基本的には変わらないが，登録権者は厚生労働大臣であり，申請の窓口はPMDAとなる。

　申請にあたっては，申請者である外国製造業者が，まず業者コード登録票をPMDAに送り，業者コードを得た後，登録申請書（様式第63の5）に資料を添付して申請する。その添付資料は，以下となる。

1．製造所の責任者の履歴を記した書類
2．登録を受けようとする製造所の場所を明らかにした図面

　上記書類は，外国語でよいが和訳文も併せて提出する必要がある。英語以外の場合は翻訳者の証明も添付する。

　費用は，9万円（登録免許税）となるが，費用の詳細は，PMDAのホームページを参照されたい。

　また申請の際，ホームページ内の「医療機器／体外診断用医薬品 外国製造業者登録申請チェックリスト」は便利に使える。

　申請の受理後，PMDAから調査／照会／指摘，または差し替え要求等が必要な際には行われ，これに対する回答や差し替え要求に応える等のやり取りの後，要件が確認されれば，登録証はPMDAを経由して交付される。なお，製造を依頼した製造販売業者は，外国製造業者に代わって申請の代行が可能である。

　なお，外国製造業者の場合，国内製造所の「責任技術者」にあたるのが「製造所の責任者」である。製造所の責任者は，その製造所の製造管理および品質管理の責任者でもある。製造所の責任者の要件は，当該製造業者が指定した者でよいが，国内でいう責任技術者の要件と同じとすることをすすめる。

3.3.4 販売業・貸与業の許可・届出

▶ 高度管理医療機器および特定保守管理医療機器の販売に必要な要件

高度管理医療機器および特定保守管理医療機器を販売（または貸与）する場合，営業所ごとに医療機器販売業の許可が必要。

業許可6年期間 ／ 都道府県知事許可権者 ／ 営業所毎

高度管理医療機器等販売業者
対象：高度管理医療機器および特定保守管理医療機器の販売業／貸与業に対し

対象医療機器	営業所管理者名	管理者要件	構造設備要件
下記以外の高度管理医療機器・特定保守管理医療機器	高度管理医療機器営業管理者	3年以上従事，基礎講習修了	薬局等構造設備規則
コンタクトレンズ等	コンタクトレンズ営業管理者	1年以上従事，基礎講習修了	薬局等構造設備規則
プログラム高度管理医療機器	プログラム高度管理医療機器営業管理者	高度管理医療機器営業管理者に該当，または基礎講習修了	なし

・高度管理医療機器営業管理者は毎年継続研修を受講すること。
・高度管理医療機器等販売業者の許可証は，営業所の見やすい場所に掲示をすること。

　高度管理医療機器または特定保守管理医療機器を有償・無償であるかにかかわらず，業として販売，譲渡，貸与を行う，インターネット等によるプログラムの提供を行う場合，販売業（または貸与業）の許可を受けなければならない。なお，この業許可なく販売・授与・貸与の目的で陳列してはならないと決められているので注意が必要である。

　また，「高度管理医療機器等の販売業および貸与業の許可」は，当該医療機器を扱う営業所単位で必要である。したがって，営業所が所在する都道府県の知事に対し，担当の商法上の取締役から申請する（6年ごとの更新が必要）。

　許可要件は，薬局等構造設備規則への適合（一部のプログラム高度管理医療機器は除外）であり，適切な採光・照明・換気，不潔領域からの分離，安全かつ衛生的な保管が求められる。さらに，高度管理医療機器，プログラム高度管理医療機器あるいはコンタクトレンズについては，それぞれ「高度管理医療機器営業管理者」，「プログラム高度管理医療機器営業管理者」，「コンタクトレンズ営業管理者」が必要となる。これらの営業管理者は決められた講習を毎年継続研修として受けなければならないほか，これを受ける要件として，関連業務の従事年数が決められている（高度管理医療機器営業管理者は3年以上，コンタクトレンズ営業管理者は1年以上）。

なお、「プログラム高度管理医療機器営業管理者」は、「高度管理医療機器営業管理者」の要件を満たす者または、基礎講習の修了が要求される。

ただし、医師、歯科医師、薬剤師の資格を有する者、医療機器の第一種製造販売業の総括製造販売責任者の要件を満たす者、医療機器の製造業の責任技術者の要件を満たす者、医療機器の修理業の責任技術者の要件を満たす者等は、営業管理者と同等以上の知識および経験を有すると見なされる。

また、申請者の欠格／非該当の条件は他の業許可要件と同じである。

加えて、条件を満たせば業許可の証として許可証が交付されるが、許可証は営業所の見やすい場所に掲示をすることが求められる。

▶ 管理医療機器および一般医療機器の販売に必要な要件

管理医療機器（特定保守管理医療機器を除く）は営業所ごとに医療機器販売業の届出が必要。一般医療機器は必要ない。

届出 / 都道府県知事 / 営業所ごと

管理医療機器等販売業者（特定保守管理医療機器を除く）
対象：管理医療機器の販売業／貸与業に対し

対象医療機器	営業所管理者名	管理者要件	薬局等構造設備規則 要件
下記以外の管理医療機器	特定管理医療機器営業所管理者	3年以上従事 基礎講習修了	有
補聴器	補聴器営業所管理者	1年以上従事 基礎講習修了	有
家庭用電気治療器	家庭用電気治療器営業所管理者	1年以上従事 基礎講習修了	有
プログラム特定管理医療機器	プログラム特定管理医療機器営業所管理者	基礎講習修了	媒体無は無
			媒体有は有
家庭用管理医療機器	要求なし	不要	媒体無は無
			媒体有は有

・高度管理医療機器等の販売業もしくは貸与業の許可を受けている場合は、届出を行う必要はない。
・管理医療機器のうち、電子体温計、女性向け避妊用コンドームおよび男性向け避妊用コンドームについては、届出の必要はない。

特定保守管理医療機器以外の管理医療機器の販売については、医薬品医療機器等法第39条の3に、

> （管理医療機器の販売業及び貸与業の届出）
> 管理医療機器（特定保守管理医療機器を除く）を業として販売し，授与し，若しくは貸与し，又は販売，授与若しくは貸与の目的で陳列しようとする者は，あらかじめ，営業所ごとに，その営業所の所在地の都道府県知事に厚生労働省令で定める事項を届け出なければならない。（抜粋）

とあり，届出のみで業許可は求められていない。業許可が必要なのは「高度管理医療機器」と「特定保守管理医療機器」だけである。

すなわち，管理医療機器は電子体温計と男／女用の避妊用コンドームを除いて届出が必要である。さらに，特定管理医療機器（「専ら家庭において使用される管理医療機器であって厚生労働大臣の指定するもの以外の管理医療機器（特定保守管理医療機器を除く）」と定義され，医療機関向け管理医療機器，プログラム特定管理医療機器，家庭用電気治療器，補聴器を含み，指定家庭用管理医療機器（指定された特定管理医療機器以外の管理医療機器）を除く管理医療機器）については販売管理者を置く必要がある。この販売管理者は決められた講習を受けなければならないが，これを受ける要件として関連業務の従事年数が決められている（家庭用電気治療器，補聴器の営業管理者は1年以上，その他は3年以上，高度管理医療機器等の販売等に関する業務に1年以上）。

なお，医師，歯科医師，薬剤師の資格を有する者，医療機器の第一種製造販売業の総括製造販売責任者の要件を満たす者，医療機器の製造業の責任技術者の要件を満たす者，医療機器の修理業の責任技術者の要件を満たす者等は，営業管理者と同等以上の知識および経験を有すると見なされる。

また，管理医療機器の販売および貸与の届出に際しても，プログラム医療機器（一部のプログラム特定管理医療機器，および家庭用医療機器のうちプログラムに当たるもの）を除いて，薬局等構造設備規則への適合が必要である。

なお，一般医療機器は届出不要である。

3.3.5 修理業許可

▶ 医療機器の修理に必要な業許可

> 修理業の許可がないと，業として修理ができない。

```
医療機器修理業者
修理をしようとする修理の事業所
（営業所）ごとの許可が必要

9区分ごとの許可
  さらに，特定保守管理医療機器
と非特定保守管理医療機器に分か
れるので計18区分

許可証
```

業許可 5年
都道府県知事業務
厚生労働大臣許可

- 当該製品の製造所で修理する場合は修理業の許可不要。
- 清掃，校正，消耗品の交換に修理業の業許可は不要。
- 医療機器の仕様を変える改造行為は，医療機器修理業者には許されていない。
- 修理業の許可証は，事業所の見やすい場所に掲示のこと。

　修理についても，医薬品医療機器等法第40条の2に「医療機器の修理業の許可を受けた者でなければ，業として，医療機器の修理をしてはならない」とあるように，「医療機器修理業」の業許可が必要である。

　また，「修理する物及びその修理の方法に応じ厚生労働省令で定める区分（修理区分）に従い，厚生労働大臣が修理をしようとする事業所ごとに与える（同第2項）」となっているので，修理を行う機能をもつ事業所（営業所）ごとに必要である。さらに，医療機器の種類により，9区分（さらに特定保守管理医療機器と非特定保守管理医療機器に分かれる）ごとに厚生労働大臣の許可が必要である。

　なお，この厚生労働大臣の許可は「都道府県が処理する事務」であるので，許可申請は当該事業所のある都道府県の知事あてに行う（5年ごとに更新が必要）。

　申請の後許可要件が認められると修理業の許可証が交付されるが，修理業の許可証は，事業所の見やすい場所に掲示のこと。

　ただし，清掃や校正，および梱包材や取扱説明書等の消耗品の交換等は「保守点検」とされ，修理とはみなされないので業許可は不要である。

　さらに当該医療機器を製造している製造所（主たる組立工程と滅菌工程の製造所のみ）で修理をする場合も，業許可は不要である。

　なお，修理行為は行わないで修理業務を完全に外部に委託する場合であっても，医療

機関と当該の医療機器の修理契約をする場合は，修理業の許可等が必要である。また，修理と称して医療機器の仕様を変える改造行為は，医療機器修理業者には許されていない。

▶ 修理区分

> 区分は9つ。
> さらに，特定保守管理医療機器（特管）とそれ以外の2つに分けられる。
>
> 医薬品医療機器等法施行規則の別表2の修理区分の概要
>
> | 特定保守管理医療機器の修理 | 特定保守管理医療機器以外の医療機器の修理 |
> | --- | --- |
> | 特管第一区分：画像診断システム関連 | 非特管第一区分：画像診断システム関連 |
> | 特管第二区分：生体現象計測・監視システム関連 | 非特管第二区分：生体現象計測・監視システム関連 |
> | 特管第三区分：治療用・施設用機器関連 | 非特管第三区分：治療用・施設用機器関連 |
> | 特管第四区分：人工臓器関連 | 非特管第四区分：人工臓器関連 |
> | 特管第五区分：光学機器関連 | 非特管第五区分：光学機器関連 |
> | 特管第六区分：理学療法用機器関連 | 非特管第六区分：理学療法用機器関連 |
> | 特管第七区分：歯科用機器関連 | 非特管第七区分：歯科用機器関連 |
> | 特管第八区分：検体検査用機器関連 | 非特管第八区分：検体検査用機器関連 |
> | 特管第九区分：鋼製器具・家庭用医療機器関連 | 非特管第九区分：鋼製器具・家庭用医療機器関連 |
>
> 平成17年3月　薬食機発第0331004号
>
> ✓ 個々の許可が必要（たとえば，特管第一区分〔画像診断システム関連〕の修理業許可があっても非特管第一区分〔画像診断システム関連〕の修理は許可されない）。

上表に医薬品医療機器等法施行規則の別表2の修理区分の概要を掲載した。

9区分がそれぞれ「特定保守管理医療機器（特管）の修理」と「特定保守管理医療機器以外の医療機器（非特管）の修理」の2つに分かれている。

たとえば，特管第一区分（画像診断システム関連）の修理業許可があっても，非特管第一区分（画像診断システム関連）の修理は許可されない。同じように非特管第九区分（鋼製器具・家庭用医療機器関連）の修理許可があっても特管第九区分（鋼製器具・家庭用医療機器関連）の修理は許可されていない。個々の区分ごとの許可が必要である。

また，個々の医療機器がどの区分に属するかは，「医療機器の修理区分の該当性について」（平成17年，薬食発第0331008号）に示されている。さらに，PMDAのデータベースを参照することでも一般的名称から特定保守管理医療機器かどうかがわかる。

修理業の許可要件

> 薬局等構造設備規則への適合，申請者の欠格条項への非該当，および責任技術者の配置が要件。

責任技術者の資格

特定保守管理医療機器の修理を行う修理業者 （特管第1から9区分）	特定保守管理医療機器以外の医療機器の修理業者 （非特管第1から9区分）
医療機器の修理に3年以上従事した後，基礎講習および専門講習を修了した者	医療機器の修理に3年以上従事した後，基礎講習を修了した者

業許可申請

- 9区分の基礎講習はすべて同じなので，責任技術者の資格基礎講習時に9区分まとめて申請するのが通常。
- 医療機器修理責任技術者は毎年度の継続的研修の受講が義務づけられている。

　修理業の許可要件は，薬局等構造設備規則への適合，申請者の欠格条項への非該当，および責任技術者の配置である。

　薬局等構造設備規則への適合については，薬局等構造設備規則第5条「医療機器の修理業の事業所の構造設備」で，医療機器の修理業の事業所の構造設備の基準が，次のとおり示されている。

> 一　構成部品等及び修理を行つた医療機器を衛生的かつ安全に保管するために必要な設備を有すること。
> 二　修理を行う医療機器の種類に応じ，構成部品等及び修理を行つた医療機器の試験検査に必要な設備及び器具を備えていること。ただし，当該修理業者の他の試験検査設備又は他の試験検査機関を利用して自己の責任において当該試験検査を行う場合であつて，支障がないと認められるときは，この限りでない。
> 三　修理を行うのに必要な設備及び器具を備えていること。
> 四　修理を行う場所は，次に定めるところに適合するものであること。
> 　イ　採光，照明及び換気が適切であり，かつ，清潔であること。
> 　ロ　常時居住する場所及び不潔な場所から明確に区別されていること。
> 　ハ　作業を行うのに支障のない面積を有すること。
> 　ニ　防じん，防湿，防虫及び防そのための設備を有すること。ただし，修理を行う医療機器により支障がないと認められる場合は，この限りでない。
> 　ホ　床は，板張り，コンクリート又はこれらに準ずるものであること。ただし，修理を行う医療機器により作業の性質上やむを得ないと認められる場合は，この限りでない。
> 　ヘ　廃水及び廃棄物の処理に要する設備又は器具を備えていること。
> 五　作業室内に備える作業台は，作業を円滑かつ適切に行うのに支障のないものであること。

「修理を行う医療機器の種類に応じ，構成部品等及び修理を行つた医療機器の試験検査に必要な設備及び器具を備えていること」や「修理を行うのに必要な設備及び器具を備えていること」に注意する。

申請者の欠格条項への非該当は他の業許可と同じ要件なので詳細は省くが，申請者に当該業務担当の商法上の取締役を含むことに注意する。

また，責任技術者の配置の要件は少々複雑であるが，ポイントは区分ごとに責任者の資格が異なる点である。医薬品医療機器等法施行規則第188条に，

> 医療機器の修理業の責任技術者は，次の各号に掲げる区分に応じ，それぞれ当該各号に定める者でなければならない。
> 一　特定保守管理医療機器の修理を行う修理業者　イ又はロのいずれかに該当する者
> 　イ　医療機器の修理に関する業務に三年以上従事した後，別に厚生労働省令で定めるところにより厚生労働大臣の登録を受けた者が行う基礎講習（以下この条において「基礎講習」という。）及び専門講習を修了した者
> 　ロ　厚生労働大臣がイに掲げる者と同等以上の知識経験を有すると認めた者
> 二　特定保守管理医療機器以外の医療機器の修理を行う修理業者　イ又はロのいずれかに該当する者
> 　イ　医療機器の修理に関する業務に三年以上従事した後，基礎講習を修了した者
> 　ロ　厚生労働大臣がイに掲げる者と同等以上の知識経験を有すると認めた者

とあり，「特定保守管理医療機器の修理を行う修理業者」の責任技術者は，3年以上の実務経験と基礎講習，さらに9区分それぞれに異なる専門講習を修了した者である必要がある。これに対して，「特定保守管理医療機器以外の医療機器の修理を行う修理業者」の責任技術者は，3年以上の実務経験と基礎講習までは同じであるが，「専門講習修了」の条件がない。

なお，基礎講習はどの区分でも同じ内容なので，「特定保守管理医療機器以外の医療機器の修理を行う修理業者」の区分申請の際，9区分全部を選べば，1回ですべての許可が下りることとなる。

また，医療機器修理責任技術者は毎年度の継続的研修の受講が義務づけられている。このほか「責任技術者の兼務」や「責任技術者の資格」など，さまざまな留意点があるので注意が必要である。

3.3.6 業許可の俯瞰図

▶ 医療機器に関する業許可の俯瞰図

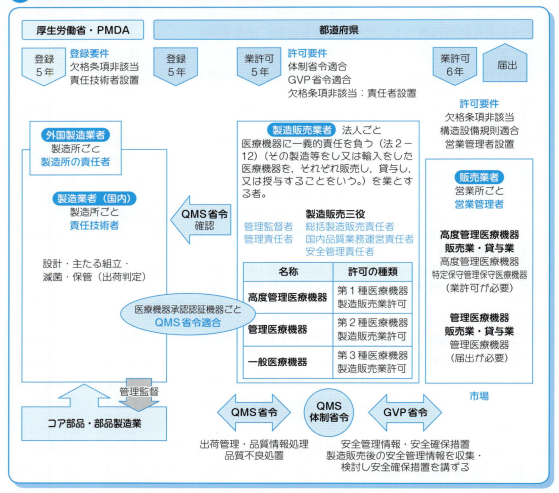

医療機器に関する業許可（製造販売業，製造業，販売業）について，俯瞰図にまとめた（ただし，修理業は除く）。

3.4 製品に対する規制 — 製造販売承認・認証・届出

3.4.1 医療機器に対する規制

　医薬品医療機器等法は目的のために規制するとの考えで制定されているが，その規制の1つが前述した医療機器に関連する組織に対する規制で，もう1つが医療機器である製品に対する規制である。

　以下では，医療機器である製品に対する規制について説明する。

▶ 承認，認証，届出による規制

医療機器の法律上の分類で，それぞれ許認可の方法，申請先が違う。
承認・認証・届出の3つがある。

一般医療機器	指定管理医療機器 指定高度管理医療機器	管理医療機器・ 高度管理医療機器 （指定高度管理医療機器等を除く）
↓ 届出	↑ 認証 	↑ 承認 
PMDA	登録認証機関	PMDA・厚生労働省
承認・認証不要 （届出／自己認証） → PMDA	登録認証機関による認証 （認証基準に適合するものに限る：指定高度管理医療機器第112号，平成17年厚生労働省告示等の基準）	大臣による承認 （総合機構による審査） → PMDA

✓ 申請者は常に製造販売業者である。

　医療機器の法律上の分類で，それぞれ規制の方法や申請先が違うが，次ページに示したフローの結果が，承認申請の場合はPMDAが申請先となり，認証の場合は登録認証機関が申請先となる。さらに届出の場合の届出先はPMDAである。なお，申請者は，後で述べるQMS省令適合の関係もあり「製造業者」でもよいと勘違いする人がいるが，それは誤りで，常にその医療機器を製造販売しようとしている「製造販売業者」である。

▶ 新しく開発しようとする医療機器の申請区分の確認

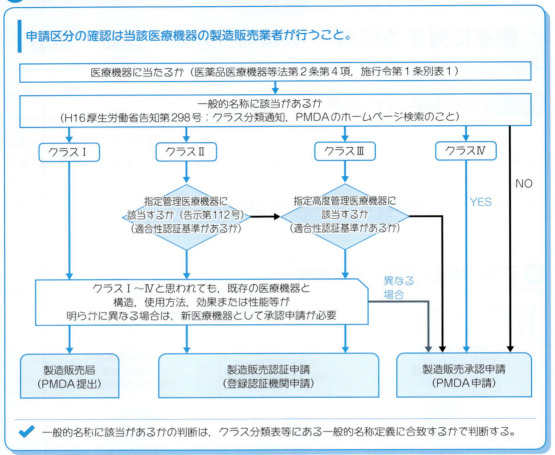

いま新たに医療機器を開発し，製品化したり輸入しようとする医療機器が承認なのか，認証なのか，届出でよいのかを明確にすることは，必要な投資の金額や人や期間を知る上でも重要である。

まず，製品化しようとする機器が医療機器か医療機器でないかを確認する必要があり，医療機器の定義（医薬品医療機器等法第2条第4項）や別表（施行令第1条別表1）による確認を行う。次に，84ページの「PMDAのホームページでの一般的名称の検索」で述べた，PMDAの「医療機器基準等情報提供ホームページ」による検索や，都道府県のホームページでも多くみられる「クラス分類表」からクラス分類を確認する。なお，当該の機器がどの一般的名称に該当するかの判断は，クラス分類表等にある一般的名称定義に合致するかで判断する。

ここで，クラスIV（高度管理医療機器）であれば，承認プロセスとなるが，クラスIII（高度管理医療機器），クラスII（管理医療機器）の場合は，指定高度管理医療機器等（指定高度管理医療機器または指定管理医療機器）に指定されているかを確認する。こ

れもPMDAのホームページの検索でわかるが，すでに「適合性認証基準」が決められている医療機器は指定高度管理医療機器等であり，指定高度管理医療機器等であれば認証のプロセスへ，そうでなければ承認プロセスとなる。クラスⅠ（一般医療機器）の場合は，「届出」となるが，本図のフローにあるように既存の医療機器と構造，使用方法，効果または性能が明らかに異なる場合は，「新医療機器」の分類となり，クラスⅠでも「承認」プロセスとなる。なお，厚生労働省では審査の迅速化の観点も含め，管理医療機器のより多くに「適合性認証基準」を設定する作業が進められている。

さらに，認証制度を基準を定めて高度管理医療機器に拡大する方向である。

3.4.2　承認とそのプロセス

▶ **承認にも審査上の区分がある**

すでに市場にある医療機器との同等性の度合いの差により，
新医療機器，改良医療機器，後発医療機器の３つの区分がある。

申請区分／名称	承認基準	臨床試験（治験）
新医療機器： すでに承認されている医療機器（使用成績評価の対象として指定された医療機器であって，調査期間を経過していないものを除く。以下「既承認医療機器」という）と構造，使用方法，効果，または性能が明らかに異なる。	なし	あり
改良医療機器： 新医療機器にも後発医療機器にも該当しない医療機器。	なし	あり
	なし	なし
後発医療機器： 既承認医療機器と構造，使用方法，効果，および性能が実質的に同等。	なし	なし
	あり	なし

・どの区分に該当するかPMDAと相談するのが重要。
・一般医療機器でも新医療機器になる場合があるので注意。
・後発医療機器で基準があるものは，登録認証機関による認証
　（指定高度管理医療機器，指定管理医療機器）。

承認審査をする際，その医療機器の新規性等を考慮して，「新医療機器」，「改良医療機器」，「後発医療機器」の３つに区分されている。新規性は，すでに市場にある医療機器との同等性の度合いのことを指し，構造，使用方法，効果または性能の視点から比べられる。

新医療機器：
　すでに製造販売の承認を受けている医療機器（医薬品医療機器等法第23条の２の９

第1項が規定する使用成績評価の対象として指定された医療機器であって，調査期間を経過していないものを除く。以下「既承認医療機器」という。）と構造，使用方法，効果又は性能が明らかに異なる医療機器をいう。

改良医療機器：

　「新医療機器等」又は「後発医療機器」のいずれにも該当しない医療機器であり，すなわち，再審査の指示を受ける対象となるほどの新規性はないが既承認医療機器と構造，使用方法，効果又は性能が実質的に同等ではないものをいう。

後発医療機器：

　既承認医療機器と構造，使用方法，効果及び性能が同一性を有すると認められる医療機器であり，すなわち，既承認医療機器と構造，使用方法，効果及び性能が実質的に同等であるものをいう。（薬食発1120第5号平成26年11月20日）

　また，それぞれの区分は，審査の基準があるものとないもの，新医療機器と改良医療機器の一部で，臨床試験の試験成績に関する資料の収集を目的とする試験の実施（臨床）の必要性を有するものと，そうでないものに分けられる。開発しようとする医療機器がどの区分で，臨床等が必要かどうかは，承認を得る難しさに大きく影響する。よって，この点を含めて明確にするため，PMDAの指導や助言等を活用されることを強く推奨する。各種相談・助言は有料だが，事前面談は無料（ただし，面談の内容や時間には制限がある）である。

　上記の区分をみてもわかるが，一般医療機器であっても新医療機器区分になることがある。また，承認審査の迅速化の方針の下，審査基準のある後発医療機器は登録認証機関承認になる動きがあるので，注意が必要である。

▶ 承認審査のフロー

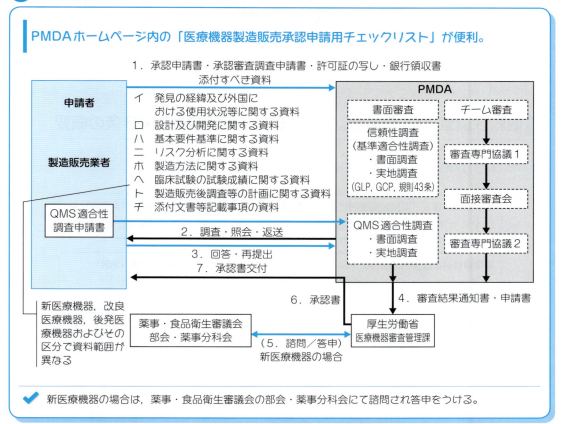

　承認審査は，PMDAと厚生労働省医薬・生活衛生局によって行われるが，申請の窓口はPMDAになる。まず申請者である当該医療機器の製造販売業者から，承認申請書，承認審査調査申請書，製造販売業許可証の写し，銀行振込領収書，および必要申請資料を添付し，申請する。申請を受け取るとPMDAで，申請書および添付すべき資料の確認，加えて，「承認申請資料収集作成の基準」を満たす調査（次項で述べるGLP省令，GCP省令，施行規則第43条に規定の調査）をし，申請資料の信頼性の確認をする。なお，各調査（適合性調査）には書面による調査と実地の調査があり，それぞれ必要に応じて行われる。

　この調査に加えて，「医療機器及び体外診断用医薬品の製造管理及び品質管理に関する省令」（QMS省令）による適合性調査が行われる。これには申請手続きとは別の新たな手続きが必要なので注意が要る。
　また，承認申請時の費用や書式は，PMDAの各ホームページで入手されたい。

　調査後，申請者とPMDAの間で，調査・照会や必要があれば返送され，これに対応

して回答・再提出が行われた後，最終的に承認の要件や基準を満たせば（基本的には，有効性・安全性・品質（維持）に問題がなければ）承認され，承認書が交付される。

本図には，医療機器の製造販売承認申請および審査の基本的流れを表した。なお，新医療機器の場合は，薬事・食品衛生審議会の部会・薬事分科会にて諮問される。

▶ 信頼性調査，GLP省令，GCP省令，施行規則第43条の概要

申請資料が臨床試験等の結果を正確に反映して作成されたかの基準。

埋め込み／挿入／直接的間接的に人に触れて使用される医療機器の部品や材料の非臨床試験
GLP省令 省令第37号：医療機器の安全性に関する非臨床試験の実施の基準に関する省令

新医療機器と改良医療機器の一部で承認用のデータ収集を目的とした臨床試験（治験）
GCF省令 省令第36号：医療機器の臨床試験の実施の基準に関する省令

申請資料の信頼性の基準
施行規則第43条

- 資料は，「正確に」収集され，かつ，「有効性または安全性を有することを疑わせる調査結果も残し」作成され，「処分の日まで保管する」こと。
- 「申請資料の信頼性の基準」，GLP，GCPおよびGPSPの基準は，まとめて「信頼性基準」と呼ばれることがある。

信頼性調査とは，医療機器の承認申請（再審査・再評価等を含む）された品目について，申請書に添付された資料が，厚生労働大臣の定める基準である医療機器GLP（安全性に関する非臨床試験の実施の基準に関する省令に示された基準），医療機器GCP（臨床試験の実施の基準に関する省令に示された基準）等，および「申請資料の信頼性の基準（医薬品医療機器法施行規則第43条等」に従って収集され，作成されたものであるかについて調査することで，PMDAで実地および書面で調査を行う。

「安全性に関する非臨床試験の実施の基準に関する省令（医療機器GLP省令）」の対象となる医療機器の非臨床試験は，生物的安全性に関する資料の収集・作成のための試験場の試験系に対して行われる。

GLP省令は，医療機器では埋め込み／挿入／直接的間接的に人に触れて使用される医療機器の部品や材料の非臨床試験をする際，遵守が求められる省令である。概要は，医療機器の安全性に関する非臨床試験および（承認等）に規定する資料のうち，生物学的安全性に関するものの収集，および作成のために，試験施設または試験場所において

試験系を用いて行われるその実施基準で，試験のやり方を決めているのではなく「試験の組織や手順の基準」を表している。GLP試験は外部機関への委託可である。また，GLP適合調査は，書面調査と実地調査の2つがある。

一方，医療機器の新医療機器と改良医療機器の一部で，製造販売承認を申請する者は，申請書に臨床試験の成績に関する資料を添付しなければならないが，その資料は省令で定める基準に従って収集され作成されたものでなければならない。また治験を実施しようとする者は，定める基準に従って治験を行わなければならないが，その基準が「臨床試験の実施の基準に関する省令（医療機器GCP省令）」である。

本省令は，臨床試験の試験成績に関する資料の収集を目的とする試験の実施の実施基準で，これも試験のやり方を決めているのではなく「試験の組織や手順の基準」を決めている。これは実地調査となる。

「申請資料の信頼性の基準 医薬品医療機器等法施行規則第43条」は，正確性（試験結果に基づき正確に作成されていること），完全性，網羅性（有効性・安全性等を疑わせる調査結果が得られた場合，当該結果について検討され，記載されていること），保存性（根拠となった資料が保存されていること）の基準を示している。

本規則でいう「申請資料の信頼性の基準」では，以下のように記載されている。

（承認等）に規定する資料は，上記2省令のほか，次に掲げるところにより，収集され，かつ，作成されたものでなければならない。

> 一 当該資料は，これを作成することを目的として行われた調査又は試験において得られた結果に基づき正確に作成されたものであること。
> 二 前号の調査又は試験において，申請に係る医薬品又は医療機器についてその申請に係る品質，有効性又は安全性を有することを疑わせる調査結果，試験成績等が得られた場合には，当該調査結果，試験成績等についても検討及び評価が行われ，その結果は当該資料に記載されていること。
> 三 当該資料の根拠になつた資料は，法第14条第1項又は第9項の承認を与える又は与えない旨の処分の日まで保存されていること。ただし，資料の性質上その保存が著しく困難であると認められるものにあつてはこの限りではない。

要は，資料は「正確に」収集され，かつ「有効性又は安全性を有することを疑わせる調査結果も残し」作成され，「処分の日まで保管する」ことが記載されている。

基準適合性調査における「申請資料の信頼性の基準」，GLP，GCPおよびGPSP（製造販売後の調査と試験の実施の基準に関する省令）の基準は，まとめて「信頼性基準」と呼ばれることがある。

製造販売承認申請に必要な資料の構成とSTED

> 製造販売申請書，申請書別紙，添付資料（STED），別添資料で構成される。

医療機器製造販売申請書　様式第63の8（一）

類　　別		
名称	一般的名称	
	販　売　名	
使用目的又は効果		
形状，構造及び原理		
原　　材　　料		
性能及び安全性に関する規格		
使　用　方　法		
保管方法及び有効期間		
製　造　方　法		
製造販売する品目の製造所	名称	登録番号
備　　　考		

添付資料（STED）

1. 品目の総括
    1.1 品目の概要
    1.2 開発の経緯
    1.3 類似医療機器との比較
    1.4 外国における使用状況
2. 基本要件基準への適合性
3. 機器に関する情報
4. 設計検証及び妥当性確認文書の概要
5. 添付文書（案）
6. リスクマネジメント
    6.1 リスクマネジメントの実施状況
    6.2 安全上の措置を講じたハザード
7. 製造に関する情報
    7.1 滅菌方法に関する情報
8. 臨床試験の試験成績等
    8.1 臨床試験成績等
    8.2 臨床試験成績等のまとめ
9. 製造販売後調査等の計画

申請書別紙
別紙1 使用目的
別紙2 形状，構造及び原理

別添資料
別添1 ●●試験成績書
別添2 ●●試験成績書

- 申請書別紙は申請書から参照され，別添資料は添付資料（STED）から参照される。
- STEDはSummary Technical Documentationの略字。
- 記載方法は，「薬食機参発0120第9号，平成27年1月20日」等が参考になる。

　製造販売承認申請に必要な資料は，申請書本体と申請書に添付すべき資料で構成される。申請書本体（医療機器製造販売申請書）は，以下に示す様式第63の8（一）を使用する。

様式第六十三の八（一）（第百十四条の十七関係）

医療機器製造販売承認申請書

類　　　別			
名称	一 般 的 名 称		
	販　売　名		
使用目的又は効果			
形状，構造及び原理	（例）別紙1のとおり		
原　材　料	（例）別紙2のとおり		
性能及び安全性に関する規格	（例）別紙3のとおり		
使　用　方　法	（例）別紙4のとおり		
保管方法及び有効期間			
製　造　方　法	（例）別紙5のとおり		
製造販売する品目の製造所		名称	登録番号
		（例）別紙6のとおり	
備　　　考	（例）別紙7のとおり		

収入印紙

上記により，医療機器の製造販売の承認を申請します。
　　年　　月　　日

　　　　　　　　　住　所〔法人にあつては，主たる事務所の所在地〕

　　　　　　　　　氏　名〔法人にあつては，名称及び代表者の氏名〕

厚生労働大臣　　　　　殿

　なお「形状，構造及び原理」の記載要求に例記載したように，実際の記載内容は申請書別紙を使って記載することとなる。
　一方，申請書に添付すべき資料は，施行規則第114条の19第1項および「薬食機参発0120第9号平成27年1月20日」，で表3.1のように記載されているが，添付資料は，医療機器規制国際整合化会議（Global Harmonization Task Force：GHTF）において合意されているサマリー・テクニカル・ドキュメント（STED）の形式に従って編集することとなっている。この場合は，規格への適合宣言書，試験成績書等その他別添となる資料を「別添資料」として末尾に取りまとめて添付すること。
　STED形式とは，医療機器の有効性，安全性に係る基本要件に適合することを示す証拠としての資料についての編集形式と理解するとよい。

表 3.1　製造販売承認申請書に添付すべき資料の項目

添付資料 （施行規則第 114 条）	添付資料の項目 （局長通知）	STED 形式
イ．開発の経緯及び外国における使用状況等に関する資料	1．開発の経緯に関する資料 2．類似医療機器との比較 3．外国における使用状況	1．品目の総括 1.1　品目の概要 1.2　開発の経緯 1.3　類似医療機器との比較 1.4　外国における使用状況 3．機器に関する情報
ロ．設計及び開発に関する資料	1．性能及び安全性に関する資料 2．その他設計検証に関する資料	4．設計検証及び妥当性確認文書の概要
ハ．法第 41 条第 3 項に規定する基準への適合性に関する資料	1．基本要件基準への適合宣言に関する資料 2．基本要件基準への適合に関する資料	2．基本要件基準への適合性
ニ．リスクマネジメントに関する資料	1．リスクマネジメント実施の体制に関する資料 2．安全上の措置を講じたハザードに関する資料	6．リスクマネジメント 6.1　リスクマネジメントの実施状況 6.2　安全上の措置を講じたハザード
ホ．製造方法に関する資料	1．製造工程と製造所に関する資料 2．滅菌に関する資料	7．製造に関する情報 7.1　滅菌方法に関する情報
ヘ．臨床試験の試験成績に関する資料又はこれに代替するものとして厚生労働大臣が認める資料	1．臨床試験の試験成績に関する資料 2．臨床評価に関する資料	8．臨床試験の試験成績等 8.1　臨床試験成績等 8.2　臨床試験成績等のまとめ
ト．医療機器の製造販売後の調査及び試験の実施の基準に関する省令第 2 条第 1 項に規定する製造販売後調査等の計画に関する資料	1．製造販売後調査等の計画に関する資料	9．製造販売後調査等の計画
チ．法第 63 条の 2 第 1 項に規定する添付文書等記載事項に関する資料	1．添付文書に関する資料	5．添付文書（案）

　申請書やSTEDの実際の記載方法は，「薬食発1120第5号平成26年11月20日」，「薬食機参発1120第1号平成26年11月20日」，「薬食機参発0120第9号平成27年1月20日」，「薬食機参発0601第1号平成27年6月1日」等の通知に記載されているので，大いに活用されるとよい．

　なお，承認申請資料は申請区分によって異なるので表3.2を参照のこと．

　また，承認申請時の書式は，PMDAの各ホームページで入手されたい．

表 3.2 製造販売承認申請書に添付すべき資料の範囲（施行規則第114条の19，薬食機参発1120第1号）

申請区分		開発経緯			設計検証		基本要件		リスク		製造		臨床		製造販売後調査	添付文書
		1	2	3	1	2	1	2	1	2	1	2	1	2	1	1
新医療機器		○	○	○	○	△	○	○	○	○	○	△	○	○	○	△
改良医療機器	臨床あり	○	○	○	○	△	○	○	○	○	○	○	○	○	×	△
	承認基準なし，臨床なし	○	○	○	○	△	○	○	○	○	○	○	×	×	×	△
後発医療機器	臨床あり	○	○	○	○	△	○	○	○	○	○	△	○	○	×	△
	承認基準なし，臨床なし	○	○	○	○	△	○	○	○	○	○	△	×	×	×	△

○は添付を，×は添付の不要を，△は個々の医療機器により判断されることを意味する。

▶ 承認の要件

承認の要件は，申請者が製造販売業許可をもっていて，かつ，以下を満たすこと。

- 効果または性能を有する
- 有害な作用がなく，医療機器として使用価値がある
- 性状または品質が保健衛生上，著しく不適当でない

基本要件：**医薬品医療機器等法第41条第3項，厚生労働省告示第122号**
（厚生労働大臣が定める医療機器の基準，基本要求告示）

一般的要求事項：
　設計，リスクマネジメント，医療機器の性能および機能，製品の寿命，輸送保管等，医療機器の有効性

設計および製造要求事項：
　医療機器の化学的特性，微生物汚染等の防止，製造または使用環境に対する配慮，測定または診断機能に対する配慮，放射線に対する防御，能動的医療機器への配慮，機械的危険性への配慮，エネルギーを供給する医療機器に対する配慮，性能評価

製造販売業者の業許可と QMS 省令適合（クラスⅠの一部は除く）
厚生労働省令第169号「医療機器及び体外診断用医薬品の製造管理及び品質管理の基準に関する省令」

申請された医療機器に対する承認要件は，医薬品医療機器等法第23条の2の5第2項に「承認を与えないとき」の要件として示されている。本図では，「承認するとき」

を想定した表現に変更したが，以下では法の表現を使用する。

　次の各号のいずれかに該当するときは，前項の承認は，与えない。

一　申請者が，第23条の2第1項の許可（申請をした品目の種類に応じた許可に限る。）を受けていないとき。　→ 製造販売業許可のこと
二　申請に係る医療機器を製造する製造所が，第23条の2の3第1項又は前条第1項の登録を受けていないとき。　→ 製造業登録のこと
三　申請に係る医療機器の名称，成分，分量，構造，用法，用量，使用方法，効果，性能，副作用その他の品質，有効性及び安全性に関する事項の審査の結果，その物が次のイからハまでのいずれかに該当するとき。
　　イ　申請に係る医療機器が，その申請に係る効果又は性能を有すると認められないとき。
　　ロ　申請に係る医療機器が，その効果又は性能に比して著しく有害な作用を有することにより，医薬品，医薬部外品又は医療機器として使用価値がないと認められるとき。
　　ハ　イ又はロに掲げる場合のほか，医療機器として不適当なものとして厚生労働省令で定める場合に該当するとき。→性状または品質が保健衛生上，著しく不適当である（施行規則第39条）
四　申請に係る医療機器が政令で定めるものであるときは，その物の製造所における製造管理又は品質管理の方法が，厚生労働省令で定める基準に適合していると認められないとき。　→ QMS省令適合のこと

　概要は図にまとめたが，申請者が当該の医療機器の製造販売業許可をもち，当該の医療機器の製造所が製造業許可とQMS省令に適合していることのほか，申請された医療機器が，基本要件（一般的要求事項では，設計，リスクマネジメント，医療機器の性能および機能，製品の寿命，輸送保管等，医療機器の有効性を求められ，設計および製造要求事項では，医療機器の化学的特性，微生物汚染等の防止，製造または使用環境に対する配慮，測定または診断機能に対する配慮，放射線に対する防御，能動的医療機器への配慮，機械的危険性への配慮，エネルギーを供給する医療機器に対する配慮，性能評価を求めている）を含めた有効性・安全性を有することに基づいたデータや方法で示すことが，承認の要件となる。

　なお，QMS省令適合は，クラスⅠの一部とクラスⅡ・Ⅲ・Ⅳの医療機器の製造管理及び品質管理に関する省令適合として求められるが，たとえば，設計行為の外部委託等でも，業の許可は不要でも，このQMS省令への適合は要求される。

平均的承認審査期間

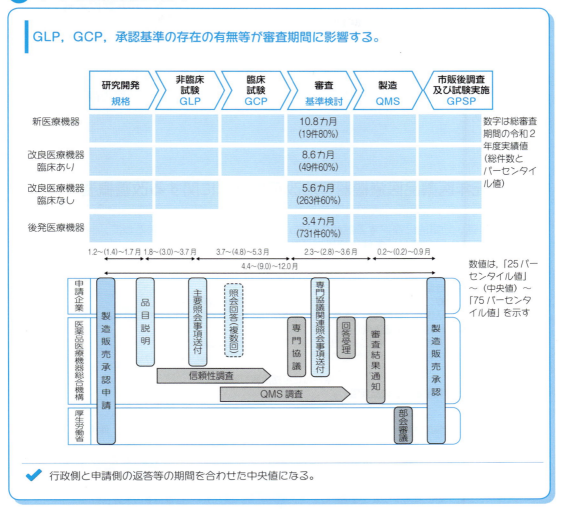

GLP，GCP，承認基準の存在の有無等が審査期間に影響する。

✓ 行政側と申請側の返答等の期間を合わせた中央値になる。

　平成20年12月に示された「医療機器の審査迅速化アクションプログラム」等により，いわゆるデバイスラグの解消に向けて施策が打たれているので，承認審査期間も短縮の方向にある。

　PMDAの令和2年事業年度業務実績概要によると，新医療機器（通常品目）の総審査期間は10.8カ月（件数19件でパーセンタイル値80％），改良医療機器（臨床あり品目）の総審査期間は8.6カ月（件数48件でパーセンタイル値60％），改良医療機器（臨床なし品目）の総審査期間は5.6カ月（件数263件でパーセンタイル値60％），後発医療機器の総審査期間が3.4カ月（件数731件でパーセンタイル値60％）だったようだ。

　なお，上図にはPMDAのホームページより，平成30年度下半期〜令和元年度上半期承認品目の「新医療機器に係る承認審査の標準的プロセスにおけるタイムライン」を載

せたので医療機器開発の参考にされたい。このタイムラインは審査において特段の問題がなかった場合のプロセスについて，平成21年度以降に申請された新医療機器（通常品目）における審査実績を，申請受付から承認までの審査プロセスごとの審査期間（行政側期間と申請者側期間の合計）について示したものである。

また，この図でもわかるように，GLP，GCP，承認基準の存在の有無等が審査期間に影響するので，当該医療機器がどの区分に入るかの確認は，審査期間の観点からみても重要である。

▶ 令和元年医薬品医療機器等法改正の承認に関する改善概要

安全・迅速・効率的に提供するための開発から市販後までの制度改善として，「先駆け審査指定制度」，「条件付き早期承認制度」が法制化された。

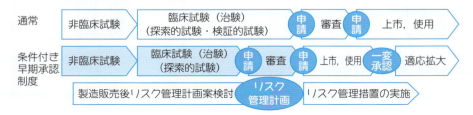

✓ 条件付き早期承認制度では，製造販売後のリスク管理を条件に，新たな治験を実施することなく早期の承認申請を認める。

令和元年の医薬品医療機器等法改正で，医療機器等をより安全・迅速・効率的に提供するための開発から市販後までの承認制度改善があったが，その１つが「先駆け審査指定制度」の導入で，これは世界に先駆けて開発され早期の治験段階で著明な有効性が見込まれる医療機器等を指定し，優先審査等の対象とするしくみのことである。

次が「条件付き早期承認制度」で，重篤で有効な治療方法に乏しい疾患の医療機器で，評価のための一定の臨床データはあるが患者数が少ない等の理由で新たな臨床試験の実施が困難なものについて，申請段階で関連する学会と連携の上で，製造販売後のリ

スク管理を「製造販売後リスク管理計画案」として申請し，製造販売後のリスク管理措置を実施すること等を承認時に条件とすることにより，新たな治験を実施することなく，早期の承認申請を認める制度である。

とくに製造販売承認では，臨床試験（探索的試験・検証的試験）等により臨床データの収集に多くの時間と労力がとられるので，本制度が使えれば製造販売承認取得までの時間はかなり短縮されることが期待される。

▶ 変更計画の確認および計画に従った変更に係る事前届出制度，承認制度の導入

継続的な改善・改良が行われる医療機器の特性やAI等による技術革新等に適切に対応する医療機器の承認制度の導入。

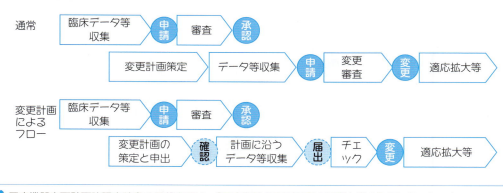

✓ 医療機器変更計画確認申請書の記載事項は，「医療機器の変更計画の確認申請の取扱いについて」（薬生機審発0831第14号，令和2年8月31日）を参照のこと。

令和元年の医薬品医療機器等法改正で，前項のほかに承認に関する改善があったのが，継続的な改善・改良が行われる医療機器の特性やAI等による技術革新等に適切に対応する医療機器の承認制度の導入であり，医療機器等の変更計画の確認および計画に従った変更に係る事前届出制度である。前者は，サイズ，構成品や性能の変更等の継続的な改善・改良を可能とする承認審査制度の改善で，後者は，承認後変更管理実施計画

書（Post-Approval Change Management Protocol「PACMP」）による承認事項の変更手続きの見直しの制度で，最終的な製品の有効性，安全性に影響を及ぼさない医療機器等の製造方法等の変更について，事前に厚生労働大臣が確認した計画に沿って変更する場合に，承認制から届出制に見直した制度である。

どちらも承認審査時に変更計画案を申し出て，承認後変更計画に基づいたデータを収集し，変更計画が実現されたか等をチェックする流れは同じであるので，本図では，変更計画確認事前届出制度の概要図をフローの形で表した。

なお，医療機器変更計画確認申請書の記載事項は，「医療機器の変更計画の確認申請の取扱いについて」（薬生機審発0831第14号，令和2年8月31日）を参照されたい。

▶ 承認，治験に関する相談のPMDA対面助言

> 対面助言は，医療機器等の治験実施計画書その他承認申請に必要な資料等について，PMDAが行う指導および助言のこと。

相談内容は，PMDAのホームページ内「医療機器相談一覧」で。

相談区分	内容	例	申請者準備	相談方法	手数料額
全般相談	・個別の品目に関わらない通知，制度等についての紹介。 ・どの相談区分で申込んだらよいかなど，各種ご案内。まずは，当該相談を利用されることをお薦めします。	ア）通知の解釈に関するもの イ）・適切な相談メニューの案内 ・相談事項，相談資料の打合せ	・相談内容の概略がわかる資料	対面又は電話 30分	無料
簡易相談	個別の承認品目に係る相談で承認申請データの評価を伴わない簡易なものが対象になります。	・新規申請，一部変更申請，軽微変更届，届出不要の該当性（外観，形状，使用目的，仕様等から判断できるものに限る。）に関するもの ・1品目として承認がとれる範囲に関するもの ・GCPやGLPの規定の解釈及び適合の必要性に関するもの ・記載整備，MFに関する内容	・相談品目の概要がわかる資料（承認書，該当箇所の写し等） ・変更点の概要がわかる資料 ・相談内容の概略がわかる資料	対面 30分	39,400円

2021年11月時点「医療機器相談一覧」より抜粋

- 治験関連，承認に関するものは，PMDAへ。
- 指定高度管理医療機器等に関するものは，登録認証機関へ。
- 業許可に関するものは，都道府県薬務課等へ。
- 表示又は広告に関するものは，都道府県薬務課等へ。
- 医療機器又は体外診断用医薬品への該当性に関するものは，都道府県薬務課等へ。

✓ 対面助言の実施要項等は，「独立行政法人医薬品医療機器総合機構が行う対面助言，証明確認調査等の実施要綱等について」（薬機発第0302070号平成24年3月2日，最終改正 令和3年8月1日）を参照のこと。

製造販売承認，とくに新医療機器の申請等の場合は，対応が結構複雑でPMDAと相談しながら進めることが不可欠となる。PMDAの業務は法により定められているが，その1つに「医療機器等の品質，有効性及び安全性の確保等に関する法律の規定による承認の申請に必要な資料の作成に関し指導及び助言を行うこと」とあり，その実務が医療機器等の治験実施計画書その他承認申請に必要な資料等について，指導及び助言を行う対面助言である。

　対面助言には，現状，治験相談関連の16の相談を含み26の相談区分があるが，初めての場合は，個別の品目にかかわらない通知，制度等についての紹介や，どの相談区分で申し込んだらよいかなどの各種案内を相談できる「全般相談」を利用されることをすすめる。現状26ある相談区分は，PMDAのホームページ内に「医療機器相談一覧」として記載されているので，相談を考える際には確認が必要である。

　なお，対面助言は基本的に治験関連や承認に関する相談になるので，指定高度管理医療機器等に関する相談は登録認証機関へ（ただし，事前に登録認証機関に認証基準該当性を相談し，判断困難とされた品目の相談には，認証基準該当性簡易相談がある），業許可に関するものや医療機器の表示または広告に関するもの，および医療機器への該当性に関する相談等は，都道府県薬務課等になるので注意されたい。

　加えて，対面助言の実施等は，「独立行政法人医薬品医療機器総合機構が行う対面助言，証明確認調査等の実施要綱等について」（薬機発第0302070号平成24年3月2日，最終改正　令和3年8月1日）を参照のこと。

▶ 製品化プロセスに沿ったPMDA相談の概要

製品化プロセス	相談区分	内容概要	相談方法
研究開発フェーズ	開発前相談	開発の開始前あるいは開発初期の段階において受ける相談で，どのような評価項目が審査に必要とされるのかといった何らかの疑問に対応する相談	対面 1時間
開発設計フェーズ (非臨床)	品質相談	医療機器の仕様，安全性等の品質に関する相談，試験成績評価についての相談（プロトコル・評価相談）	対面 1.5時間
	安全性確認相談	医療機器に使用した原材料の生物学的安全性，医療機器及び併用する医療機器の電気的安全性等，非臨床試験での安全性に関する相談	対面 1.5時間
	性能試験相談	非臨床試験における性能試験に関する相談，その性能試験に関する結果について相談（プロトコル・評価相談）	対面 1.5時間
開発設計フェーズ (臨床・治験)	臨床試験要否相談	非臨床試験の試験成績，既に実施された臨床試験，臨床論文の評価等による使用状況調査等をもとに医療機器の申請に際し，新たな臨床試験の実施が必要か否かについての相談	対面 2時間
	探索的治験相談	既に実施された非臨床試験，類似の医療機器の臨床試験の試験成績等をもとに，ピボタル試験に先立ち実施される探索的治験の実施についての相談（プロトコル・評価相談）	対面 2時間
	治験相談	既に実施された品質，安全性試験，探索的試験，外国における使用状況／臨床試験，類似医療機器に関する情報等に基づき，ピボタル試験の試験デザイン，症例数の妥当性等についての相談，治験の結果について相談（プロトコル・評価相談）	対面 2時間
薬事申請フェーズ	資料充足性・申請区分相談	医療機器の承認申請に際し，添付すべき資料の形式的な充足性，及び申請区分の妥当性（後発医療機器への該当性，特定の変更に係る手続き（いわゆる特定一変）への該当性）についての相談	原則 書面

2021年11月時点「医療機器相談一覧」抜粋

本書41ページ「医療機器の製品化プロセスⅠ」にあるPMDA相談の概要を記載した。

3.4.3 認証・届出とそのプロセス

▶ 指定管理医療機器・指定高度管理医療機器の認証制度

指定管理医療機器・指定高度管理医療機器は，厚生労働大臣が基準を定めて指定する管理医療機器・高度管理医療機器である。

- クラス分類表で連番を確認することをすすめる。
- PMDAの医療機器基準等情報提供ホームページで認証基準を確認することをすすめる。

　いままで，新医療機器や管理医療機器，高度管理医療機器の承認について説明し，その実務はPMDAが行うことを説明した。一方，承認審査の迅速化やデバイスラグの現状への対応として，承認審査が必要な高度管理医療機器や管理医療機器のうち，基準が定められ，かつ厚生労働省が指定した医療機器を「指定高度管理医療機器等」と呼び（「指定高度管理医療機器等は厚生労働大臣が基準を定めて指定する管理医療機器」と定義されている），それらは国に登録を認められた「登録認証機関」が国に代わり医療機器の承認行為を行いこれを製造販売認証（認証）という。なお，香川県のホームページのクラス分類表から，指定高度管理医療機器等の一般的名称は，令和3年10月時点で1,500以上あり，基準があるということは，製造販売認証等で臨床試験に関する資料の添付が不要になることも意味しているので，開発時間に大いに関連する。

　したがって，企業等が新しく医療機器を開発する際，まず当該の医療機器が「指定高度管理医療機器等」なのかどうかを調べることも重要になるが，その方法は，香川県のホームページ等のクラス分類表内の「指定管理医療機器の連番」をみたり，PMDAの「医療機器基準等情報提供ホームページ」で検索し（〈認〉のマークと実際の基準が確認できる），その「基準」一覧をみる方法等がある。

認証審査のフロー

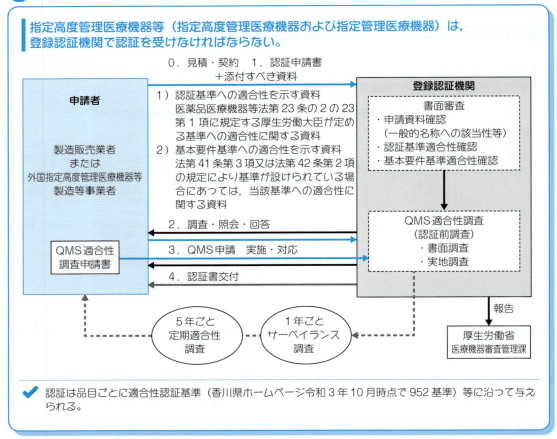

✓ 認証は品目ごとに適合性認証基準（香川県ホームページ令和3年10月時点で952基準）等に沿って与えられる。

　すべての指定高度管理医療機器等は，登録認証機関（基準適合性認証業務を行う機関）で認証（正しくは，製造販売認証または基準適合性認証という）を受けなければ，製造販売をすることはできない。その認証審査のプロセスの概要を図解した。

　認証の申請者は「当該の医療機器の製造販売業者」か「外国指定管理医療機器製造等事業者」である。後者の「外国指定管理医療機器製造等事業者」は，医薬品医療機器等法第23条の2の23（指定高度管理医療機器等の製造販売の認証）で，「外国において本邦に輸出される指定高度管理医療機器等の製造等をする者であつて第23条の3第1項の規定により選任した製造販売業者に指定高度管理医療機器等の製造販売をさせようとするもの」と定義されている。したがって，国内の当該の医療機器を扱う製造販売業者を選任すれば，認証の登録認証機関への認証を申請することができる。認証制度は，平成17年の薬事法改正により導入されたものであるが，当時の対象は管理医療機器（クラスⅡ）であった。医薬品医療機器等法へ改正時に，対象が高度管理医療機器まで拡大された。

　申請者は申請の前に自ら適合性の確認を行い，「認証基準」（香川県のホームページのクラス分類表，令和3年10月時点で952基準）である当該医療機器の「厚生労働省告示

第112号」（平成17年）で記載されているJISや使用目的または効果と，基本要件である「厚生労働省告示第122号基本要件」（平成17年）を確認し，問題がなければ，それらの資料を添付し，「指定管理医療機器製造販売認証申請書」とともに申請する。

申請を受けた登録認証機関は，認証申請書および添付すべき資料の当該機器の一般的名称への該当性等を含めた確認，認証基準への適合性確認，加えて基本要件基準への適合性確認を行う。この間の調査・照会・回答を経て問題がなければ書面審査が終了し，申請者の「指定管理医療機器適合性調査申請書」を受けて，次にいわゆる「QMS適合性調査」が登録認証機関によって行われる。

このQMS適合性調査の結果，基準内であれば基準適合性認証業務は終了し，製造販売認証の証として，認証書が交付される。なお，QMS適合性調査は5年ごとに定期適合性を，1年ごとにサーベイランス調査を受けなければならない。

また，本認証結果やQMS適合性調査の結果は，登録認証機関よりPMDA経由で厚生労働省に報告される。

▶ 登録認証機関

基準適合性認証業務ができるのは，国に登録が認められた登録認証機関のみである。

登録番号	名称	基準適合性認証を行う事業所の名称・所在地
AA	テュフズードジャパン株式会社	本社・東京都新宿区西新宿四丁目33番4号 関western本部・大阪府大阪市淀川区宮原三丁目5番36号
AB	テュフ・ラインランド・ジャパン株式会社	テクノロジーセンター・神奈川県横浜市都筑区北山田四丁目25番2号 関西テクノロジーセンター・大阪府大阪市東成区深江南一丁目3番4号
AC	ドイツ品質システム認証株式会社	同左・東京都港区西新橋二丁目9番1号 PMO西新橋7階
AD	BSIグループジャパン株式会社	同左・神奈川県横浜市西区みなとみらい三丁目7番1号 大阪支店・大阪府大阪市中央区久太郎町四丁目1番3号大阪センタービル
AF	SGSジャパン株式会社	同左・神奈川県横浜市保土ヶ谷区神戸町134番地 横浜ビジネスパークノーススクエア。
AG	株式会社コスモス・コーポレイション	東京事務所・東京都文京区本駒込六丁目5番3号ビュレー本駒込2階 松阪事業所・三重県松阪市桂瀬町718番地1
AH	一般財団法人日本品質保証機構	安全電磁センター・東京都八王子市南大沢四丁目4番4号
AI	ナノテックシュピンドラー株式会社	同左・千葉県柏市柏インター南4番地6
AK	一般財団法人電気安全環境研究所	製品認証部・東京都渋谷区代々木五丁目14番12号
AL	公益財団法人医療機器センター	同左・東京都文京区本郷一丁目28番34号
AM	株式会社アイシス	同左・静岡県富士市中央町三丁目2番1号 シグノビルⅠ3階

厚生労働省ホームページより抜粋

✓ 認証業務の範囲は，登録認証機関によって異なる。必要な場合は，直接確認するか，ホームページ等で確認するとよい。

「登録認証機関」とは「基準適合性認証業務を行う機関」で国に登録が認められた機関を指すが，令和3年10月現在で，11機関が登録されている。基準適合性認証業務ができるのは登録認証機関だけだが，同機関に登録されるには，法で定めた登録の基準を満たさなければならない。

本図および下図の登録認証機関情報は，厚生労働省のホームページより抜粋したが，下図のように認証申請ができる業務の範囲が異なるので，必要な際は各社に直接確認するかホームページ等で確認をするのがよい。また，実際に認証を受ける際は，登録認証機関が当該範囲を業としていれば，どこの機関に頼んでもよい。

よく，どこの登録認証機関がよいか尋ねられることがあるが，一概にはいえず地域性や会社（担当等）との相性も考慮して決めたい。ただ，当該医療機器を米国や欧州に輸出することを想定しているのであれば，その地域に強い登録認証機関を選定するのも一考である。ただし，それらの機関はおしなべて費用が高めであることも知っておくべきである。

認証業務の範囲

高度管理医療機器

		AA テュフズードジャパン株式会社	AB テュフ・ラインランド・ジャパン株式会社	AC ドイツ品質システム認証株式会社	AD BSIグループジャパン株式会社	AF SGSジャパン株式会社	AG 株式会社コスモス・コーポレイション	AH 一般財団法人日本品質保証機構	AI ナノテックシュピンドラー株式会社	AK 一般財団法人電気安全環境研究所	AL 公益財団法人医療機器センター	AM 株式会社アイシス
1	インスリンペン型注入器	○	○			○	○	○		○	○	
2	ヘパリン使用人工心肺回路用血液フィルタ及びヘパリン使用単回使用人工心肺用除泡器	○	○			○		○		○	○	
3	経腸栄養用輸液ポンプ，汎用輸液ポンプ，注射筒輸液ポンプ及び患者管理無痛法用輸液ポンプ	○	○			○	○	○		○	○	
4	再使用可能な手動式肺人工蘇生器及び単回使用手動式肺人工蘇生器	○				○	○	○		○	○	
5	物質併用電気手術器及び物質併用処置用能動器具	○				○	○	○		○	○	

3.4 製品に対する規制 — 製造販売承認・認証・届出

		AA	AB	AC	AD	AF	AG	AH	AI	AK	AL	AM
6	麻酔深度モニタ，解析機能付きセントラルモニタ，不整脈モニタリングシステム，重要パラメータ付き多項目モニタ，無呼吸モニタ，無呼吸アラーム，不整脈解析機能付心電モジュール，心電・呼吸モジュール，神経探知モジュール及び頭蓋内圧モジュール	○	○	○	○		○	○		○	○	
7	未滅菌絹製縫合糸，滅菌済み絹製縫合糸，ポリエステル縫合糸，ポリエチレン縫合糸，ポリプロピレン縫合糸，ポリブテステル縫合糸，ポリテトラフルオロエチレン縫合糸，プラスチック製縫合糸，ポリアミド縫合糸，ポリビニリデンフルオライド縫合糸，ポリウレタン縫合糸，ビニリデンフルオライド・ヘキサフルオロプロピレン共重合体縫合糸，ステンレス製縫合糸及びチタン製縫合糸	○	○		○	○	○	○		○		
8	持続的気道陽圧ユニット及び持続的自動気道陽圧ユニット	○	○		○	○		○				
9	自己検査用グルコース測定器	○	○				○	○				
10	脳神経外科手術用ナビゲーションユニット	○	○			○		○			○	
11	イソフルラン用麻酔薬気化器，デスフルラン用麻酔薬気化器，セボフルラン用麻酔薬気化器及びハロタン用麻酔薬気化器	○	○							○	○	

管理医療機器

		AA	AB	AC	AD	AF	AG	AH	AI	AK	AL	AM
		テュフズードジャパン株式会社	テュフ・ラインランド・ジャパン株式会社	ドイツ品質システム認証	BSIグループジャパン株式会社	SGSジャパン株式会社	株式会社コスモス・コーポレイション	一般財団法人日本品質保証機構	ナノテックシュピンドラー株式会社	一般財団法人電気安全環境研究所	公益財団法人医療機器センター	株式会社アイシス
1	能動型植込み機器（JIST0601-1適用）	○		○	○		○	○			○	
2	能動型植込み機器（JIST0601-1非適用）	○	○	○	○		○				○	
3	麻酔・呼吸用機器（JIST0601-1適用）	○	○	○	○	○	○	○		○	○	○

		AA	AB	AC	AD	AF	AG	AH	AI	AK	AL	AM
4	麻酔・呼吸用機器 (JIST0601-1 非適用)	○	○	○	○	○	○	○	○	○	○	○
5	歯科用機器 (JIST0601-1 適用)	○	○	○	○	○	○	○	○	○	○	○
6	歯科用機器 (JIST0601-1 非適用)	○	○	○	○	○	○	○	○	○	○	○
7	医用電気機器	○	○	○	○	○	○	○	○	○	○	○
8	施設用機器 (JIST0601-1 適用)	○	○	○	○	○	○	○	○	○	○	○
9	施設用機器 (JIST0601-1 非適用)	○	○	○	○	○	○	○	○	○	○	○
10	非能動型植込み機器 (JIST0601-1 適用)	○	○	○	○		○	○	○		○	○
11	非能動型植込み機器 (JIST0601-1 非適用)	○	○	○	○		○	○	○		○	○
12	眼科及び視覚用機器 (JIST0601-1 適用)	○	○	○	○	○	○	○	○	○	○	○
13	眼科及び視覚用機器 (JIST0601-1 非適用)	○	○	○	○	○	○	○	○	○	○	○
14	再使用可能機器 (JIST0601-1 適用)	○	○	○	○	○	○	○	○	○	○	○
15	再使用可能機器 (JIST0601-1 非適用)	○	○	○	○	○	○	○	○	○	○	○
16	単回使用機器 (JIST0601-1 適用)	○	○	○	○	○	○	○	○	○	○	○
17	単回使用機器 (JIST0601-1 非適用)	○	○	○	○	○	○	○	○	○	○	○
18	家庭用マッサージ器，家庭用電気治療器及びその関連機器	○	○	○	○	○	○	○	○	○	○	○
19	補聴器	○	○	○	○	○	○	○	○	○	○	○
20	放射線及び画像診断機器 (JIST0601-1 適用)	○	○	○	○	○	○	○	○	○	○	○
21	放射線及び画像診断機器 (JIST0601-1 非適用)	○	○	○	○	○	○	○	○	○	○	○
22	体外診断用医薬品	○	○	○	○	○		○	○		○	

厚生労働省ホームページより抜粋（令和3年10月現在）

▶ 製造販売認証申請に必要な資料の構成とSTED

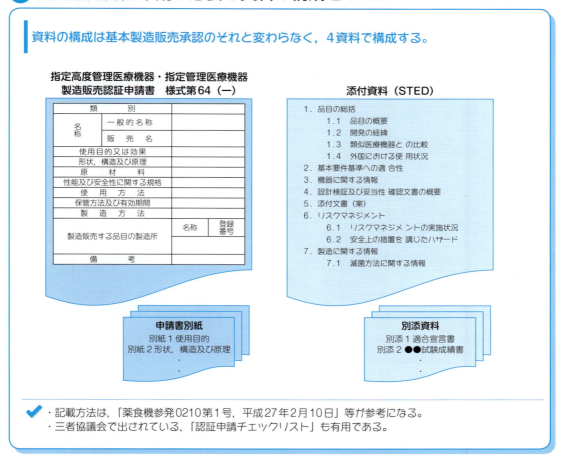

資料の構成は基本製造販売承認のそれと変わらなく，4資料で構成する。

- ・記載方法は，「薬食機参発0210第1号，平成27年2月10日」等が参考になる。
- ・三者協議会で出されている，「認証申請チェックリスト」も有用である。

　製造販売認証申請に必要な資料は，申請書本体と申請書に添付すべき資料で構成されるのは，製造販売承認申請と同じである。申請書本体（指定高度管理医療機器・指定管理医療機器製造販売認証申請書）は，以下に示す様式第64（一）を使用する。

様式第六十四（一）（第百十五条関係）

指定高度管理医療機器
指定管理医療機器　製造販売認証申請書

類　　　別		
名称　一般的名称		
販　売　名		
使用目的又は効果		
形状，構造及び原理	（例）別紙1のとおり	
原　材　料	（例）別紙2のとおり	
性能及び安全性に関する規格	（例）別紙3のとおり	
使　用　方　法	（例）別紙4のとおり	
保管方法及び有効期間		
製　造　方　法	（例）別紙5のとおり	
製造販売する品目の製造所	名称	登録番号
	（例）別紙6のとおり	
備　　　考	（例）別紙7のとおり	

上記により，指定高度管理医療機器／指定管理医療機器 の製造販売の承認を申請します。

　　　年　　月　　日

　　　　　　　住　所（法人にあつては，主たる事務所の所在地）

　　　　　　　氏　名（法人にあつては，名称及び代表者の氏名）

登録認証機関名　　　　　殿

　製造販売認証申請書に添付すべき資料は，「平成27年2月10日薬食機参発0210第1号」，で表3.3のように記載されているが，添付資料は，サマリー・テクニカル・ドキュメント（STED）の形式に従って編集することとなっている。この場合は，基本要件，認証基準，QMS省令への適合宣言書，試験成績書等その他別添となる資料を「別添資料」として末尾に取りまとめて添付すること。
　認証申請の関連資料作成の際は，三者協議会（厚生労働省医薬・生活衛生局，医薬品医療機器等法登録認証機関協議会および一般社団法人 日本医療機器産業連合会（医機連）の三者が設置し，認証に関するさまざまな事項に関する協議を行っている協会）から出されている，認証申請チェックリストも大いに参考になる。

3.4 製品に対する規制 ─ 製造販売承認・認証・届出

表 3.3 製造販売認証申請に当たっての添付資料の内容について

添付資料	添付資料の内容	添付資料の項目（STED 形式）
法第 23 条の 2 の 23 第 1 項に規定する厚生労働大臣が定める基準への適合性に関する資料	1．申請に係る医療機器が認証基準の定めのある医療機器に該当することを説明する資料	1．品目の総括 3．機器に関する情報 4．設計検証及び妥当性確認文書の概要
	2．当該医療機器の使用目的又は効果について説明する資料	1．品目の総括 3．機器に関する情報
	3．認証基準において引用する日本工業規格又は国際電気標準会議が定める規格への適合性を示す資料	1．品目の総括 3．機器に関する情報 4．設計検証及び妥当性確認文書の概要 5．添付文書（案）
	4．既存の医療機器と明らかに異なるものではないことを説明する資料	1．品目の総括
法第 41 条第 3 項又は法第 42 条第 2 項の規定により基準が設けられている場合にあっては，当該基準への適合性に関する資料	1．基本要件基準への適合宣言に関する資料 2．基本要件基準への適合に関する資料 3．基本要件基準への適合性を証明する試験に関する資料	2．基本要件基準への適合性 4．設計検証及び妥当性確認文書の概要 6．リスクマネジメント 7．製造に関する情報
	4．法第 42 条第 2 項による基準への適合性を説明する資料	1．品目の総括 4．設計検証及び妥当性確認文書の概要

▶ 認証の要件

製造販売業者の申請で，認証基準・基本要件基準と QMS 省令に適合し，登録された製造業者が生産した指定高度管理医療機器等であること。

申請者：「医療機器製造販売業者」または
製造販売業者を選任している
「外国指定高度管理医療機器製造等事業者」
製造所：「医療機器製造業者」

認証基準
厚生労働省告示第 112 号
厚生労働大臣が定める
医療機器の基準

適合性認証業務の認証基準

基本要件基準
（41 条基準）
厚生労働省告示第 122 号
厚生労働大臣が定める
医療機器の基準

・一般的名称の定義に合致？
・使用目的又は効果に合致？
・JIS や IEC 等技術的な基準に合致？

製造販売業者と製造業者の QMS 適合性調査

・適合性チェックリスト
・厚生労働省令第 169 号「医療機器及び体外診断用医薬品の製造管理及び品質管理に関する省令適合」

✓ 既存の医療機器と明らかに異なる場合は，認証ではなく厚生労働大臣の承認が必要となる（付帯的機能リスト掲載は除く）。

認証を与えてはいけない場合を，医薬品医療機器等法第23条の2の23の第2項で，次のように規定している（抜粋）。

> 一　申請者（外国指定高度管理医療機器製造等事業者を除く。）が，第23条の2第1項の許可（申請をした品目の種類に応じた許可に限る。）を受けていないとき。
> 二　申請者（外国指定高度管理医療機器製造等事業者に限る。）が，第23条の2第1項の許可（申請をした品目の種類に応じた許可に限る。）を受けておらず，かつ，当該許可を受けた製造販売業者を選任していないとき。
> 三　申請に係る指定高度管理医療機器等を製造する製造所が，第23条の2の3第1項又は第23条の2の4第1項の登録を受けていないとき。
> 四　申請に係る指定高度管理医療機器等が，前項の基準に適合していないとき。
> 五　申請に係る指定高度管理医療機器等が政令で定めるものであるときは，その物の製造管理又は品質管理の方法が，第23条の2の5第2項第4号に規定する厚生労働省令で定める基準に適合していると認められないとき。

要約すると，まず申請者は，当該医療機器の製造販売業許可をもった「製造販売業」か，当該医療機器の製造販売業者を選任している「外国指定高度管理医療機器製造等事業者」であること。また，当該医療機器の製造者が医療機器の製造業登録をし，さらに製造販売業者と製造業者が厚生労働省令第169号「医療機器及び体外診断用医薬品の製造管理及び品質管理に関する省令」（QMS省令）に適合していること，かつ適合性認証業務の認証基準である厚生労働省告示第112号と基本要件（厚生労働省告示第122号「厚生労働大臣が定める医療機器の基準」）に適合すれば，認証書が与えられる，ということである。ただし，「付帯的機能リスト掲載は除く」場合は除いて，指定高度管理医療機器等にあてはまると思われても，既存の医療機器と明らかに異なる場合は認証外となり，承認申請が必要なので十分注意が必要である。また，厚生労働省告示第112号には，「別表下欄に掲げる基準に適合する同表の中欄に掲げるものとする」とあり，医療機器の名称に対する基準（日本工業規格と使用目的または効果の合致）を示している。

要は，告示第112号が定める医療機器の基準は，当該の医療機器が以下の要件に合致することである。

・「一般的名称の定義」に合致しているか？
・「使用目的又は効果」に合致しているか？
・「既存品目との同等性を評価すべき主要項目とその基準」又は「日本工業規格又は国際電気標準会議が定める規格」であるJISやIEC等技術的な基準に合致しているか？

ここでは，例として，「自動電子血圧計」，「手動式電子血圧計」をあげるが，この場合，「日本工業規格」が「JIS-T 1115」で，「使用目的又は効果」は，「健康管理のために収縮期血圧および拡張期血圧を非観血的に測定すること。」とある。厚生労働省告示

第122号には医療機器の「基本要件」が書かれているが，当該指定高度管理医療機器等のチェックリストに沿って確認すれば，要件は満たされる。

▶ 認証期間および費用

期間は2～3ヵ月，費用は60～200万円が目安。
認証の対象機器や登録認証機関でも異なるので，見積りで確認されたい。

項目	審査工数（人日）	料金（円）
人日料金	1.0	183,000
基準適合性評価	1.5～5.0	274,500～915,000
QMS適合性調査・書面調査のみ	0.5～1.5	91,500～274,500
QMS適合性調査・現地調査（有効要員数1-25名の場合）	3.0～5.0	549,000～915,000

（SGS社　基準適合性認証業務の実施手順2017年第26版より）

✓ 認証申請前に，JIS規格等の適合試験（費用は数百万円，期間は2～3ヵ月）を通し，そのテストレポートを用意しなければならないので注意が必要。

　登録認証機関は国に登録された認証機関ではあるが，私企業でもあり，その認証の期間や費用は各社異なる。したがって，各登録認証機関の業務範囲を確認するとともに，当該の医療機器の認証費用や期間の確認が必要である。本図では例として，登録認証機関の1つであるSGSジャパン株式会社の「基準適合性認証業務の実施手順2017年第26版」から費用概要を掲載した。

　認証を受けようとする医療機器や申請者の経験等にもよるが，期間は2ヵ月くらい（促進プログラムもある場合がある）で，状況によっては3ヵ月を超えることもある。費用はこれも認証を受けようとする医療機器で異なるが，1品おおむね60万円くらいからで，QMS適合調査先の数，そこでの有効要員数，ISO 13485の取得状況等で費用が大きく異なるが，普通規模でいえばトータル200万円前後を考えておけば大きくは外れない。なお，海外資本の登録認証機関はおしなべて費用が高めであることも知っておくべきである。

　また，設計開発の外部委託費用や期間で忘れてはならないのが，認証申請時に別添で用意するJIS等の適合試験のテストレポートで，費用は数百万円，期間は2～3ヵ月は

かかるので注意が必要である。

▶ 一般医療機器の届出制度

一般医療機器はPMDA理事長宛に届出が必要である。

申請者（製造販売業者）→ 医療機器製造販売届出書（様式第63の21（一））／医療機器製造販売届出書（変更書：30日以内）添付資料（別添資料を含め）の添付はいらない → PMDA理事長
PMDA理事長 → 受理通知書 → 申請者

- 基本要件適合は自己認証で行う。
- QMS適合性調査が必要な（一般医療機器498種＋滅菌医療機器）ものもある。
- PMDAのホームページ「製造販売届チェックリスト」は便利。

　一般医療機器については，新医療機器として分類されるまったく新しい一般医療機器に想定される医療機器は除いて，当該医療機器の製造販売を行う製造販売業者が，PMDAの理事長宛に所定の「医療機器製造販売届出書」（様式第63の21（一））を提出し，届出を行い，PMDAより受理の通知書をもらえば，製造販売を行うことができる。
　医療機器製造販売届出書のフォームは，承認や認証のそれと同じだが，添付資料（別添資料を含め）の添付はいらない。
　なお「医療機器の製造販売届書を作成する際の主な注意点」が，PMDAのホームページの「製造販売届チェックリスト」内にあり，要点は以下のようである。

1. 薬食機参発1121第41号平成26年11月21日「医療機器の製造販売届出に際し留意すべき事項について」に基づき作成すること。
2. 添付文書（案）の作成時には，薬食発1002第8号平成26年10月2日「医療機器の添付文書の記載要領の改正について」に基づき作成すること。
3. 一般医療機器（クラス1）は自己認証品であるので，自己の責任のもとに届出をすること。

　よって，すべての医療機器に求められている基本要件への適合は，製造販売業者が自己責任で行わなければならない。さらに，一般医療機器の一般的名称1,214点（令和3年10月時点）のうち，498点に加え一般医療機器だが滅菌医療機器についてはQMS適合が求められているので，一般医療機器の製造であっても，QMS適合調査に耐えうる

体制の構築をおすすめする。届出時点や定期的な適合性調査はないが，何か問題があった際には立入調査が行われる。

3.4.4 QMS省令とQMS適合性調査

▶ **QMS省令とは何か？**

「医療機器及び体外診断用医薬品の製造管理及び品質管理の基準に関する省令」のことで，製造販売業者の遵守すべき基準，および製造販売業者が登録製造所の管理を行う基準であり，製造販売承認（認証）の要件。

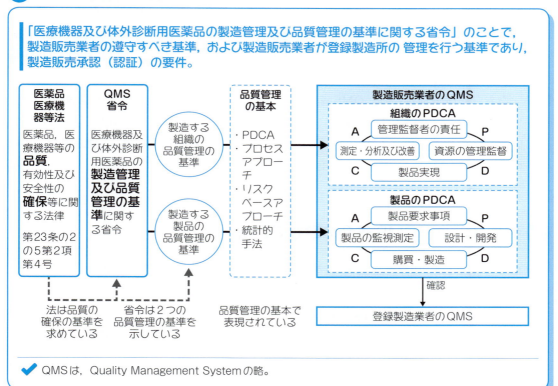

✓ QMSは，Quality Management Systemの略。

　医療機器の開発，設計や生産関連の業務に携わるとよく耳にするのがこのQMS省令で，QMSはQuality Management Systemの頭文字をとっている。正式には「医療機器及び体外診断用医薬品の製造管理及び品質管理の基準に関する省令」（平成16年，厚生労働省令第169号，平成26年，令和3年改正）のことで，医療機器関連の品質マネジメントシステムについて厚生労働省が出した省令である。

　本図はQMS省令の法的な建付けと省令の概要を表しているが，基本となる医薬品医療機器等法が第23条の2の5第2項第4号等で品質の確保の基準を求めているので，これに応えたのがQMS省令と理解できる。一方QMS省令は，その正式名称が表すように，「製造する組織の品質管理の基準」と「製造する製品の品質管理の基準」の2つの品質管理の基準を示し法の求めに応えている。

他方，この省令の基本は品質管理のそれであるので，品質管理の基本であるPDCA，プロセスアプローチ，リスクベースアプローチや統計的手法等を使って必要な基準を表現されていると理解してよい。よって省令の概要を簡単に表すと，「組織のPDCA」を回すこと，「製品のPDCA」を回すこととなる。

なお，QMS省令は，医療機器製造業者の遵守事項であり製造販売承認・製造販売認証の要件であるので，その適合性調査は管理医療機器，高度管理医療機器の承認／認証，かつ（指定された498品目と滅菌医療機器）一般医療機器の遵守基準である。一方，製造販売業者が登録製造所の管理を行う基準でもあるので，結局は登録製造所の遵守事項にもなっている。一般医療機器（指定されていない）には，届出時にQMS適合性調査は入らないが，QMS省令への遵守が義務づけられているので，省令に基づくQMS構築は必要である。

なお一般医療機器には，QMS省令の「設計開発」の規定（第30条から第36条の2まで）が適用されない。また，限定一般医療機器（一般医療機器のうち厚生労働大臣が指定した医療機器以外のもの，例：メガネ等）を製造する製造所には，「設計開発」のほか，さらにQMS省令の一部の条項の適用が除外されている。

▶ 令和3年改正QMS省令の章立てと概要

QMS省令第2章の医療機器等の製造管理及び品質管理に係る基本的要求事項が，医療機器の品質マネジメント規格（ISO 13485：2016）に準拠している。

令和3年3月改正QMS省令の章立て

章立て	概要
第1章：総則（第1条〜第3条）	省令の主旨，用語の定義，適用の範囲が定められている。
第2章：医療機器等の製造管理及び品質管理に係る基本的要求事項（第4条〜第64条）ISO13485：2016相当部分	第50条と第65条は，欠条
第3章：医療機器等の製造管理及び品質管理に係る追加的要求事項（第66条〜第72条の3）	わが国固有の要求事項ついて規定され，主に製造販売業の責務が定められている。 ・文書・記録の保管期限 ・製造販売後安全管理基準（GVP）との関係 ・総括製造販売責任者の業務 ・国内品質業務運営責任者の業務 ・選任外国製造医療機器等製造販売業者等の業務
第4章：生物由来医療機器等・ 第5章：放射性体外診断用医薬品・ 第5章の2：再製造単回使用医療機器の製造管理及び品質管理	
第6章：医療機器等の**製造業者等への準用**（第82条〜第84条）	登録製造所に係る製造業者等の製造管理及び品質管理等が定められている。

✔ 改正QMS省令への経過措置は3年（2024年3月まで）である。

QMS省令は，国際的な整合を図るために，ISO 13485：2003を踏まえて作成されたものであるが，ISO 13485が2003年版から2016年版に改正されたのを受け，令和3年3月改正QMS省令により改正された。

　本図には，令和3年3月改正QMS省令の章立てを示したが，第1章：総則では，省令の主旨，用語の定義，適用の範囲が定められている。第2章には，医療機器等の製造管理及び品質管理に係る基本的要求事項が定められていて，ここがISO 13485：2016 相当部分に当たる。第3章は，医療機器等の製造管理及び品質管理に係る追加的要求事項で，以下のようなわが国固有の要求事項について規定され，主に製造販売業の責務が定められている。

・文書・記録の保管期限
・製造販売後安全管理基準（GVP）との関係
・総括製造販売責任者の業務
・国内品質業務運営責任者の業務
・選任外国製造医療機器等製造販売業者等の業務

　第4章が，生物由来医療機器等の製造管理及び品質管理，第5章が，放射性体外診断用医薬品の製造管理及び品質管理，第5章の2が，再製造単回使用医療機器の製造管理及び品質管理と続き，最後の第6章は，医療機器等の製造業者等への準用等で，登録製造所に係る製造業者の製造管理及び品質管理等が定められている。

　逐条解説については，QMS省令施行通知である「医療機器及び体外診断用医薬品の製造管理及び品質管理の基準に関する省令の一部改正について」（令和3年3月26日，薬生監麻発0326第4号）の第2に詳しく書かれている。

　これは，国際整合性の確保という観点から，QMS省令とISO 13485の関係をより一層，明確にするため，その考え方についてまとめたものであり，関連する業務に携わる人には非常に重要である。

　なお，QMS省令の詳細説明は，本書第5章「5.2 品質マネジメントシステム（QMS）規格」にISO 13485を通して記載したので参照されたい。

▶ QMS適合性調査の位置づけと，医療機器の分類に応じたQMS適合性調査

QMS適合性調査は，QMS省令への適合性調査で，製造販売承認・認証の要件。
医療機器の分類により，調査権者が異なる。

クラス	分類	QMS調査申請	承認・認証，一変時	第69条調査（立入検査）	海外製造所
クラスI	一般医療機器	不要※	なし	都道府県	なし
クラスII	指定管理医療機器（認証基準あり）	必要	登録認証機関	都道府県	登録認証機関
	管理医療機器（なし）	必要	PMDA	都道府県	PMDA
クラスIII	・指定高度管理医療機器（認証基準あり）	必要	登録認証機関	都道府県	登録認証機関
	・高度管理医療機器（なし）	必要	PMDA	都道府県	PMDA
クラスIV	高度管理医療機器	必要	PMDA	都道府県	PMDA
	新医療機器	必要	PMDA	都道府県	PMDA
	特定生物由来製品	必要	PMDA	都道府県	PMDA

※QMS調査申請は不要だが，一般医療機器498種と滅菌医療機器はQMS適合が求められる。

- 適合性調査は，対象品目ごと，対象品目の製造所ごとに行われる。
- 第69条調査は，原則として製造業許可権者が行う。

　医療機器の承認，認証を取得する重要な要件に「医療機器及び体外診断用医薬品の製造管理及び品質管理に関する省令」（QMS省令）への適合があるが，この調査のことをQMS適合性調査という。

　QMS適合性調査は，承認や認証またそれぞれの一部変更の申請の際，その対象品目に対しかつその対象品目の製造所ごとに行われる（同じ品目でも製造所が違えばQMS適合性調査は各製造所で必要）。

　またQMS適合性調査を行う適合性調査権者は，以下のように当該医療機器の分類により異なる。したがって，調査の申請先も当該医療機器により異なるのであらかじめ注意・確認が必要である。

- 指定管理医療機器，および指定高度管理医療機器の場合，申請先・調査権者とも，国に登録された「登録認証機関」である（製造所が海外にあっても同じ）。
- 上記以外の医療機器の場合，申請先・調査権者とも，PMDAである（製造所が海外にある場合はPMDA）。
- 当該医療機器のリスクが高い，またはまったく新しい医療機器である場合など，すなわちクラスIVの高度管理医療機器や新医療機器，および特定生物由来製品などの場合は，申請先・調査権者ともPMDAである（製造所が海外にあっても同じ）。

また，一般医療機器の場合でも，1,214種ある一般的名称のうち，とくに498種と一般医療機器でかつ滅菌医療機器の場合は，QMS適合が明確に求められている。届出時点での申請の必要もなく調査も実施されないが，医薬品医療機器等法第69条に基づき，立入検査が行われるので，QMS適合は重要である（この立入検査は，一般医療機器だけでなくすべての医療機器が対象になる）。なお，立入検査を実施するのは，原則として製造業許可権者である都道府県である。

> （立入検査等）
> 命令を遵守しているかどうかを確かめるために必要があると認めるときは，当該製造販売業者等に対して，必要な報告をさせ，工場，事務所その他当該製造販売業者等が医療機器を業務上取り扱う場所に立ち入り，その構造設備若しくは帳簿書類その他の物件を検査させ，若しくは従業員その他の関係者に質問させることができる。（法第69条抜粋）

▶ QMS適合性調査の種類

QMS調査の種類は，適合性調査と第69条調査があり，適合性調査には5種類，69条調査は2種類ある。

調査の種類		実施のタイミング
適合性調査	承認（認証）前適合性調査	承認（認証）申請時
	一部変更（一変）時適合性調査	承認（認証）事項一部変更申請時
	定期適合性調査	承認（認証）取得後5年経過ごと
	追加的調査	基準適合証ではQMS省令への適合が確認できない場合
	サーベイランス調査	年1回（登録認証機関の登録要件）
69条調査（立入検査）	69条調査（通常調査）	適宜
	69条調査（特別調査）	問題発生時

 サーベイランス調査は，登録認証機関によって，認証取得品目に対して1年ごとに，QMS省令への適合の継続性を確認するために行われる。

　QMS調査の種類は，大別すると適合性調査と第69条調査があり，QMS適合性調査には，次に示す5種類がある。
・当該医療機器の承認や認証の際に行われる「承認・認証前適合性調査」
・当該医療機器の一部変更承認や一部変更認証の際に行われる「一部変更（一変）前適合性調査」
・承認・認証取得後，5年を経過するごとに行われる「定期適合性調査」

- 医療機器の特性によって，基準適合証のみではQMS省令への適合が確認できない場合に行われる「追加調査」
- 登録認証機関によって，ISO 17021-1：2015（適合性評価－マネジメントシステムの審査及び認証を行う機関に対する要求事項－第1部：要求事項）に基づきおおむね1年ごとに認証取得品目に対して行われる，QMS省令への適合の継続性を確認するための「サーベイランス調査」

前述の「立入検査」（第69条調査）には，適宜QMS省令の規定が守られているかの通常調査と，監査指導の意味合いをもつ特別調査の2種類がある。

▶ QMS適合性調査の内容と実施形態

調査の種類によって，調査の対象となるサブシステムが異なる。
調査には，実地調査と書面調査があり，実施期間，費用に差がでる。

調査の種類	承認前調査		定期調査（5年ごと）	
	初回※1	2回目以降※2	初回	2回目以降
調査内容（対象サブシステム）	製造所全体	承認申請品目	製造所全体	変更点に重点
管理監督	○	△	○	○
設計開発管理	○	△	△	△
製品	○	○	○（代表品目）	○（代表品目）
製造	○	△	△	△
CAPA	○	△	△	△
購買管理	○	△	△	△
文書記録	○	△	△	△
製品受領者	○	△	△	△
前回指摘事項		○	○	○

○（重点調査），△（変更等選択的調査）を表す。
※1 PMDA，登録認証機関のいずれも調査を行っていない製造所を指す。
※2 PMDA，登録認証機関のいずれかが調査を行った製造所を指す。

- QMS調査のやり方は，「QMS調査要領について」（薬生監麻発0326第12号，令和3年3月26日）に詳しく記載されている。
- 製品群区分が同一かつ，製造所が同一の場合は，基準適合証によるQMS適合性調査の省略が可能。

QMS適合性調査はQMS省令に基づいて行われるが，QMS調査のやり方は，「QMS調査要領について」薬生監麻発0326第12号（令和3年3月26日）に詳しく記載されている。ポイントは，本図で示したように調査の種類によって，調査の内容となるサブシ

ステムが異なることで、とくに「初回」の場合、製造所全体が調査対象となるので、十分な準備が必要である。

また調査には、実地調査と書面調査があり、調査実施者が実地・書面の判断基準（QMS調査要綱　別紙1）を勘案し、いずれによるかを調査実施者が決定する。たとえば、QMS省令の第2章の調査では、ISO 13485の過去3年間以内の認証書があれば、基本書面調査となり、第3章の調査も基本書面調査となる。

本調査の調査期間は、一調査対象施設で第2章および第3章の全要求事項の実地調査で3日以上かかり、実地か書面か、対象施設数や品目種類によって、期間も調査費用も大きく異なるので、調査実施者との事前相談等で確認するとよい。すでに交付されている基準適合証の製品群区分が同一かつ、製造所が同一の場合は、その基準適合証によってQMS適合性調査を省略することができる。

▶ QMS適合性調査のフロー

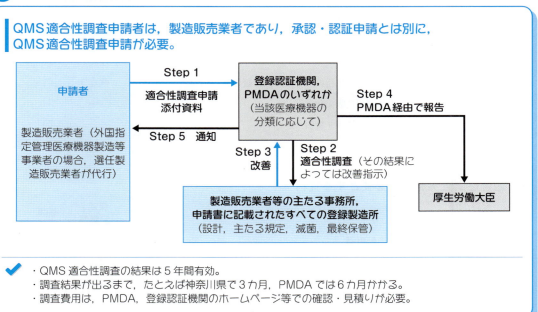

- QMS適合性調査の結果は5年間有効。
- 調査結果が出るまで、たとえば神奈川県で3カ月、PMDAでは6カ月かかる。
- 調査費用は、PMDA、登録認証機関のホームページ等での確認・見積りが必要。

QMS適合性調査は、まず当該医療機器の承認／認証申請者である製造販売業者（外国指定管理医療機器製造等事業者の場合、選任製造販売業者が代行）から、調査権者（登録認証機関、PMDAのいずれか）に対し、承認申請の場合は申請後速やかに、認証申請の場合は遅くとも10日以内に、承認／認証申請とは別に適合性調査申請を行うことから始まる。

承認に係る調査の適合性調査申請書の様式は第63の11、認証の様式は第67（1）で、

「QMS適合性調査の申請に当たって提出すべき資料について」（平成26年10月31日最終改正令和3年5月19日）が，PMDAから出ているが，大いに参考になる。
　なお，本資料によると添付資料は，次のとおりである。

適合性調査に当たって提出する資料

資料番号	提出資料	様式／記載例	新規	定期
1-1-1	申請品目の製造販売承認申請書又は承認事項一部変更承認申請書（輸出用医療機器等の輸出届に基づく場合は，その届出書）の写し	—	☐	—
1-1-2	前回調査以降の承認事項一部変更承認書及び軽微変更届書の写し	—	☐※	☐
1-1-3	ISO 13485 認証書等，調査対象施設における適合性調査の申請の日から過去3年以内に実施された他の調査実施者による実地の調査報告書，MOU等に基づく相手国等の証明書又は調査報告書，外国等当局による適合性証明書の写し	—	☐	☐
1-1-4	調査対象品目の製造工程の概要	記載例1	☐	☐
1-1-5	各調査対象施設で実施している活動の概要及び各調査対象施設における品質管理監督システムの相互関係を確認できる資料	記載例2	☐	☐
1-1-6	前回調査以降の回収がある場合には，その概要	—	—	☐
1-1-7	宣誓書	様式1	—	☐
1-2-1	調査対象施設の概要	様式2	☐	☐
1-2-2	子品目リスト及び申請品目に係る基準適合証の写し	様式3	☐	☐
1-2-3	過去3年間の年間製造販売数量	—	—	☐
—	その他，別途通知等に示す資料	—	☐	☐

※：一変の場合に限る

適合性調査実施者が必要とする資料

資料番号	提出資料	様式／記載例	新規	定期
2-1-1	調査対象施設の配置図	記載例3	☐	☐
2-1-2	調査対象施設の平面図	記載例4	☐	☐
2-2-1	調査対象者の組織図	記載例5	☐	☐
2-2-2	品質管理監督システム基準書	—	☐	☐
2-2-3	文書体系に関する資料	記載例6	☐	☐
2-3-1	製品標準書の概要	記載例7	☐	☐
2-3-2	添付文書等，品目の概要がわかる資料		☐	☐
2-3-3	製造工程におけるバリデーションの実施状況	記載例8	☐	☐
2-3-4	生物由来原材料等を使用している医療機器にあっては，安全性の確保の観点から品質に問題ないかを点検したことを示す資料	—	☐	☐
2-4-1	製造販売業者等への不具合事項の連絡に係る手順書等	—	☐	☐
2-4-2	国内品質業務運営責任者が要件を満たすことを示す宣誓書	様式4	☐	☐

2-4-3	国内品質業務運営責任者の業務に係る手順書	—	☐	☐
2-4-4	登録製造所等との取り決め書	—	☐	☐
2-4-5	修理業者及び中古品の販売業者又は貸与業者からの通知の処理，医療機器の販売業者又は貸与業者における品質の確保に係る手順書	—	☐	☐

　調査対象施設は，製造販売業者等の主たる事務所と申請書に記載されたすべての登録製造所となるが，詳細は次図で示す。

　調査の結果，問題の指摘があった場合には，製造販売業者および製造業者は，「QMS調査要領について」（令和3年3月26日薬生監麻発0326第12号）に沿って製造所の改善等を行わなければならない。さらに，調査結果は当該製造販売業者の指導・監督のために，PMDAを経由して各承認権者や業許可権者にも通知される。

　なお，製造販売業者および製造業者等には調査権者から直接，調査結果が通知される。

▶ 業種別QMS適合性調査の対象施設

製造販売業者等の主たる事務所，申請書に記載されたすべての登録製造所。

	業許可／業認定	QMS調査	承認申請書の記載
製造所（主たる組立て）	要	要	要
製造所（保管等を行う施設）	要	要	要
製造所（設計）	要	要	要
外部試験検査施設	不要	要	要
製造所（滅菌を行う施設）	要	要	要
構成部品を製造する施設	不要	不要	不要

・QMS適合性調査の合理化により，製造所ごとの調査・判定から，製造販売業者に対しシステム全体を包括的に調査・判定へ変わった。
・調査対象施設については，QMSを管理する製造販売業者等の主要な施設の調査を先に行った後，その他施設の調査を行う。

　QMS適合性調査の対象は，「QMS調査要領について」内で，「適合性調査等の対象のあり方」として次表（抜粋）のように表されている。

調査の分類		調査対象のあり方
承認等前適合性調査		承認等申請に係る品目（製品群区分）及び当該品目に係る調査対象施設
一変時適合性調査		承認等事項一部変更承認等申請に係る品目（製品群区分）及び当該変更申請に関係する調査対象施設
定期適合性調査	初回	適合性調査申請に係る品目（製品群区分）及び当該品目に係る調査対象施設
	2回目以降	適合性調査申請に係る品目（製品群区分）及び当該品目に係る調査対象施設 特に，前回不備が観察された事項，前回調査以降変更等のあった部分に重点

　QMS適合性調査の対象施設は，製造販売業者等の主たる事務所，および申請書に記載された各工程を担うすべての登録製造所である。

　各工程を担う調査対象施設については，QMS適合性調査の合理化により，製造所ごとの調査・判定から，製造販売業者に対しシステム全体を包括的に調査・判定へ変わったことを受け，QMSを管理する製造販売業者等の主要な施設の調査を先に行い，その他施設の管理状況，QMSの適用範囲および相互の関係等を把握した後，その他施設の調査を行うことが推奨されている。

　なお本図は，業種別QMS適合性調査の対象施設を整理した。

　医療機器の製造に係る製造業登録が必要な製造業者だけでなく，当該の医療機器に関係する外部設計開発管理施設や外部試験検査施設もQMS適合性調査の対象である。また，保管等を行う施設（出荷判定を行う施設）でも同調査の対象となる。

　また，申請時に製造条件として記載することが必要な「最終製品の品質・性能・安全性に影響する工程を行う施設」，たとえば，カテーテルのヘパリンコーティングやステントへの薬剤コーティング等の製造所については現在のところQMS適合性調査の対象外とされているが，重要なサプライヤーはQMS調査の対象とする方向にあるので，今後，QMS省令に適合させることを推奨する。

　なお，「構成部品を製造する施設」，部品の製造所等についてはQMS適合性調査の対象外とされている。

▶ QMS省令における製造販売業者と製造業者との関係

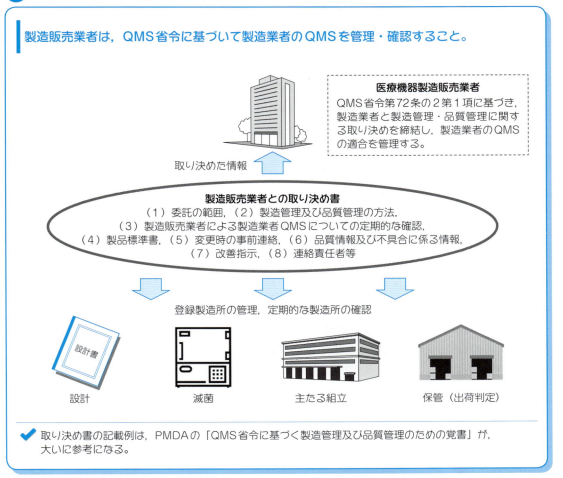

　前述したように，QMS調査対象施設は，製造販売業者等の主たる事務所と申請書に記載されたすべての登録製造所となるが，登録製造所等の管理責任は製造販売業者にあるので，製造販売業者は，QMS省令に基づいて登録製造所等のQMSを管理・確認することが求められる。

　製造販売業者は，QMS省令第72条の2第1項に基づき，製造業者と製造管理・品質管理に関する取り決め（製造販売業者との取り決め書）を締結し，製造業者QMSの適合を管理することとなる。

　なお，取り決め書の記載例は，PMDAのホームページ内の「QMS省令に基づく製造管理及び品質管理のための覚書」が，大いに参考になる。

取り決め文書の記載例

QMS省令に基づく製造管理及び品質管理のための覚書

［製造販売業社名］［住所］（以下製造販売業者という）と［製造業者名（あるいは外国製造業者名）］［住所］（以下製造業者という）は下記のごとく覚書を締結する。

目的

　QMS省令に基づき，登録製造所における医療機器の製造管理及び品質管理の適切な実施を確保するため，製造販売業者の委託等により登録製造所において設計・製造する製品（以下製品という）に関し，次の事項を取り決める。
なお，本覚書を適用する製品については，付属書Aに定める。

(1) 委託の範囲

　製造業者の当該医療機器の製造範囲は，当該製品の設計，主な製造及びその業務に付帯する設計・製造に関する業務全般である。登録製造業所は，製造販売業者に対する供給者として，その責務を負う。本覚書において，製造販売業者及び登録製造所のQMS省令に基づく責任関係を下記(2)〜(10)項に加えて，付属書Bに示す。
(解説省略)

(2) 製造管理及び品質管理の方法

　製造業者はQMS省令及び本覚書に基づいて当該製品の製造管理・品質管理を厳格に行う。

　製造業者はQMS省令に従う製品標準書及び関連する手順書等の製造方法に従って当該医療機器を製造するとともに，製品標準書の規格及び試験検査方法に適合した当該製品を出荷する。

(3) 製造販売業者による製造業者QMSについての定期的な確認

　当該医療機器が登録を受けた製造所において，適切な製造管理及び品質管理の下で製造され，また出荷されていることについて，製造販売業者による定期的な確認を受ける。

　定期的な確認は，以下の方法による。

1. 国内品質業務運営責任者又はあらかじめ指定した（外部委託を含む）ものが実地に確認する。
2. 製造業者から関連する書類を入手し，当該書類により確認する。
3. 第三者機関によるISO 13485等の証明書あるいは相手先国の規制当局の査察レポートにより確認する。

(解説省略)
(4) 製品標準書

　製造販売業者は製品標準書をQMS省令に基づいて作成を行う。製造業者は委託の範囲において製品標準書を作成する。製品標準書及びそれらに基づく製造記録及び試験検査記録は，QMS省令で本製品に求められる期間は保管されなければならない。

(5) 変更時の事前連絡

　製造業者は，設計，製造方法及び試験検査方法などについて変更がある場合もしくは，品質への影響が否定できないと判断される場合，事前に国内品質業務運営責任者に連絡し，許可を得た後実施する。

(6) 品質情報及び不具合に係る情報

　製造業者は，品質不良若しくはその恐れに係る情報又は施行規則228条の20第2項各号に係る不具合に係る情報を知り得た場合，速やかに国内品質業務運営責任者に報告を行い，その指示に従い適切な措置を講じるものとする。

(7) 改善指示

　国内品質業務運営責任者は，当該医療機器の製造管理及び品質管理に関して改善の必要を認めた場合，所要の措置を講じるよう製造業者に指示を与えることができる。製造部門はその指示に対して，改善（措置）を速やかにかつ適切に実施し，文書により国内品質業務運営責任者に連絡する。製造販売業者はこの内容を確認する。

(8) 連絡責任者

　前述(6)，(7)，(8)の連絡についての方法及び責任者の名前及び役職
＜製造業者＞
管理責任者の氏名及び役職
電話，FAX，e-mailアドレス
＜製造販売業者＞
国内品質業務運営責任者の氏名及び役職（複数名が好ましい）
電話，FAX，e-mailアドレス

以下省略

162　第3章　医療機器業界参入のための国内の法を知る

QMS省令適合性調査のフローと評価基準

QMS省令の適合性評価基準に沿ってQMSを評価し，不備事項がない場合，適合となる。

✓ 各基準の詳細や改善計画書の鑑も，「QMS調査要領について」薬生監麻発0326第12号（令和3年3月26日）にある。

　QMS省令適合性調査のフローは図示したとおりであるが，調査の対象は前述した「調査の対象となるサブシステム」となる。調査時に指摘事項があった場合は，「適合性評価基準」に即した対応方法に沿って迅速な対応（詳細な改善結果報告書または具体的な改善計画書の提示）が，重要である。

　この適合性評価基準のポイントは，以下のとおりである。
（1）不備事項が発見されなかった場合，「適合」。
（2）発見された不備事項が評価ランク1の不備事項のみの場合は，各不備事項について，文書により改善を指示し，その改善結果または改善計画の報告を求め，実施者と合意した適切な期日以内に，詳細な改善結果報告書または具体的な改善計画書が出れば，「適合」。ただし，次回の適合性調査等において当該不備事項に対する是正措置の有効性を確認する。
（3）発見された不備事項の評価ランクが3以下の場合は，評価。
　　結果が評価ランク1に分類された事項については，（2）と同等の対応。評価ランク2または3に分類された不備事項については，実施者と合意した適切な期日以

内に改善結果報告書が提出された場合においては,「適合」。改善が完了しない場合は,「不適合」。また,評価ランク2および3に分類された不備事項についても,次回の適合性調査等において当該不備事項に対する是正措置の有効性を確認する。

(4) 上記のいずれにも該当しない場合,「不適合」。

ただし,評価結果が評価ランク4以上に分類された事項について,指摘事項書の交付から15日以内に改善結果報告書が提出された場合に限り,(3)における評価結果が評価ランク2または3に分類された不備事項に準じて取り扱って差し支えない。

なお,不備事項の評価ランクは,「QMS省令不備事項評価基準」によるが,ポイントは以下のとおりである。
(1) ステップ1として,不備のQMSへの影響度と発生頻度を評価し,不備事項ランク付け表（図示）から最初の評価ランクを決定する。
　・QMSへの影響度は,「間接的影響」か「直接的影響」かを評価するが,間接的影響は,QMS省令の第5条から第24条,第66条から第68条,第70条から第71条,第72条の2,第73条から第74条,第77条から第80条,第81条の2,第81条の2の4,第81条の2の5が対象。直接的影響は,QMS省令の第25条から第64条,第69条,第72条,第75条,第76条,第81条,第81条の2の2,第81条の2の3,第81条の2の6,第84条が対象となる。
　・発生頻度は,入手可能な過去の実地による適合性調査等の調査結果報告書（5年以内のもの）を照査し,発見された不備事項と同じQMS省令の条項（条,項,号）について以前にも指摘されていたかどうかの評価により,以前にも指摘されていた場合,「再発」,そうでない場合,「初回」と評価する。
(2) ステップ2として,以下に該当する場合,ステップ1で得られたランク付けの結果に,それぞれ「1」を加算し最終の評価ランクとする。
　・QMS省令が要求する文書化した手順書,製品標準書がないかまたは機能していない場合。もしくは調査対象施設がQMSの実効性を維持するために必要と判断し作成した文書がほとんど機能していない場合
　・発見された不備事項が原因で,不適合製品が既に市場に出荷されている場合。

QMS適合性調査の詳細は,「QMS調査要領について」（薬生監麻発0326第12号,令和3年3月26日）に記載されていて,関連業務に係る場合は,必ず目を通さなければならない通達である。

3.4.5 基準適合証と製品群省令

▶ 基準適合証とは何か？

QMSの適合性調査で基準に適合した場合，適合を証明するものとして交付されるのが，基準適合証である。

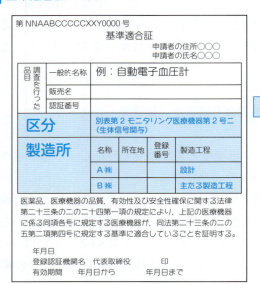

QMS適合性調査不要条件

この「基準適合証」と，同じ区分（製品群区分）で，かつ設計，主たる組立に係る製造所と同じ製造所で製造される品目を新たに承認・認証申請しようとする場合，QMS適合性調査は不要となる。

基準適合証の有効期間

有効期間は，交付日から5年。一変時の有効期間は，その残期間となる。

✓ 登録製造所のうち，滅菌，保管（出荷判定）のみの製造所が異なっていても，QMS適合性調査は省略できる。

　医療機器の承認または認証を受けようとする際には，当該の医療機器の品目ごとに，その登録製造所に対するQMS適合性調査が必要とされ，承認または認証を受けてから5年を経過するごとにも定期的にQMS適合性調査を受ける必要があることは先述した。その調査の結果基準に適合した場合，適合を証明するものとして交付されるのが，基準適合証である。また，基準適合証の有効期間は交付日から5年で，一変時の有効期間は，その残期間となる。

　ただし，原則として品目ごとにQMS適合性調査が必要であったが，QMS適合性調査の合理化の1つとして，「QMS適合性調査不要条件」すなわち，この「基準適合証」と，同じ区分（製品群区分）で，かつ設計および主たる組立に係る製造所と同じ製造所で製造される品目を新たに承認または認証申請しようとする場合は，QMS適合性調査は不要となることに注意されたい。

　たとえば本図で例示したように，基準適合証記載の生産品目が自動電子血圧計の場合，区分（製品群区分）は別表第2モニタリング医療機器第2号イ（生体信号関与）で

3.4 製品に対する規制 — 製造販売承認・認証・届出 | 165

あるが，今回，区分が自動電子血圧計と同じ電子体温計を，同じ設計会社（登録製造所）かつ同じ主たる組立に係る製造所（登録製造所）で製造する場合は，製造販売認証時のQMS適合性調査は必要なく，この自動電子血圧計の基準適合証が，電子体温計の認証時（5年ごとの定期適合性調査時も）でも有効に使用される。また同じ登録製造所でも，滅菌と保管（出荷判定を伴う）が異なっていてもQMS適合性調査不要条件に該当する。ただし，「追加的調査」の対象となる場合があるので注意されたい。

なお，基準適合証については，「基準適合証及びQMS適合性調査申請等の取扱いについて」（薬生監麻発0831第1号，薬生機審発0831第16号，令和2年8月31日）に詳しい記載があるので，参照されたい。

▶ 製品群省令とは何か？

QMS適合性調査の合理化のための区分を定めた省令で，「医薬品，医療機器等の品質，有効性及び安全性の確保等に関する法律第23条の2の5第8項第1号に規定する医療機器又は体外診断用医薬品の区分を定める省令」（平成26年8月6日 厚生労働省令第95号）のこと。

製品群省令第2条

クラスⅡ，クラスⅢ，クラスⅣ医療機器	該当製品群
品目調査医療機器等（品目ごとに調査）	18一般的名称
一般的名称調査医療機器等：現時点該当なし	0一般的名称
製品群省令 別表1，別表2で提示	**該当製品群**
別表1クラスⅣ特定高度管理医療機器の製品群区分（製品群ごとに調査）	38製品群
別表2クラスⅡ／Ⅲその他の医療機器の製品群区分（製品群ごとに調査）	47製品群
区分に当てはまらない上記以外の医療機器等（一般的名称ごとに調査）	17一般的名称

医療機器基準等情報（PMDAホームページ）

名称等	自動電子血圧計（他の情報　略）
類別	器18　血圧検査又は脈波検査用器具
中分類	生体物理現象検査用機器
製品群	別表第2 モニタリング医療機器第2号イ（生体信号関与）
	別表第2 モニタリング医療機器第2号ロ（生体信号関与）
	別表第2 モニタリング医療機器第2号ハ（生体信号関与）
	別表第2 モニタリング医療機器第2号ニ（生体信号関与）
保守等，定義，基準，備考	略

✓ 「医療機器及び体外診断用医薬品の製品群の該当性について」
（薬食監麻発0911第5号，平成26年9月11日）が，参考になる。

製品群省令は，QMS適合性調査の合理化のための医療機器（一般的名称）の区分を定めた省令で，「医薬品，医療機器等の品質，有効性及び安全性の確保等に関する法律第23条の2の5第8項第1号に規定する医療機器又は体外診断用医薬品の区分を定める省令」（平成26年8月6日厚生労働省令第95号）の長い省令名の略称となる。

製品群省令の構成は，第1条にこの省令の趣旨，第2条に製品群区分，第3条に製品群区分の特例，クラスIV特定高度管理医療機器の製品群区分の別表1，クラスII／IIIその他の医療機器の製品群区分の別表2で構成されている。

本省令のポイントは，別表1と別表2に記載されている製品群がそれぞれ，38製品群と47製品群に整理されている点，当該の医療機器がどの製品群区分に区分されるのか，またはされないのか（されない場合は，品目ごと調査か一般的名称ごと調査になる），加えて製品群区分には細区分イロハニがあることを表していることである。

ただしQMS適合性調査を考える際重要なのは，当該の医療機器がどの製品群区分なのかであり，本別表を参照するよりPMDAのホームページにある「医療機器基準等情報」で当該の一般的名称から確認することをおすすめする。

本図内では，自動電子血圧計の製品群を調べた結果を記載した。

また，「医療機器及び体外診断用医薬品の製品群の該当性について」（薬食監麻発0911第5号，平成26年9月11日）は，本省令をさらに知る上で重要だが，本通知内の別紙1および別紙2に，一般的名称と該当製品群の対比表があるので，一般的名称から該当製品群を調べる際にも参照されたい。

3.4.6 添付文書とラベリング（表示）

▶ 添付文書の法規制

添付文書は，法の規定により，患者の安全確保と適正使用のために，医療従事者を代表する使用者に対して必要な情報を提供する目的で，製造販売業者（外国特例承認取得者，選任製造販売業者を含む）が作成するものである。

添付文書作成の単位

- 1つの製造販売承認（認証／届出）品目につき1種類の添付文書が原則。
- 1つの品目中に複数の製品が含まれその組合せによって初めて機能する医療機器の場合は，取りまとめて1つの添付文書に記載してもよい。
- 付属品（定期交換をする消耗品を含む。）が，1つの製造販売承認（認証／届出）品目にあっても付属品のみを流通させる場合は，別に付属品の添付文書を作成すること。
- 添付文書に記載する内容を取扱説明書の冒頭に記載することで，添付文書と取扱説明書を一体化してもよい。

添付文書の記載項目と記載順序

順	記載項目	順	記載項目	順	記載項目
1	作成又は改訂年月	7	形状・構造及び原理等	13	取扱い上の注意
2	承認番号等	8	使用目的又は効果	14	保守・点検に係る事項
3	類別及び一般的名称等	9	使用方法等	15	承認条件
4	販売名	10	使用上の注意	16	主要文献及び文献請求先
5	警告	11	臨床成績	17	製造販売業者及び製造業者の氏名又は名称等
6	禁忌・禁止	12	保管方法及び有効期間等		

✓ 「医療機器の電子化された添付文書の記載要領について」（薬生発0611第9号，令和3年6月11日）を，参照のこと。

　「医療機器の電子化された添付文書の記載要領について」（薬生発0611第9号，令和3年6月11日）の別添「医療機器の電子化された添付文書の記載要領」に，医療機器の電子化された添付文書は，法第68条の2第2項第2号の規定に基づき医療機器の適用を受ける患者の安全を確保し適正使用を図るために，医師，歯科医師及び薬剤師等の医療従事者に代表される使用者に対して必要な情報を提供する目的で医療機器の製造販売業者又は外国特例承認取得者（選任製造販売業者を含む。）が作成するもの，とあるように製造販売業者が責任をもって作成しなければならない「注意事項等情報」のことである。

　添付文書の記載の方法は，下記に示すような（抜粋，要約）いくつかの原則があるので注意されたい。

- 法に規定する添付文書等記載事項については本記載要領に従って記載すること。
- 随時改訂等の見直しを行うものであること。（必要な情報はすぐ伝える。）
- 添付文書に記載すべき内容は，製造販売承認，製造販売認証，製造販売届出がなされ

た範囲であること。
・記載順序は，図示した「添付文書の記載項目及び記載順序」に従い，1．作成又は改訂年月から4．販売名までは添付文書の1ページ目の紙面の上部に記載し，5．警告以降の記載内容を本文とすること。（定型化することで，ミスを防ぐ。）

また，以下のように添付文書作成の単位にも原則があるので，添付文書作成の際には参考にされたい。
・1つの製造販売承認（認証／届出）品目につき1種類の添付文書が原則。
・1つの品目中に複数の製品が含まれその組合せによって初めて機能する医療機器の場合は，取りまとめて1つの添付文書に記載してもよい。
・付属品（定期交換をする消耗品を含む。）が，1つの製造販売承認（認証／届出）品目にあっても付属品のみを流通させる場合は，別に付属品の添付文書を作成すること。
・添付文書に記載する内容を取扱説明書の冒頭に記載することで，添付文書と取扱説明書を一体化してもよい。
・添付文書等記載事項がPMDAのホームページに掲載されている場合，販売先の医療機関等の承諾を得ている場合に限り，添付文書の製品への添付を省略できる。

▶ 添付文書の電子化

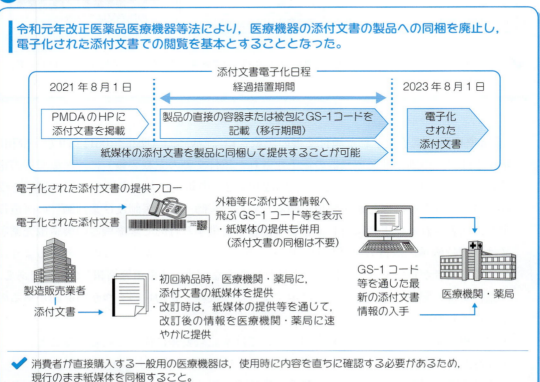

今まで添付文書は製品への同梱を原則としていたが，令和元年の改正医薬品医療機器等法により，医療機器の添付文書の製品への同梱を廃止し，電子化された添付文書での閲覧を基本とすることとなった。この改正法の経過措置期間は2年間なので2023年8月1日以降は，電子化された添付文書での閲覧が必要となる。そのため製造販売業者は，最新の電子化された添付文書を用意しPMDAのホームページにアップするとともに，製造販売業者の責任において，医療機器等の初回納品時に紙媒体による提供を行わなければならない。また，最新の添付文書情報へアクセスを可能とする情報（GS-1コード等）を製品の外箱（または直接の容器）に表示し，情報が改訂された場合には紙媒体などにより（ただし添付文書の同梱は不要）医療機関・薬局等に確実に届ける仕組みを構築する必要がある。

しかしながら，一般用医療機器等の消費者が直接購入する製品は，使用時に添付文書情報の内容を直ちに確認できる状態を確保する必要があるため，現行のまま紙媒体を同梱することでよい。

▶ 法定表示事項（ラベリング）

医療機器は，その医療機器またはその直接の容器もしくは直接の被包に，GS-1コード等および次に掲げる事項が記載されていなければならない。

	法定表示事項
1	製造販売業者の氏名又は名称及び住所（総括製造販売責任者の執務事務所）
2	名称（一般的名称及び販売名）
3	製造番号又は製造記号
4	厚生労働大臣の指定する医療機器にあつては，重量，容量又は個数等の内容量
5	第四十一条第三項の規定によりその基準が定められた医療機器にあつては，その基準においてその医療機器又はその直接の容器若しくは直接の被包に記載するように定められた事項
6	第四十二条第二項の規定によりその基準が定められた医療機器にあつては，その基準においてその医療機器又はその直接の容器若しくは直接の被包に記載するように定められた事項
7	厚生労働大臣の指定する医療機器にあつては，その使用の期限
8	前各号に掲げるもののほか，厚生労働省令で定める事項 　一　高度管理医療機器，管理医療機器又は一般医療機器の別 　二　外国製造医療機器等特例承認／認証取得者の氏名及びその住所地の国名並びに選任外国製造医療機器等製造販売業者の氏名及び住所 　三　特定保守管理医療機器にあつては，その旨 　四　単回使用の医療機器にあつては，その旨
注	共通項目1，2，3及び8の一は共通項目

✓ ・ME機器には，JIS T 0601-1等でラベリング（表示）の要求事項がある。
　・医療機器等へのバーコードの表示が義務づけられた。

令和元年の改正医薬品医療機器等法により，医療機器の電子化された添付文書での閲覧を基本とすることとなったと同じく，容器等への符号等の記載（法第63条の2）で，注意事項等情報を入手するために必要な符号（国際的な標準化規格に基づくバーコード，GS-1コード等）の表示が義務化された．

　これは医療安全の確保の観点から，製造，流通，医療現場に至るまでの一連において，医療機器等の情報の管理，使用記録の追跡，取り違えの防止などのため，トレーサビリティ等の向上を図るものである．

　一方，法第63条の直接の容器等の記載事項には，図示したいわゆる「法定表示事項」の8つがあり，その共通項目1，2，3および8に加えて該当する項目を医療機器に直接記載しなければならない．

　なお，医療機器のラベリング（表示）要求は，その注意事項等情報を正確に確実に伝えるためにとくに重要であるが，この法定表示事項だけでなく，たとえばME機器にはJIS T 0601-1等でラベリング（表示）の要求事項があるようにほかにも多くあるので，その要求に対する記載漏れがないように注意することが大切である．

3.5 医療機器の基準

医療機器の基準には，医療機器等の性状，品質及び性能の適正を図るため，基本要件基準（41条基準），42条基準（品質基準），承認基準および認証基準の4つの基準が設けられている。ここでは各々の基準について説明する。

▶ 基本要件基準（41条基準）

> 法第41条第3項の規定により厚生労働大臣が基準を定める医療機器の基準のことで，すべての医療機器が備えるべき品質・有効性及び安全性に関する18条の基準からなり，本基準に適合しないと販売や貸与ができない。

章	条	要件項目
1		一般的要求事項
	1	設計
	2	リスクマネジメント
	3	医療機器の性能及び機能
	4	製品の有効期間又は耐用期間
	5	輸送及び保管等
	6	医療機器の有効性
2		設計及び製造要求事項
	7	医療機器の化学的特性等
	8	微生物汚染等の防止
	9	使用環境に対する配慮
	10	測定又は診断機能に対する配慮
	11	放射線に対する防御

章	条	要件項目
2	12	プログラムを用いた医療機器に対する配慮
	13	能動型医療機器及び当該能動型医療機器に接続された医療機器に対する配慮
	14	機械的危険性に対する配慮
	15	エネルギー又は物質を供給する医療機器に対する配慮
	16	一般使用者が使用することを意図した医療機器に対する配慮
	17	注意事項等情報の公表又は添付文書等への記載による使用者への情報提供
	18	性能評価及び臨床試験

✔ 製造販売申請時の添付資料で，基本要件および適合性証拠と適合宣言書を提示する必要がある。

　基本要件基準とは，法第41条第3項の規定により厚生労働大臣が基準を定める医療機器の基準のことで，すべての医療機器が備えるべき品質・有効性及び安全性に関する18条の基準からなっている。
　なお当該の医療機器が，本基準に適合しないと販売や貸与ができない。
　本基準のポイントは，適用の範囲がすべての医療機器である点で，これは製造販売承

認対象品や製造販売認証対象品だけでなく届出品を含めたすべての医療機器が適用の範囲となる。これもあり，製造販売申請時の添付文書内でもとくに重要で，基本要件および適合性証拠と適合宣言書も併せて提示する必要がある。

基本要件基準の構成は，図示したように，第1章　一般的要求事項6条，第2章　設計及び製造要求事項12条の要件項目からなる。

以下に基本要件基準への適合性の記載例（第1条のみを抜粋）を示す。

第1章　一般的要求事項

基本要件	当該機器への適用・不適用	適合の方法	特定文書の確認
（設計） 第一条　医療機器（専ら動物のために使用されることが目的とされているものを除く。以下同じ。）は，当該医療機器の意図された使用条件及び用途に従い，また，必要に応じ，技術知識及び経験を有し，並びに教育及び訓練を受けた意図された使用者によって適正に使用された場合において，患者の臨床状態及び安全を損なわないよう，使用者（当該医療機器の使用に関して専門的知識を要する場合にあっては当該専門的知識を有する者に限る。以下同じ。）及び第三者（当該医療機器の使用に当たって安全や健康に影響を受ける者に限る。第四条において同じ。）の安全や健康を害することがないよう，並びに使用の際に発生する危険性の程度が，その使用によって患者の得られる有用性に比して許容できる範囲内にあり，高水準の健康及び安全の確保が可能なように設計及び製造されていなければならない。	適用	要求項目を包含する認知された基準に適合することを示す。 認知された規格に従ってリスク管理が計画・実施されていることを示す。	医療機器及び体外診断用医薬品の製造管理及び品質管理の基準に関する省令（平成16年厚生労働省令第169号） JIS T 14971：「医療機器－リスクマネジメントの医療機器への適用」

本表の「当該機器への適用・不適用」には，当該の医療機器に本基本要件項目が適用されるのか不適用なのかを，適用，不適用をもって表記する。「適合の方法」には，本基本要件に適合していることをどのように示すかのその方法を記載する。その方法は，右欄の「特定文書の確認」に記載する認知された基準（本例の場合はQMS省令やJIS T14971等の規格）に適合していることを示す「要求項目を包含する認知された基準に適合することを示す。」のように記載する。

なお，本書の付録に「医薬品，医療機器等の品質，有効性及び安全性の確保等に関する法律第41条第3項の規定により厚生労働大臣が定める医療機器の基準」（平成17年3月29日　厚生労働省告示第122号）（平26厚労告403・改称）を掲載したので参照されたい。

承認基準，42条基準（品質基準）

「承認基準」とは，承認審査を行う医療機器等に関する基準をいい，原則，国際基準等からなり，臨床試験成績に関する資料の添付が不要の範囲の品目について定められている。
「42条基準」とは，法第42条第2項で規定された保健衛生上の危害を防止するために設けられた基準で，品質基準ともいう。

基本要件基準

48 承認基準
9審査ガイドライン
1. 適用範囲：一般的名称で指定される。
2. 技術的な基準：性能，機能，有効性に関する項目等がJIS等で規定される。
3. 使用目的又は効果：基準の対象となる使用目的又は効果が規定される。
対象品目は，後発医療機器。

7 品質基準
人工血管基準
医療用接着剤基準
医療用エックス線装置基準
人工呼吸器警報基準
視力補正用コンタクトレンズ基準
生物由来原料基準
非視力補正用コンタクトレンズ基準
再製造単回使用医療機器基準

基本要件基準適合性チェックリスト

出典は，PMDAのホームページ2021年11月時点。
数値は既制定数で，認証制度へ移行し承認基準が廃止されている基準を含む。

・承認基準の対象品目は，後発医療機器で臨床試験に関する資料の添付が不要の範囲。
・技術基準と基本要件に適合していれば承認基準を満たしたことになる。

「承認基準」とは，この基準への適合性を確認することにより承認審査を行う医療機器等に関する基準をいい，原則，国際基準等からなり，臨床試験成績に関する資料の添付が不要の範囲の品目について定められている。

本図のポイントの1つは，承認基準の対象品目は，既承認医療機器と構造，使用方法，効果及び性能が実質的に同等（後発医療機器）で，臨床試験成績に関する資料の添付が不要の範囲に限られるので，すべての製造販売承認対象品ではないことである。

承認基準の構成は，対象となる医療機器が一般的名称で指定されている「適用範囲」，基準の対象となる使用目的又は効果が規定される「使用目的又は効果」，性能，機能，有効性に関する項目等JIS等で規定される「技術的な基準」と「基本要件への適合性」からなる。

ポイントの2つ目は，当該の医療機器が適用範囲で示された一般的名称であり，使用目的又は効果の規定に合ったうえで，技術基準と基本要件に適合（基本要件基準適合性チェックリストが作成されている）していれば，基本承認基準を満たしたといえることである。

PMDAのホームページ（2021年11月時点）によると，承認基準は48基準（数値は既

制定数で，認証制度へ移行し承認基準が廃止されている基準を含む），審査ガイドライン（技術要件を定めることが困難で，承認基準を定めることができない品目について可能な範囲で技術要件又は技術要件項目等を示したもの）など9ガイドラインが設定されている。

一方，「42条基準」は，法第42条第2項で規定されていて，保健衛生上の危害を防止するために設けられた基準で，品質基準ともいうが，図示したように7つの品質基準が設定されている。

▶ 認証基準

登録認証機関が，その基準への適合性を確認することにより認証を行う医療機器等に関する基準のことで，登録認証機関による認証の対象となるのは，「認証基準」が定められた指定管理医療機器，指定高度管理医療機器になる。

基本要件基準
基本要件基準適合性チェックリスト

11 認証基準
指定高度管理医療機器
（別表第一）
技術的な基準
既存品目との同等性を評価すべき主要評価項目が規定

5 認証基準
指定管理医療機器
（別表第二）
技術的な基準
既存品目との同等性を評価すべき主要評価項目が規定

936 認証基準
指定管理医療機器
（別表第三）
技術的な基準
原則JISで規定

適用範囲：対象となる医療機器が一般的名称で指定
使用目的又は効果：対象となる使用目的又は効果が規定

数値は，香川県のホームページ2021年10月時点での基準数。

✓ 認証基準の対象となるのは，既存の高度管理医療機器等と構造，使用方法，効果及び性能が実質的に同等（後発医療機器）のものに限られる。

「認証基準」とは，登録認証機関がその基準への適合性を確認することにより認証を行う医療機器等に関する基準をいい，登録認証機関による認証の対象となるのは，「認証基準」が定められた指定管理医療機器，指定高度管理医療機器である。指定管理医療機器，指定高度管理医療機器については，その製造販売にあたって，登録認証機関の認証を受けなければならない。

認証基準の対象となるのは，既存の高度管理医療機器等と構造，使用方法，効果及び性能が実質的に同等（後発医療機器）に限られるが，認証基準の構成は，承認基準のそ

れと同じで,「適用範囲」,「使用目的又は効果」,「技術的な基準」と「基本要件への適合性」からなるので,当該の医療機器が適用範囲で示された一般的名称であり,使用目的又は効果の規定に合ったうえで,技術基準と基本要件に適合していれば,基本認証基準を満たしたといえる。

香川県のホームページ(2021年10月時点)によると,平成17年3月25日の厚生労働省告示第112号の別表第一に示す指定高度管理医療機器への認証基準が11基準(構成でいう「技術的な基準」が,既存品目との同等性を評価すべき主要評価項目が規定されている),別表第二に示す指定管理医療機器への認証基準が5基準(構成でいう「技術的な基準」が,既存品目との同等性を評価すべき主要評価項目が規定されている),別表第三に示す指定管理医療機器への認証基準が936基準(構成でいう「技術的な基準」が,原則的にJISで規定されている)制定されている。

基本要件への適合性と「技術的な基準」への適合を示すことができる,基本要件基準適合性チェックリストが認証基準ごとに作成されているので,当該の医療機器の製造販売認証申請の際には,本チェックリストを提示する。

以下には例として,基本要件適合性チェックリスト(自動電子血圧計等基準)の関連基本要件を示す。

基本要件	当該機器への適用・不適用	適合の方法	特定文書の確認
(医療機器の有効性) 第六条 医療機器の既知又は予測することができる全ての危険性及び不具合は,通常の使用条件の下で,合理的に実行可能な限り低減され,当該医療機器の意図された有効性と比較した場合に受容できるものでなければならない。	適用	リスク分析を行い,便益性を検証する。 便益性を検証するために,該当する項目に適合することを示す。	JIS T 14971:「医療機器ーリスクマネジメントの医療機器への適用」 下記の項目について既存品との同等性評価を行う。 JIS T 1115:2018「非観血式電子血圧計」の下記該当項目 201.12.1.102 環境条件による圧力表示誤差 201.106 臨床性能試験による血圧測定の誤差 201.11.8.101 停止操作 201.12.1.107 血圧測定の再現性 201.12.1.104 正常状態の最大圧力

JIS T 1115:2018「非観血式電子血圧計」が,自動電子血圧計の認証基準の「技術的な基準」。

3.6 医療機器プログラムへの対応

　平成26年11月より施行された医薬品医療機器等法から，ソフトウェアを医療機器として単体で流通することを認め，「医療機器プログラム」として規制することとなった。
　本項では，医薬品医療機器等法の対象となるプログラムはどのようなものか，この医療機器プログラムにはどのような規制があり，どのように対応するかを簡単に説明する。

▶ 医療機器プログラムへの該当性

医療機器プログラムとは，インストールすることによって汎用コンピュータまたは携帯情報端末に医療機器としての機能を与えるものか，他の有体物である医療機器と組み合わせて使用するもので，クラスⅠ相当でないもの。

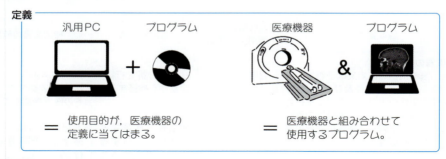

該当性判断
　特定のプログラムが，医薬品医療機器等法の医療機器に該当するか否かは，製造販売業者等による当該製品の表示，説明資料，広告等に基づき，当該プログラムの使用目的及びリスクの程度が医療機器の定義に該当するかにより判断される。

仕様，使用目的等に応じ，そのクラス分類や定義からみて適切と思われる一般的名称がある。（ただしクラスⅡ以上）
＝ 医療機器プログラム ＝

一般的名称がないか不明
　疾病の診断・治療・予防を意図していて，クラスⅡ以上の医療機器と同一の処理をしている。
　↓ No　不明
　GHTFルールに基づき判断すると，クラスⅡ以上に相当している。

✓ 迷ったら「プログラムの医療機器該当性に関するガイドラインについて」
（薬生機審発0331第1号，薬生監麻発0331第15号，令和3年3月31日）を，参照のこと。

3.6 医療機器プログラムへの対応

設計開発においてまず確認しなければならないことは，当該のプログラムが医療機器プログラムに当たるのかの該当性の問題である。この判断基準が，「プログラムの医療機器該当性に関するガイドラインについて」（薬生機審発0331第1号，薬生監麻発0331第15号，令和3年3月31日）で示されているので，その基準が判断材料となる。

ここに医療機器プログラムの基本的考え方として，以下の記載がある。

> 医薬品医療機器等法に基づき規制される医療機器プログラムは，疾病の診断，治療，予防に寄与するなど，医療機器としての目的性を有しており，かつ，意図したとおりに機能しない場合に患者（又は使用者）の生命及び健康に影響を与えるおそれがあるプログラム（ソフトウェア機能）である。
>
> これは，医療機器プログラムが意図したとおりに機能しない場合（適切な情報提供がなされない場合や不適切な広告に基づいて使用者が誤った理解に基づき使用した場合等を含む。）には，有体物である医療機器と同様の潜在的リスクを公衆衛生に及ぼす可能性があるためである。

これを要約すると，医療機器プログラムとは，インストールすることによって汎用コンピュータまたは携帯情報端末に医療機器としての機能を与えるものか，他の有体物である医療機器と組み合わせて使用するもので，クラスⅠ相当でないものと定義される。

次にこの定義をもとにした医療機器プログラムの該当性判断になるが，これも同通知に，

> 特定のプログラムが，医薬品医療機器等法の医療機器に該当するか否かは，製造販売業者等による当該製品の表示，説明資料，広告等に基づき，当該プログラムの使用目的及びリスクの程度が医療機器の定義に該当するかにより判断される。

とあり，当該プログラムの使用目的およびリスクの程度が医療機器の定義に該当するかにより判断される。要は該当する一般的名称があるかどうかで，あれば原則として相当する一般的名称の医療機器に該当する。該当する一般的名称がない場合でも疾病の診断・治療・予防を意図していて，クラスⅡ以上の医療機器と同一の処理をしている場合，または疾病の診断・治療・予防を意図していて，クラスⅡ以上の医療機器と同一の処理をしていないが，GHTFルールに基づき判断するとクラスⅡ以上に相当している場合は，医療機器プログラムと判断される。

医療機器プログラムの除外基準

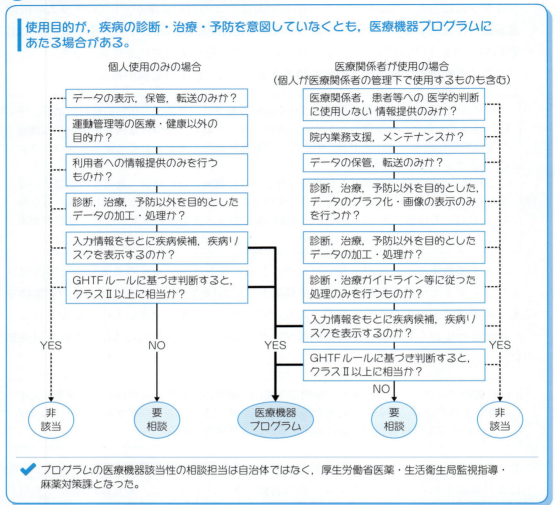

使用目的が，疾病の診断・治療・予防を意図していなくとも，医療機器プログラムにあたる場合がある。

✓ プログラムの医療機器該当性の相談担当は自治体ではなく，厚生労働省医薬・生活衛生局監視指導・麻薬対策課となった。

　医療機器プログラムの除外基準を知るのも該当性を判断する際有用だが，「以下を使用目的とする単一のプログラムは，医療機器の定義を満たさないため，医薬品医療機器等法の規制対象とはならない。」がその基準である。
(1) 患者説明を目的とするプログラム
(2) 院内業務支援，メンテナンスを目的とするプログラム
(3) 使用者（患者や健常者）が自らの医療・健康情報を閲覧等することを目的とするプログラム
(4) 生命及び健康に影響を与えるリスクが低いと考えられるプログラム

　本図には，当該のプログラムの一般的名称およびクラス分類について相当するものが

存在しない，または，不明の場合，該当性判断に使う「該当性判断のフローチャート」を，先のガイドラインより転記した。

このフローでもわかるように，使用目的が，疾病の診断・治療・予防を意図していなくとも，医療機器プログラムに当たる場合があることに注意されたい。

また，医療機器に該当しないことを確認したプログラムについては，利用者による誤解を防ぐために，「当該プログラムは，疾病の診断，治療，予防を目的としていない」旨の記載，表示を行うことが推奨されている。

なお，医療機器の該当性の相談窓口が自治体であるので，プログラムの医療機器該当性の相談担当も今までは自治体であったが，令和3年4月1日から，厚生労働省医薬・生活衛生局監視指導・麻薬対策課となった。

▶ 医療機器プログラムの一般的名称

医療機器プログラムの類別は6つあり，その一般的名称（一般的名称に「○○プログラム」と掲載されているもの）は，182種類存在する。
一般医療機器に該当する医療機器プログラムの一般的名称は規定されない。

類別	一般的名称例（クラス分類）例	数
疾病診断用プログラム 疾病診断用プログラムを記録した記録媒体	家庭用心電計プログラム（クラスⅡ） 汎用X線診断装置用プログラム（クラスⅡ） 腫瘍悪性度判定支援プログラム（クラスⅢ）	165
疾病治療用プログラム 疾病治療用プログラムを記録した記録媒体	植込み能動型機器管理用プログラム（クラスⅢ） 呼吸装置治療支援プログラム（クラスⅡ）	17
疾病予防用プログラム 疾病予防用プログラムを記録した記録媒体		

数値は，香川県のホームページ2021年10月時点での数。

✔ 医療機器プログラムについては，能動型機器に関するクラス分類ルールが適用される。

医療機器プログラムの類別はプログラムとプログラムを記録した記録媒体をそれぞれカウントすると6つあり，その類別がプログラムであるもの（一般的名称に「○○プログラム」と掲載されているもの）は，182種類（令和2年10月時点）存在するが，一般医療機器に該当する医療機器プログラムの一般的名称は規定されない。一般的名称の182種類の内訳は，疾病診断用プログラムが165種類，疾病治療用プログラム17種類である。

医薬品，医療機器等の品質，有効性及び安全性の確保等に関する法律施行令（抜粋，一部省略）の別表第一には，以下のように記載されている。

> プログラム
> 一　疾病診断用プログラム（副作用又は機能の障害が生じた場合においても，人の生命及び健康に影響を与えるおそれがほとんどないものを除く。）
> 二　疾病治療用プログラム（副作用又は機能の障害が生じた場合においても，人の生命及び健康に影響を与えるおそれがほとんどないものを除く。）
> 三　疾病予防用プログラム（副作用又は機能の障害が生じた場合においても，人の生命及び健康に影響を与えるおそれがほとんどないものを除く。）
> プログラムを記録した記録媒体
> 一　疾病診断用プログラムを記録した記録媒体
> 二　疾病治療用プログラムを記録した記録媒体
> 三　疾病予防用プログラムを記録した記録媒体

　また，一般的名称のクラス分類は，クラス分類ルールに基づき判断されるが，医療機器プログラムについては，原則として能動型機器に関するクラス分類ルールが適用される。

▶ 医療機器プログラムの業許可

高度管理医療機器に該当する医療機器プログラム（医療機器プログラムを記録した記録媒体を含む）を製造販売しようとする者は，第一種医療機器製造販売業許可，管理医療機器に該当する医療機器プログラムを製造販売しようとする者は，第二種医療機器製造販売業許可が必要となり，一般医療機器は医療機器プログラムとして規制外なので，第三種医療機器製造販売業許可として規制されない。

医療機器プログラムの業許可登録等要否

業種	製造販売業者		製造業者		販売・貸与業者		修理業者
類別	単体プログラム	単体プログラムの記録媒体	単体プログラム	単体プログラムの記録媒体	単体プログラム	単体プログラムの記録媒体	修理業に当たらない
高度管理医療機器	第一種医療機器製造販売業許可		設計として登録	設計，国内における最終製品の保管として登録	*販売業許可 **貸与業許可		
管理医療機器	第二種医療機器製造販売業許可				*販売業許可 **貸与業届出		
一般医療機器	医療機器プログラムとして規制外						

　*医療機器プログラムの提供のみを行う営業所は構造設備基準が適用されない。
　**電気通信回線を通じて医療機器プログラムを提供する場合は，貸与業の対象とならない。

- 医療機器プログラムのみを製造販売する製造販売業者も，総括製造販売責任者，国内品質業務運営管理者，安全管理責任者が必要。
- 医療機器プログラムのみを製造する製造業者も，責任技術者が必要。

医療機器プログラムが医療機器として類別されクラス分類を含めた法的区分が決まると，業許可も明確になってくる。本図には各医療機器プログラムの類別と高度管理医療機器，および管理医療機器に対して，各業許可・登録等の要否を表した。

まず製造販売業者では，高度管理医療機器に該当する医療機器プログラム（医療機器プログラムを記録した記録媒体を含む。）を製造販売しようとする者は，第一種医療機器製造販売業許可，管理医療機器に該当する医療機器プログラムを製造販売しようとする者は，第二種医療機器製造販売業許可が必要となる。また，当然一般医療機器は医療機器プログラムとしては規制外なので，第三種医療機器製造販売業許可として規制されない。

加えて製造販売業者の要件である，総括製造販売責任者，国内品質業務運営管理者，安全管理責任者の指名は，医療機器プログラムのみを製造販売する製造販売業者も必要である。

製造業者登録は，医療機器プログラムが単体プログラムの場合は設計業務を行う者の登録が必要で，単体プログラムの記録媒体の場合は，設計業務を行う者の登録と国内における最終製品の保管を行う者の登録が必要である。

設計業務を行う者の登録の場合は，医療機器プログラムのみを製造する製造業者も，責任技術者がまた必要である。

販売業および貸与業についてだが，医療機器プログラム等を販売，授与，もしくは貸与，もしくは販売，授与，もしくは貸与の目的で陳列，または電気通信回線を通じて提供する場合には，高度管理医療機器にあたる医療機器プログラム等の場合，販売業または貸与業の許可が必要となり，管理医療機器にあたる医療機器プログラム等では，販売業等の届出が必要となる。ただし，電気通信回線を通じて医療機器プログラムを提供する場合は，貸与業の対象とならない。

加えて，医療機器プログラムの提供のみを行う販売業者の営業所は構造設備基準が適用されない。

修理業については，医療機器プログラムのバージョンアップ等を行う行為は，プログラムの内容を変更するものであり，修理の定義に該当しないため，修理業にはあたらない。

第3章 医療機器業界参入のための国内の法を知る

▶ 医療機器プログラムの承認，認証

医療機器プログラム（医療機器プログラムを記録した記録媒体を含む）の製造販売承認は，PMDAで，製造販売認証は登録認証機関担当と，医療機器のそれと変わらない。

承認（認証）申請書の記載のポイント

類　　　別	施行令別表第1に従って記載
名称　一般的名称	クラス分類通知に記載される一般的名称の定義に基づき記載
販売名	
使用目的又は効果	適応となる患者と疾患名，使用する状況，期待する結果などについて記載
形状，構造及び原理	
原　材　料	記載不要
性能及び安全性に関する規格	
使用方法	
保管方法及び有効期間	記載不要
製造方法	記載不要
製造販売する品目の製造所	名称　　　登録番号
備　　　考	

- 類別／一般的名称／販売名：提供形態（ダウンロード販売，記録媒体等），動作原理（インプット情報，処理内容，アウトプット情報），**プラットフォームの要件（HDD，メモリ，CPU，OS，電気的安全性（JIS T0601-1 または JIS C6950-1）等）**，併用機器（医療機器，プログラム）等，どのような品目であるのか，具体的，詳細に記載。

- 形状，構造及び原理／性能及び安全性に関する規格：品質，安全性および有効性の観点から，医療機器プログラムをプラットフォームにインストールした製品の要求事項として求められる設計仕様のうち，「形状，構造及び原理」に該当しない事項を記載する。これらの内容は，開発ライフサイクルおよび主に設計段階に検証された評価のうち製造販売する品目の品質，安全性および有効性を保証した内容であり，**品質，安全性および有効性（性能，機能）の観点から求められる規格等**を設定すること。

- 使用方法：プラットフォームにインストールした製品の使用方法について，**インストール方法（ダウンロード等）から順を追って，必要に応じて図解する等**により，わかりやすく記載。

「医療機器プログラムの取扱いについて」より転記（一部省略）
（薬食機参発1121第33号，薬食安発1121第1号，薬食監麻発1121第29号，平成26年11月21日）

✓ 「医療機器の製造販売承認申請について」（平成26年11月20日薬食発1120第5号医薬食品局長通知）および「医療機器の製造販売承認申請に際し留意すべき事項について」（平成26年11月20日薬食機参発1120第1号厚生労働省大臣官房参事官（医療機器・再生医療等製品審査管理担当）通知）を参照すること。

　医療機器プログラム（医療機器プログラムを記録した記録媒体を含む）が医療機器と定義され一般的名称が設定されたので，そのリスクに合わせ医療機器プログラムの承認，認証の区分も明らかになり，製造販売承認はPMDAが，製造販売認証は登録認証機関が担当で，これは医療機器のそれと変わらない。

　詳細については，「医療機器の製造販売承認申請について」（平成26年11月20日薬食1120第5号医薬食品局長通知）および「医療機器の製造販売承認申請に際し留意すべき事項について」（平成26年11月20日薬食機参発1120 第1号厚生労働省大臣官房参事官（医療機器・再生医療等製品審査管理担当）通知）を参照すること。

　なお本図では，承認申請書の記載のポイント（認証申請書も同じ）を，「医療機器プログラムの取扱いについて」（薬食機参発1121第33号，薬食安発1121第1号，薬食監

麻発1121第29号，平成26年11月21日）より一部省略のうえ転記した。

　とくに，医療機器プログラムと異なり注意する点である「形状，構造及び原理」欄では，提供形態（ダウンロード販売，記録媒体等），動作原理（インプット情報，処理内容，アウトプット情報）プラットフォームの要件（HDD，メモリ，CPU，OS，電気的安全性（JIS T0601-1またはJIS C6950-1）等），併用機器（医療機器，プログラム）など，どのような品目であるのか，具体的，詳細に記載すること，「性能及び安全性に関する規格欄」では，品質，安全性および有効性の観点から，医療機器プログラムをプラットフォームにインストールした製品の要求事項として求められる設計仕様のうち，「形状，構造及び原理」に該当しない事項を記載する。

　これらの内容は，開発ライフサイクルおよび主に設計段階に検証された評価のうち製造販売する品目の品質，安全性および有効性を保証した内容であり，品質，安全性および有効性（性能，機能）の観点から求められる規格等を設定すること。「使用方法」欄では，プラットフォームにインストールした製品の使用方法について，インストール方法（ダウンロード等）から順を追って，必要に応じて図解するなどにより，わかりやすく記載することが，そのポイントである。

医療機器プログラムの認証基準,基本要件基準

> 医療機器プログラムの認証基準は,プログラムの一般的名称ごとに対応する医療機器のJIS等が規定されたので,対応する医療機器(有体物)のそれと同じ。
> 医療機器プログラムの基本要件基準は,JIS T 2304への適合をもって第12条第2項(プログラムを用いた医療機器に対する配慮)への適合とする。

	無体物	有体物
認証基準	電子血圧計用プログラム基準	自動電子血圧計等基準
一般的名称	電子血圧計用プログラム(クラスⅡ)	自動電子血圧計(クラスⅡ)
使用目的又は効果	健康管理のために収縮期血圧及び拡張期血圧を非観血的に測定すること。	
JIS又はIEC(引用規格等)	JIS_T_1115:2018	

> 認証対象医療機器プログラムの製造販売認証申請では,すでに承認または認証されているプログラムを用いた医療機器または医療機器プログラム等との同等性を説明する必要がある。
> なお,認証基準に掲げるJISまたはIECが定める規格の要求事項のうち,医療機器プログラム等に適用できないものについては,適合性を示す必要はない。

基本要件基準　プログラムを用いた医療機器に対する配慮　第12条2の記載例

基本要件	適用・不適用	適合の方法	特定文書の確認	該当する社内文書番号等
2　プログラムを用いた医療機器については,最新の技術に基づく開発のライフサイクル,リスクマネジメント並びに当該医療機器を適切に動作させるための確認及び検証の方法を考慮し,その品質及び性能についての検証が実施されていなければならない。	適用	認知された規格の該当する項目に適合することを示す。認知された規格に従ってリスク管理が計画・実施されていることを示す。	JIS T 2304「医療機器ソフトウェア-ソフトウェアライフサイクルプロセス」JIS T 14971:「医療機器-リスクマネジメントの医療機器への適用」	本添付資料4.(3) JIS T 2304 の実施状況 本添付資料6. リスクマネジメント

✔ 「医療機器プログラムの製造販売認証申請における取扱いについて」(薬食機参発1125第6号,平成26年11月25日)および「医療機器の基本要件基準第12条第2項の適用について」(薬生機審発0517第1号,平成29年5月17日)を,参照すること。

　　医療機器プログラムでクラスⅡにあたる医療機器プログラムの認証基準は,そのプログラムの一般的名称ごとに対応する医療機器のJIS等が規定されたが,本図の例である自動電子血圧計(クラスⅡ,有体物)と電子血圧計用プログラム(クラスⅡ,無体物)との対比でも理解できるように,対応する医療機器(有体物)のそれと(本例の場合は,JIS_T_1115:2018)同じである。

　　一方,もう1つの基準である医療機器プログラムの基本要件基準は,JIS T 2304への適合をもって第12条第2項(プログラムを用いた医療機器に対する配慮)への適合とすることとなったので,申請時には添付資料等でJIS T 2304への適合を宣言するとともに,本図の例で記載したように,JIS T 2304の要求事項への実施状況の報告が必要となる。

なお，医療機器プログラムの製造販売認証申請については，「医療機器プログラムの製造販売認証申請における取扱いについて」（薬食機参発1125第6号，平成26年11月25日），基本要件基準第12条第2項については，「医療機器の基本要件基準第12条第2項の適用について」（薬生機審発0517第1号，平成29年5月17日）を参照すること。

▶ 医療機器プログラムのQMS適合性調査，法定表示，添付文書

医療機器プログラムも他の医療機器と同様，5年ごとのQMS適合性調査の対象。
法定表示，添付文書の規制も，他の医療機器と同様。

QMS適合性調査
すべての医療機器プログラムの製品群は，原則として，「プログラム」（製品群省令 別表第2の14号）なので，既存の基準適合証に記載の登録製造所と同じ登録製造所で製造される医療機器プログラム等であり，既存の基準適合証の有効期間であれば，新たにQMS適合性調査を受ける必要はない。

法定表示
販売業者の氏名又は名称及び住所，名称，製造番号又は製造記号，その他省令で定める事項等

記録媒体にて提供される場合　　通信回線にて提供される場合
　　　　　　　　　　　　　　　　（ダウンロード等）

✓ 医療機器プログラムをダウンロード等で販売する場合，出店している者が販売業者であることを明確にするため，提供の際には，販売業者の名称・住所，連絡先を表示のこと。

医療機器プログラムのQMS適合性調査も，他の医療機器同様，製造販売承認（認証）時および5年ごとの更新時に受けなければならない。ただし，製品群省令で説明したように，既存の基準適合証により同調査を省略することができる場合がある。すなわち，すべての医療機器プログラムの製品群は，原則として，「プログラム」（製品群省令別表第2の14号）なので，既存の基準適合証に記載の登録製造所と同じ登録製造所で製造される医療機器プログラム等であり，既存の基準適合証の有効期間であれば新たにQMS適合性調査を受ける必要はない。

また，医療機器プログラムの法定表示（販売業者の氏名又は名称及び住所，名称，製造番号又は製造記号，その他省令で定める事項等）や添付文書の規制も他の医療機器と同様なので，確実に行うことが必要である。加えて，医療機器プログラム法定表示については，「医療機器プログラムの取扱いについて」（薬食機参第1121第33号等，平成26年11月21日）に以下のように説明されている。

記録媒体を通じて提供する場合の法定表示は，以下の2点を満たさなければならない。

> ①当該記録媒体又は当該記録媒体の直接の容器若しくは被包に法定表示を記載すること。
> ②当該医療機器プログラムを使用する者が容易に閲覧できる方法により，法定表示を記録した電磁的記録を記録し，又は当該記録媒体とともに当該電磁的記録を提供しなければならないこと。具体的には，以下の方法が考えられる。
> 　イ　ヘルプ画面やプロパティ情報から表示させる。
> 　ロ　法定表示を記載したPDFファイルのショートカットキーを取扱い説明書などとともに使用者がわかりやすい場所に配置しておくこと。

電気通信回線を通じて提供する場合の法定表示も，以下の2点を満たさなければならない。

> ①当該医療機器プログラムの販売業者が，当該医療機器プログラムを使用する者が電気通信回線を通じて当該医療機器プログラムの提供を受ける前に，当該事項の情報を提供すること。
> ②当該医療機器プログラムの製造販売業者が，当該医療機器プログラムを使用する者が容易に閲覧できる方法により，当該事項を記録した電磁的記録を当該医療機器プログラムとともに提供すること。具体的には，以下の方法が考えられる。
> 　イ　ヘルプ画面やプロパティ情報から表示させる。
> 　ロ　法定表示を記載したPDFファイルのショートカットキーを取扱い説明書などとともに使用者がわかりやすい場所に配置しておくこと。

とくに医療機器プログラムをダウンロード等で販売する場合，出店している者が販売業者であることを明確にするため，提供の際には，販売業者の名称・住所，連絡先，許可（届出）番号を表示することも要求されているので注意されたい。

3.7 広 告

▶ 医療機器の広告

医薬品医療機器等法第66条，第68条で規制。
何人も，誇大広告等や，承認・認証前の医療機器の広告をしてはならない。

〈血圧計〉
医薬品医療機器等法第66条（誇大広告）違反の記載例：

> 記事風広告として，本器を使用することにより，「生活習慣病」，「メタボリック症候群」，「高脂血症症状」，「糖尿病」等を予防できるかのような内容の記事を記載。

血圧計は，血圧を正確に測定し，その測定結果を健康管理に利用することを目的とした医療機器であり，特定の疾病を予防できるような記載はできない。

〈家庭用電位治療器のマット〉
医薬品医療機器等法第66条（承認外の効能効果の記載）違反の記載例：

> 商品パンフレットに，「ストレス疲労や電磁波による影響など，知らないうちに身体を蝕むさまざまな不調を改善します」と記載。

家庭用電位治療器（家庭用医療機器の効能効果）であり，「さまざまな不調を改善」と記載できない。

✔ 承認／認証前（68条）の展示会／商品説明会等も注意。

　企業活動の中で，広告・宣伝に関する業務は，テレビ等で一般に目に触れることも多く，承認や認証を受け，いざ市場にとの思いから法規に不注意になることも多々あるので，医療機器の広告に対する規制についても知っておくことが必要である。医薬品医療機器等法では，第66条「誇大広告等」と第68条「承認前の医薬品等の広告の禁止」が関連し，それぞれ以下のように書かれている。

> （誇大広告等）
> 第66条　何人も，医療機器の名称，製造方法，効能，効果又は性能に関して，明示的であると暗示的であるとを問わず，虚偽又は誇大な記事を広告し，記述し，又は流布してはならない。
> 2　医療機器の効能，効果又は性能について，医師その他の者がこれを保証したものと誤解されるおそれがある記事を広告し，記述し，又は流布することは，前項に該当するものとする。
> 3　何人も医療機器に関して堕胎を暗示し，又はわいせつにわたる文書又は図画を用いてはならない。

> （承認前の医薬品等の広告の禁止）
> **第68条** 何人も，承認又は認証を受けていないものについて，その名称，製造方法，効能，効果又は性能に関する広告をしてはならない。

　また，条文中にもあるように，対象は「何人も」であるので，広告代理店・新聞社・テレビ局等を含めて「何人も～してはならない」ことを忘れないようにしなければならない。さらに媒体も，新聞・テレビ・ラジオやチラシだけではなく，インターネット等のネット関連や公の人が集まる場での販売会もその対象となる。
　これらの違反例は，東京都福祉保健局のホームページや京都府のホームページでも見ることができるが，ここでは京都府のホームページからいくつかの例をみてみる（http://www.pref.kyoto.jp/yakumu-ihan/iryokiki.html）。

例1：販売目的の「体験発表会」で広告されていた家庭用電位治療器
〈違反の記載事項〉

> 　商品パンフレットに，「マイナスイオン療法」と記載し，使用者の体験談を綴った冊子（内容に，当該医療機器の効能効果ではない，「ガンが治った」，「アレルギーが治った」，「血糖値が下がった」等が記載されている）を配布。

〈違反の説明〉
　当該医療機器は，家庭用電位治療器であり，「マイナスイオン療法」を記載すること，および認められた効能効果（家庭用医療機器の効能効果）以外を記載，口述で発表することは，誇大広告となる。
〈違反条文等〉
　医薬品医療機器等法第66条（承認外の効能効果の記載）

例2：家庭用電位治療器のマット
〈違反の記載事項〉

> 　商品パンフレットに，「ストレス疲労や電磁波による影響など，知らないうちに身体を蝕むさまざまな不調を改善します」と記載。

〈違反の説明〉
　当該製品は，家庭用電位治療器（家庭用医療機器の効能効果）であり，上のように，「さまざまな不調を改善」と記載できない。
〈違反条文等〉
　医薬品医療機器等法第66条（承認外の効能効果の記載）

例3：血圧計
〈違反の記載事項〉
> 記事風広告として，当該医療機器を使用することにより，「生活習慣病」，「メタボリック症候群」，「高脂血症症状」，「糖尿病」等を予防できるかのような内容の記事を記載。

〈違反の説明〉
血圧計は，自己において血圧を正確に測定し，その測定結果を自己により健康管理に利用することを目的とした医療機器であり，特定の疾病を予防できるような記載はできない。

〈違反条文等〉
医薬品医療機器等法第66条（誇大広告）

また，承認や認証前に展示会や商品説明会等を開き，当該の医療機器の喧伝行為を行うことは第68条（承認前の医薬品等の広告の禁止）の禁止行為にあたるので，とくに注意が必要である。

▶ 医療機器に関する広告の定義と基準

3つの定義と医薬品等適正広告基準（薬発第1339号，昭和55年10月9日）が大切である。

広告とは
- 顧客を誘引する意図が明確。
- 特定医薬品等の商品名が明らかにされている。
- 一般人が認識できる状態であること。
の3つの要件をすべて満たす場合

医療機器の名称についての表現の範囲（薬発第1339号-1）
承認・認証時の販売名又は一般的名称以外の名称を使用しない。

医薬関係者等の推せん（薬発第1339号-10）
医薬関係者，病院，診療所その他医薬品等の効能効果等に関し，世人に影響を与える公務所団体が推せん・指導又は選用している等の広告は行わない。

 ニックネームを付けたり，著名な先生が推薦しているとしたり，商品サンプルをむやみに頒布する等は注意が必要。

医薬品医療機器等法における広告の定義は，「医薬品医療機器等法における医薬品等の広告の該当性について」（医薬監第148号，平成10年9月29日）で，以下の3つのいずれの要件も満たす場合，これを広告に該当するものと判断している。
- 顧客を誘引する（顧客の購入意欲を昂進させる）意図が明確であること
- 特定医薬品等の商品名が明らかにされていること

・一般人が認知できる状態であること

また，医療機器の広告行為に対する基準は厚生労働省の薬食発第1339号「医薬品等適正広告基準」(昭和55年10月9日)で示されている。以下抜粋,一部読み替えて記載する。

第3（基準）
1 名称関係：**医療機器の名称についての表現の範囲**
　医療機器について，承認又は法第12条，法第18条若しくは法第22条の規定に基づき許可を受けた販売名又は一般的名称以外の名称を使用しないものとする。
2 製造法関係：
　医薬品等の製造方法について実際の製造方法と異なる表現又はその優秀性について事実に反する認識を得させるおそれのある表現をしないものとする。
3 効能効果，性能及び安全性関係：
　(1) **承認を要する医薬品等についての効能効果等の表現の範囲**
　　承認を要する医薬品等の効能効果又は性能（以下「効能効果等」という。）についての表現は，承認を受けた効能効果等の範囲をこえないものとする。
　　また，承認を受けた効能効果等の一部のみを特に強調し，特定疾病に専門に用いられる医療機器について，特定疾病に専門に用いられるものであるかの如き誤認を与える表現はしないものとする。
　(2) **承認を要しない医療機器についての効能効果等の表現の範囲**
　　承認を要しない医療機器の効能効果等の表現は，医学薬学上認められている範囲をこえないものとする。
　(3) 省略
　(4) **医薬品等の成分及びその分量又は本質並びに医療機器の原材料，形状，構造及び寸法についての表現の範囲**
　　医薬品等の成分及びその分量又は本質並びに医療機器の原材料，形状，構造及び寸法について虚偽の表現，不正確な表現等を用い効能効果等又は安全性について事実に反する認識を得させるおそれのある広告をしないものとする。
　(5) **用法用量についての表現の範囲**
　　医薬品等の用法用量について，承認を要する医薬品等にあっては承認を受けた範囲を，承認を要しない医療機器にあっては医学薬学上認められている範囲をこえた表現，不正確な表現等を用いて効能効果又は安全性について事実に反する認識を得させるおそれのある広告はしないものとする。
　(6) **効能効果等又は安全性を保証する表現の禁止**
　　医薬品等の効能効果又は安全性について，具体的効能効果等又は安全性を摘示して，それが確実である保証をするような表現はしないものとする。
　(7) **効能効果等又は安全性についての最大級の表現又はこれに類する表現の禁止**
　　医薬品等の効能効果等又は安全性について，最大級の表現又はこれに類する表現はしないものとする。
　(8) **効能効果の発現程度についての表現の範囲**
　　医薬品等の速効性，持続性等についての表現は，医学薬学上認められている範囲をこ

えないものとする。
(9) 本来の効能効果等と認められない表現の禁止
医薬品等の効能効果等について本来の効能効果等とは認められない効能効果等を表現することにより，その効能効果等を誤認させるおそれのある広告は行わないものとする。

4 医薬品等の過量消費又は乱用助長を促すおそれのある広告の制限
医薬品等について過量消費又は乱用助長を促すおそれのある広告は行わないものとする。

5 医療用医薬品等の広告の制限
(1) 医師若しくは歯科医師が自ら使用し，又はこれらの者の処方せん若しくは指示によって使用することを目的として供給される医薬品については，医薬関係者以外の一般人を対象とする広告は行わないものとする。

(2) 医師，歯科医師，はり師等医療関係者が自ら使用することを目的として供給される医療機器で，一般人が使用するおそれのないものを除き，一般人が使用した場合に保健衛生上の危害が発生するおそれのあるものについても（上記）と同様にするものとする。

6 一般向広告における効能効果についての表現の制限
医師又は歯科医師の診断若しくは治療によらなければ一般的に治癒が期待できない疾患について，医師又は歯科医師の診断若しくは治療によることなく治癒ができるかの表現は，医療関係者以外の一般人を対象とする広告に使用しないものとする。

7 省略

8 使用及び取扱い上の注意について医薬品等の広告に付記，又は付言すべき事項
使用及び取扱い上の注意を特に喚起する必要のある医薬品等について広告する場合は，それらの事項を，又は使用及び取扱い上の注意に留意すべき旨を，付記し又は付言するものとする。ただし，ネオンサイン，看板等の工作物による広告で製造方法，効能効果等について全くふれない場合はこの限りではない。

9 他社の製品のひぼう広告の制限
医薬品等の品質，効能効果等，安全性その他について，他社の製品をひぼうするような広告は行わないものとする。

10 医薬関係者等の推せん
医薬関係者，理容師，美容師，病院，診療所その他医薬品等の効能効果等に関し，世人の認識に相当の影響を与える公務所，学校又は団体が指定し，公認し，推せんし，指導し，又は選用している等の広告は行わないものとする。ただし，公衆衛生の維持増進のため公務所又はこれに準ずるものが指定等をしている事実を広告することが必要な場合等特別の場合はこの限りでない。

11 懸賞，賞品等による広告の制限
(1) ゆきすぎた懸賞，賞品等射こう心をそそる方法による医薬品等又は企業の広告は行わないものとする。

(2) 懸賞，賞品として医薬品を授与する旨の広告は原則として行わないものとする。

(3) 医薬品等の容器，被包等と引換えに医薬品を授与する旨の広告は行わないものとする。

12 不快，不安等の感じを与える表現の制限
不快又は不安恐怖の感じを与えるおそれのある表現を用いた医薬品等の広告は行わないものとする。

> **12-2 医薬品等について広告を受けた者に，不快や迷惑等の感じを与えるような広告は行わないものとする。**
> 　特に，電子メールによる広告を行う際は，次の方法によるものとする。
> 　(1) 医薬品販売業者等の電子メールアドレス等の連絡先を表示すること。
> 　(2) 消費者の請求又は承諾を得ずに一方的に電子メールにより医薬品等の広告を送る場合，メールの件名欄に広告である旨を表示すること。
> 　(3) 消費者が，今後電子メールによる医薬品等の広告の受け取りを希望しない場合，その旨の意思を表示するための方法を表示するとともに，意思表示を示した者に対しては，電子メールによる広告の提供を行ってはならないこと。
>
> **13　テレビ，ラジオの提供番組等における広告の取扱い**
> 　(1) テレビ，ラジオの提供番組又は映画演劇等において出演者が特定の医薬品等の品質，効能効果等，安全性その他について言及し，又は暗示する行為をしないものとする。
> 　(2) テレビ，ラジオの子供向け提供番組における広告については，医薬品等について誤った認識を与えないよう特に注意するものとする。
>
> **14　医薬品等の化粧品的若しくは医療機器の美容器具的若しくは健康器具的用法についての表現の制限**
> 　医療機器について美容器具的若しくは健康器具的用法を強調することによって消費者の安易な使用を助長するような広告は行わないものとする。
>
> **15　医薬品等の品位の保持等**
> 　前各号に定めるもののほか，医薬品等の本質にかんがみ，著しく品位を損ない，若しくは信用を傷つけるおそれのある広告は行わないものとする。

　また，医療機器にニックネームを付けてその部分を強く宣伝したり，著名な先生にその医療機器を推薦してもらう記事にしたりする行為にも，配慮を求めている。また，販売促進として商品サンプルをむやみに頒布する等も注意が必要である。
　以下に京都府のホームページから，「医薬品等適正広告基準」に抵触する例をあげる。

例4：ゲルマニウムを接触鍼（突起状のもの）として，疼痛緩和（痛みを和らげること）を目的とした家庭用医療機器

〈違反の記載事項〉

> 　広告に，「副作用もなく」，「スーパー健康法」，「イオン浸透器」と記載。

〈違反の説明〉
　当該医療機器は，突起状の接触鍼を直接皮膚に押し当てて，痛みを和らげるものであり，「イオン浸透器」と記載することは，医療機器としての効能効果を逸脱している。また，「副作用もなく」，「スーパー」と記載することは，誇大広告（最高級の表現，安全性の保証）となり，記載できない。

〈違反条文等〉
　医薬品医療機器等法第66条，医薬品等適正広告基準（第3の3）

3.8 罰　則

▶ 医薬品医療機器等法違反の罰則とは

> 医薬品医療機器等法は罰則付き取締法であり,「知りませんでした」では済まされない。
>
> **医薬品医療機器等法　第18章　罰則（抜粋）**
>
> 第83条の6　基準適合性認証の業務に従事する登録認証機関の役員又は職員が,その職務に関し,賄賂を収受し,要求し,又は約束したときは,5年以下の懲役に処する。これによって不正の行為をし,又は相当の行為をしなかったときは,7年以下の懲役に処する。
>
> 第84条　製造販売業の許可違反・医療機器等の製造販売の承認違反・高度指定管理医療機器等の製造販売の認証違反…3年以下の懲役若しくは300万円以下の罰金に処し,又はこれを併科する
>
> 第85条　承認・認証前の医療機器等の広告の禁止違反…2年以下の懲役若しくは200万円以下の罰金に処し,又はこれを併科する
>
> 第86条　製造業の許可違反…1年以下の懲役若しくは100万円以下の罰金に処し,又はこれを併科する
>
> 第87条
> 2　承認を受けた者は,軽微な変更について,厚生労働大臣にその旨を届け出なければならない違反…50万円以下の罰金に処する

　医薬品医療機器等法は罰則付き取締法であり,法律や規制を知っていてそれに背く行為は許されないのはもちろんのこと,「知りませんでした」や「うっかり忘れていました」では済まされない。医薬品医療機器等法の第18章に罰則規定があるが,いくつかの例を抜粋して以下に示す。

> 第83条の6　基準適合性認証の業務に従事する登録認証機関の役員又は職員が,その職務に関し,賄賂を収受し,要求し,又は約束したときは,5年以下の懲役に処する。これによって不正の行為をし,又は相当の行為をしなかったときは,7年以下の懲役に処する。

　基準適合性認証は私企業が認証業務を行っているので,これに関する,いわゆる賄賂の罰則が同法では一番厳しい。
　その他,いままで本書で述べてきた罰則に関連する条文では,

> 第84条　次の各号のいずれかに該当する者は,3年以下の懲役若しくは300万円以下の罰金に処し,又はこれを併科する。
> 4　第23条の2第1項の規定に違反した者…医療機器等製造販売業の許可
> 5　第23条の2の5第1項若しくは第15項の規定又は第23条の2の10の2第7項の規定

> による命令に違反した者…**医療機器等の製造販売承認と一部変更の承認**
> 6　第23条の2の23第1項又は第7項の規定に違反した者…**指定高度管理医療機器等の製造販売の認証と一部変更の認証**

のように，各業許可や承認・認証にかかわる違反についても重い罰則が設けられている。とくに医療機器の定義に関連して，各手続きが必要なのか，必要でないのかは，この意味においても重要である。製造業の許可違反（第86条「1年以下の懲役若しくは100万円以下の罰金に処し，又はこれを併科する」）にもよく注意を要する。

前述したが，これに違反した場合の一例で，当該医療機器の承認・認証前に公の展示会に出展し，その名称・製造方法・効能・効果，または性能等を喧伝すると，

> **第85条**　次の各号のいずれかに該当する者は，2年以下の懲役若しくは200万円以下の罰金に処し，又はこれを併科する。
> 5　第68条（承認前の医薬品，医療機器及び再生医療等製品の広告の禁止）の規定に違反した者

に該当する可能性がある。

また，日常の関連業務で忘れがちなことも処罰を受ける可能性があるので，日常の業務でも注意を要する。たとえば，

> **第87条**
> 2　第14条第16項の規定に違反した者
> 　（製造販売の承認を受けた者は，前項の厚生労働省令で定める軽微な変更について，厚生労働省令で定めるところにより，厚生労働大臣にその旨を届け出なければならない。）

に違反すると「50万円以下の罰金に処する」との記載もある。

医薬品医療機器等法は罰則付きの取締法だからといって，特別な対応が必要なわけではない。どの業界でもコンプライアンスは重要なので，普段から法令に注意を払っていると思うが，医療機器の場合は規制が多いぶん，より一層コンプライアンスに配慮する必要がある。

第4章

医療機器業界
参入のための海外の法を知る

　新しく医療機器業界に参入する際，市場を海外に求めることは，その機器を必要とする患者が海外にもいる以上重要である。そのためには，やはり参入しようとする国々の法令を知る必要がある。

　医療機器の関連法令の具体的な内容や法令順守の方法は，その国や地域の，文化や考え方の違いにより異なるが，基本的にはわが国のそれと変わりなく，自国の国民の健康を守るために何らかの規制をすることを目的としている。

　本章では，医療機器市場として世界最大の米国の法令や2番目に大きい欧州連合（EU）等の法令の概要と内容や仕組みを簡単に整理し，医療機器業界参入のための基礎知識として加える。

4.1 米国の法規制（FDA）

4.1.1 米国の医療機器関連法体系とFDA

▶ 米国医療機器関連の法体系

米国で医薬品医療機器等法にあたるのがFD&CAで，政令・省令にあたるのがCFR。

```
The constitution of US
〔米国憲法〕

United States Code（U.S.C.1-50）
〔米国連邦法〕
Title 21：Food and Drugs
Chapter 9：Federal Food, Drug
and Cosmetic Act
（FD&CA）：〔連邦食品医薬品化粧品法〕

Code of Federal Regulations
〔連邦規則集〕
Title 21：Food and Drugs
Chapter I：Food and Drug Administration, Department of
Health and Human Services Subchapter H：Medical Devices
Part 800 - 898

Guidance, Guidelines
```

```
21 U.S.C.：Chapter 9：
Federal Food, Drug
and Cosmetic Act

↓

FD&C Act Chapter V：
Drugs and Devices

21 CFR Part 800 - 898
```

✓ FDA（Food and Drug Administration；米国食品医薬品局）が食品，医薬品，化粧品，医療機器等の許可や違反品の取り締まりなどの行政を専門的に行う。

　米国の法体系は米国憲法を頂点に，法典は連邦議会で成立した連邦法律を主題別に分類し，体系づけられている。個々の法律はまず分野別に50分類されていて，この分類はTitle（編）と呼ばれ，1から50までの番号が付されているが，医療機器の関連はこの米国連邦法のTitle 21の「Food and Drugs」にある。このTitle 21「Food and Drugs」に分類された中のChapter 9が連邦食品医薬品化粧品法（Federal Food, Drug and Cosmetic Act）で通称，FDC法とかFDCAと日本では呼ばれている（本書ではFDAの記述にならい，FD&C法，FD&CAと記載する）。

　この法律は日本でいえば医薬品医療機器等法にあたるが，全部で10章から構成されていて，とくに医療機器が主に関連するのがChapter 5「Drugs and Devices」である。

また，日本でも医薬品医療機器等法をもとに医薬品医療機器等法施行令や施行規則である政令や省令があるが，これが米国では連邦規則集（Code of Federal Regulations）と呼ばれ，通称CFRとその頭文字で表される。

また，このCFRはTitleとPartで分けた構成になっていて，医療機器に関連する規則（Regulations）はTitle 21：Food and DrugsのPart 800からPart 898（Chapter I Food and Drug Administration, Department of Health and Human Services, Subchapter H: Medical Devices）に書かれている（Parts 800を例にすると21 CFR Part 800や21 CFR 800と表される）。医療機器関連の業務を進めるにあたって法はもちろんのこと，実務では規則の理解が必須である。さらに，日本でも政令や省令の下に告示や通知等があり，詳しい理解や実務には欠かせないが，米国では同じような役割をGuidanceやGuidelinesが担っている。たとえば，品質マネジメントのQMS省令にあたるのが21 CFR Part 820であり，それに関連したガイダンスやガイドラインが多くある。したがって，実務においてはこの21 CFR Part 820の理解と，関連したFDA Medical Device Quality Systems Manual（品質管理規則マニュアル）等の理解が必要である。

なお，立法があれば行政があるわけだが，日本で厚生労働省を頭に独立行政法人 医薬品医療機器総合機構（PMDA）や各都道府県の薬務課が担っている関連の行政は，米国では基本的にFDAが担っている。

FDA（Food and Drug Administration）は米国食品医薬品局のことであるが，ここは食品，医薬品，化粧品，医療機器等の許可や違反品の取り締まりなどの行政を専門的に行っているので，米国の市場に医療機器などを輸出する場合はFDAとの関係を欠かすことはできない。

▶ 米国における医療機器の法規制の３要素

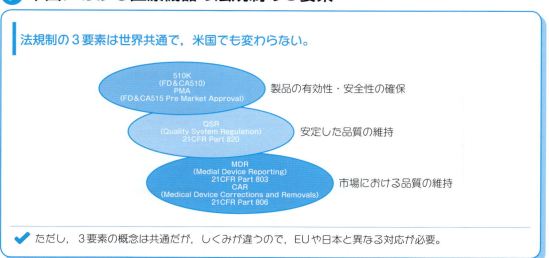

医療機器製造業者が守らなければならない医療機器の3要素は世界共通で，米国でも，市販前の「製品の有効性・安全性の確保」，安定したよい品質を市場に出し続けるための「安定した品質の維持」，および市販後は「市場における品質の維持」のための情報収集と対応，の3つが規制の大きな枠組である。なお，米国では第1番目の「製品の有効性・安全性の確保」は，FD&CAのSection 510の(K)に書かれた通常，510Kと呼ばれる市販前の届出（Registration）と，通常，PMAと呼ばれるFD&CAのSection 515にあるPre Market Approvalにより確保されている。ちなみに，これは日本の医薬品医療機器等法の承認・認証基準にあたる。また，2番目の「安定した品質の維持」は，前述のとおり，日本のQMS省令にあたるQSR（Quality System Regulation）が21 CFR Part 820で規制されている。さらに，3番目の市販後の品質維持は，MDR（Medial Device Reporting）21 CFR Part 803やCAR（Medical Device Corrections and Removals）21 CFR Part 806で，市場情報に常に目を向け，市場の評価の情報や不具合の情報に対し，遅れのない対応を要求している。ただ，これらの規制がまったく日本やEUと同じであるわけではないので，国や地域による規制の違いにそれぞれ製造業者は対応しなければならない。

▶ FDAの組織

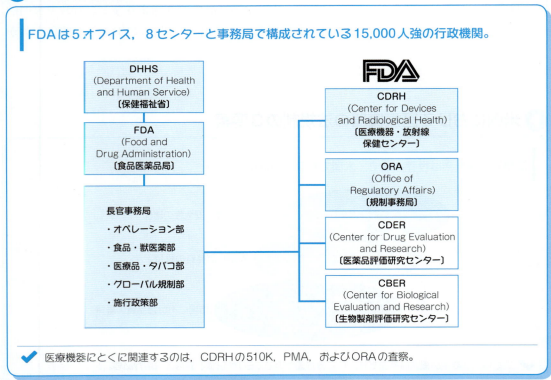

FDAは5オフィス，8センターと事務局で構成されている15,000人強の行政機関。

✓ 医療機器にとくに関連するのは，CDRHの510K，PMA，およびORAの査察。

4.1 米国の法規制（FDA）

　FDAの上部組織がDHHS（Department of Health and Human Service；保健福祉省）であり，FDAはDHHSの1つの局の位置づけである。ただし，医療機器の製造業者としてDHHSと直接かかわることはまれで，510KやPMA，また，査察等の関連でかかわるのはほとんどがFDAである。

　また，FDAの規制対象となる製品は，医薬品，ワクチン，血液製剤，医療機器，化粧品，食品，タバコおよび電子レンジやX線装置等の放射線製品などで，年間1兆ドル以上の市場価格に相当するとされているので，大きな権限と責任をもっている。

　FDAの組織は，長官事務局と5統局（Directorate）よりなり，統局はオペレーションオフィス，食品・獣医薬部オフィス，医療品・タバコオフィス，グローバルレギュラトリー・オペレーションおよび施行政策オフィスで構成され，実務はさらにその下にある8つのセンター（CDRH〔医療機器・放射線保健センター〕，CDER〔医薬品評価研究センター〕，CBER〔生物製剤評価研究センター〕，CFSAN，CTP，CVM，NCTRと，関連する事務局（ORA規制事務局））で行われる。FDAは総職員数15,000人強（2013年度）の行政機関である。

　この中でも医療機器行政でとくに関連するのは，医薬品・タバコオフィスにあるCDRH（Center for Devices and Radiological Health；医療機器・放射線保健センター）と，グローバルレギュラトリー・オペレーションおよび施行政策部にあるORA（Office of Regulatory Affairs；規制事務局）である。CDRHは医療機器およびX線装置，超音波装置，電子レンジ，カラーテレビ等の放射線放出電子機器を対象とした，承認審査および市販後安全対策，規制対象製品の基準策定および監視などが主な業務である。また，ORAは，FDA職員全体の約3分の1のスタッフを擁し，輸入監視，査察，規制品のサンプル分析等に従事している。したがって，FDAの査察で日本に来るのは原則，ORAの関係者となる。

▶ FDAの業務

> FDAは「FDA自ら国民の健康を守る責任をもつ」と宣言している。

What We Do

FDAは，人間および動物用医薬品，生物由来製品，**医療機器**，われわれ国民の食料，化粧品および放射線を放出する製品について，**安全性・有効性および安全保証**を確保することによって，**国民の健康を守ることを責務**とする。
（The FDA is **responsible for** protecting the public health by…．）

What does FDA regulate?

・新しい医療機器等の市販前承認等による規制
・製造施設や品質システムの査察による規制
・不具合や重篤な副作用のトラッキングによる規制
・規則・ガイダンスの作成・発行による規制

✓ FDAは，食品・医薬品・化粧品・医療機器等の許可や違反品の取締りなどの行政を専門的に行っている。

FDAの業務で主なものは，新しい医療機器等の市販前承認等による規制，製造施設や品質システムの査察による規制，不具合や重篤な副作用のトラッキングによる規制，規則・ガイダンスの作成・発行による規制，とFDAのホームページの「What does FDA regulate?」に記載されているが，これがまさに「米国における医療機器法規制の3要素」である。

　さらに，FDAの業務を理解する上でとても重要なのは，FDAのミッションであり業務に対する立ち位置が，これは「The FDA is responsible for protecting the public health by…」で始まるFDAのホームページに記載された「What We Do」で宣言されている。すなわち，「FDAは，人間および動物用医薬品，生物由来製品，医療機器，われわれ国民の食料，化粧品および放射線を放出する製品について，安全性・有効性および安全保証を確保することによって，国民の健康を守ることを責務とする」とあり，まさにFDAの業務に対する立ち位置を「国民の健康を守ることを責務（responsible for）とする」で強く感じるところである。この立ち位置に基づく行動の1つとして，米国向けの医療機器を製造している海外の製造業者をFDAはFDAの費用で「査察」している。

▶ FDAの査察

FDAの査察は，FDAの医療機器規制のコンプライアンスを調査するもので，FDA Inspectionと呼ばれる。

米国民の税金を使ってFDA査察が行われる。

対象	FDA Inspection	査察の実施
医療機器を製造・輸出する製造業者（登録された者）に対して，不定期に実施（リスクの高い機器ほど確実に査察が行われる）。	・米国内では1回/2年 ・米国外では1回/2〜4年 ・米国クラスⅢはほぼ毎年 ・米国代理人宛に約2ヵ月前に通知	・QSITに沿って，4日間程度 ・CFR820，CFR803，CFR806を根拠とする ・実地確認・ドキュメント確認

1．経営者による管理（Management Control）
2．設計管理（Design Control）
3．是正処置および予防処置（Corrective Action & Preventive Action）
　・MDR報告（Medical Device Reporting）
　・自主回収報告（Corrections & Removals）
　・医療機器トラッキング（Medical Device Tracking）
4．生産および工程管理（Production and Process Control：P&PC）
5．滅菌工程管理（Sterilization Process Controls）
6．サンプリング計画（Sampling Plans）

・不具合報告，リコール等の品質不良があると査察の可能性が高まる。
・査察はQSITに沿って行われるが，ISOの監査とは厳しさが違う。

米国向けの医療機器を製造している米国内外の製造業者にとって大いに気になるものがFDAの査察である。FDAの査察とは，FDAの医療機器規制のコンプライアンスを調査するもので，英文では「FDA Inspection」と呼ばれる。

FDAの査察は，医療機器を製造・輸出する製造業者（市販前にFDAに登録することが義務づけられている登録された者）を対象として，不定期に実施される。

また，その頻度は，米国内では2年に1回，米国外では2～4年に1回程度であるが，米国のクラスⅢなどのリスクの高い機器は確実にほぼ毎年査察が行われるし，不具合報告，リコール等の品質不良があると査察の可能性が高まるといわれている。さらに，査察は米国内にある製造業者に対しては抜き打ちでやられることもあるようだが，日本にある製造業者の例でいうと，査察予定の約2カ月前に，FDA Form 482と呼ばれる書式が米国代理人宛（任命することが米国外の製造業者への1つの義務）に通知されることとなっている。

実際の査察は，品質システム監査方法またはQSIT（Quality Systems Inspection Technique）と呼ばれるガイドラインに沿って，米国外では4日間程度，英語で（通訳を介して）行われるのが基本である。法的な根拠となるのは21 CFR Part 820，21 CFR Part 803や21 CFR Part 806で，それらの要求事項が正しく行われているかの実地確認やドキュメントの確認によって査察が行われるが，法に対する整合性調査や第三者認証機関で行われるISO監査とはその厳しさが異なる。その背景には，米国民の税金を使って行うFDA査察と，監査される側が費用を払うISO監査等の違いにあると指摘する人もいる。

QSITは査察をする側のガイドラインだが，当然，受ける側の準備にも有用であり，FDAはこれを意図的に公開している。米国の行政機関によるガイドライン等は，要求内容に必要な対応策などが明確で理解しやすい。QSITもその視点で参考とすることをすすめる。

QSITの章立ては以下のとおりである。
①経営者による管理（Management Control）
②設計管理（Design Control）
③是正処置および予防処置（Corrective Action & Preventive Action）
　・MDR報告（Medical Device Reporting）
　・自主回収報告（Corrections & Removals）
　・医療機器トラッキング（Medical Device Tracking）
④生産および工程管理（Production and Process Control：P&PC）
⑤滅菌工程管理（Sterilization Process Controls）
⑥サンプリング計画（Sampling Plans）

査察準備とQSITの概要

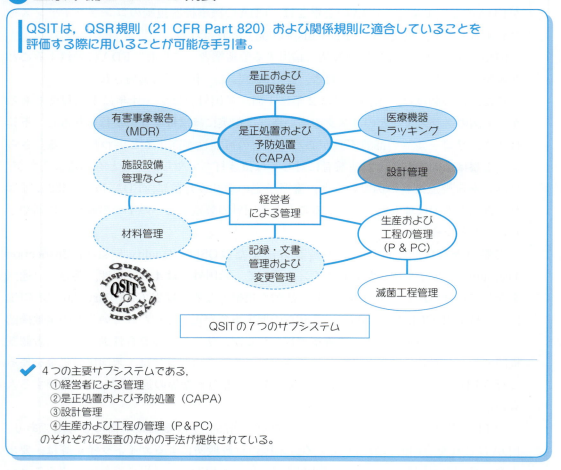

QSITは，QSR規則（21 CFR Part 820）および関係規則に適合していることを評価する際に用いることが可能な手引書。

QSITの7つのサブシステム

✓ 4つの主要サブシステムである，
　①経営者による管理
　②是正処置および予防処置（CAPA）
　③設計管理
　④生産および工程の管理（P&PC）
のそれぞれに監査のための手法が提供されている。

　FDA Form 482の米国代理人宛（任命することが米国外の製造業者への1つの義務）の通知には査察実施希望日が記載されているので，すぐに日程を調整し，実施日を確定するところからFDAの査察準備は始まる。また，査察はQSR規則（21 CFR Part 820）および関係規則に適合しているかどうかを評価することが目的であるので，QSITを対応可能な手引書として用いる。さらに，法は顧客の苦情に対する対応の証として「苦情ファイル」の確立・維持を求めているので，この苦情ファイルの対応にもれがなく，正しい対応であるかを再確認することも重要である。

　MDR（Medical Device Reporting；有害事象報告）が法に則り対応できているかの確認も重要なので，これも整理，再確認が必要である。また，もし過去にFDAの査察を受け，そこに指摘事項がある場合は，それらが現在も続けて管理され，適切な対応がなされているかの再確認も忘れてはならない。過去のFDAの指摘はその後の対応で是正されているはずだが，もし同じ内容が再度の査察で指摘されると最悪な結果になる可能性がある。期待される結果を生むには，通訳の力量や関係する製造業者との意思疎通

も重要な要素であるので，専門の通訳やFDAコンサル等の専門家を投入するのもよいと思われる。

前記ではQSITのガイドラインの表紙にある模式図「QSITの7つのサブシステム」を載せた。本図は関連する付随プログラムとともに7つのサブシステムを示しているが，とくに品質システムの基本かつ主要な4つのサブシステムは，「経営者による管理」，「是正処置および予防処置（CAPA）」，「設計管理」，「生産および工程の管理（Production & Process Controls：P&PC）」である。さらに，サブシステム「是正処置および予防処置」には付随プログラムとして，「MDR」，「是正および回収報告」，「医療機器トラッキング」を，「生産および工程の管理」には付随プログラムとして，「滅菌工程管理」が関連づけられている。QSITには，これら4つのサブシステムのそれぞれに監査のための手法が記載され，さらに関連するサブシステムの章に続けて，関連する付随プログラムも提供されている。

▶ FDAの査察の流れと対応

FDAの査察にパスすると米国市場に輸出開始・継続ができる。
パスしないと米国通関で輸入差し止めや米国内販売停止措置を受けることもある。

- QSITに沿って査察。
  ↓ Quality System Inspection Technique
- 指摘事項がForm 483で提示される。
  ↓ Form 483（List of Observation）
- 15日以内に是正計画を提出。
  ↓ 是正完了期日自己宣言後の再査察で，自己宣言どおりの是正ができていない場合，または改善後も同様の問題を引き起こした場合
- WL（Warning Letter；警告書）発行。
  ↓ 再査察もパスしないと，…。
- 法的・社会的制裁
  ・法的（一時出荷停止，輸入品の通関ストップ，和解金等）
  ・社会的な制裁（FDAのWebページにWLが掲載される）

査察の方法

1	略式（Abbreviated）	Sub system（CAPA+P&PC or Design Control）
2	包括（Comprehensive）	FULL QSITクラスⅡは包括
3	Compliance follow-up	・Form 483指摘のフォローアップ監査 ・QSITの手法によらない
Special	For Cause	法違反等によるフォローアップ監査

✓ Warning Letter（警告書）はFDAのホームページで読むことができる。
医療機器関連のWL件数　2020年は633件のうち45件，2019年は484件のうち35件。

FDA査察時にも査察官により随時，指摘事項が示されるが，正式な指摘事項（Observation）は施設査察報告書（EIR：Establishment Inspection Report）の内容などをもとに，FDAの本部が出す「Form 483」として提示される。このForm 483を受け取ったら基本的に15日以内に，指摘事項の是正を行い返答するか，是正の計画書を提出する必要がある。さらに，計画書を提出する場合でも，是正は速やかに行い，後日，是正した内容を含めた返答の送付が必要であるし，その是正の証拠となる「記録」などを添付して確実になされたことを証さなければならない。

また，もし返答が大きく遅れたり，不適切であったり，是正完了宣言後の再査察で宣言どおりの是正ができていなかった場合や，改善後も同様の問題を引き起こした場合などは，「Warning Letter（WL；警告書）」が発行され，FDAのホームページにその内容がアップされる。さらに，このWarning Letterに対する対応を誤ると，法的な処置が待っている。

Warning Letterへの対応では，指摘内容が法に触れているというFDAの認識があるので，Form 483以上に，迅速かつ正確に，対応内容を証拠を付けて送る必要がある。もし，FDAがこの返答に満足せず，再査察でもパスにならないと，法的・社会的制裁の段階になるのだが，法的な制裁の具体的な内容は，一時出荷停止，輸入品の通関ストップ，和解金の支払い等である。また，社会的な制裁として，FDAのWebページに制裁の内容が公開される。

米国に医療機器を出荷するからといって特別なことをするわけではないが，医療機器を取り扱う製造業者の責任は重いということを，FDAの査察は示している。

なお，本図に示したとおり，査察の方法には大きく分けて4つの段階があり，レベル1は略式（Abbreviated）で，CAPAと，P&PCかDesign Controlの2つのサブシステムを査察される。これはクラスⅠ等のリスクの低い医療機器への査察の場合が基本である。クラスⅠの医療機器には510K免除の医療機器も多く，GMP対象外もあるが，これらでも査察を想定した普段からの品質管理は大切である。クラスⅡ以上になると包括（Comprehensive）のレベル2が適用され，フルQSITである。レベル3（Compliance follow-up）はForm 483指摘のフォローアップ監査用で，QSITの手法によらないとされている。さらに，Specialは法違反等に対するフォローアップ監査用のようである。

CFR §20の市販前調査が義務づけられていない米国では，品質マネジメントシステム対応などがややもすると後手に回るが，後で大きな代償を払わなくてもよいように，市販前から必要なシステムを確立し，実行・維持することに気を抜かないようにすることが重要である。

4.1.2 米国での医療機器上市プロセス

▶ 米国における上市プロセスの概要

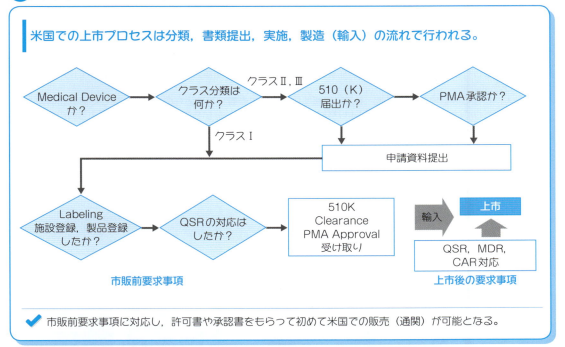

　米国における医療機器の上市までのプロセスは，簡単に表すと，対象医療機器の分類，医療機器クラス分類に沿った必要書類の提出，その他の要求事項の実施，製造（輸入）の流れで行われるが，FDAのホームページに3つのステップと，市販前要求事項，市販後要求事項のガイドラインがある。

　ステップ1は製品が医療機器であるか，医療機器でないかの判断になる。ステップ2は医療機器である場合，該当するクラス分類を確認し，それぞれにどのような手続きが必要かを確認する。ステップ3は，その手続きが510Kの要求する届出でよければ，必要書類を用意・提出する。また，PMAとして承認が必要であれば，それに沿った申請資料を提出する。あとは，それぞれの許可（Clearance）や承認をもらうのを待つが，その前に市販前要求であるラベリング，施設登録，製品登録等を行う。クリアランスレター（許可書）やアプルーバルレター（承認書）も含めて，これらがそろうと無事，上市となる。ただ，QSR（21 CFR Part 820）や有害事象報告（MDR）への対応が上市後，「市販後要求事項」として求められるので，実際は上市前にそれらを用意しなければならない。

　以下，さらにそれぞれの内容を掘り下げて確認していくが，その際，関連するFDAなどのホームページのURLも記載するので，実務を担当される方はこのFDAのホームページを詳細資料とされることをすすめる。

第4章 医療機器業界参入のための海外の法を知る

▶ 第1ステップ：米国での医療機器の定義

> 米国では構成要素や付属品も含めて医療機器として定義されている。

機器，装置，器具，機械，移植機器，体外診断薬，あるいは他の類似，もしくは関連したもので，構成要素，構成部品，または，付属品を含み，以下のものをいう。
① 米国医薬品集，米国薬局方に記載のもの，およびその添加物
② 人，もしくは動物の病気，その他諸症状の診断，治療，緩和，処置，もしくは予防に意図して使用するもの
③ 人，もしくは動物の体の構造，あるいは機能に意図して影響を与えるもので，人，もしくは動物の体内，もしくは体表で，化学作用により意図する主目的を達成しないもの，および意図する主目的の達成は新陳代謝することによらないもの

FD&CA Chapter II Section 201 Definitions (h)

✓ 米国では構成要素として，ソフトウェア単体も医療機器として定義されている。

米国FDAにおける製品（Product）の定義

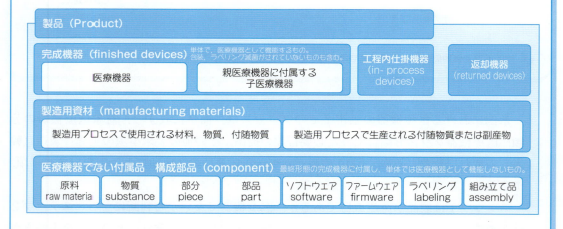

✓ 製品とは，構成部品，製造用資材，工程内仕掛機器，完成機器および返却機器をいう。機器包装は，製品（構成部品）の定義には含まれない。CFR.820.3 Definitions (r) (l)。

　上市プロセスのステップ1は，対象の製品が医療機器であるか医療機器でないかの判断であるが，これにはFD&CA Chapter II Section 201 Definitions(h) にある医療機器の定義が基準となる。
　これによると米国では，医療機器は，機器，装置，器具，機械，移植機器，体外診断薬，あるいは他の類似，もしくは関連したもので，構成要素，構成部品，または，付属品を含み，以下のものをいう。

① 米国医薬品集，米国薬局方に記載のもの，およびその添加物
② 人，もしくは動物の病気，その他諸症状の診断，治療，緩和，処置，もしくは予防に意図して使用するもの
③ 人，もしくは動物の体の構造，あるいは機能に意図して影響を与えるもので，人，もしくは動物の体内，もしくは体表で化学作用により意図する主目的を達成しないもの，および意図する主目的の達成は新陳代謝することによらないもの

米国では構成要素や付属品も医療機器として定義されているので，無体物であるソフトウェア単体も医療機器として明確に定義されている。

第2ステップ：米国の医療機器のクラス分類

米国でも医療機器のクラス分類は，有効性・安全性を確認するために必要な管理水準で，リスクに基づき，3つのクラスに分類される。

クラスⅠ	510K免除
クラスⅡ	510K対象
クラスⅢ	PMA必要

※ 新医療機器など，例外があるので注意。

FDAのホームページのデータベース検索で必要な情報が得られる
(Product Classification Database)

✓ 米国の医療機器のクラス分類は製造業者の責任で実施しなければならない。

　医療機器は，世界中で有効性・安全性を確認するために必要な管理水準でリスクに基づきクラス分類され，それにより許可・承認等で必要な手続きに違いを出しているが，米国でも考え方は同じである。ただし，クラス分類基準は日本やEUとも同じではなく，たとえば分類数も，日本の4分類に対して米国はクラスⅠ，Ⅱ，Ⅲの3つである。

　また，クラスⅠはリスクが一般的に低い医療機器のクラス分類であるが，これらの医療機器は一部の例外を除き，市販前の届出である「510K」が免除される。クラスⅡは，クラスⅠの医療機器よりリスクが高いが，クラスⅢの医療機器よりリスクが少ない医療機器となり，510K対象の医療機器である。さらに，クラスⅢは市販前にFDAの承認が必要で，これをPMAが必要なクラスともいう。

　なお，機器のクラス分類と規制要件に関してFDAの見解を求める513（g）申請という制度が存在するので，自社の機器がどのクラスに当たるのか判定が困難な場合などには活用してほしい。

▶ 第2ステップ：医療機器分類とクラス分類の調べ方

FDAのホームページのProduct ClassificationにDevice名を入れると規制内容もわかる。

Device	actuator, syringe, for injector, reprocessed
Regulation Description	Syringe actuator for an injector.
Regulation Medical Specialty	Cardiovascular
Review Panel	Cardiovascular
Product Code	NKW ← 製品コードはアルファベット3文字で表される
Premarket Review	Cardiovascular Devices（OHT2） Coronary and Peripheral Interventional Devices（DHT2C）
Submission Type	510（K） ← この製品は510Kが必要
Regulation Number	870.1670 ← 連邦規則の番号 CFR870 Cardiovascular
Device Class	2 ← クラスⅡである
Total Product Life Cycle（TPLC）	TPLC Product Code Report
GMP Exempt?	No
Implanted Device?	No ← GMPは免除されない
Life-Sustain/Support Device?	No
Third Party Review	Eligible for 510(k) Third Party Review Program Accredited Persons ・Global Quality And Regulatory Services ・Regulatory Technology Services, Llc ・Third Party Review Group, Llc ← 510K 第三者レビュープログラム（3P510k）の対象である

✓ 医療機器6,728種が19の専門分野に分類されている。（2021年12月現在）

　ステップ2では，該当の医療機器はどのクラスで，どのような手続きが必要なのか，また，どのような規則に対応しなければならないかを確認する。このステップ2に答えてくれるのがFDAのホームページにある「Product Classification Database」である。Product ClassificationにDevice名を入れると規制内容もわかる。たとえば，「Syringe（注射器）」と入れて検索を試みてみると，目当てがプロダクトクラス（NKW，米国では製品クラスが英文字の3文字で表される）でデバイス名がSyringe actuator for an injectorであれば，規制番号が870.1670で，クラス分類がクラスⅡであることがわかる（表4.1）。上図の表は，さらにクリックすると出てくる詳しい内容である。
　ここで，米国の医療機器は19の専門分野別に6,728種に（医療機器）分類されるが，「Regulation Medical Specialty」の「Cardiovascular」が専門分野の循環器科

表 4.1　FDA の Product Classification による "Syringe" の検索結果

製品コード	製品名	法的定義	規制番号	クラス分類
NKW	actuator, syringe, for injector, reprocessed	Syringe actuator for an injector	870.1670	2
DQF	actuator, syringe, injector type	Syringe actuator for an injector	870.1670	2
IQG	adaptor, holder, syringe	Daily activity assist device	890.5050	1

用機器を表し，その規制番号がCFR 870の1670番であることを示している．また，「Submission Type」で，この製品は510Kが要求され，さらに「GMP Exempt? = No」で，CFR 820の規制からの免除がなく査察の対象であり，510Kの届出も「Eligible for 510（k）Third Party Review Program」で，510K第三者レビュープログラム（3P510k）の対象品目であり，利用できる第三者機関の情報が示されている．直接FDAに申請するか，510k第三者レビュープログラム（3P510k）の制度を使用して第三者機関（3P510k機関）経由で申請するか，申請者が選ぶことができる．

▶第3ステップ：510K（市販前届）

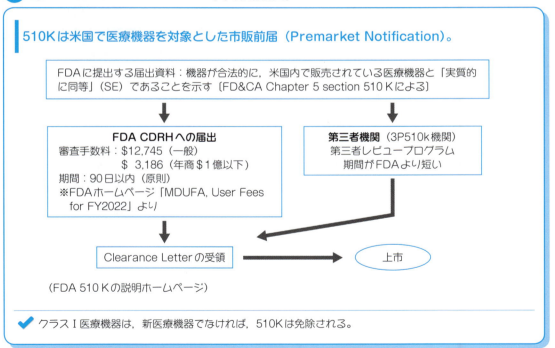

ステップ3は，該当の医療機器のSubmission Typeに対する対応である．
まず510Kの呼び名であるが，医療機器を対象とした市販前届（Premarket Notification）のことであるのでPMNという人もいるが，FD&CA Chapter 5 Section 510Kで規

定されていることを表す510Kが一般的である。

　また，510Kの基本は，FDAに提出する届出資料に，製品が合法的に米国内で販売されている他の医療機器と「実質的に同等」（SE：Substantial Equivalence）であることを示すことである。（実質的同等性が否定された場合，その製品は通常クラスⅢに分類されることになるが，De Novo（デノボ）申請をすれば，FDAにクラス分類の審査を実施してもらうことができる。De Novoの審査に合格すれば，クラスⅠまたはⅡとして販売が許諾される。）詳細はFDAのホームページから知ることができる（SEの説明や510Kが要求される場合／されない場合などもここに記載されている）。その他，CDRHのGuidance for Industry and FDA Staff - Format for Traditional and Abbreviated 510（k）sやGuidance for Industry and FDA Staff - Guidance for the Content of Premarket Submissions for Software Contained in Medical Devicesも参考になる。

　510K申請は，eCopy（申請資料の電子版）での提出が義務化されている。eCopyには，電子ファイルについて決まりごとがあり，その基準を満たさない場合，FDAは提出資料を保留とし，審査プロセスには入らないので，注意が必要である。

　なお，510Kの届出先はFDAのCDRHであるが，市販予定の90日前までに行われなければならないという「90日ルール」がある。したがってSEの判断は通常90日以内に行われる。さらに，対象医療機器の約40％くらいが第三者認証機関によるAccredited Persons Inspection Programの対象になっており，これらを使うと事務処理の期間がFDAより短いといわれている。

　次に，届出に問題がなければFDAから「Clearance Letter」（許可書）が届き，これにより実質的製造や通関も可能で，医療機器を米国で販売するための重要な条件の1つが整う。

　なお，審査手数料は2021年10月以降，1件あたり1万2,745ドルであるが，年商1億ドル以下の企業は3,186ドルに優遇される。なお，510K要求はクラスⅡの医療機器が対象であるが，例外もある。したがって，「Submission Type」の確認を忘れてはいけない。

▶ 第3ステップ：PMA（市販前承認）とは

> **PMAは，米国のクラスⅢのクラス分類医療機器を対象とした市販前承認（Premarket Approval）。**
>
> - クラスⅢ機器で，重篤な病気や障害のリスクがある医療機器
> - 市販前届（510K申請）でクラスⅠ，Ⅱに実質的に同等でないと決定された機器
> - デノボ審査の結果，クラスⅠ，Ⅱ相当とは認められなかった医療機器
>
> が対象となる。
> その機器のリスクに対して，臨床試験データの提出が求められる（FD&CA Chapter 5 section 515による）。
>
> ↓
>
> **FDA CDRHへ申請**
> 承認審査手数料：$374,858（一般）
> 　　　　　　　$ 93,714（年商$1億以下）
> 期間原則180日以内（原則）
> ※FDAホームページ「MDUFA, User Fees for FY2022」より
>
> ※　JETRO資料より。
> （FDAのPMAの説明ホームページ）
>
> → Approval Letter 受領 → 上市
>
> ✔ いくつかのクラスⅢの装置が，「510Kを必要とすることもある」点に注意。

　クラス分類でクラスⅢの医療機器には，PMA（Pre-Market Approval；市販前承認）が要求される。PMAの対象の原則は，クラスⅢの医療機器で，重篤な病気や障害のリスクがあるもの，または市販前届（510K申請）でクラスⅠ，Ⅱのすでに合法的に米国内で販売されている他の医療機器と実質的に同等でないと決定された製品あるいは，デノボ（De Novo）要求が却下されてクラスⅠ，Ⅱに分類されないことが決定した製品である。また，PMAにあたってはいくつかの例外を除き，臨床試験データが必要であり，その提出が求められる。PMAも，eCopy（申請資料の電子版）での提出が義務化されている。eCopyには，電子ファイルについて決まりごとがあり，その基準を満たさない場合，FDAは提出資料を保留とし，審査プロセスには入らないので，注意が必要である。PMAの法的根拠はFD&CA Chapter 5 Section 515によるが，PMAの詳しい説明は上図に示したFDAのホームページから「PMAの説明」をたどれば見つけることができる。審査期間は180日を標準としているが，製造業者へのFDAからの質問等の対応によっても異なり，長くなる方向である。

　次に，無事，PMAの承認に至ればFDAから「Approval Letter」（承認書）が届き，これにより通関も可能で510K同様，医療機器を米国で販売するための重要な条件の1つが整う。

　なお，審査手数料は2021年10月以降，1件あたり37万4,858ドルであるが，年商1億ドル以下の企業は半額の9万3,714ドルと優遇される。ただし，FDAの記載に，

212　第4章　医療機器業界参入のための海外の法を知る

「いくつかのクラスⅢの装置が510Kを必要とする」とあるので，詳細の確認を含めて，FDAへの対応の際は，注意しなければならない。

▶ 3つの市販前要求事項Ⅰ

市販前にFDAのラベリングの要求事項に適合すること。

一般機器に対するラベリング要求事項 (General Device Labeling Requirements)	21 CFR Part 801
体外診断用機器に対するラベリング要求事項 (In Vitro Diagnostic Device Labeling Requirements)	21 CFR Part 809
研究用機器の適用除外に対するラベリング要求事項 (Investigational Device Exemptions)	21 CFR Part 812
品質システム規則によるラベリング要求事項 (Quality System Regulation Labeling Requirements)	21 CFR Part 820
医療機器の個体識別に対するラベリング要求事項 (Unique Device Identification)	21 CFR Part 830
放射線発生機器および製品に対するラベリング要求事項 (Labeling Requirements for Radiation Emitting Devices and Products)	21 CFR Part 1010

Labeling – Regulatory Requirements for Medical Devices
ラベリングのガイドラインに詳細が記載されている

（FDAのDevice Labelingに関するホームページ）

✓ 医療機器のラベル表示だけでなく，機器に付属する説明文書，流通梱包材，パンフレット類などへの表示も要求される。一般機器に対するラベリング要求事項（21 CFR Part 801）において，シンボルの使用に関する要求事項（Use of Symbols, 21 CFR Part 801.15）がある。

　　510KやPMAの進行に合わせて，医療機器の市販前にやらなければならない要求事項が3つある。その1つがFDAのラベリングの要求事項に適合することである。
　　上図の表では，ラベリングの法的根拠となる要求事項が書かれている。
・21 CFR Part 801（一般機器に対するラベリング要求事項：General Device Labeling Requirements）
・21 CFR Part 809（体外診断用機器に対するラベリング要求事項：In Vitro Diagnostic Device Labeling Requirements）
・21 CFR Part 812（研究用機器の適用除外に対するラベリング要求事項：Investigational Device Exemptions）
・21 CFR Part 820（品質システム規則によるラベリング要求事項：Quality System Regulation Labeling Requirements）
・21 CFR Part 830（医療機器の個体識別に対するラベリング要求事項：Unique

Device Identification）
・21 CFR Part 1010（放射線発生機器および製品に対するラベリング要求事項：Labeling Requirements for Radiation Emitting Devices and Products）

までをリストアップし，同じくLabeling – Regulatory Requirements for Medical Devicesと名づけられたラベリングのガイドラインも記載した。ここに書かれている内容やFDAのホームページの説明などを十分理解して対応してほしい。

なお，注意しなければならないのが「Label」と「Labeling」の定義である。「Label」は，医療機器およびその容器等に直接記載された表示や印刷やグラフィックスであり，容器の梱包や包装紙上の記載も含む。一方「Labeling」は，すべてのラベルとその医療機器の流通や販売を含めた付随的に用いられる情報物なので，必要情報が書かれたパンフレットやポスターまたタグや使用説明書さらには方向シートや容器の詰め物などをいう。FDAのラベリングの要求事項は「Label」を含めた「Labeling」に対する要求事項であることに注意されたい。

また，ラベリングという，ごくあたり前のことがこのように強調されて要求されている背景には，いかに市場でラベリングに関する不適合や，ラベリングが原因となる医療事故が多いかを物語っていることに気づかなければならない。さらに，単に該当の医療機器自体へのラベル表示だけでなく，機器に付属する説明文書や梱包材またパンフレット類などへの表示も規制されていることを忘れてはいけない。

▶ 3つの市販前要求事項 Ⅱ

製造所の登録（Registration）と製品登録（Listing）を要求される。

・製造業者，輸入業者の責任者が登録すること
・生産する製造所を登録すること
・扱う医療機器のリストを登録すること
・登録内容は毎年年末に確認すること
・登録は電子的に行うこと（FDAのホームページから登録）

年度（FY）	2018	2019	2020	2021	2022
登録Fee（ドル）	4,624	4,884	5,236	5,546	5,672

関連するすべてのManufacturer（EMS，契約滅菌業者等を含む）は扱う製品のリスト化を行う必要がある。

（FDAのDevice Registration and Listingに関するホームページ）

✓ 毎年10月1日から12月31日の間に登録を完了させること。

市販前要求事項の残りの2つが，医療機器の製造所の登録と製品登録である。これらの要求事項は，これから市場に医療機器が出るにあたり，その責任の対象者や対象の製品を明確にすることが真の目的である。

したがって，当該製造業者だけでなく，輸入業者を含め，契約のEMSや契約滅菌業者等の施設の登録も要請している。

また，登録は基本的にFDAのホームページを利用して電子的に行うが，毎年10～12月にかけて記載事項を当該製造業者の責任者が確認し，変更があれば修正をしなければならない。さらに，この登録には登録料が毎年かかり2021年10月以降，5,672ドル/年だが，毎年値上がりする傾向にある。

登録に関しては，当該医療機器にかかわった製造業者（定義は次の表参照）すべてが基本的に対象となり，設計開発者も製造業者と定義されると含まれる。

参考としてFDAのホームページの「Who Must Register, List and Pay the Fee」を，表4.2に載せる。

以上，510KのクリアランスレターかPMAの承認書を受け取り，さらにこの3つの市販前要求事項に対応すれば米国で上市することができる。

表4.2　Who Must Register, List and Pay the Fee（Foreign Establishments）（2018年9月27日更新時点）

活動 (Activity)	登録 (Register)	リスト (List)	手数料 (Pay Fee)
外国製造業者（Foreign Manufacturers）〔キット組み立てを含む〕(including Kit Assemblers)	YES	YES	YES
海外拠点の外国輸出業者（Foreign Exporter of devices located in a foreign country）	YES	YES	YES
契約製造業者（Contract Manufacturer）〔契約梱包業者を含む〕(including contract packagers)	YES	YES	YES
契約滅菌業者（Contract Sterilizer）	YES	YES	YES
単位使用機器の再加工業者（Reprocessor of Single-use Device）	YES	YES	YES
カスタム品製造業者（Custom Device Manufacturers）	YES	YES	YES
再梱包業者およびラベルの貼り替え業者（Relabeler or Repackager）	YES	YES	YES
再生品業者（Remanufacturer）	YES	YES	YES
部品製造業者（Manufacturer of components that are distributed only to a finished device manufacturer）	NO	NO	NO
最終使用者に直接販売する付属品およびコンポーネントの製造業者（Manufacturer of accessories or components that are packaged or labeled for commercial distribution for health-related purposes to an end user）	YES	YES	YES
苦情ファイルの維持（Maintains complaint files as required under 21 CFR 820.198）	YES	YES	YES

▶製造業者(Manufacturer)と代理人

- 米国で製造業者とは「完成機器を設計,製造,組み立て,または処理する者」をいう。
- 米国外の製造業者は,米国内に代理人を1名任命することが必要。

> - **完成機器**を設計,製造,組み立て,または処理**する者**をいう。
> - 製造業者は以下を含むが,これらの者に限定されない。
>   - 製造業者
>   - 契約製造業者
>   - 契約滅菌業者
>   - 再梱包業者およびラベルの貼り替え業者
>   - 仕様の設計開発者
>   - 単回使用機器の再加工業者
>   - 再生品業者
>   - 最終使用者に直接販売する付属品およびコンポーネントの製造業者

> 〈代理人の責務〉
> ①FDAと製造業者との仲介
> ②製造業者の米国向け製品に関するFDAからの質問への回答
> ③FDAによる製造業者の監査が必要な場合のスケジュール調整等

- 「完成機器」なので,部品,部材,ブロックは含まない。
- 「する者」なので,完成品が上で書かれた業務の複数からなる場合,また部品が医療機器の付属品として単体で流通する場合,それらをする者もManufacturerである。

　施設登録や製品登録の対象者を限定するために米国の製造業者(Manufacturer)の定義を確認する。

　米国における製造業者(Manufacturer)の定義は,「完成機器を設計,製造,組み立て,または処理する者」をいう。また,製造業者は以下を含むが,これらの者に限定されない。

- 製造業者
- 契約製造業者
- 契約滅菌業者
- 再梱包業者およびラベルの貼り替え業者
- 仕様の設計開発者
- 単回使用機器の再加工業者
- 再生品業者
- 最終使用者に直接販売する付属品および構成品の製造業者など

　ここで重要なのは,「完成機器」なので部品,部材,ブロックの設計,製造,組み立て,または処理するだけならば,Manufacturerには含まれないし,一方,「する者」なので完成品が業務の複数からなる場合,また部品が医療機器の付属品として単体でも流通する場合,それらの個々の設計,製造,組み立て,処理する者もManufacturerである。たとえば,完成品を設計する者も,完成品の受託製造業者も,完成品の再梱包業者

およびラベルの貼り替え業者なども，米国では製造業者（Manufacturer）となる。この定義の理解ミスで，本当はManufacturerなのに施設登録や製品登録などの決められたことをしていなかったりすることもあるので，定義の十分な理解と注意が必要である。

さらに，米国外の製造業者が米国内で当該医療機器を上市しようとする際には，米国内に代理人を1名任命することが必要である。この代理人の責務は，FDAと製造業者との仲介，製造業者の米国向け製品に関するFDAからの質問への回答，FDAによる製造業者の監査が必要な場合のスケジュール調整等であるが，製品やそれらの品質に対し，責任をもつ者ではない。

▶ 2つの市販後要求事項 I

QSR（Quality System Regulations；品質システム）を確立し，維持すること。

- QSRは，米国内だけではなく米国外の製造業者にも適用される。
- QSRの要求事項は設計，製造，包装，表示，保管，購買，設置，サービスについての品質管理・製造設備管理に関連した要求事項だが，ISO 13485の要求事項と章立ても異なり，また差分もある。
- QSRの要求事項をよく理解し，品質システムを構築・実施しなければならない。

FDAの査察（Inspection）
QSIT（Quality System Inspection Technique）に査察方法が記載されている。

- 一部免除があるがクラスIも対象。
- クラス分類表でのGMP Exempt? Yes or Noをよく確認。

次に，重要な2つの市販後要求事項について概説する。

その1つが，QSR（Quality System Regulations；品質システム）を確立し，維持することである。そもそもQSRの要求事項は，日本でもそうであるように，認証や承認時に確認されるべき要求で，同じく米国でも510KやPMAの際の要求事項であることは基本的に変わらない。ただ，510KやPMAの際，米国ではこれらに対する適合性確認を行うシステムになっていない。そのかわり，FDAの査察で本来，上市前から対応されているべき21 CFR Part 820を中心とした要求をQSIT（Quality System Inspection Technique）で示すようなやり方で確認する。したがって，510KもPMAも要求されないクラスIでは，この時点で法の網がかかるようになっている。

なお，QSRの要求事項の概要は，設計，製造，包装，表示，保管，購買，設置，サー

ビスについての品質管理・製造設備管理に関連した要求事項であるが、ISO 13485の要求事項と章立ても異なり、また差分もあるので、米国向けの製品製造等の品質システムを構築する際には、QSRの要求事項をよく理解し、品質システムを構築し、実施しなければならない。

当然、QSRは、米国内だけではなく米国外の製造業者にも適用される。また、QSRの要求は一部免除があるが、クラスⅠも対象であるので、クラス分類表でのGMP Exempt? Yes or Noをよく確認しなければならない。

▶ 2つの市販後要求事項Ⅱ

MDR（Medical Device Reporting；有害事象報告）をすること。

- MDR規制（21 CFR Part 803）は、FDAと製造業者が医療機器に関する重要な有害事象を識別し、かつ、監視するためのシステム。
- 規則目的は、すばやく適切に問題を検出して修正することにある。

Summary of Reporting Requirements for Manufacturers

報告者	報告事象	フォーマット	報告先	いつまでに
製造業者 (Manufacturer)	30日報告 （死亡、重傷および誤動作）	Form FDA 3500A	FDA	事象を知ってから30暦日以内
製造業者 (Manufacturer)	5日報告 （公衆の健康を損なう非合理なリスクを防止するために医療行為が必要な事象と、FDAによって示される他のタイプのイベント）	Form FDA 3500A	FDA	事象を知ってから5実働日以内
製造業者 (Manufacturer)	ベースラインレポート （対象医療機器の基礎データおよびForm 3417要求のデータの提出）	Form FDA 3417	FDA	最初に報告されるとき。ベースライン情報に変更があった際や年次更新時
製造業者 (Manufacturer)	年次証明	Form FDA 3381	FDA	年次登録日

Summary of Reporting Requirements for User Facilities and Distributors（抜粋）

報告者	報告事象	フォーマット	報告先	いつまでに
病院等 (User Facility)	死に関する	Form FDA 3500A	FDAと製造業者	実働10日以内
病院等 (User Facility)	重篤事象	Form FDA 3500A	製造業者とFDA（製造業者不明時）	実働10日以内
流通業者（輸入業者） Distributor（includes importers）	死および重篤事象	Form FDA 3500A（optional）	FDA	実働10日以内

（FDAのMedical Device Reporting（MDR）に関するホームページ）

✓ MDRは医療施設や流通業者にも義務付けられている。MDRは電子申請で行うため、まず電子申請のユーザーアカウント（ESG Account）を取得すること。

2つ目の市販後要求事項が，MDR（Medical Device Reporting；有害事象報告）を行うことである。MDR規制（21 CFR Part 803）の冒頭のSubpart A - General Provisionsには，

> 機器ニーザ施設，製造業者，輸入業者および販売業者に関して，医療機器報告制度の要求事項を確立する。
> 機器ニーザ施設の場合，機器が引き起こした死亡および重大な障害は報告し，**有害事象ファイル**を確立，維持し，そして年次報告の要約を提出しなければならない。
> 製造業者あるいは輸入業者の場合，死亡および重大な障害を報告し，機器の不具合を報告し，そして**有害事象ファイル**を確立・維持しなければならない。製造業者の場合，決められた**フォローアップ**および**ベースラインレポート**を提出しなければならない。
> 医療機器の販売者の場合，**インシデント記録（ファイル）**を維持しなければならない。

とある（抜粋）。

これらが明示しているように，MDR規制は，FDAと主に製造業者が医療機器に関する重要な有害事象を識別し，かつ，監視するためのシステムで，その目的は，すばやく適切に問題を検出して修正することにある。したがって前ページの表で示したように，報告事象が死亡や重傷および誤動作のときは，事象を知ってから30暦日以内の報告が義務づけられている上，とくに公衆の健康を損なう非合理なリスクを防止するために医療行為が必要な事象と，FDAによって示される他のタイプのイベントについては，事象を知ってから5実働日以内の報告等が義務づけられている。また，この例は，製造業者への有害事象報告の例であるが，同じように病院施設向けの有害事象報告の取り決めもある。

この要求事項も，実際は製品の上市直後から必要となるしくみであり，当然，市販前からMDRのシステムを構築し，稼動させていなければならない。MDRのシステム構築の基本は，やることを決め，それを手順書として確立し，実施したことを証明するための記録を残すことなので，QSR同様の考え方が必要である。なお，海外の製造業者の場合，FDAに対する報告者は代理人になるので，代理人を含めた報告・維持のシステムを構築する。

現在，MDRは電子申請（eMDR）に完全移行されているため，手順書の作成にあたっては，FDAへの報告を電子申請システム経由で行う内容にすること。また，MDRの電子申請を行うためには電子申請アカウント（ESG Account）が必要であるが，取得を後回しにしないこと。FDA査察時に，電子申請アカウントを取得していないことが判明すると，MDRシステムの構築失敗との指摘につながる恐れがあるので，注意してほしい。

4.1.3 QSR の概要

▶ QSR (Quality System Regulations)

QSR は医療機器の製造業者に適用される基本的な要求事項を定めている。

この規則の対象：完成機器の，設計，製造，包装，ラベリング，保管，据付，および付帯サービスの方法，施設および管理
この規則の目的：完成機器が安全かつ有効になること，その他の点では FD&CA への適合を保証することを意図する各要求事項を定める。

ISO 9001

ISO 13485

QSR：21CFR Part 820

要求事項の違いと厳格性の概念

(FDA の QSR に関するホームページより)

- QSR は米国の医療機器の品質システムで ISO 13485 とは異なる。
- 新規に品質システムを構築する場合は，QSR 対応の品質システムをすすめる。
- 2022 年 2 月 23 日，FDA は国際規格 ISO 13485：2016 に整合させるための QSR 改定案を公表した。今後，パブリックコメントの募集，最終規則発表，パブリックコメントへの回答などが行われ，具体的な施行日が発表される。

　QSR は GMP の要求事項で，GMP が品質システム規則を要求していることから定められている。この法の冒頭に対象や目的が書かれているので以下，抜粋して説明する。
　QSR は 21 CFR Part 820 のことで，このパートの対象は，「人体に用いられることを意図したすべての完成機器の設計，製造，包装，ラベリング，保管，据付，および付帯サービスのために用いられる方法，施設および管理」である。また，このパートの目的は，「完成機器が安全かつ有効になること，その他の点では FD&CA への適合を保証することを意図する各要求事項を定める。」とある。
　この部分だけを読むと，医療機器の品質マネジメント規格である ISO 13485 とほぼ同じだし，事実，米国も ISO 13485 との同等性を国際組織でも明確にしているようだが，筆者の実務の経験からすると，QSR のほうが要求事項が詳細であり，査察等での実施確認も厳格に感じる。
　上図では，QSR，ISO 13485，またセクター規格のもとである ISO 9001 の相互の「要求事項の違いと厳格性の概念」を筆者の感覚として表してみた。
　新しく医療機器業界に参入する多くの企業は，すでに ISO 9001 の品質システムをもっている。したがって，現状の品質システムに新たに ISO 13485 の要求事項を追加して医療機器用の品質システムを構築することが合理的だと思う。ただし，それと同じよ

うに ISO 13485 に QSR の要求事項を加えて，さらに新しい品質システムを構築するのは筆者の経験上，よいやり方とは思えない。それだけ QSR と ISO 13485 には文書面より実際は大きな隔たりがあり，QSR は米国の医療機器の品質システムで ISO 13485 とは異なると考えたほうがよいと思う。米国に市場を求める方向も視野に入っているなら，はじめから QSR に対応した品質システムを新しく構築することを奨める。

以下では QSR の詳細を説明するのではなく，主に ISO 13485 との違いを要求事項から追ってみて，教育，文書ファイル，V＆V，トレーサビリティ，ラベリング，また統計的手法等でとくに違いが顕著であるので，その説明をする。

▶ QSR の要求事項と ISO 13485 との主な違い I

教育
(教育，文書ファイル，V＆V，トレーサビリティ，ラベリング，統計的手法等に違い)

> **820.25 Personnel（要員）**
> (b) 訓練
> (1) 訓練の一部として，要員に自らの特定の業務が不適切に行われたことにより，起こるかもしれない機器の欠陥の訓練をさせなければならない。
> (2) 検証および妥当性確認活動を行う要員には，業務の機能の一部として遭遇するかもしれない欠陥，および誤りを熟知させなければならない。

Awareness Training の実施

✓ 必要な教育，背景，訓練および経験をもつ十分な要員等の要求の違いに注意。

違いの1つが教育である。具体的には 820.25 Personnel（要員）で，ISO 13485 でいえば 6.2.2 の「力量認識および教育・訓練」にあたるが，必要な教育，背景，訓練および経験をもつ十分な要員等の要求に違いがある。たとえば QSR では「(1) 訓練の一部として，要員に自らの特定の業務が不適切に行われたことにより，起こるかもしれない機器の欠陥の訓練をさせなければならない，(2) 検証および妥当性確認活動を行う要員には，業務の機能の一部として遭遇するかもしれない欠陥，および誤りを熟知させなければならない」と ISO にはない記述がある。これらは「Awareness Training」と呼ばれるもので，実行されなければならない。さらに「自らの特定の業務」の解釈も，日本では，たとえば「ラインリーダーの業務はラインの管理監督であり，怠ると生産性や不良率が悪化する」のように捉え，教育するのが普通であるが，QSR の要求はもっと現実的かつ具体的で，たとえば「ラインのドライバーのトルク管理はスペックどおりに行う。そうしないと機器を破壊する」などと理解したほうがよいようである。

QSRの要求事項とISO 13485との主な違いⅡ

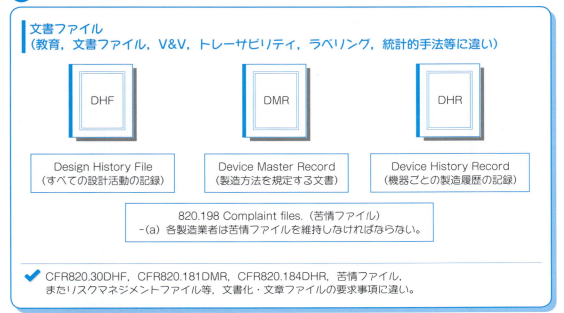

　2番目が文書ファイルの関連である。ISOもそうだが，QSRも多くの記録，手順などの文書化要求がある。これは歴史的文化的背景の影響が強く，日本人の感覚からすると「そこまで細かく文書化しなくても業務はできるし，そのほうが効率がよい」と考えたくなるが，そこはジッとがまんして，国際ルールに従う必要がある。

　ISOでも文書化，およびその管理と維持は要求事項であるが，QSRでは具体的なファイルを要求している。文書がよく管理されているということは，「必要なときに，必要な人がすぐに使えるような状態にする」と捉えれば具体的なファイルの要求もISOのいう管理のうちと理解できる。しかし，いままで，文書管理をISOの範囲内であるが独自の方法で管理している企業では，具体的なファイル方法まで規定されると，不都合が多く発生することは想像にかたくないところである。染み付いた単純な業務ほど，変更するとミスや勘違いが多発するものである。

　すべての設計活動の記録であるDHF（Design History File），製造方法を規定する文書のDMR（Device Master Record），機器ごとの製造履歴の記録のDHR（Device History Record），苦情ファイルやリスクマネジメントファイルなど，ISOにも一部要求があるが，QSRの要求はより具体的である。なお，上図には，対応するCFR番号も記載しておいた。

QSRの要求事項とISO 13485との主な違い Ⅲ

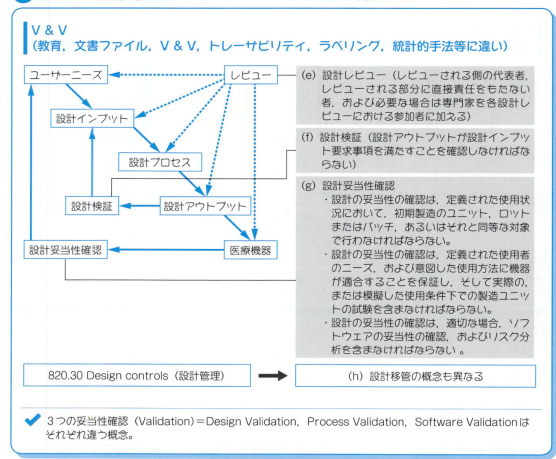

- 3つの妥当性確認（Validation）＝Design Validation, Process Validation, Software Validationはそれぞれ違う概念。

　QSRではVerification（検証），Validation（妥当性確認），およびReview（レビュー）の概念と厳格な実施要求が明確である。これらはISOでも定義され，実行されているはずだが，現状ではISO定義が広すぎて各企業での捉え方に差があり，その差が実務の差になっている。

　上図の記載は，21 CFR Part 820.30 Design controls（設計管理）にある設計におけるプロセス上での各要求の概要に留めているが，これを理解することはQSR遵守において不可欠である。

・設計レビュー（レビューされる側の代表者，レビューされる部分に直接責任をもたない者，および必要な場合は専門家を各設計レビューにおける参加者に加える。）
・設計検証（設計アウトプットが設計インプット要求事項を満たすことを確認しなければならない。）
・設計妥当性確認
　①設計の妥当性の確認は，定義された使用状況において，初期製造のユニット，ロッ

トまたはバッチ，あるいはそれと同等な対象で行わなければならない。
②設計の妥当性の確認は，定義された使用者のニーズ，および意図した使用方法に機器が適合することを保証し，そして実際の，または模擬した使用条件下での製造ユニットの試験を含まなければならない。
③設計の妥当性の確認は，適切な場合，ソフトウェアの妥当性の確認，およびリスク分析を含まなければならない。

さらに，妥当性確認（Validation）はプロセスにより意味合いと要求内容に違いがあり，とくによく使われる3つの妥当性確認が，Design Validation，Process Validation，Software Validationもそれぞれ違う概念であることに注意する。

また，21 CFR Part 820.30 Design controls（設計管理）の（h）の設計移管の概念もISOとは異なることに注意する。

▶ QSRの要求事項とISO 13485との主な違い Ⅳ

トレーサビリティ
（教育，文書ファイル，V＆V，トレーサビリティ，ラベリング，統計的手法等に違い）

Subpart F —— Identification and Traceability（識別およびトレーサビリティ）
　820.60 Identification.（識別）
　　各製造業者は，受領，製造，流通，および据付のすべての工程において，<u>混同を防止するため，製品の識別</u>に関する手順書を確立し，そして維持しなければならない。
　820.65 Traceability.（トレーサビリティ）
　　…製造業者は，各ユニット，ロットあるいは最終製品のバッチ，および適切な場合部品の，管理番号によって識別する手順を確立し，そして維持しなければならない。

トレーサビリティマトリックス手法の実施

✓ 顧客のニーズから設計管理，製造および工程管理を経て製品実現に至るプロセスで，要求事項が確実に達成されているかのトレーサビリティも重要。

QSRとISO 13485でトレーサビリティに大きな違いがあるわけではないが，QSRでも非常に重要な要求であるので解説を加える。

上図にはSubpart F —— Identification and Traceability（識別およびトレーサビリティ）をあげている。

820.60 Identification（識別）
　各製造業者は，受領，製造，流通，および据付のすべての工程において，混同を防止す

224　第4章　医療機器業界参入のための海外の法を知る

> るため，製品の識別に関する手順書を確立し，そして維持しなければならない。
> 820.65 Traceability（トレーサビリティ）
> …製造業者は，各ユニット，ロット，あるいは最終製品のバッチ，および適切な場合部品の，管理番号によって識別する手順を確立し，そして維持しなければならない。

　QSRでは，識別，トレーサビリティでも，その実行が厳密で，たとえば製造現場での良品と不良品の識別も，単に床にテープを貼って識別するのでは不十分と指摘されることがあるようで，管理された人しか入れない部屋で分けるとか，施錠された網で分けるようなことが実際の査察で要求されている。製品のクラス等も厳格性に関連するが，ISOの監査より厳しいことを知っておかなければならない。

　また，Subpart F以外でも，設計プロセスでのトレーサビリティも重要である。すなわち，顧客のニーズから設計管理，製造，および工程管理を経て製品実現に至るプロセスで，確かに要求が受け継がれ，顧客のニーズや要求事項が確実に製品で達成されているかのトレーサビリティを要求されている。このような要求を確かに満たしている証拠として，たとえば，トレーサビリティマトリックス手法の実施記録等を示すことが必要になる。

▶ QSRの要求事項とISO 13485との主な違い V

> **ラベリング**
> （教育，文書ファイル，V＆V，トレーサビリティ，ラベリング，統計的手法等に違い）
>
> > Subpart K —— Labeling and Packaging Control
> > 820.120 Device labeling.（機器のラベリング）
> > 　各製造業者は，ラベリング活動を管理する手順を確立し，そして維持しなければならない。
>
> 　　　　⇒ (a) ラベルの完全性
> 　　　　⇒ (b) ラベリングの検査
> 　　　　⇒ (c) ラベリングの保管
> 　　　　⇒ (d) ラベリング作業
> 　　　　⇒ (e) 管理番号
>
> ✓ 詳細な記載であり，ISO 13485と大きく異なる。

　QSRでは，ラベリングへの要求も詳細で，ISOと異なる。内容はSubpart K—Labeling and Packaging Controlの21 CFR Part 820.120 Device labeling（機器のラベリング）に，「各製造業者は，ラベリング活動を管理する手順を確立し，そして維持しなければならない」とあり，さらに (a) ラベルの完全性，(b) ラベリングの検査，(c)

ラベリングの保管，(d) ラベリング作業，(e) 管理番号と詳しく書かれている。また，他ガイドラインもあるので，実務担当者であれば確認しておかなければならない。

　ラベリングの厳しい要件については，米国での上市プロセスの解説において，市販前要求事項でも強調したように，米国の市場でラベリングに関する問題が多いことに起因している。なお，市販前要求事項のラベリングの具体的な作業要求も，この21 CFR Part 820.120である。

▶ QSRの要求事項とISO 13485との主な違い Ⅵ

> **統計的手法**
> （教育，文書ファイル，V＆V，トレーサビリティ，ラベリング，統計的手法等に違い）
>
> > Subpart O —— Statistical Techniques（統計的手法）
> > 　820.250 Statistical techniques（統計的手法）
>
> > (a) 適切な場合，各製造業者は，工程能力および製品特性の許容可能性を確立し，管理し，そして検証するために要求される**有効な統計的手法**を明確にするための手順を確立し，そして維持しなければならない。
>
> > (b) サンプリング計画を使用する場合，それを文書化し，そして有効な統計的な理由づけに基づかなければならない。
> > 　各製造業者は，サンプリング方法がその意図した使用に対して適切である，および変更が生じたとき，サンプリング計画をレビューすることを確実にするための手順を確立，および維持しなければならない。
> > 　これらの活動は文書化されなければならない。
>
> ISO 13485に統計的手法の記載はないが，FDAの査察では統計的手法の利用が問われる。

　統計的な手法を用いることは，章立てがなくても基本的に要求されていると理解しなければならないが，QSRではわざわざ章をつくって統計的手法を使うことを要求している。

　Subpart O —— Statistical Techniques（統計的手法）の，21 CFR Part 820.250 Statistical techniques（統計的手法）において，上のように書かれている。

(a) 適切な場合，各製造業者は，工程能力および製品特性の許容可能性を確立し，管理し，そして検証するために要求される有効な統計的手法を明確にするための手順を確立し，そして維持しなければならない。
(b) サンプリング計画を使用する場合，それを文書化し，そして有効な統計的な理由づけに基づかなければならない。
　　各製造業者は，サンプリング方法がその意図した使用に対して適切である，およ

び変更が生じたとき，サンプリング計画をレビューすることを確実にするための手順を確立，および維持しなければならない。
これらの活動は文書化されなければならない。

統計的手法について，ISO 13485には，8章の「測定・分析および改善」の文章中に「統計的手法を含め」などの記載はあるが，章としての記載はない。しかし，統計的手法の利用はFDAの査察で問われることが多いので注意を要する。

さらに，品質管理では，適切なサンプリングや，各データ解析における統計的手法の利用はあたり前のことだが，エンジニアの中にも「新QC7つ道具」はもとより，「QCの7つ道具」への知識さえ磐石でない人もいることに注意する。いくらデータをとっても論理的な根拠と信頼度がないと，すべての仕事が無になってしまう。

■参考文献
1) Medical Device User Fee Amendments（FDAホームページ）
2) Requests for Feedback and Meetings for Medical Device Submissions:The Q-Submission Program（FDA Guidance for Industry and Food and Drug Administration Staff）
3) FDA Product Classification Database（FDAホームページ）
4) An Introduction to FDA's Regulation of Medical Device（FDAホームページ）
5) Is My Product a Medical Device?（FDA CDRH Learn）
6) 医療機器産業の展望2030（KPMGインターナショナル）
7) The changing landscape of medical devices industry in the APAC region（KPMGインターナショナル）

4.2 欧州の法規制（MDR）

4.2.1 欧州の医療機器関連法体系と MDR

▶ EU の体制

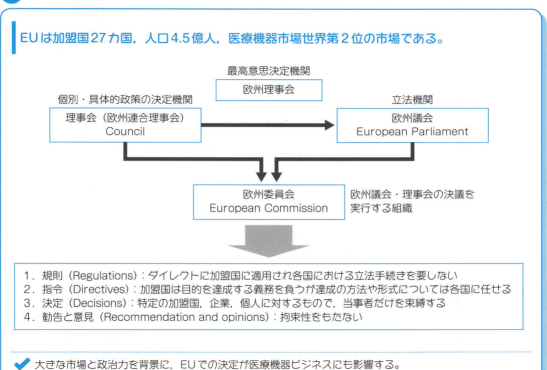

EU は加盟国27カ国，人口4.5億人，医療機器市場世界第2位の市場である。

1. 規則（Regulations）：ダイレクトに加盟国に適用され各国における立法手続きを要しない
2. 指令（Directives）：加盟国は目的を達成する義務を負うが達成の方法や形式については各国に任せる
3. 決定（Decisions）：特定の加盟国，企業，個人に対するもので，当事者だけを束縛する
4. 勧告と意見（Recommendation and opinions）：拘束性をもたない

✔ 大きな市場と政治力を背景に，EU での決定が医療機器ビジネスにも影響する。

　EU（欧州連合）は加盟27カ国からなるヨーロッパの統合体で，人口4.5億人と世界で3番目の規模をもち，市場としても大きな地域である。また，EU の医療機器市場は約14兆円規模といわれ，世界の医療機器市場51兆円の中で米国に次ぎ2番目の大きさを誇っている。一方，市場としての魅力もさることながら，医療機器に対する法規制のしくみも日本や米国と違っていてユニークである。さらに，EU には大きな政治力もあるので，この大きな市場と政治力を背景に，EU での決定が世界の医療機器ビジネスに影響することを理解しておかなければならない。

　まず EU の政治体制であるが，最高意思決定機関は欧州理事会で，EU の方針や政策の大局を決定する。また，個別かつ具体的な政策の決定機関として，加盟国の閣僚から

なる理事会（理事会，Councilとも呼ばれる）があり，医療機器に関する分野の政策もここで事実上決定される。さらに，理事会でまとめられた政策案が欧州議会（European Parliament）に諮られ，決定されるしくみになっている。ただし，欧州議会は立法機関といえるが，形式的な色合いがある組織である。

欧州委員会は，欧州議会，理事会の決議を実行する組織として政策執行を担当する。その組織は部門，総局，局からなっており，医療機器に関する担当の総局は保健・食品安全総局（Directorate-General for Health and Food Safety）である。

EUは独立した国からなる統合体であるので，EUでの決定に法の裏づけが必要な場合には，各国の法と関連づけられるのが基本であり，EUの決定には4つのランクがある。

- 規則（Regulations）：ダイレクトに加盟国に適用され，各国における立法手続きを要しない。
- 指令（Directives）：加盟国は目的を達成する義務を負うが，達成の方法や形式については各国に任せる。
- 決定（Decisions）：特定の加盟国，企業，個人に対するもので，当事者だけを束縛する。
- 勧告と意見（Recommendation and opinions）：拘束性をもたない。

したがって，本章で出てくる医療機器「規則」（MDR）は欧州の法体系で，「ダイレクトに加盟国に適用され，各国における立法手続きを要しない」との意味をもっているため，MDRがEU加盟国共通の医療機器法規制となるため，各加盟国に違いはない。

▶ 欧州の医療機器法規制

欧州医療機器規則（MDR）は，ニューアプローチ指令と新たな法的枠組み規則が背景。

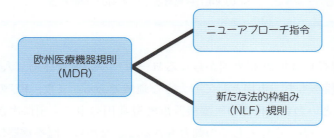

✓ ・欧州における医療機器法規制・・・現行法は，欧州医療機器規則（MDR），旧法は，欧州医療機器指令（MDD）。
・MDDはニューアプローチ指令からできたもので，MDRは新たな法的枠組み規則からできたもの。

欧州の現行法規制の欧州医療機器規則（MDR）は，ニューアプローチ指令と新たな

法的枠組み規則を背景にできあがったものである。ニューアプローチ指令と新たな法的枠組み規則についてそれぞれ概要を述べる。

▶ ニューアプローチ指令と医療機器指令（MDD）

> ニューアプローチ指令はEU圏での自由な物やサービスの移動を保証する指令。

コンセプト
- 安全や品質基準の統一のための技術的調和と標準化
- 適正な認証と試験の実施
- 域内での製品の自由な移動の保証

ニューアプローチ指令（New Approach Directives）
- 指令に適合した製品の域内での自由な流通が認められる
- 個々の詳細な規定はしないで Essential Requirements とする
- 整合規格に適合する製品は指令の要求に適合するものとする
- 適合性評価の方法はモジュール方式が採用される
- 多くの製品は適合性を宣言することで自由に流通できる
- 国別の許可・承認はしないで第三者認証機関を使う
- 指定の完全適合の証として CE マークを付ける

✓ EU圏は EU＋EFTA の31カ国。

　医療機器指令（MDD）のもととなっているのが「ニューアプローチ指令（New Approach Directives）」である。もともとEUの理念は，「人や物やサービス，またお金が自由に行き交うことを保証する体制」であったが，各国の規格が違い，試験や承認方法が違っていると，実質自由な流通が阻害されてしまう。そこで1985年に理事会が決めたものが，「EU圏での自由な物やサービスの移動を保証する」ニューアプローチ指令である。目的は，EU各国の貿易の障壁を取り除くことであるが，そのためのコンセプトは，安全や品質基準の統一のための技術的調和と標準化を図ること，適正な認証と試験の実施ができるしくみをつくること，域内での製品の自由な移動を保証するわかりやすいマークなどの方法を用いることである。ニューアプローチ指令の施行により，EU加盟国に欧州自由貿易連合（EFTA）4カ国を加えた31カ国内で多くの物が自由に流通するようになっている。

　なお，1993年，このニューアプローチ指令に基づき，医療機器指令（MDD）が施行された。

〈ニューアプローチ指令の特徴〉
・指令に適合した製品の域内での自由な流通が認められる。
・個々の詳細な規定はしないで，Essential Requirementsとする。
・整合規格に適合する製品は，指令の要求に適合するものとする。
・適合性評価の方法は，モジュール方式が採用される。
・多くの製品は，適合性を宣言することで，自由に流通できる。
・国別の許可・承認はしないで，第三者認証機関を使う。
・指定の完全適合の証としてCEマークを付ける。

▶ 新たな法的枠組み（NLF）と医療機器規則（MDR）

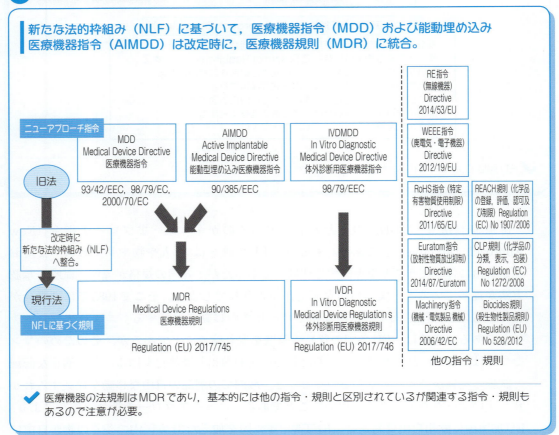

2010年に，既存のニューアプローチ指令と関係する各指令の間で要求する部分との不備を整合化させるために，「新たな法的枠組み」（New Legislative Framework：NLF）が施行された。医療機器規則（MDR）の直接のもととなっているのが，新たな法的枠組み（New Legal Framework，NLF）である。NLFは，ニューアプローチの見

直しを行った結果としてできあがった法体系であるが，ニューアプローチの基本理念を踏襲している。

　NFLでは，以下のような見直しがされている。
・Notified Bodyを見直し，適合性評価システムを強化する。
・市場監視を強化するとともに，健康と環境を重視する。
・CEマーキングの信頼と権威を高める。
・指令ごとに適合宣言書と技術文書の項目の差異を統一する規定を作成し，それを引用させること。
・既存のニューアプローチ指令改正時に，NLFに整合させる。
・制度の簡素化と整合化を図り，手続きなど管理上の負担を軽減する。
・SME（中小企業：Small and Medium Sized Enterprise）に有益であること。

　2017年にNLFに基づいて，医療機器規則（MDR）が施行された。MDRは，医療機器指令（MDD）と能動型埋め込み医療機器指令（AIMDD）の2つの指令に置き換わる規則である。一方，体外診断用医療機器に対しては，体外診断用医療機器規則（IVDR）が施行された。
　医療機器規則（MDR）は，基本的には他の指令・規則と独立されているが，相互に関連する指令・規則もあるので，他のカテゴリーの指令・規則の内容にも注意が必要である。
　とくに注意してもらいたいものを以下に列記した。

〈医療機器に関連すると思われる指令・規則〉
・Machinery指令（機械・電気製品機械）　Council Directive 2006/42/EC
・WEEE指令（廃電気・電子機器）　Council Directive 2012/19/EU
・RoHS指令（特定有害物質使用制限）　Council Directive 2011/65/EU
・Euratom指令（放射性物質放出抑制）　Council Directive 2014/87/Euratom
・RE指令（無線機器）　Council Directive 2014/53/EU
・Biocides規則（殺生物性製品規則）　Regulation（EU）No 528/2012
・REACH規則（化学品の登録，評価，認可及び制限）　Regulation（EC）No 1907/2006
・CLP規則（化学品の分類，表示，包装）　Regulation（EC）No 1272/2008

▶ 医療機器法規制の変革（MDDからMDRへ）

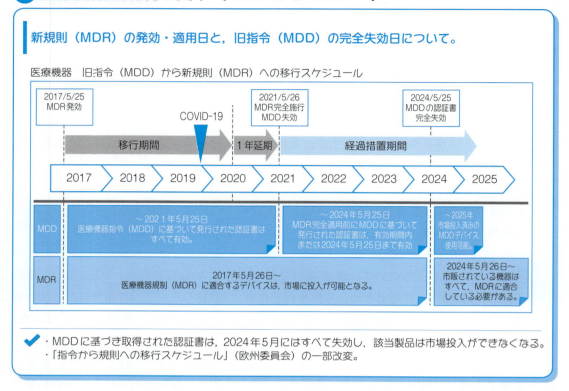

- MDDに基づき取得された認証書は，2024年5月にはすべて失効し，該当製品は市場投入ができなくなる。
- 「指令から規則への移行スケジュール」（欧州委員会）の一部改変。

　2017年5月5日，欧州医療機器規則（Medical Devices Regulation, Regulation 2017/745, MDR）が欧州官報（Official Journal of the European Union）に発表され，同年5月25日に正式発効された。

　このMDRは，医療機器指令（Medical Device Directive, 93/42/EEC, MDD）と，能動埋め込み医療機器指令（Active Implantable Medical Device Directive, 90/385/EEC, AIMDD）の2つの指令（Directive）に取って代わる，欧州における新しい法規則である。

　MDRの適用日は，当初発効から3年後の2020年5月を予定していたが，COVID-19のパンデミックにより1年延期され，2021年5月26日となった。旧指令であるMDDは，MDRの適用日と同日失効することになる。MDDが失効すると，MDDに基づく認証書は発行されなくなる。

　2021年5月26日（MDR適用日）までは，新しい規制への移行期間とされ，MDDとMDRが並行運用された。この間は，MDDとMDR両方ともEC認証書取得，EU市場への投入，EU市場での流通が可能である。

　2021年5月26日以降は，MDRが医療機器の法規制として運用され，MDDはその効果を失った。MDRに基づくEC認証書取得，EU市場への投入，EU市場での流通が可

能である。一方，MDDに対しては2025年まで段階的な経過措置期間が設けられた。まず，EC認証書であるが，2021年5月26日にMDDは失効するため，新たにMDDに基づくEC認証書の取得は不可能となった。EU市場への投入は，発行済みのMDDに基づくEC認証書の有効期間内または2024年5月25日までは認められる。そして，2025年5月25日までは，EU市場内部での流通が認められた。

なお，市販後調査やビジランスシステムの構築などQMSに対するMDRの要求事項は，MDDに基づくEC認証書をもっていても，適用日2021年5月26日より対応が必要とされた。

MDDからMDRへの移行によって医療機器のEC認証を行うNotified Bodyの淘汰が行われた。MDDのNotified Bodyが，そのままMDRのNotified Bodyとはなれず，MDRに基づくNotified Bodyの認定をうける必要があったためである。MDDでは80以上あったNotified Bodyが，MDRでは25となっている（2021年12月時点）。

▶ 法規制変革の背景

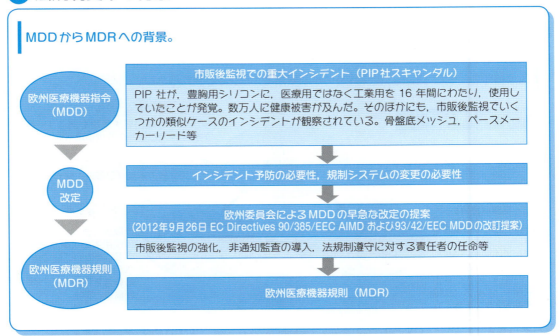

MDDからMDRへの背景。

MDD制定以降，大きな更新がない医療機器指令（MDD）の改正は，長年の懸案事項であった。2008年から，欧州の立法当局は，徐々にではあるが改正を検討し始めていた。ところが，2010年以降に起きた一連のインシデントがきっかけとなり，立法当局や業界関係者たちの間で，患者の安全に関する問題に十分対応するには現在の指令では不十分であり，早急に規制改革が必要であると強調されるようになった。

2010年以降に起きた一連のインシデント
- 2010年8月のDepuy社によるメタル股関節置換システムの自主回収。自社調査の結果，5年間故障率13％という結果であった。
- 2012年6月，Poly Implants Prothese（PIP）社が，医療用ではなく，工業用シリコンで製造した乳房インプラントであることを知りながら，販売したことが明らかになった。その被害は，30万人に及ぶものであった。

これらのインシデントを受け，2012年9月26日，欧州委員会によるMDDの早急な改定の提案（AIMDDおよびMDDの改定提案）がなされた。2014年，新しい医療機器関連法案に対して，指令（directive）より厳格な規制（regulation）という言葉が使われるようになり，これが医療機器業界への警鐘となった。2015年のなかばになると，新規則の詳細が広く検討されるようになり，欧州委員会と欧州議会，EU理事会で構成するいわゆるEUの三者交渉で策定が開始され，2017年5月，欧州医療機器規則（MDR）として正式発行につながった。

▶ EUにおける医療機器規制の3要素

医療機器の規制の3要素は世界共通の規制要素で，EUでも変わらない。

MDR規制3要素

有効性
安全性と性能の要求事項である「一般的安全性及び性能の要求事項（GSPR）」に適合している証拠を技術文書にまとめる。ノーティファイドボディーによる技術文書の審査（クラス1除く）。

中央: 安全性と性能の要求事項／技術文書／整合規格

品質（維持）
QMSに対する要求事項。
ENISO13485＋MDR独自要求への適合。ノーティファイドボディーによるQMS審査（クラス1除く）。

QMS要求事項　EN ISO13485

市販後調査プロセス　市販後臨床フォローアップ　ビジランスシステム　事故報告，回収報告

安全性
市販後の機器についての使用実績・事故情報のモニタリング，当局への事故報告，リコール報告を円滑に行う体制構築と実施。

✓ 3要素は共通だが，日米が承認などを与える受動的システムに対し，EU（MDR）では製造業者が法的規制への適合を宣言する能動的システムであることが大きく異なる。

日本の医薬品医療機器等法や米国のFD&CAと同様に，医療機器に対する規制の3つの要素「有効性」，「安全性」，「品質（維持）」は，EUの医療機器規則（MDR）においても変わらない。ただし，3要素は共通だが，その施行のシステムは大きく違ってい

て，日米では行政当局や委託された認証機関等が認証や承認などを与える，製造業者からみると受動的なシステムであるのに対し，EU（MDR）では製造業者が法的規制への適合を自ら確認し，自らの責任で適合を宣言する能動的システムであるところが大きく異なる．

したがって，規制要素の「有効性」についても，医療機器の基本要件である一般的安全性および性能の要求事項への適合を製造業者自身で確認し，それを自らが宣言（自己宣言）し，証としてCEマークを添付する．また，2番目の規制要素である「品質（維持）」については，Notified Bodyと呼ばれる認証機関が，製造業者が定めた適合性評価手順により適合性評価を行うので，基本的にはISOの品質監査とよく似ている．

「安全性」では，欧州市場での市販後のサーベイランス（市場からのフィードバック情報の収集とその処置などの活動）とビジランス（事故報告）システムの構築と手順が要求されるので，米国に似ている．

▶ MDRの構成

10の章（Chapter）に分類された123の条文（Article）と，17のAnnexから構成．

条 Article		Chapter
1〜4	I	適用範囲及び定義
5〜24	II	市場への機器提供，機器の使用開始，事業者の義務，再処理，CEマーキング，自由流通
25〜34	III	機器の識別及びトレーサビリティ，機器及び事業者の登録，安全性及び臨床成績の概要，欧州医療機器データベース
35〜50	IV	ノーティファイドボディー（NB）
51〜60	V	クラス分類及び適合性評価
61〜82	VI	臨床評価及び臨床試験
83〜100	VII	市販後調査，監視及び市場調査
101〜108	VIII	加盟各国間の協力，医療機器調整グループ，専門試験機関，専門家パネル及び機器登録
109〜113	IX	機密保持，データ保護，資金調達及び罰則
114〜123	X	最終規定

Annex	
Annex I	一般的安全性及び性能の要求事項（GSPR）
Annex II	技術文書
Annex III	市販後調査に関する技術文書
Annex IV	適合宣言書
Annex V	CEマーキング
Annex VI	機器及び事業者の登録情報，UDI
Annex VII	NBへの要求事項
Annex VIII	クラス分類
Annex IX	QMS及び技術文書の評価に基づく適合性評価
Annex X	型式試験に基づく適合性評価
Annex XI	製品適合性に基づく適合性評価
Annex XII	NBが発行する認証書
Annex XIII	カスタムメイド機器の手順
Annex XIV	臨床評価及び市販後臨床フォローアップ
Annex XV	臨床試験
Annex XVI	医療目的ではない製品グループリスト
Annex XVII	相関表

- MDD（全23条と12のAnnex）と比べ，MDRは条文がおよそ5倍になり，Annexも5つ増えている．
- MDRでも，ガイダンス文書は法的拘束力はないものの，実務に欠かせない（MDCG Documents）．2021年12月現在，策定中のガイダンス文書も多く，旧指令（MDR）のガイダンス文書（MEDDEV）もまだ現役．

実際に医療機器をEU圏で上市するには，MDRの中身を精査し，理解し実行しなければならないが，まずMDR全体を俯瞰する。

MDRは，条文（Article）第1（I）章～第10（X）章の全10章（条文は，全123条，Article 1～Article 123）と，Annex 1（I）～17（XVII）で構成されている。MDDの構成（全23条と12のAnnex）と比較すると，条文の数がMDDの5倍以上に増えている。

〈Annexの構成〉
- I 一般的安全性及び性能の要求事項
- II 技術文書
- III 市販後調査に関する技術文書
- IV 適合宣言書
- V CEマーキング
- VI 機器及び事業者の登録情報，UDI
- VII NBへの要求事項
- VIII クラス分類
- IX QMS及び技術文書の評価に基づく適合性評価
- X 型式試験に基づく適合性評価
- XI 製品適合性に基づく適合性評価
- XII NBが発行する認証書
- XIII カスタムメイド機器の手順
- XIV 臨床評価及び市販後臨床フォローアップ
- XV 臨床試験
- XVI 医療目的ではない製品グループリスト
- XVII 相関表

MDRに限らず，たとえば国際標準化規格の規格書もそうだが，本文で要求事項の概要を記載し，Annexに実務に必要な詳細情報がまとめられる構成になっている。したがって，条文と同等以上にAnnexの内容は重要である。

さらに，実務に欠かせないのがガイダンス文書である。ガイダンス文書は，法的拘束力がないとされているが，Annexの情報をさらに補足していることが多く，また，MDRを理解する上でも非常に有用である。

なお，MDRにおけるガイダンス文書は，医療機器調整グループからMDCG文書が発行されているが，MEDDEV文書も一部は実務上運用されている。いずれのガイダンス文書も，欧州委員会EU COMMISSIONのホームページから入手できる。

4.2.2 EUでの医療機器上市プロセス

▶ EUにおける上市プロセスの概要

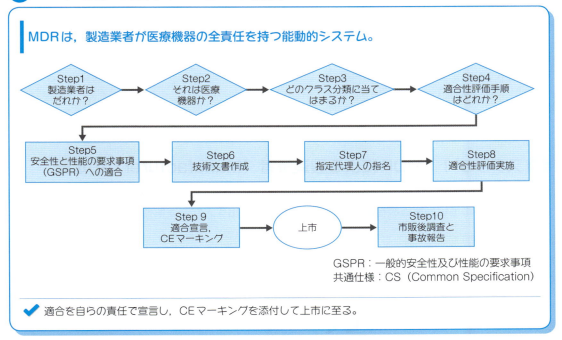

ここでは，EUに医療機器を輸出する製造業者の立場で，上市に至るまでのプロセスの概要を10のステップに分けて説明する。前記のとおり，MDRのシステムは「製造業者が医療機器について全責任をもつ能動的システム」であり，誰が責任者なのかを明確にして，要求されている事項への適合を自らの責任で宣言し，CEマークを添付して上市となる。

上市までの9つと上市した後の市販後調査の1ステップ，合わせて10個を以下に示す。

Step 1
　製造業者はだれか？
Step 2
　それは医療機器か？
Step 3
　どのクラス分類に当てはまるか？
Step 4
　適合性評価手順はどれか？
Step 5
　安全性と性能の要求事項（GSPR）への適合
Step 6
　技術文書の作成

第4章 医療機器業界参入のための海外の法を知る

Step 7
    欧州代理人の選定
Step 8
    適合性評価の実施
Step 9
    適合宣言，CEマーキング
Step 10
    市販後調査と事故報告

▶ ステップ1：MDRによる製造業者（Manufacturer）の定義

> EUでは，市場に当該医療機器を自らの名前，商標で出す人が製造業者。

Article 2 定義
（30）製造業者（Manufacturer）とは
機器を製造又は全面改修するか，又は設計，製造，又は全面改修された機器を有し，その機器を自己の名前又は商標でその機器を上市するものをいう。

CE CEマーキングの主体者

Article 10 製造業者の義務
・製造業者が，MDRの要求事項への適合の責任を持つ。
・要求事項に適合するQMSを構築をする。
・製造業者の情報をラベル表示。
・製造業者の情報を欧州医療機器データベース（EUDAMED）への登録。

欧州医療機器データベース：European Database on Medical Devices（EUDAMED）

✓ MDRでは，製造業者，欧州代理人，輸入業者，販売業者の4者をまとめて，経済事業者（Economic Operator）といい，それぞれに義務を課している。

　日本では市販する医療機器は製造販売業者が一義的責任をもち，米国では完成品に関連する行為のすべてを製造業者として責任をもつのに対して，EUの「製造業者（Manufacturer）」は，当該医療機器に対してすべての責任をもつ「CEマーキングの主体者」である。この定義はArticle 2「定義」(30) で以下のように記載されている。

```
'manufacturer' means a natural or legal person
        who manufactures or fully refurbishes a device ················ ①
             or has a device designed, manufactured or fully refurbished, ········ ②
        and markets that device under its name or trade mark; ············ ③
```

製造業者とは，①製造行為，または完全改修（リファービッシュ）行為を行うか，②設計，製造，完全改修（リファービッシュ）された機器を所有し，かつ③自らの名前で機器を市場に出荷する人（個人），または法人である。

　ここでいう完全改修（リファービッシュ）とは，機器を新品時と同様の有効性・安全性に戻す作業のことを意味する。日本で医療機器の中古品を販売するまえに，製造販売業者にその旨通知して，販売可能な状態か確認し，必要であれば整備を行うが，この中古品の整備を行い販売できる状態にすることが完全改修（リファービッシュ）である。

　ポイントは，EUでは市場に当該医療機器を自らの名前で出す人が製造業者である。「その医療機器が誰の名前で出されているか」で決まるので，EUでは当該医療機器への製造業者を識別する情報（会社名や商号等）の記載を製造業者は求められる。たとえば，製造行為を行わなくとも販売権をもち，自分の名前で上市すれば製造業者の定義に該当し，当該医療機器に対してすべての責任をもつ「CEマーキングの主体者」となるわけである。そのため，製造業者でない者が製品や梱包材等に社名やマーク等を表示すると，製造業者と見られる可能性があるので，注意が必要である。

▶ ステップ2：MDRによる医療機器（Medical Device）の定義

> MDRの医療機器の定義でも，単体のソフトウエアや付属品も，それ自体が医療機器。

Article 2 定義
　（1）　医療機器（Medical Device）とは
　器具・機器・用具・ソフトウエア・インプラント・試薬・材料又はその他の品目であって，単独使用か組み合わせか使用を問わず，製造業者が，以下の一つ以上の医療目的のために，人体への使用を意図したものである。
　　　　－疾病の診断，予防，監視，予測，予後，治療又は苦痛緩和
　　　　－負傷または身体障害の診断，監視，治療，苦痛緩和又は代替
　　　　－解剖学的，生理学的，又は病理学的プロセス又は状態の検査，代替または修復
　　　　－人体（臓器，血液及び組織の提供を含む）からの検体の体外試験によって得られた情報の提供
さらに，体内又は体表において，薬理学的・免疫学的又は新陳代謝の手段によって意図する主機能を達成することはないが，そうした手段によってその機能を補助してもよい。
次の製品も医療機器として扱う。
　　　　－受胎の調節又は支援のための機器
　　　　－第1条第4項及び本項の第1項に規定されている機器の洗浄・消毒又は滅菌を特に意図した製品

・MDRは，MDD（医療機器指令）及びAIMDD（能動埋込医療機器指令）を置き換える医療機器規則のため，原則としてMDDおよびAIMDDの対象がMDRの医療機器に該当する。
・ソフトウエア単体や付属品も，それ単体で流通する際にはCEマークが必要。
・カラーコンタクトレンズや脂肪吸引器などが「医療目的のない製品グループ」（Annex XVI）として医療機器に含まれることとなった（第1条第4項）。

開発・販売しようとしている製品が医療機器か医療機器でないかは，その地域の規制の対応の必要性にかかわる。EUにおける定義は，製造業者の定義と同様，MDRのArticle 2「定義」(1)にあり，記載内容は，以下のとおりである。

> 医療機器（Medical Device）とは，器具・機器・用具・ソフトウェア・インプラント・試薬・材料またはその他の品目であって，単独使用か組み合わせか使用を問わず，製造業者が，以下の1つ以上の医療目的のために人体への使用を意図したものである。
> － 疾病の診断，予防，監視，予測，予後，治療または苦痛緩和
> － 負傷または身体障害の診断，監視，治療，苦痛緩和または代替
> － 解剖学的，生理学的，または病理学的プロセスまたは状態の検査，代替または修復
> － 人体（臓器，血液及び組織の提供を含む）からの検体の体外試験によって得られた情報の提供
> そして，体内または体表において，薬理学的・免疫学的または新陳代謝の手段によって意図する主機能を達成することはないが，そうした手段によってその機能を補助するもの。
> 次の製品も医療機器として扱う。
> － 受胎の調節または支援のための機器
> － 第1条に規定されている機器の洗浄・消毒または滅菌を意図した製品

MDRによる医療機器の定義は，国際標準規格と記載内容も表記のしかたにも類似する点が多くある。

重要な点としては，MDRでもソフトウェアを明確に定義している点である。医療機器の中でソフトウェアの重要性が高まるなか，日本では医薬品医療機器等法への改正時に初めて医療機器の定義にソフトウェアが含まれたが，欧州ではMDD（2007/47/EC）からすでに医療機器として定義されている。MDRでも，規定の随所にソフトウェアの記載が存在していることから，変わらず重要視されている。

もう1つ重要なのが，医療機器の付属品の扱いである。MDRのArticle 2「定義」(2)において，「医療機器の付属品とは，それ自体が医療機器ではないが，1つ以上の特定の医療機器と併用することを製造業者が意図とするもの（以下省略）」としている一方，MDRのArticle 1「適用範囲」で，MDRの対象として医療機器に加え，医療機器の付属品も含まれると記載されている。

また，MDRは，Annex XVIの意図する医療目的でない製品群（例：カラーコンタクトレンズ），埋込能動医療機器（旧AIMDD対象）も適用対象としている。

▶ ステップ3：MDRのクラス分類

> 機器の意図された目的とリスクに応じて，Ⅰ，Ⅱa，Ⅱb，Ⅲの4つのクラスに分類。

Article 51 クラス分類
　意図された使用目的と個別のリスクを考慮した上でクラスⅠ，Ⅱa，Ⅱb，Ⅲに分類。
　分類は，AnnexⅧに従って行わなければならない。

Annex Ⅷ　クラス分類規定

○機器の意図された目的によって決定する
○機器を他の機器と組み合わせて使用する場合，各々の機器に適用する
○ソフトウェアであり機器を駆動し，または機器の使用に影響を与えるものは機器と同じクラスに入る
○機器の意図した用途が身体のある特定部位に限定できない場合，最もリスクの高い用途に基づいた考慮をもとに分類する

・ソフトウェア単独の医療機器は，能動機器として判断する。
・ガイダンス文書「MDCG 2021-24 Guidance on classification of medical devices」には，ルールごとに実例を交えた詳細な解説が記載されているため参考にされたい。

　MDRでは，Article 51クラス分類によって，医療機器をクラスⅠ，クラスⅡa，クラスⅡb，およびクラスⅢの4つに分類している。ただし，日本のクラス分類と数は同じだが，内容は同じではない。対象医療機器のリスク度合いによる分類は共通だが，EUではさらに対象の医療機器の使用状況が侵襲か非侵襲か，またその医療機器は能動か非能動かをもとに，Annex Ⅷの「クラス分類基準」のルール1からルール22を基準にしている。ここでいう能動機器とは，電気的エネルギー等で作動する医療機器のことであり，ソフトウェア単独の医療機器は能動機器とされる。

〈クラス分類ルール〉

ルール1～4	非侵襲性機器	Non invasive
ルール5～8	侵襲性機器	Invasive
ルール9～13	能動機器	Active devices
ルール14～22	特別ルール	Special rules

ソフトウェアは，ルール11に従いクラス分類を行う。

> ルール11：
> その診断が死亡や健康状態の不可逆な悪化を引き起こし得る　　Class III
> その診断が健康状態の深刻な悪化を引き起こし得る　　Class IIb
> 上記以外の診断または治療のためのソフトウェア　　Class IIa
> その変化が患者への即座の危険をもたらし得るような生理学的パラメータを監視する
> 　　Class IIb
> 上記以外の生理学的プロセスの監視のためのソフトウェア　　Class IIa
> 上記以外のソフトウェア　　Class I

なお，医療機器のクラス分類の責任も製造業者にある。ガイダンス文書「MDCG 2021-24 Guidance on classification of medical devices」には，ルールごとに実例を交えた詳細な解説が記載されているので参考にされたい。

▶ ステップ4：適合性評価手順の選定

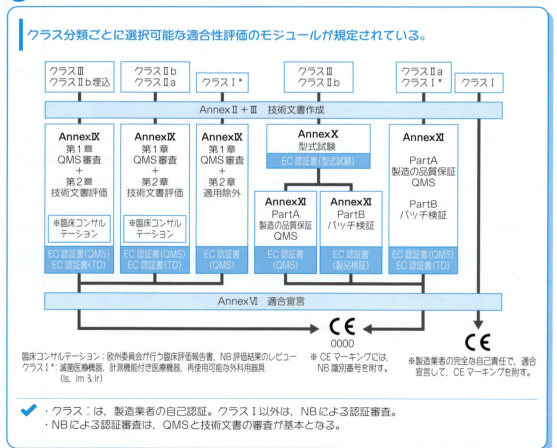

- クラスIは，製造業者の自己認証。クラスI以外は，NBによる認証審査。
- NBによる認証審査は，QMSと技術文書の審査が基本となる。

ニューアプローチ指令の基本コンセプトは「安全や品質基準の統一のための技術的調和と標準化」である。以前は個々の製品の技術基準を細部にわたり規定し，その基準に合った製品だけをEU内での流通を認めるしくみであった。しかし，これだと基準自体の作成に時間がかかり，技術革新のスピードに追いつけず，かつ，対応にも時間がかかるので，なかなか制度の浸透が進まなかった。一方，必要要求事項だけを規定し，それを満たす技術標準を用意するしくみがニューアプローチ指令である。その中のしくみの1つが「適合性評価方法のモジュール方式の採用」である。

そして，医療機器の適合性評価におけるモジュール方式では，医療機器のクラス分類ごとに評価手順をモジュールから組み合わせて選択することになる。

まず，適合性評価モジュールをまとめる（表4.3）。

フロー図でも説明したが，クラスごとの選択可能な医療機器の適合性評価モジュールを表4.4にまとめる。

表4.3 適合性評価のモジュールに関連するAnnex

Annex II～IV 技術文書，適合宣言書に対する要求事項

Annex	概要
Annex II	技術文書に対する要求事項
Annex III	市販後調査に関する技術文書に対する要求事項
Annex IV	EU適合宣言書

すべての医療機器に適用される要求事項。

Annex IX～XI NBによる適合性評価手順（モジュール）

Annex	概要
Annex IX	QMSと技術文書に基づく適合性評価 第1章　品質マネジメントシステム 第2章　技術文書レビュー
Annex X	型式試験に基づく適合性評価
Annex XI	製品適合性検証に基づく適合性評価

表4.4 クラスごとの選択可能な医療機器の適合性評価モジュール

■クラスI

クラス分類		適合性評価モジュール	
クラスI	滅菌，計測及び再使用可能な外科用器具（Is, Im & Ir）でない。	技術文書作成 Annex II＋III ※NB関与なし	
	滅菌，計測及び再使用可能な外科用器具（Is, Im & Ir）	技術文書作成 Annex II＋III	QMS審査 Annex IX（第I＋III章）
			製造の品質保証 Annex XI（パートA）

■クラスIIa

クラス分類	適合性評価モジュール	
クラスIIa	QMS審査 Annex IX（第I＋III章）	技術文書審査 Annex IX（第II章） ※機器カテゴリごとに審査。
	製造の品質保証 Annex XI（パートA）	技術文書 Annex II＋III ※機器カテゴリごとに審査。
	バッチ検証 Annex XI（パートB）	

■クラスⅡb

クラス分類		適合性評価モジュール	
クラスⅡb	非埋込機器	QMS審査 Annex Ⅸ（第Ⅰ＋Ⅲ章）	技術文書審査 Annex Ⅸ（第Ⅱ章） 総称的機器グループごとに審査。
		型式試験 Annex Ⅹ	製造の品質保証 Annex Ⅺ（パートA）
			バッチ検証 Annex Ⅺ（パートB）
	埋込機器	QMS審査 Annex Ⅸ（第Ⅰ＋Ⅲ章）	技術文書審査 Annex Ⅸ（第Ⅱ章） 機器ごとに審査。
		型式試験 Annex Ⅹ	製造の品質保証 Annex Ⅺ（パートA）
			バッチ検証 Annex Ⅺ（パートB）
	医薬品の注入／除去する能動機器	QMS審査 Annex Ⅸ（第Ⅰ＋Ⅲ章）	技術文書審査 Annex Ⅸ（第Ⅱ章） 総称的機器グループごとに審査。
		型式試験 Annex Ⅹ	製造の品質保証 Annex Ⅺ（パートA）
			バッチ検証 Annex Ⅺ（パートB）

■クラスⅢ

クラス分類		適合性評価モジュール	
クラスⅢ	非埋込機器	QMS審査 Annex Ⅸ（第Ⅰ＋Ⅲ章）	技術文書審査 Annex Ⅸ（第Ⅱ章） 総称的機器グループごとに審査。
		型式試験 Annex Ⅹ	製造の品質保証 Annex Ⅺ（パートA）
			バッチ検証 Annex Ⅺ（パートB）
	埋込機器	Annex Ⅸ 製造の品質保証＋バッチ検証	
		型式試験 Annex Ⅹ	製造の品質保証 Annex Ⅺ（パートA）
			バッチ検証 Annex Ⅺ（パートB）

　余談になるが，認証書の有効期間は5年であるが，サーベランス監査が原則1年定期で行われる。さらに3〜5年に一度，非通知監査（抜き打ち）が必ず行われる。

▶ ステップ5：安全性と性能の要求事項（GSPR）への適合

> 一般的安全性および性能の要求事項は，すべての医療機器に適用される23項目の要求事項。

該当する整合規格，共通仕様が存在する場合は，整合規格，共通仕様により適合を示すことを推奨。

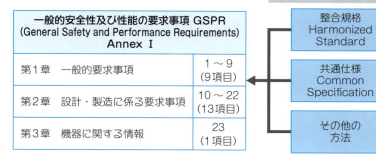

- 適用可能な整合規格や共通仕様を調べる場合は，欧州委員会のホームページを参照されたい。
- 整合規格をGoogle等で検索する場合は，「MDR harmonised Standards list」などを入力。
- 共通仕様は，2021年12月現在1文書，単回使用医療機器（Single-Use Devices, SUD）の再処理に関してのみ。

ステップ5では，Annex Iの一般的安全性及び性能の要求事項（General Safety and Performance Requirements, GSPR）への適合を立証していく。GSPRへの適合は，すべての医療機器を対象にしている。一般的には，GSPRの要求事項チェックリストに沿って確認を実施し，次のような流れでその表を埋めていく。

〈GSPRの要求事項チェックリストのサンプル〉

No.	Requirement	Apply	Applied Standards	Reference (Location)
	CHAPTER I GENERAL REQUIREMENTS (第1章 一般要求事項)			
1	Devices shall achieve the performance intended by their manufacturer and shall be designed and manufactured in such a way that, during normal conditions of use, they are suitable for their intended purpose. They shall be safe and effective and shall not compromise the clinical condition or the safety of patients, or the safety and health of users or, where applicable, other persons, provided that any risks which may be associated with their use constitute acceptable risks when weighed against the benefits to the …	①	②	③

①各要求事項への適用／不適用の判断をする。

　要求事項について，製品特性から適用／不適用を判断する。不適用とした場合は，その根拠を示す必要がある。

②適用となる各要求事項への適合を立証する方法を決める。

選択肢としては，整合規格，CS，あるいはその他手段となる。どのような規格を使い，要求事項への適合を立証するかは，合理的な説明さえつけば自由だが，Article 8整合規格（Harmonized Standard）の使用，Article 9共通仕様（Common Specification, CS）を用いることで，関連する法的要求事項を満たしているとみなすことができるため，該当する整合規格，共通仕様が存在する場合は，整合規格，共通仕様により適合を示すことを推奨する。なお，その他の整合規格，共通仕様以外により適合を立証する場合は，整合規格と同等以上の安全性・性能を保証しなければならない。
③適合を示す管理文書の正確な識別，あるいは技術文書内の適合証拠を示した箇所の参照情報を記録する。

　整合規格は，MDRとMDDそれぞれでリストが欧州連合官報に出されている。実務ではこの整合規格リストの確認が不可欠である。規格番号だけでなく，発行年や版数も重要である。
　2022年3月時点における最新のMDR整合規格リストは，「COMMISSION IMPLEMENTING DECISION（EU）2021/1182」である。2021年7月に初版が発行されたが，わずか5つの規格のみであった。2022年に1月に9つの規格が追加されたが，514の規格しか掲載されていない。MDD整合規格リスト「COMMISSION IMPLEMENTING DECISION（EU）2020/437」に掲載されている整合規格は264であるのと比べるとMDRの整合規格は圧倒的に少ない。
　2021年7月欧州委員会は，欧州標準化団体であるCEN（欧州標準化委員会）およびCENELEC（欧州電気標準化委員会）に対して，MDR/IVDRの整合規格として整備すべきEN規格，および今後制定すべきEN規格のリストを示して欧州規格の整備設定を要請している。このリストから，今後どのような規格がMDRの整合規格になるのかある程度の推測ができるため，有益である。例えば，ユーザビリティについては，現在の整合規格EN 62366ではなくEN 62366-1が指定されている。
　規格化要請のリストを確認する場合は，「Commission Implementing Decision C（2021）2406」と検索すれば，該当の文書が見つかるので，「Annex I Table 1」（MDR整合規格として整備すべき規格リスト）と「Annex I Table 2」（MDR整合規格として制定すべき規格リスト）を参照してほしい。
　今後MDRの整合規格が充実してくると思われるが，今のところはMDDの整合規格リストを参考にすることと，Notified Bodyとコミュニケーションを取りながら，製造業者がGSPRの要求事項を適合させる方法を設定していくことになる。

　以下に，MDR整合規格として整備すべき規格リスト（Commission Implementing Decision C（2021）2406，Annex I Table 1）から，重要と思われる規格を記載する。
・EN ISO 13485：2016 + AC：2018（品質管理システム）

- EN ISO 14971：2019（リスクマネジメント）
- EN ISO 15223-1：2016（ラベル，ラベリングを用いる記号）
- EN 60601-1：2006 + A1：2013 + AC：2014 + A12：2014 + A2：2020（基礎安全及び基本性能に関する一般要求事項）
- EN 60601-1-2：2015 + A1：2020（副通則：電磁妨害－要求事項及び試験）
- EN 62304：2006 + A1：2015（ソフトウェアライフサイクルプロセス）
- EN 62366-1：2015 + AC：2015 + AC：2016 + A1：2020（ユーザビリティエンジニアリング）

　ここにあげた規格は，とくに重要な規格で，基本要件の整合を示す基本規格となっている。整合規格にはEN規格が使われ，EN規格自体はISOやIECの国際標準規格を採用している（またその逆も多い）。ISO規格がEN規格となると，ISOの代わりにEN ISOと頭に表記され，IEC規格がENになると，原則IECがとれENに変わる。

　EN規格のAnnex Zは，MDRやEN規格についての独自要求の差分情報が掲載されているため，重要かつ有用な情報といえる。

▶ ステップ6：技術文書の作成

技術文書は，製品の要求事項適合証拠（AnnexⅡ）と，市販後調査（AnnexⅢ）から構成。

Technical Documentation 技術文書の構成

製品（AnnexⅡ）	市販後調査（AnnexⅢ）
・機器の説明，仕様，付属品 ・製造業者が提供する情報 ・設計および製造情報 ・一般的安全性および性能の要求事項（GSPR） ・効用／リスク分析とリスクマネジメント ・製品検証および妥当性確認 　・前臨床データ 　…電気的安全性，EMD，生体適合性など非臨床試験 　・臨床データ 　…臨床評価，PMCF 計画（市販後の臨床調査計画）	・市販後調査（PMS）の計画 　・情報の収集と使用方法 　・市販後臨床フォローアップ（PMCF）計画 ・市販後調査（PMS）の報告 　・定期的安全性更新報告 　・市販後調査報告

市販後調査と事故報告　Chapter VII
安全性および性能の要求事項　Annex I
技術文書 Annexes Ⅱ and Ⅲ
臨床評価 Chapter VI，Annex XIV
適合性評価 Annexes IX - XI
臨床調査 Chapter VI，Annex XV

- 技術文書は，定期的な更新を行い最新版として維持管理を行う必要がある。製品の変更と，最新の技術水準を反映することが求められる（例えば，適用規格の改訂など）。
- 技術文書は，製品の最終製造後10年間（埋込機器は，15年間）の保管が要求される。

ステップ5で確認された一般的安全性および性能の要求事項（GSPR）の結果に加え，当該医療機器の特定からその設計に関するすべての情報を整理し，さらに市販後調査（PMS）の計画を加えて，技術文書（Technical Documentation）としてファイルする。また，技術文書は作成したら終わりではなく，維持更新していくことが重要である。具体的には　上図のとおりである。

・機器の説明，仕様，付属品
・製造業者が提供する情報
・設計および製造情報
・一般的安全性および性能の要求事項（GSPR）
　▷チェックリスト
・効用／リスク分析とリスクマネジメント
・製品検証および妥当性確認
　▷前臨床データ　電気的安全性，EMD，生体適合性など非臨床試験
　▷臨床データ　臨床評価報告書，PMCF計画（市販後の臨床調査計画）
・市販後調査（PMS）
　▷情報収集の方法，重大事故，有害事象の情報管理，類似機器の公開情報
　▷市販後臨床フォローアップ（PMCF）計画
　▷市販後調査報告

　いいかえると，技術文書（Technical Documentation）は，リスクマネジメントを含む一般的安全性および性能の要求事項への適合性評価の証拠と市販後調査（PMS）の計画と報告をまとめたファイルである。

　技術文書の要求は，すべての医療機器が対象となる。クラスⅠ以外では，上市の前のNotified Bodyによる適合性評価の過程で，技術文書に対して審査が必ず行われる。また，当然サーベランス監査において品質マネジメントシステムに対する審査の一環として技術文書は確認される。非通知監査においても，技術文書に基づいて製品が製造されているか確認されるため，技術文書の作成，更新は必要である。クラスⅠでは，Notified Bodyの関与がなく技術文書の内容について審査されることはないが，技術文書を作成することが製造業者の義務となっているので，避けては通れない。

　最後に，技術文書の保管期間であるが，最終製造後10年間（埋込み機器は，15年間）と規定されている。

4.2 欧州の法規制（MDR）

▶ ステップ7：指定代理人の選定

代理人Authorized Representativeの選定は機器の上市の際の責任者を登録させるのが主旨。

EU外の製造業者は指定代理人を任命しなければならない。
・全製品（または機器カテゴリ単位）で単一の代理人であること。
・製造業者は指定代理人に対して，委任状を作成すること。

委任状に含めるべき内容＝指定代理人の義務

1. 指定代理人が，技術文書，宣言書が作成されていること，および適合性評価手順が適切に行われ，完了したことを検証できるようにする。
2. 技術文書，宣言書，EC認証書を入手可能にする。
3. Article 31に基づき，事業者登録を行うこと。
4. 当局の要求に従い，情報および文書を提供すること。
5. 当局からの要求を製造業者に伝えること。
6. 是正処置予防処置について当局に協力すること。
7. 苦情および事故の疑いのある報告を製造業者に伝えること。
8. 製造業者がMDRに違反した場合は委任状を停止すること。

✓ 1つの製品カテゴリーで単一の代理人であること。

　ステップ7では，MDR Article 11に従って，監督官庁の対応窓口となる指定代理人（Authorized Representative）を立てることである。加盟国内に登録事業所をもたない製造業者が，医療機器をEU内で流通するのであれば，指定代理人を任命しなければならない。指定代理人は，全製品（または機器カテゴリ単位）を対象として，EU内に単一でなければならない。指定代理人を任命させる意味は，EU内の手の届くところに当該医療機器の上市における責任者を登録させるのが主旨である。

　したがって，指定代理人は法的な意味での役割が明確になっていなければならないので契約実態が求められる。さらに適合宣言書や技術文書の管理などの業務もあるので，指定代理人との情報の共有化も怠ってはいけない。

　指定代理人と取り交わす委任状には，以下を含めること（MDR Article 11）。
1. 指定代理人が，技術文書，宣言書が作成されていること，および適合性評価手順が適切に行われ，完了したことを検証できるようにする。
2. 技術文書，宣言書，EC認証書を入手可能にする。
3. Article 31に基づき，事業者登録を行うこと。
4. 当局の要求に従い，情報および文書を提供すること。
5. 当局からの要求を製造業者に伝えること。
6. 是正処置予防処置について当局に協力すること。

7. 苦情および事故の疑いのある報告を製造業者に伝えること。
8. 製造業者がMDRに違反した場合は委任状を停止すること。

▶ ステップ8：適合性評価の実施

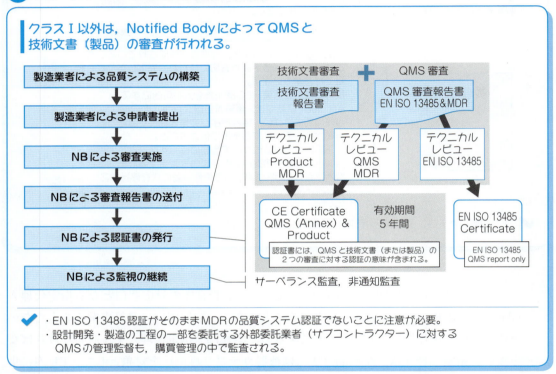

- EN ISO 13485認証がそのままMDRの品質システム認証でないことに注意が必要。
- 設計開発・製造の工程の一部を委託する外部委託業者（サブコントラクター）に対するQMSの管理監督も，購買管理の中で監査される。

　8つ目のステップは，MDRの要求事項に適合しているかの評価（適合性評価）を実施することである。適合性評価の手順は，前述のステップ4で選定した適合性評価モジュールを使用し行うが，クラスⅠとクラスⅠ以外で大きく異なる。クラスⅠは，適合性評価にNotified Bodyによる審査は不要のため，完全に自己責任で適合性を評価（どちらかというと立証）し，適合宣言を行う。一方，クラスⅠ以外は，適合性評価はNotified Bodyが担うことになる。製造業者は，Notified Bodyに認証申請を行い，認証審査を受け，審査に合格するとEC認証書を受取りCEマーク付与の準備が完了したことになる。

　Notified Bodyの審査を受ける前に，製造業者はMDRのQMS要求事項を満たす品質システムの構築がなされていなければならない。EN ISO 13485が品質システムとしての整合規格となるので，これをベースに，さらにMDRのArticle 10の製造業者の義務にあるQMS要求事項を満たす品質システムを構築し，実施する。QMS構築後，製造業者からEC認証申請書をNotified Bodyに提出し，Notified Bodyより審査を受けるとい

う流れになる。

　審査後，Notified Bodyから審査報告書が発行される。審査報告書番号は，認証書にも記載される。適合性評価モジュールの選択にもよるが，QMS審査と技術文書審査の両方に合格すれば，EC認証書を得ることができる。EC認証書の有効期間は5年であるので，5年ごとに更新審査（再認証）が必要となる。これとは別に，1年ごとのサーベランス監査，3〜5年ごとの非通知監査（抜き打ち監査）があることは先に述べたとおりである。

　なお，ISO 13485認証はそのままではMDRの品質システム認証にならないことに注意する。たとえISO 13485の認証書があっても，MDRの適合性評価のプロセスは必要である。また，設計や生産プロセスを外部に委託する製造業者が増える中，その外部の企業の品質マネジメントに関する問題も無視できなくなってきていることから，設計開発・製造の一部を委託する外部業者に対するQMSの管理監督も監査されることが多くなっている。

▶ ステップ9：適合宣言，CEマーク取得

適合宣言書を作成して，製造業者自らがMDRへの適合を自己宣言する。

EU適合宣言書

適合宣言書に最低限必要な情報（AnnexⅣ）
- 製造業者，欧州代理人の名称，住所，単一登録番号
- 製造業者の自己責任において適合宣言書を発行した旨の記載
- 製品名，商品コード，カタログ番号，基本UDI-DI
- クラス分類
- MDRに準拠する旨の記載
- 適用した共通仕様，整合規格
- Notified Bodyの名称，識別番号，使用した適合性評価手順，認証書の識別情報
- 宣言日，宣言者の氏名，役職，製造業者名，宣言者の署名

単一登録番号：Single Registration Number（SRN）
共通仕様：Comon Specification（CS）

✓ ・EU適合宣言書の記載項目は，AnnexⅣに規定されている。
・単一登録番号は，欧州医療機器データベースに登録される事業者の固有番号。取得方法は，「UDAMED Actor module user guide」など公開資料を参照されたい。

　上市前の最後のステップがCEマーク取得と適合宣言である。CEマーク取得と表現されるが，自らが自らの責任でこのマークを付けるので，単にマーキングと表現したほうがよいかもしれない。

　すなわち，EUで当該医療機器を上市するには，医療機器の基本要件である一般的安

全性および性能の要求事項（GSPR）を含め，すべての要求事項が満たされたことを製造業者自らが確認し，その証しのためマーキングをし，適合宣言書にサインをする。適合宣言書（Declaration of Conformity）は，最低限，Annex VIの項目が記載されていること。

市場出荷は適合を示すCEマーキングをつけてから可能となる。

CE マーキング（Article20, AnnexV）
- 見えやすく読みやすく消えにくい方法で
- 機器または銘板，取扱説明書表示，販売用包装にも表示
- 最小高さ5mm
- 縮小拡大で使用時，見本と同じ縦横比を維持
- ノーティファイドボディー（NB）が関与した場合，CEに4桁のNB番号を付記

CE 0123

例　0123=TUV ズード　TÜV SÜD Product Service GmbH Zertifizierstellen
　　0197=TUV ラインランド　TÜV Rheinland LGA ProductsmbH
　　0598=SGS　SGS FIMKO OY

CE マーキング見本
AnnexV　CE マーキング　1

✓ 適合性評価にNotified Bodyが関与して認証を受けた場合は，Notified Bodyを識別する4桁の番号を付記する。

　CEマークは消費者へのマークというよりは，当局に対し，その適合を知らせる手段と考えたほうがよい。CEマークの大きさは最低5mmとされており，見えやすく，読みやすく，消えにくい方法で，機器に直接または銘板，さらに取扱説明書に加えて販売用包装にも表示するよう求められている。CEマークには末尾に数字が付記されているものとないものがあるが，数字付記はNotified Bodyが認証等にかかわったことを意味し，その番号はNB番号とも呼ばれNotified Bodyの番号である。したがって，一般的には番号がないCEマークの機器は，クラスⅠということになる。

▶ ステップ10：市販後調査と事故報告

市販後調査と事故報告（Post-Market Surveillance and Vigilance）システムの体制確立が実質的要求事項。

- 製造業者は，市販後調査と事故報告システムを，QMS中に構築すること。市販後調査計画，情報収集・分析の流れ，事故報告の期限や事故報告，是正処置報告の手順・教育が求められる。

市販後調査（PMS） Annex XIV, Part B			事故報告（Vigilance） Article 87-89, 95	
QMSに システム構築 Article 83	調査計画 Article 84	調査報告 Article 85, 86	QMSに システム構築	重大事故報告・ 定期報告 是正措置報告 トレンド報告

ガイダンス文書
市販後調査：NB-MED 2.12/Rec.1 Post-Marketing Surveillance
ビジランス：MEDDEV 2.12/12-1 rev.8 Medical Device Vigilance System

✓ 市販後調査PMS，ビジランスに関するガイダンス文書は，2021年12月現在策定中。当面，MDR条文とAnnexの適合には，旧指令（MDD，AIMDD）でのガイダンス文書を参考，参照する。

　上市後のための重要な準備が，医療機器の規制3要素の1つである市販後調査（Surveillance）と事故報告（Vigilance）体制の確立である。

　医療機器の市販後，市場情報を監視し，問題があれば速やかに是正処置や予防処置を施し，さらにその内容を当局や関係者へ報告することが求められている。さらに，報告の具体的期限も決められており，事故が発生した際の手順や教育を事故報告体制として確立することが求められている。

　市販後の監視と事故報告の強化は世界的な流れであり，MDRでも詳細について今後ガイダンス文書が発行される予定であるが，現状MDD下でのガイダンス文書を参照していただきたい。

NB-MED　2.12/Rec.1 Post-Marketing Surveillance
MEDDEV 2.12/12-1 rev.8 Medical Device Vigilance System

4.2.3　MDRの重要トピック

▶ 欧州医療機器データベース（EUDAMED）

> EUDAMEDは，EUの医療機器に関するデータと関連事業者の情報を一元管理するためのデータバンク。
>
> **EUDAMEDに登録されるデータ**
>
>
> EUDAMED
> 欧州医療機器
> データベース
>
> ・UDIに関するデータ（Article 28）
> ・機器に関するデータ（Article 29）
> ・事業者に関するデータ（Article 30）
> ・NBと認証書に関するデータ（Article 57）
> ・臨床試験に関するデータ（Article 73）
> ・市販後調査，ビジランスに関するデータ（Article 92）
> ・市場調査に関するデータ（Article 92）
>
>
> ・2021年12月現在，EUDAMEDは一部（事業者登録，UDI/機器登録，NBと認証書の3つのモジュール）が稼働している。
> ・欧州データベースに関してさまざまなガイダンス文書が発行されているので，欧州委員会のHPを参照されたい。

　欧州医療機器データベース（European Database on Medical Devices，EUDAMED）は，EUの医療機器に関するデータと関連事業者の情報を一元管理するためのデータバンク（Article 33，34，Annex VIパートA）で，MDRから法規制に組み込まれたものである。登録された情報は，WEBで公開され誰でも入手できるようになっている。
　Article 33に，EUDAMEDは次のデータを管理するとしている。
・UDIに関するデータ（Article 28）
・機器に関するデータ（Article 29）
・事業者に関するデータ（Article 30）
・NBと認証書に関するデータ（Article 57）
・臨床試験に関するデータ（Article 73）
・市販後調査，ビジランスに関するデータ（Article 92）
・市場調査に関するデータ（Article 92）

　以下，製造業者が行うべきEUDAMEDへの登録について，概要を記載する。

事業者の登録（Article 31）
　対象：製造業者，指定代理人，輸入業者

製造業者，指定代理人，輸入業者は，医療機器を上市する前に事業者登録を行わなければならない。

事業者登録とは，Annex VIパートAの事業者に関する情報をデータベースに登録することである。

機器の登録（Article 29）
　対象：製造業者

製造業者は，医療機器を上市する前に機器登録を登録しなければならない。

機器登録とは，医療機器にUDI-DIを割り当て，Annex VIパートBの機器に関するコアデータ情報とともにデータベースに登録することである。

▶ 臨床評価と臨床試験

> 臨床評価は，すべての医療機器で実施。臨床試験は，原則クラスIIIの医療機器で実施（例外条件あり）。

臨床評価　Clinical evaluation　Article 61, Annex XIV

すべての医療機器で実施。

医療機器の臨床上のベネフィットを含む安全性と性能を検証するために行われる，適切な方法で使用した際に生成される性能と安全性に関する情報の収集，分析および評価。

情報源
・対象機器の臨床試験
・学術文献で報告されている同等性が認められる類似製品に関する治験や研究
・対象機器もしくは同等性が認められる類似製品に関する他の臨床経験に関する査読済み学術文献
・市販後調査（PMS）から収集された臨床面の関連情報

臨床試験　Clinical Investigation　Articles 62-80, Annex XV

原則，クラスIII機器は臨床試験を実施。

例外条件
(1) 自社の市販された製品の変更である場合
(2) 市販された他社製品に，同等性が認められる類似製品が存在する場合
(3) 市販された他社製品の臨床評価により，GSPR適合が適切に実証しうる場合
(4) 縫合糸，ステープル，歯科用詰め物，歯科用装具，歯冠，ネジ，ウェッジ，プレート，ワイヤー，ピン，クリップ，またはコネクターである場合

臨床評価は，機器の安全性と性能を検証するために行う，機器が適切な方法で使用した際に生成される安全性と性能に関する情報の収集，分析および評価のプロセスである。

製造業者は，医療機器の基本要件となるAnnex Iの一般的安全性および性能に関する要求事項（GSPR）への適合性を立証するために，機器の特性とその意図された目的

を考慮し，必要な臨床証拠を特定し正当化しなければならない。そのために，臨床評価を計画，実施，記録しなければならない。

臨床評価は，すべてのクラスの医療機器が実施対象となる。クラスⅢの場合は，臨床試験の実施が要求される（例外条件あり）。

臨床評価とは，安全性と臨床上のベネフィットを含む性能を検証するために，機器に関する臨床データを継続的に生成，収集，分析および評価するための体系的かつ計画的なプロセスをいう（Article 2（30））。

臨床データとは，適切な方法で使用した際に生成される性能と安全性に関する情報を意味する。

データの情報源としては以下のものがあげられる。
・対象機器の臨床試験
・学術文献で報告されている同等性が認められる類似製品に関する治験や研究
・対象機器もしくは同等性が認められる類似製品に関する他の臨床経験に関する査読済み学術文献
・市販後調査（PMS）から収集された臨床面の関連情報

■参考文献
1) Medical Device Regulation（EU）2017/745
2) Medical Device Directive（93/42/EEC）
3) Active Implantable Medical Device Directive（90/385/EEC）
4) CEマーキング適合対策実務ガイドブック（ジェトロ）
5) UDI/DEVICES USER GUIDE（DG SANTE）
6) 経済産業省におけるヘルスケア産業政策について（経済産業省）

4.3 その他の国の法規制

4.3.1 中国の法規制

▶ **中国における3つの規制と関連法, および関連組織**

中国の医療機器規制の関連組織は, 国家薬品監督管理局 (NMPA) がある。

	有効性・安全性	品質維持	市場監視・報告・回収
関連法	・医療機器監督管理条例 ・医療機器登録および届出管理弁法	・医療機器監督管理条例 ・医療機器生産監督管理弁法 ・医療機器製造品質管理規範	・医療機器監督管理条例 ・医療機器リコール管理弁法 ・医療機器不具合事象監視および再評価管理弁法
規制要求	製品登録	品質管理体制の構築 GMP査察のクリア	有害事象報告 リスク評価報告
関連組織	国家薬品監督管理局（NMPA）総局・支局		

・中国の医療機器法規制の主管組織は, 体制と名称を何度も変えてきた。
・SFDA（国家食品薬品監督管理局）→ CFDA（国家食品薬品監督管理局）→ NMPA（国家薬品監督管理局）

　中国では, 経済発展や医療制度改革, また高齢化の進展とともに, 医療機器や医療サービスへの需要が大きく伸びている。Fitch Solutions「Worldwide Medical Devices Market Forecasts 2020」によると, 中国の医療機器市場は右肩上がりの成長市場で, 2019年の市場規模は273億ドルとある。そして2020年以降も年平均10%の成長が見込まれ, 2023年には400億ドル規模に達すると予想されている（医療国際展開カントリーレポート中国編, 2021年3月, 経済産業省）。

　中国の法体系は, 憲法を頂点に, 全国人民代表大会で採択される「中華人民共和国製品品質法」や「中華人民共和国標準化法」などの法が続き, その下に国務院が出す「国務院令」がある。この国務院令が行政法規にあたり, その下に部門規則が存在し, さらに規範が存在する。

　医療機器に関する法規制は, 行政法規にあたる「医療機器監督管理条例（国務院令第739号）」が最上位にあり, その下に登録申請, 製造, 販売, 市販後監視に関してより詳細なルールを規定する「弁法, 規範, 規定」があり, さらにその下に既出の法規制に対する補足や解説が示された「通知」, 個別の医療機器に関する規定やガイドラインな

どが示された「標準，指導原則」が存在している。上位法の「医療機器監督管理条例」は，2000年の新規制定から，2014年，2017年，2021年と3回改定され，直近の改定版「医療機器監督管理条例」が2021年6月1日より施行されている。

上図には，医療機器の規制3要素である「有効性・安全性」，「品質（維持）」，および「市場監視・報告・回収」にかかわる各関連法規名と基本的な要求事項，それらに主にかかわる組織名をまとめた。

まず，製品の「有効性・安全性」に関する規制としては，「医療機器監督管理条例」の下，「医療機器登録および届出管理弁法」（NMPA令 第47号）に基づく医療機器の「製品登録」である。中国の医療機器規制の大きな特徴がこの「製品登録」で，中国で販売・使用されるすべての医療機器は，国家薬品監督管理局（NMPA）に登録申請をしなければならない。2018年3月の全国人民代表大会において，食品と医薬品等の安全性の監督を行う「国家食品薬品監督管理局（CFDA：China Food and Drug Administration，旧：SFDA：State Food and Drug Administration）」は組織改編が行われ，「国家薬品監督管理局（NMPA：National Medical Products Administration）」へ組織が変わった。NMPAは，「国家市場監督管理総局（SAMR：National Administration for Market Regulation）」の管理下にあり，医療機器の登録審査業務だけでなく，品質管理のGMP（QMS）関連，市販後の市場監視・報告・回収も担当している。

次に，「品質（維持）」の規制としては，「医療機器監督管理条例」の下，「医療機器生産監督管理弁法」（CFDA令 第7号），および「医療機器生産品質管理規範」（2014年第64号）に基づく品質管理体系の構築である。「医療機器生産品質管理規範」は，医療機器GMP（Good Manufacturing Practice）規定である。これにより医療機器メーカーは医療機器GMPの要件に基づき品質管理体系を構築しなければならない。第二類，第三類の登録申請においては，QMS構築証拠文書を申請資料として提出する必要がある。また，登録審査の過程において，NMPAの品質システム（GMP）査察を受けることもある（GMP査察の実施は，NMPAの判断による。）。

医療機器の規制3要素の最後の1つ「市場監視・報告・回収」については，「医療機器不具合事象監視および再評価管理弁法」（SAMR令 第1号），「医療機器リコール管理弁法」（CFDA令 第29号）により，有害事象の監視や報告のシステムの構築と実施を，メーカーや代理店などの医療機器を供給する側と，病院などの医療機器を使用する側の両方に義務づけている。

医療機器有害事象には，発生頻度と重大さに応じて報告期日が決められている。医療機器が死亡原因となった事象は7日以内，重傷を引き起こした事象，または重傷・死亡の可能性がある事象は20日以内となっている。また，医療機器の集団有害事象については，特定または把握してから12時間以内に発生報告（第一報），24時間以内に個別の事象について症例報告をすることとある。また，製造業者は登録後1年ごとに，前年の

市販後のリスク評価報告を作成し，NMPAに提出することになっている。

　回収については欠陥の程度により，1級リコールから3級リコールまであるが，生じた欠陥や有害事象が重大な場合は，再評価の上，有効性や安全性に問題があれば登録の取り消しに至ることもある。規制当局による市場調査としては，品質管理体系の「システム検査」と市場製品の「サンプリング検査」がありNMPA支局が担当する。

▶ 医療機器の定義および分類と申請方式

医療機器の分類と原産国により申請方式・申請先が異なる。

医療機器の定義
「医療機器監督管理条例」（第8章附則，第103条） 人体に用いられ，次の所期の目的を達するための計器，機器，器具，体外診断試薬や調整器，材料，その他の類似品または関連品であり，必要なソフトウェアを含む，主に次の事柄に用いる。 （一）疾病の診断，予防，モニタリング，治療または緩解 （二）損傷の診断，モニタリング，治療，緩解または補償 （三）生理構造または生理プロセスの検査，代替，調節またはサポート （四）生命のサポートまたは維持 （五）妊娠のコントロール （六）人体由来のサンプルの検査を行うことにより，医療または診断のための情報を提供

医療機器の分類	申請方式	申請先	
		中国国産品	輸入品
第一類（クラスⅠ）	届出（形式審査のみ）	所在地域のNMPA支局	NMPA総局
第二類（クラスⅡ）	登録申請（形式審査と技術審査）	所在地域のNMPA支局	NMPA総局
第三類（クラスⅢ）	登録申請（形式審査と技術審査）	NMPA総局	NMPA総局

✓ 登録・届出申請先が，分類と原産国によって異なる。（中国から見て）輸入品は，すべてNMPA総局に申請する。中国国産品は，第一類と第二類は所在地域のNMPA支局，第三類はNMPA総局に申請する。

医療機器の定義

　まず「医療機器であるかないか」から始まるのは他の地域と同じである。中国の医療機器の定義は「医療機器監督管理条例」（第8章附則，第103条）にある。定義はISO13485などで記載されている医療機器の定義とほぼ同じで，GHTF（Global Harmonization Task Force；医療機器の国際整合化会議。現在の国際医療機器規制当局フォーラム（IMDRF））の定義をそのまま使っているようである。

> 人体に用いられ，次の所期の目的を達するための計器，機器，器具，体外診断試薬や調整器，材料，その他の類似品または関連品であり，必要なソフトウェアを含む，主に次の

> 事柄に圧いる。
> （一）疾病の診断，予防，モニタリング，治療または緩解
> （二）損傷の診断，モニタリング，治療，緩解または補償
> （三）生理構造または生理プロセスの検査，代替，調節またはサポート
> （四）生命のサポートまたは維持
> （五）妊娠のコントロール
> （六）人体由来のサンプルの検査を行うことにより，医療または診断のための情報を提供

医療機器の分類

医療機器の分類については，「医療機器分類規則」（NMPA令 第15号）で示されており，リスクの程度に応じて，第一類製品，第二類製品，第三類製品に分類されている。日本のクラス分類に当てはめると，第一類製品がクラスⅠ，第二類製品がクラスⅡ，第三類製品がクラスⅢに対応する。ただし，日本でクラスⅠの製品が必ずしも中国でも第一類になるとは限らない。他国でもそうであるように，似てはいるが独自の区分けと理解し，中国向けは中国向けとしてどの分類に該当するか確認したほうがよい。

申請方式

申請方式は，医療機器の分類によって異なる。第一類は届出，第二類および第三類は登録申請となる。そして申請先は，医療機器が海外からの輸入品の場合，分類にかかわらずNMPA総局が申請先となる。医療機器が中国国産品の場合，第一類と第二類は所在地区のNMPA支局が申請先となり，北京にあるNMPA総局が申請先となる。

▶ 医療機器の登録申請の前に必要な準備

> まずは，申請企業の要件の確認，適用規格の明確化。

登録申請要件 申請企業と中国代理人の要件	適用規格の明確化
申請企業，申請企業の中国代理人，海外製造所が，それぞれの要件を満たすこと。 ・申請企業：ISO13485認証，申請企業所在国の製造業態許可をもっていること。 ・中国代理人：輸入医療機器代理人資格をもっていること。 ・海外製造所（申請企業における製造工程の委託先）：ISO13485認証をもっていること。	申請企業がYZB規格の中から決める。 「医療機器標準管理方法」（GB規格・YY規格はさらに強制規格と推奨規格（T）に分けられる） ・国家規格（GB規格）：GB9706「医学電気設備安全標準」 ・業種規格（YY規格）：YY/T0287「医療機器品質体系」，YY/T0316「医療機器に対する危機管理の応用」 ・地方規格：省，区，市の主管部門が制定。 ・企業規格：企業の製品規格で，国家規格・部門規格を下回らない。

4.3 その他の国の法規制

登録申請要件(申請企業と中国代理人の要件)

中国の医療機器登録の申請要件として，申請企業に対する要求がある。まず，申請企業はISO13485認証を取得しているか，または医療機器の製造にかかる業許可を取得していることが要件となる。ISO13485認証の証拠文書は，ISO13485認証書となるが，医療機器の製造にかかる業許可の証拠文書は，日本企業の場合は製造業登録証，アメリカ企業の場合は製造業者の施設登録情報がこれにあたる。

次に中国国外の企業が申請する場合，登録申請に当たり現地法人を法定代理人に立てる必要があるが，その代理人に対しては，輸入医療機器代理人資格をもっていることが要件となる。さらに，中国国外の企業に製造工程をアウトソースしている場合(中国から見た海外製造所)，その委託先はISO13485認証が要求される。

適用規格の明確化

次は，当該医療機器に求められる規格を確認する。そのために用意されているのが，「YZB規格(Standard)」で，通常YZBと呼ばれている。なお，中国語では「産品標準和編制説明」である。

中国の医療機器の規制の特徴は，製品登録の際，申請対象の医療機器に要求される規格をリスト化し，申請することを求められることである。その際，適用規格リストだけではなく，「なぜ，それらの規格を適用するか」の理由も同時に記載し，その判断は申請者自らの責任で決めなければならない。ただし，最終決定者はあくまで国(NMPA)であるので，型式試験等も済ませ，申請時の不許可理由が，当該規格違いにならないよう注意することが求められる。

なお，中国の標準規格は「医療機器標準管理方法」等にあるとおり，基本的に4つのグレードがあり，さらに強制規格と推奨規格(T)に分かれる体系になっている。

1つ目が国家規格(GB規格)，2つ目が業種規格(YY規格)，3つ目が地方規格，4つ目が企業規格である。国家規格と業種規格にはいずれも強制規格と推奨規格が含まれ，強制規格は必ず遵守しなければならない規格である。推奨規格はGB/T，YY/Tのようにそれぞれに「/T」を付けて識別している。また，企業規格とは企業の製品規格を指し，メーカーが独自に制定するもので，国家規格または業界規格を下回ることがあってはならないのが原則である。表4.5は，それぞれの例である。

表4.5 中国における国家規格と部門規格の例(「/T」が付いているものは推奨規格，付いていないものは強制規格，「/Z」は指導書)

国家規格(GB規格)	・GB9706 「医学電気設備安全基準」(IEC60601-1) ・GB/T16886 「医療器械生物学的評価照準」(ISO10993)
業種規格(YY規格)	・YY/T0287 「医療器械品質体系」(ISO13485) ・YY/T0316 「医療器械に対する危機管理の応用」(ISO14971)

また，国際標準規格と中国の規格との対比は中華人民共和国規格協会のホームページを参照するのが便利である。

▶ 医療機器の製品登録フロー

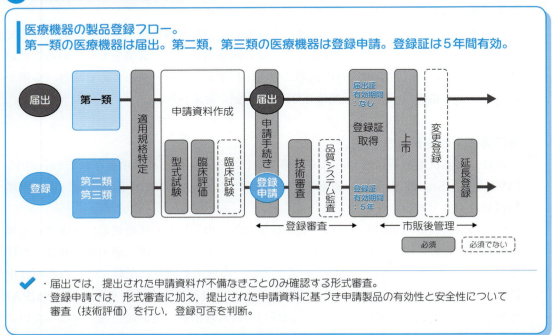

医療機器の製品登録フロー。
第一類の医療機器は届出。第二類，第三類の医療機器は登録申請。登録証は5年間有効。

- 届出では，提出された申請資料が不備なきことのみ確認する形式審査。
- 登録申請では，形式審査に加え，提出された申請資料に基づき申請製品の有効性と安全性について審査（技術評価）を行い，登録可否を判断。

「医療機器監督管理条例」，「医療機器登録および届出管理弁法」により，中国で販売・使用されるすべての医療機器は，規制に従って製品登録（または届出）をしなければならない。医療機器の定義および分類と申請方式の図で示したとおりであるが，第一類は届出，第二類および第三類は登録申請を行う。第一類の届出は，届出申請書を作成して，NMPAに申請する。NMPAは申請書について，不備がないかの確認（形式審査）を行い，問題がなければ受理し，届出を認める。

中国の第一類の届出は，日本のクラス1の届出と同じと考えて問題ない。申請品目に対して技術的な内容に踏み込んだ審査は行われず，形式的に申請書ができていれば，原則として申請は受理され，届出が認められる。そのため，登録のための型式試験や臨床評価に関する資料は要求されない。一方，第二類と第三類の登録申請は，形式審査に加えて技術評価が行われる。申請者は，まず製品の特性に応じて適用規格を特定し，技術要件をまとめ，登録のための型式試験を実施する。登録のための型式試験は，原則としてNMPAが指定する中国国内の試験機関により実施する必要がある（医療機器監督管理条例の改正により，登録のための型式試験について規制緩和されて，中国国内企業の

場合は特定要件を満たせば自社試験が認められるようになった。ただし，中国国外企業に対してはその限りでなはく，旧来どおり，NMPAが指定する試験機関以外での実施は認めていないため）。さらに，臨床評価を行い，臨床評価報告書を作成する。

臨床評価は，有効性と安全性を立証するプロセスをいい，他の国での臨床評価と同様に，同等性が認められる類似医療機器の臨床文献や臨床データを用いて申請品目の有効性と安全性を立証することが認められている。製品の特性，臨床リスク，既存の臨床データなどの状況に応じて，必要な場合のみ臨床試験を実施する。臨床試験は原則として，第二類，第三類の医療機器で，医療機器臨床試験の免除リストに収載されていない機器の場合は，実施する必要がある。

ここまで準備した，技術要件と型式試験の結果，臨床評価結果等を申請資料としてまとめ，登録申請書とともにNMPAに提出するのが申請手続きである。申請資料は原則中国語のこと。なお，申請資料は，表4.6の「医療機器の登録申請に必要な資料」にまとめるので，参考にしてほしい。

その後，NMPAによる審査が行われる。審査の流れは，「医療機器の登録審査フロー」にて詳しく述べるがNMPAは申請書類上の形式審査と，申請品目に関する技術評価および必要に応じてGMP査察（申請者のQMSの確認）を行い，すべての審査の完了後に登録証を発行する。申請者は，登録書をもって，申請品目を中国市場へ上市することが可能となる。

表 4.6　医療機器の登録申請に必要な資料

①証明性文書 （申請企業責任者の署名および公証が必要）	原産国における製造販売証明（自由販売証明書） 申請企業の要件に対する適合性を示す許可文書（ISO13485認証書または製造業登録証） 製造所の要件に対する適合性を示す文書（ISO13485認証書） 中国代理人との業務委託契約書 申請資料の真実性・正確性に関する宣言書
②技術資料 （申請企業責任者の署名が必要）	申請製品の性能，有効性および安全性を示す以下にあげる資料。 リスクマネジメントファイル，臨床評価報告書，臨床試験報告書，製品仕様および製品規格をまとめた技術要件，型式試験報告書，取扱説明書，ラベル製品追跡レポートなど。
③QMS関連資料 （GMP査察に求められる資料，2022年1月以降必要となる）	申請者のQMSに関する資料 ・品質マニュアル，品質目標，組織図体系文書管理手順書 ・職務権限管理手順書 ・資材管理手順書 ・購買管理手順書 ・製造サービス管理手順書 製品に関する資料 ・製造所，製造エリアの平面図 ・製造エリアの清浄度に関する規定，検査記録 ・製造工程図，QC工程表 ・主要原材料のサプライヤおよび品質管理方法 ・製造および検査設備リスト

なお，申請資料は原則中国語のこと。

なお，登録証の有効期間は5年であるので，有効期間切れが近づいたら失効の6カ月前には延長登録が必要となる。そして，上市後に登録内容に変更が生じた場合は，変更登録が必要となる。なお，届出は有効期間が存在しないため，更新手続きは不要である。

▶ 医療機器の登録審査フロー

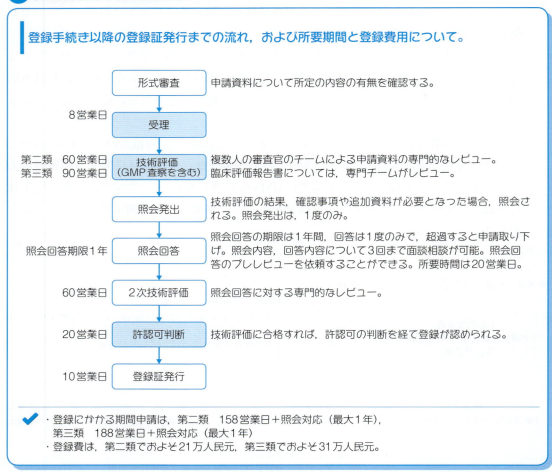

ここでは，申請者がNMPAに登録申請を行ったところからNMPAによる登録証発行までの，一連の登録審査について述べる。

行政の手続きでみると3つの関門があり，それぞれ「受理」，「技術評価」，最後に「許認可」となるが，申請しても受理されるかが第一関門である。NMPAは提出された申請資料について不備がないか確認（形式審査）し，問題がなければ申請を受理する。申請資料に不備があった場合，NMPAは申請から5日以内に申請者に連絡することに

なっている。不備の連絡がなければ，受理されたことになる。申請が受理された場合，NMPAは原則第二類は60日，第三類は90日以内にGMP査察を含めた技術評価を行う。技術評価は，複数人の審査官がチームを組んで行われるが，審査過程で疑義が生じた場合や追加資料が必要と判断された場合は，その旨を照会書として申請者に発行する。このNMPAからの照会は一度だけ行われる。申請者は，照会事項に対して1年以内に回答しなければならず，1年を経過すると申請取り下げとなる。また照会回答は，一度しか認められないため，照会回答の内容が十分でなかった場合も申請取り下げとなる。なお，適切な照会回答を行うために，照会内容および回答内容の確認を行うNMPAとの対面相談を3回まで行うことができるほか，照会回答のプレレビューも依頼可能となっているので，照会回答のまえに必ず活用することをすすめる。照会回答に対して，NMPAは60日以内に技術審査を完了させるよう定められている。そして，この技術評価の中で，NMPAが必要と判断した場合には申請者の品質管理体制の確認（GMP査察）が行われる。このGMP査察は，規制目的のものであるためISO13485認証取得によって，免除されることはない。これらの技術評価が第二関門である。無事，技術評価を通過するとNMPAは原則20日以内に許認可の判断を下す。この最後の関門で問題がなければ，10日以内にNMPAより登録証が交付される。

▶ 中国の医療機器取扱制度の概要

中国では医療機器の製造（生産）と販売には業許可が必要。

	第二類，第三類	第一類
製造	医療機器生産許可証	届出
販売	医療機器経営許可証	―

　中国でも日本と同じように医療機器の生産・販売に対し，業許可制度を実施しているので，行政機関が発行する関連許可証を取得しなければ業務を行えない。

　第一類の医療機器メーカーの場合は届出をするだけであるが，第二類，第三類の医療機器のメーカーの場合は「医療機器生産許可証」を国家薬品監督管理局（NMPA）に申請しなくてはならないし，第二類，第三類の医療機器を販売する企業は原則，「医療機器経営許可証」を取得しなくてはならない。また，輸入品の場合で他国のメーカーが現地法人を立てる際には，その現地法人は「医療機器経営許可証」が必要である。

　なお，それぞれの許可証の有効期間は5年である。

最後に，医療機器関連の法規制を下表にまとめた．中国の医療機器法規制については変化が激しく，参考として理解していただければと思う．

カテゴリ	法規名
登録，届出申請関連	医療機器監督管理条例（国務院令　第739号）
	医療機器登録および届出管理弁法（NMPA局令　第47号）
	医療機器登録申請資料，許認可文書様式に関する通知（2021年第121号）
	医療機器登録電子申請資料リストに関する通知（2021年第15号）
	医療機器ソフトウェア登録技術審査指導原則（2015年第50号）
	医療機器サイバーセキュリティ登録技術審査指導原則（2017年第13号）
医療機器の製造	医療機器監督管理条例（国務院令　第739号）
	医療機器生産監督管理弁法（CFDA局令第7号）
	医療機器生産監督管理弁法（改正案：意見募集稿）
	医療機器生産品質管理規範（医療機器GMP）（2014年第64号）
医療機器の販売	医療機器監督管理条例（国務院令　第739号）
	医療機器経営監督管理弁法（意見募集稿）
	医療機器経営監督管理弁法（CFDA局令第8号）
	医療機器経営品質管理規範（GSP）（CFDA局令第13号）
市販後調査（PMS）	医療機器監督管理条例（国務院令　第739号）
	医療機器リコール管理弁法（CFDA局令　第29号）
	医療機器不具合事象監視および再評価管理弁法（SAMR局令第1号）

■参考文献
1) アウトバウンドに関する取組 医療国際展開カントリーレポート中国編（経済産業省）
2) 医療機器の現地輸入規則および留意点：中国向け輸出（ジェトロ）
3) 中国経済と日本企業2021年白書（中国日本商）
4) China‐Country Commercial Guide（米国商務省 国際貿易局ホームページ）
5) 令和2年度内外一体の経済成長戦略構築にかかる国際経済調査事業【中国】中国における事業環境等に関する分析 調査報告書（一般財団法人日中経済協会）
6) NMPA medical device registration requirements in China（エマーゴ）

4.3.2 ASEANの法規制

▶ ASEANの法規制

> AMDDの位置付けはガイダンス。各国は，AMDDに基づいて各国ごとの医療機器規制を作る必要がある。

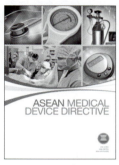

ASEAN 医療機器指令
(ASEAN MEDICAL DEVICE DIRECTIVE, AMDD)

東南アジア諸国連合
(Association of Southeast Asian Nations)

- インドネシア
- マレーシア
- フィリピン
- シンガポール
- タイ
- ブルネイ
- ベトナム
- ラオス
- ミャンマー
- カンボジア

　東南アジア諸国連合（Association of Southeast Asian Nations，ASEAN）は，成長が見込まれる医療機器市場で，近年の現地のビジネスプラクティスの明瞭化，人的資源やインフラストラクチャの充実によって，日本の医療機器メーカーにとってさらに魅力的な市場となってきている。日本の医療機器メーカーが，そのASEAN市場で成功するための条件の1つが，現地の医療機器に関わる法規制を理解して適切な対策を取ることである。

　ASEANは，インドネシア，マレーシア，フィリピン，シンガポール，タイ，ブルネイ，ベトナム，ラオス，ミャンマー，カンボジアの10カ国で構成される地域協力機構で，ASEAN政治・安全保障共同体（APSC），ASEAN経済共同体（AEC），ASEAN社会・文化共同体（ACC）の3つの共同体をなしている。

　医療機器に関する規制を取り扱っているのはASEAN経済共同体である。ASEAN経済共同体は，ASEAN域内のヒト，モノ，カネ，サービス，投資の動きを自由化，基準を共通化することにより内需，貿易，投資の拡大を目指して「ブループリント2015」において，「単一の市場・生産拠点」，「競争力のある経済」，「地域衡平な経済発展」，「世界経済と統合」の4つの柱を掲げた。

　その中の「単一の市場・生産拠点」の重点分野のひとつとしてヘルスケア分野が含まれており，メンバー国間の規格整合および相互認証の推進が図られ，その実現に向けたガイドラインとして，ASEAN医療機器指令（ASEAN MEDICAL DEVICE

DIRECTIVE, AMDD）の枠組みが作られた。AMDDは2007年に発足し，2012年から整合化に向けた取り組みが開始された。2014年にはメンバー各国が署名を行い，2015年に制定されている。

　AMDDの導入によって，ASEAN加盟国全体をカバーする規制体系が確立されたとイメージするかもしれないが，それは誤解である。実態としては，AMDDという大きな枠組みの中で，加盟国は独自の規制要求事項や移行処置期間を設定し，あるいはその改正の作業をしているというのが正しい理解である。このようにダイナミックに変貌するASEANの規制状況のなかで，規制対策の遅れが，魅力的なビジネスの機会を得る上での障害にならないようにしなければならない。

▶ ASEANの医療機器登録の概要

> ASEANでは，品質システム要求としてISO13485認証を要求する国が多い。

	シンガポール	マレーシア	インドネシア	フィリピン	ベトナム	タイ
AMDDとの整合性 ※2021年3月時点	ほぼ整合 IMDRFのメンバーとして主要国の規制の仕組みを取り入れ，国際整合性を進めている	ほぼ整合 民間のCAB（適合性評価機関）による独自の審査システムを持ち，審査期間や費用が大きく異なる	ほぼ整合 審査期間は一番短いため，完成度の高い申請書類を作成することが短期登録の肝となる	移行期間中 新法への移行期間中であり，近く新たなガイダンスやガイドラインが発行される予定である	移行期間中 新法による登録が2022年1月1日より必須（クラスB,C,D）となる	移行期間中 2021年2月より新法が施行され，ガイダンスやガイドラインが順次発行される予定である
登録申請者	法定代理人	法定代理人	輸入業者	輸入業者	輸入業者または販売業者	輸入業者
日本等の許認可	不要	不要	必要	不要	必要	必要
品質システム要求	ISO13485	ISO13485：ISO9001	ISO13485 ISO9001	ISO13485	ISO13485 ISO9001	ISO13485
有効期限	1年	5年	2～5年	5年	5年 クラスAのみ無期限	5年

「令和2年度国際ヘルスケア拠点構築促進事業　海外医療機器薬事レポート」（経済産業者，2021年3月）ASEAN6カ国と中国の医療機器規制の比較の一部情報改変。

✓ ブルネイ，ラオス，ミャンマー，カンボジアも医療機器の登録が必要とされるが，手続きに関する詳細な公開情報が見当たらなかった。医療機器のAMDDに批准しているため，今後国内法の整備が進むと考えられる。

　AMDDは，日本，アメリカ，カナダ，オーストラリア，EUが参加する医療機器規

制の国際整合化を図る医療機器規制国際整合化会議（GLOBAL HARMONIZATION TASK FORCE, GHTF）の決定事項に基づいており，欧州のMDDと類似の内容となっている。

AMDDは，下記の事項を要求している。
・医療機器企業の規制当局への登録
・医療機器の規制当局への登録
・医療機器の定義
・リスクに応じた医療機器の分類
・統一申請様式（Common Submission Dossier Template, CSDT）の使用
・市販後調査（PMS）

医療機器の登録申請手続きは，日本企業が直接行うことはできないため，現地法人の輸入業者や販売業者などを法定代理人に立てて行うことになる。登録申請の要件として，ほぼすべての国で品質システム要求があり，一部の国で日本等における許認可取得を求めている。品質システム要求としては，多くの国がISO13485認証を要求しており，ASEANに進出する日本企業にとってほぼ必須要件となっている。

ただし，一部の国では，製造販売業許可証や製造販売承認書／認証書の写しを提出することで，品質マネジメント要求を満たすと判断する場合もある。

申請資料は，AMDDで決められた統一申請様式「CSDT」にまとめ，規制当局に申請する。技術文書については，日本や欧州と同様に医療機器の基本要件への適合が要求されており，国際的規格IECやISOの適用と，物理的，化学的，生物学的，ソフトウェア，滅菌性，安定性，輸送／保管，包装材料，リスクマネジメント，ユーザビリティおよび臨床面からの検証および妥当性確認が求められる。内容としては，日本の医薬品医療機器等法よりも欧州のMDDの要求に近いものとなっている（MDRほど厳格ではない。）

表4.7には，参考までに主要6カ国の医療機器登録の申請費用と審査期間をまとめた。

表 4.7　主要 6 カ国における医療機器登録の申請費用と審査期間

国　名	申請費用（現地の通貨表示）	審査期間（一般的な期間）
シンガポール	クラス A：無償 クラス B：申請費用：SGD515（≒ 41,730 円） 　審査ルートにより SGD925/SGD1,850/SGD3,605 クラス C：申請費用：SGD515 　審査ルートにより SGD3,090/SGD3,605/SGD5,870 クラス D：申請費用：SGD515 　審査ルートにより SGD5,560/SGD5,870/SGD11,600	クラス B，C，D：100 〜 310 営業日
マレーシア	クラス A：申請費用：RM 100（≒ 2,650 円） クラス B，C，D： 1）CAB（適合性評価機関） 　費用は CAB によって変わる。 　（数百 US ドルから数千 US ドル） 2）MDA クラス B：申請：RM 250，審査：RM 1,000 クラス C：申請：RM 500，審査：RM 2,000 クラス D：申請：RM 750，審査：RM 3,000	クラス A：3 カ月〜 CAB：プロジェクトによって大きく異なる（数カ月〜） クラス B，C，D：6 カ月〜
インドネシア	クラス A：IDR 1,500,000（≒ 11,330 円） クラス B：IDR 3,000,000 クラス C：IDR 3,000,000 クラス D：IDR 5,000,000	クラス A：15 日 クラス B，C：30 日 クラス D：45 日
フィリピン	クラス A，B，C，D：PHP 7,575 （≒ 16,970 円）	クラス A：3 カ月〜 クラス B，C，D：10 カ月〜
ベトナム	クラス A：VND 1,000,000 （≒ 4,710 円） クラス B：VND 3,000,000 クラス C，D：VND5,000,000	移行期間中のため，不明
タイ	クラス 1： 申請費用：THB 500 （≒ 1,770 円） 審査費用：THB 25,000 登録証：THB 2,000 クラス 2，3： 申請費用：THB 1,000 審査費用： クラス 2：THB 38,000 クラス 3：THB 63,000 登録証：THB 10,000 クラス 4： 申請費用：THB 1,000 審査費用：THB 88,000 登録証：THB 20,000	200 〜 250 営業日

「令和 2 年度国際ヘルスケア拠点構築促進事業　海外医療機器薬事レポート」（経済産業者，2021 年 3 月）

■参考文献

1) 平成 28 年度，平成 29 年度アジア諸国医薬品・医療機器規制情報収集・分析事業調査報告（株式会社エヌ・ティ・ティ・データ経営研究所）
2) 令和 2 年度国際ヘルスケア拠点構築促進事業（介護等国際展開推進事業）海外医療機器薬事レポート（経済産業省）

4.4 医療機器とPL法

　医療機器事業に参入を検討している企業でも，医療機器の製造物責任がおそろしいので，人の生死にかかわる医療機器クラス分類の検討は最初から除外しているところもまだ多い。また，医療機器メーカーに部品を納入して新しい販路を築きたいと考えている部品会社でも，身体に埋め込むのだけは止めてくれという企業もある。著名な半導体メーカーでも，「試作には参加するが，量産時の部品提供はできない」という会社がある。これらの背景には，1995年に日本で製造物責任法が施行された前後に，米国で大きな製造物責任訴訟があり，それが大きく報道されたことも一因としてあろう。ただし，医療機器に関する製造物責任訴訟の実態については，一方的で，誤解から生まれた情報を信じ，おそれているだけの場合も多い。

　医療機器事業に参入するにあたり，医療機器に関する正しい製造物責任法についての情報を得ることは不可欠であり，以下はその情報を得る足がかりとなる。

▶ 製造物責任法（PL法：Product Liability Act）とは

> 製造物責任法は，製造物の欠陥により損害が生じた場合の，製造業者等の損害賠償責任について定めた法規のこと。
>
> 原告（使用者側）が訴える欠陥に対し，その責任が自ら（製造者側）にないことを立証できなければ，被告（製造者側）が賠償責任をもつ法律である。
>
>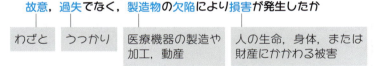
>
> 欠陥 ＝ 医療機器が通常もっていなければならない安全性を欠いていること。
>
> ✓ 医療機器に関連する欠陥は，
> 　・設計上の欠陥
> 　・製造上の欠陥
> 　・指示・警告上の欠陥
> など，材料・部品業者も対象になることがある。

　製造物責任法（PL法：Product Liability Act）は，日本では1995年に施行された。

PL法の目的，定義や製造物責任とは以下のとおりである。

> （目的）
> **第一条** この法律は，製造物の欠陥により人の生命，身体又は財産に係る被害が生じた場合における製造業者等の損害賠償の責任について定めることにより，被害者の保護を図り，もって国民生活の安定向上と国民経済の健全な発展に寄与することを目的とする。
>
> （定義）
> **第二条** この法律において「製造物」とは，製造又は加工された動産をいう。
> 2　この法律において「欠陥」とは，当該製造物の特性，その通常予見される使用形態，その製造業者等が当該製造物を引き渡した時期その他の当該製造物に係る事情を考慮して，当該製造物が通常有すべき安全性を欠いていることをいう。
> 3　この法律において「製造業者等」とは，次のいずれかに該当する者をいう。
> 　一　当該製造物を業として製造，加工又は輸入した者
> 　二　自ら当該製造物の製造業者として当該製造物にその氏名，商号，商標その他の表示をした者又は当該製造物にその製造業者と誤認させるような氏名等の表示をした者
> 　三　前号に掲げる者のほか，当該製造物の製造，加工，輸入又は販売に係る形態その他の事情からみて，当該製造物にその実質的な製造業者と認めることができる氏名等の表示をした者
>
> （製造物責任）
> **第三条** 製造業者等は，その製造，加工，輸入又は前条第3項第二号若しくは第三号の氏名等の表示をした製造物であって，その引き渡したものの欠陥により他人の生命，身体又は財産を侵害したときは，これによって生じた損害を賠償する責めに任ずる。ただし，その損害が当該製造物についてのみ生じたときは，この限りでない。

一部削除

簡単にまとめるとPL法とは，「製造物の欠陥により損害が生じた場合の製造業者等の損害賠償責任について定めた法規」で「原告（使用者側）が訴える欠陥に対し，その責任が自ら（製造者側）にないことを立証できなければ被告（製造者側）が賠償責任をもつ法律」といえる。

本来，民法の損害賠償の一般原則は，加害者に「故意，過失」があることが要件になるが，PL法の場合，製造者の過失を要件としない「無過失責任」で，製造物に「欠陥」があったことを要件として，消費者保護の観点から損害賠償責任を追及しやすくした法である。

つまり，PL法で責任を問われるのは「製造業者」，「輸入業者」で，対象は「動産」なので土地，建物は入らない。また，ソフトウェアも動産とは解釈しないので，PL法対象外との見解もあるが，医療機器ソフトウェアも対象となるPL訴訟の判例も海外ではあるので，十分注意する必要がある。なお，被害発生から3年間，製品出荷から10年間がPL法適用の対象となる。

また，医療機器の「欠陥」が要件であるので，欠陥の定義を整理しなければならないが，「欠陥」は医療機器が通常もっていなければならない安全性を欠いていることで，設計上の欠陥，製造上の欠陥，指示・警告上の欠陥などである。

つまり，医療機器に求められている有効性・安全性・品質（維持），たとえばISO 14971などの各種要求規格への適合ができていれば，大きな課題ではない。

なお，PL法の適用範囲の「製造業者等」には，材料・部品業者も対象になることがあるので注意されたい。詳しくは後述する。

▶ 医療機器に関連したPL法の変遷

米国におけるPL訴訟が，日本の医療機器関連の製造に影響している。

```
1963年  Greenman vs Yuba Power Products事件厳格責任理論
        (Strict Liability)
1975年  ダルコン・シールド（DalkonShield）子宮内避妊デバイス訴訟
        （12名死亡，A. H. ロビンズ社倒産，5億3,000万ドル損害賠償/9,500
        件時点）
1992年  ダウケミカル・ダウコーニング豊胸材シリコン訴訟
        （乳房切除，ダウコーニング破産，32億ドル和解）
1992年  デュポン・バイテック下顎インプラント訴訟
        （痛み，バイテック破産・デュポンの勝訴，2,600万ドル訴訟費用）
```

```
1995年  化学メーカーが医療機器への部材供給をStop，電子部品も追従，損保会
        社のPL保険で医療機器をハイリスク領域指定
```

```
1998年  BAA法（Biomaterial Access Assurance Act）の制定
```

```
2008年  Riegel vs Medtronic 訴訟（FDAがPMA承認した製品はPL訴訟から罷
        免される）
```

PL法の歴史は米国が一番古い。1700年ごろから判例として成立してきたという文献もあり，無過失責任による損害賠償が認められたのは，1963年の「Greenman vs Yuba Power Products事件」（日曜大工道具を使用中に，はねた木片が頭に当たって負傷したグリーンマン夫人が，製造者であるパワープロダクツ社を訴えた事件）で適用された厳格責任理論（strict liability）からのようである。

また，医療機器では1975年，ダルコン・シールド（DalkonShield）子宮内避妊デバ

イス訴訟がある。これはデバイスを装着した女性が妊娠，子宮内感染を経て死亡に至った症例で，発覚後の対応も悪く，結果として12名が死亡し，A. H. ロビンズ社は1985年倒産となった。

さらに1992年の「ダウケミカル・ダウコーニング豊胸材シリコン訴訟」による乳房切除などに至る被害では，ダウコーニング社の破産後，親会社であるダウケミカルの問題もあり32億ドルで和解した。また，1992年のデュポン・バイテック下顎インプラント訴訟（インプラント後の痛み等）ではバイテック社は破産，材料を供給したデュポンは勝訴したが，2,600万ドルの訴訟費用と多くの時間が費やされたともいわれる。

とくに「ダウケミカル・ダウコーニング豊胸材シリコン訴訟」で，材料メーカーであるダウケミカル社が訴えられ，多額の賠償金を支払う結果になったことが，大きな社会的影響をもたらした。

これらにより，1995年には化学メーカーが医療機器への部材供給をストップした。電子部品メーカーも追従し，損保会社ではPL保険で医療機器をハイリスク領域の指定をするようになった。

ちょうどこの時期が日本でPL法が施行された時期と重なり，このことが日本の医療機器関連の製造にいまでも強く影響している。

しかし，米国ではその後，医療機器の材料や部品の供給ストップにより，医療機器メーカーだけでなく患者も深刻な影響を受けることとなり，1998年にBAA法（Biomaterial Access Assurance Act）が制定されることとなる。このBAA法は，インプラント用材料メーカーをPL訴訟の対象から外す法律で，かつ，インプラントメーカーの指示で材料を供給するだけなら材料メーカーはPL法から適用除外されるとしており，その後，米国で部品メーカーが医療機器開発にかかわるスタンスを提示することとなる。

さらにその後，BAA法をインプラントから拡大する法や，2008年にはRiegel vs Medtronic訴訟の結果，FDAが市販前承認（PMA）した製品はPL訴訟から罷免される判決も出たことで，あらためて米国の医療機器産業は大きな活躍の場をもつこととなる。

▶ 医療機器関連のPL訴訟の実態

> **米国はデュポン，ダウ，テキサス・インスツルメンツも積極策に転じ，日本は消極的。**
> 内閣官房（健康・医療戦略室）・文部科学省・厚生労働省・経済産業省「医療機器の部材供給に関するガイドブック（改訂版）」（平成29年1月）より
>
> **米国**
> 1945〜2009年：
> 　医療機器PL訴訟…877件
> 　PL訴訟は1年に約十数万件
> 　うち部品供給メーカー関連20件（高分子材料メーカー）
> 　1992年から98年に集中…敗訴0件
> 1998年以降…BAA法施行後，減少
>
> **日本**
> 1995〜2016年：
> 　医療機器PL訴訟…3件
> 　全体としてはPL訴訟，この間，371件
> 　しかし，部材供給メーカー関連は0件
>
> ✔ 米国の無過失責任訴訟は1980年代に増えたが，現状は大きく変わった。

　前述のとおり，BAA法施行後，米国ではデュポン，ダウ，テキサス・インスツルメンツも医療事業に積極的になっているなか，日本ではまだ消極的な面がある。さらに，状況をつかむため，医療機器関連のPL訴訟の実態を掲げてみる。

　内閣官房（健康・医療戦略室）・文部科学省・厚生労働省・経済産業省「医療機器の部材供給に関するガイドブック（改訂版）」（平成29年1月）中にある財団法人 医療機器センターの調査によると，以下のとおりである。

> 　1945年から2009年3月までの間に米国において医療機器が関係したPL裁判のうち，判例として確認できた数は，連邦控訴裁判所，連邦地方裁判所，州裁判所を合わせて877件で，そのうち，部材供給メーカーに関連するものはわずか20件しかありませんでした。部材供給メーカーの中でも，提訴されたのは高分子材料メーカーのみで，提訴の時期も1992年から1998年の間に集中しています。さらに，これらの部材供給メーカーが被告となった判例は，すべて原告側が敗訴しており，これまでに部材供給メーカーが敗訴した判例は見つかっていません。
> （一部削除）
> 　わが国では，平成7年に製造物責任法（PL法）が施行されて以来，同法に基づく訴訟は消費者庁が把握できたもので平成28年3月末までで371件で，そのうち，医療機器関連は3件ですが，材料供給者の責任が問題となった事件はありません（うち，2件は原告が勝訴。1件は被告側が勝訴）。

　すなわち，毎年十数万件といわれる米国のPL訴訟の中でも，医療機器に関するPL

訴訟は少なく，さらに部品メーカーがほぼ巻き込まれなくなっていることを示している。

また，日本では国自体の歴史的背景も違うので，PL訴訟自体が少なく，医療機器PL訴訟は15年で3件，部品メーカー関連はなしという結果である。

▶ 医療機器に対するPL訴訟の実例

> PL関係でどのような訴訟があるかを知り，開発・生産に活かす必要がある。

機器名 （判決年，国）	内容	主張	結果
人工膝関節 （2003年，米国）	4人の患者らはいずれも膝の人工関節を置換する手術を受けた。患者らは術後に膝の痛みと膨張感を訴えた。患者らは症状が悪化したことなどから人工関節を製造したメーカーとその親会社に損害賠償を求めた。	原告らは人工関節製造の滅菌工程の不備により，プラスチック製の人工関節が酸化したり不安定な状態になる欠陥があったことをメーカーは承知していたと主張した。承知していたにもかかわらず消費者にその事実を隠し，流通し続けていたと主張した。	原告勝訴 4,866,623ドル （利息込み）
手術ナビゲーションシステム （2002年，米国）	49歳の土木技師が病院で腫瘍を取り除く手術を受けた。外科医は脳の腫瘍を取り除くため，画像誘導手術でナビゲーションシステムを用いた。システムの不備により，腫瘍を探査する場所がずれ，外科医は嚢胞（のうほう）がある場所ではないところを手術した。その結果，土木技師は左半身麻痺となった。原告は医療装置を製造し，販売した事業体（製造会社と販売会社は関連会社）を訴えた。	事故は医療機器の構造上の欠陥により起こった。MRIイメージのずれを起こした原因はソフトウェアの欠陥である。さらに製造者らは病院に十分な指示・警告をしていなかった。また製造者らは病院へのテクニカルサポートを怠った。	原告勝訴 3,180,000ドル （病院は評決前に147,500ドルで原告と和解している）
人工心肺装置 （2002年，日本）	心臓手術中に人工心肺装置の送血ポンプに亀裂が生じ，空気が混入した結果，患者が脳梗塞になり，重篤な後遺障害が残った。	ポンプを操作していた臨床工学技士とポンプを製造販売した業者に過失があったとして，訴えた。	病院と業者の損害賠償責任が認められた。

（医療機器センター医療機器産業研究所運営「低侵襲医療機器開発の情報検索サイト」PL裁判例情報より，http://jaame.majestic.jp/mimtdb/risk/risk_pl_m.php?notes=risk_pl）

しかし，医療機器に関連したPL訴訟自体が皆無なわけではない。実際に医療機器に対するPL訴訟の内容を知ってもらうのは，事業判断だけでなく，これからの開発・生産に活かす意味でも重要なので，ここでは訴訟の内容（概要），原告の主張，訴訟の結果を国，訴訟年，医療機器名と対比して表にした。

また，上記サイトには多くの実例が掲載されている。

▶ 医療機器の部材供給に関する留意点

> 部材供給の際に，仕様の明確化と，リスクシェアリング等の責任分担を，契約で明記することが大切である。

	定義	購入者（医療機器製造業者，医療機器販売製造業者，大学等研究機関）の責任	供給者（部材供給企業，部材・加工・ブロック組立て）の責任
汎用品	部材の仕様が決まっていて一般に使用される部材	・使用，不使用の判断と責任は医療機器関連業者。 ・生物学的安全性に関連する部材も同様。	・仕様書内の保証で医療機器適応の評価責任はない。 ・原材料・構成部品の規格の情報提供を購入者から求められる。
受託生産品	購入者が仕様を提示し，その仕様を満たす部材を供給者が供給する部材	部材に欠陥が生じても，供給者に過失がない限り，購入者の責任 （PL法第4条第2項）。	・承認仕様書を交わすこと。 ・原材料・構成部品の規格の情報提供を購入者から求められる。
共同開発品	製品や開発の用途目的を両者が相互に理解した上で開発する部材	一義的責任	PL法第4条第2項の免責事由に該当しない（責任範囲を契約で明記すること，大学・研究機関に対する部材供給も，提案した場合は共同開発）。

内閣官房（健康・医療戦略室）・文部科学省・厚生労働省・経済産業省「医療機器の部材供給に関するガイドブック（改訂版）」（平成29年1月）より

✔ 供給者の品質マネジメント監査を要求されることもある。

　ここでは医療機器の部材供給に関する留意点を，内閣官房（健康・医療戦略室）・文部科学省・厚生労働省・経済産業省「医療機器の部材供給に関するガイドブック（改訂版）」（平成29年1月）をもとに説明する。

　部材の仕様が決まっていて一般に使用される部材である「汎用品」，具体的には部品メーカーのカタログに載っているような部品で，電気部品でいえば汎用半導体や抵抗・コンデンサーなどにあたる。これについては，仕様書内の保証は要求されるがPL訴訟の対象になることはない。つまり，使用／不使用の判断と責任は医療機器関連業者にある。さらに，生物学的安全性に関連する部材も同様である。

　また，「受託生産品」と定義される，購入者（医療機器製造業者，医療機器販売製造業者，大学等研究機関など）が仕様を提示し，その仕様を満たす部材を供給者（部材供給企業，部材・加工・ブロック組み立てなど）が供給する部材である。たとえば図面や仕様書を購入者側から示され，それに沿って部品を納品する場合や，電気部品でいえばカスタム電源ブロックなどの場合である。「受託生産品」も，部材に欠陥が生じても供給者に過失がない限り，購入者の責任である。ただし，その際，原材料・構成部品の規格の情報提供を購入者から求められることがあるが，基本的には両者で常に仕様書を交わし，承認図等も存在するはずなので，特別なことは必要ない。なお，受託生産品の法的根拠は，PL法

第4条第2項（当該製造物が他の製造物の部品，または原材料として使用された場合において，その欠陥が専ら当該他の製造物の製造業者が行った設計に関する指示にしたがったことにより生じ，かつ，その欠陥が生じたことにつき過失がないこと）にある。

　一方，注意しなければならないのは，製品や開発の用途目的を両者が相互に理解した上で開発する部材，いわゆる「共同開発品（部品）」の場合である。この場合でもPL訴訟等が発生した際には購入者が一義的責任を負うことになるが，供給側もPL法第4条第2項の免責事由に該当しない（大学・研究機関に対する部材供給も，提案した場合は共同開発）。

　この共同開発的な部品営業は現場でよく行われていて，また，これは購入側からみても大変ありがたいことであり，かつ，完成品の製造企業を部品産業が支えるという日本の産業構造の強みでもあるので，共同開発はPL法の除外にならないので参加しないというように短絡的にならないでほしい。

　重要なのは，仕様の明確化とリスクシェアリング等の責任分担を契約で明記することである。筆者の経験からしても，たとえば大手の海外半導体メーカーから部品供給を受ける際には，部品メーカーから「供給側に一切の責任はない」旨の契約書を書かされることが常である。したがって，購入側もそういった要求に違和感はない。

　欠陥のない部品供給は供給者側の責務であることは，医療機器でなくても，またPL訴訟の除外があっても変わらない。そのため品質管理の体制下での欠陥排除の活動が重要である。さらに最近は医療機器製造販売業者の品質マネジメント監査の際，部材供給者の品質監査も要求されることが増えているので，この点からもISO 13485による品質管理体制の構築をすすめる。

医療機器メーカーとしてのPL法対策

PL法のリスクは製造販売業者にある。

- ISO 13485対応やISO 14971等のリスクマネジメントが重要。
- 取り除けないリスクは明記すること。
- 製造販売業者は，PL法リスクを考慮してPL法対策を収支計画に入れること。

（免責事由）
製造業者等は，次の各号に掲げる事項を証明したときは，同条に規定する賠償の責めに任じない。
- 当該製造物をその製造業者等が引き渡した時における科学又は技術に関する知見によっては，当該製造物にその欠陥があることを認識することができなかったこと。
- 当該製造物が他の製造物の部品又は原材料として使用された場合において，その欠陥が専ら当該他の製造物の製造業者が行った設計に関する指示に従ったことにより生じ，かつ，その欠陥が生じたことにつき過失がないこと。

 事実を理解した上で，事業機会を逃がさないこと。

　PL訴訟のリスクは製造販売業者にある。製造販売業者としては，PL法にどのように対応し，どのような対策を講じなければならないかは重要である。

　要素は3つあり，それぞれ「製品安全対策」，「事故対策」，「PL保険対策」である。「製品安全対策」については医療機器の業許可，体制省令やQMS省令，また医療機器の承認・認証で求められるGCP，GLPを含めた各種規制への対応が「製品安全対策」といえるので，それらを粛々と対応する。この「製品安全対策」が最大のPL訴訟対策である。とくに，ISO 13485対応やISO 14971等のリスクマネジメントが重要であることを強調しておく。また，リスクマネジメント規格ISO 14971にあるとおり，リスクコントロールの際には「取り除けないリスクを明記すること」を怠ってはならない。いくつかのPL訴訟の判例では，本質的な安全対策の不備というより，そのリスクが添付文書や取扱説明書，またパンフレット等に明示されていなかったと指摘されており，十分注意する。とくに，海外に医療機器を販売する際には，言語コミュニケーションの問題も含めて要注意である。

　また，「事故対策」については，法が求めるGVP省令や回収への対応はもとより，起きてしまったことに対する迅速で誠意のある対応が一番である。法的にも事故等の届出は求められているが，インターネットが発達した現代において，情報を企業に都合のよいようにコントロールすることは困難であり，得策ではない。また，事故・欠陥の可

能性を想定したPL法リスクを考慮し，PL法対策を収支計画に入れることも事故対策の1つである。

さらに「PL保険対策」であるが，すでに医療機器製造販売業者の94％がPL保険に加入（「平成22年度 医療機器分野への参入・部材供給の活性化に向けた研究会報告書」経済産業省商務情報政策局医療・福祉機器産業室）しているのが実態である。PL保険の加入は必要であるが，本資料のアンケートによると，保険料が高かったり医療機器の団体PL保険が見つけられないことを課題としてあげるメーカーも見受けられる。一方，中小企業を中心に必要となる団体保険も，東京海上日動火災保険などから国内の医療機器・医療材料の海外進出を支援する目的でできているようである。

最後にPL法の免責事由を以下に掲げる。

（免責事由）
　製造業者等は，次の各号に掲げる事項を証明したときは，同条に規定する賠償の責めに任じない。
・当該製造物をその製造業者等が引き渡した時における科学又は技術に関する知見によっては，当該製造物にその欠陥があることを認識することができなかったこと。
・当該製造物が他の製造物の部品又は原材料として使用された場合において，その欠陥が専ら当該他の製造物の製造業者が行った設計に関する指示に従ったことにより生じ，かつ，その欠陥が生じたことにつき過失がないこと。

4.5 UDI（Unique Device Identification；医療機器の固有識別）

▶ UDI（Unique Device Identification）とは何か

> UDI（Unique Device Identification）とは，医療機器を特定する標準化された識別情報。

- 医療機器を固有に識別することで，流通から使用段階を通じた医療安全の向上，最適な治療の提供を促進する運用体系全般を表す。
- 医療機器を特定するために製品本体，ラベル，および梱包に表示される，英数字と機械読取可能形式（AIDC）の組み合わせによる標準化された識別情報。

機械読取可能形式
（AIDC）

参考資料：Aileen I. Velez Cabassa "Unique Device Identification（UDI）Overview" FDA Small Business Regulatory Education for Industry（REdI）May 13, 2015

✓ 3極の対応要求の状況：米国は，2013年9月にUDI規則としてすでに法制化されている。
日本は，法規制化はされていないが，通知等によって表示が推奨されている。
（財）医療機器学会の調べによると実施状況は，9割前後とのこと。
欧州は，2020年5月より発効したMDR（医療機器規則）で要求されている。

　UDI（Unique Device Identification）とは，医療機器を固有に識別することで，流通から使用段階を通じた医療安全の向上，最適な治療の提供を促進するための制度体系である。
　具体的には，医療機器を特定するために製品本体，ラベル，および梱包に表示される，英数字と機械読取可能形式（AIDC）の組み合わせによる標準化された識別情報のラベリングと，その情報のデータベース登録を義務化する制度で，世界の医療機器メーカーが対応を迫られている。
　発端は，IMDRFが2011年に「医療機器ユニークデバイス識別ガイダンス」を発行して，バーコード識別表示と国家レベルの製品情報のデータベース登録の義務化の推奨を発表したことに始まる。その後，米国FDAがこのIMDRFガイダンスをもとに，2013年9月に医療機器UDI規制を公示し，2014年9月から本規制が施行されている。日本

では，法令化はされていないが，厚生労働省経済課通知（平成20年3月28日：医政経発第0328001号）によって，努力義務化されている。そして，欧州では，2020年より適用されたMDRによりUDIが義務化された。

▶ UDIの構成

UDIは，機器識別情報（DI）と製造識別情報（PI）から構成される。

- 機器識別情報（Device Identifier: DI）
  - 医療機器本体，または医療機器の個別のパッケージ（バージョン，モデル）を一意に識別する固有的情報。
  - GTIN（Global Trade Item Number）例：JANコード，EANコード，UPCコード

- 製造識別情報（Production Identifier: PI）
  - ロット番号，バッチ番号，シリアル番号，使用期限，製造日付，などの製造固有の可変的情報。

機器識別情報（DI）　　　製造識別情報（PI）

✔ 参考資料：
  - 医療機器等のUDI運用マニュアル2016年度版（医機連）
  - Aileen I. Velez Cabassa "Unique Device Identification (UDI) Overview" FDA Small Business Regulatory Education for Industry (REdI), May 13, 2015

①UDI表示のデータ項目

「機器識別情報（DI）」と「製造識別情報（PI）」という2つの識別情報から構成される。

一方は，「機器識別情報（＝固定データ）」であり，他方は「製造識別情報（＝可変データ）」である。情報がいつも変わらないもの（＝固定：製造業者名，製品名）は「機器識別情報」であり，その都度情報が変わるもの（＝可変：有効期限日，ロット番号）は製造に関係する「製造識別情報」となる。

②表示するバーコード種類

バーコードはGS1-128バーコードである。このバーコードシンボルは日米共通である。GS1-128バーコードの表示面積が足りない場合は，二次元シンボルのデータマトリックスで同じデータ項目（製品コード，有効期限，ロット番号）を表示することとなる。医療機器によっては，ロット番号でなく，シリアル番号を表示する場合もある。

4.5 UDI（Unique Device Identification；医療機器の固有識別） 283

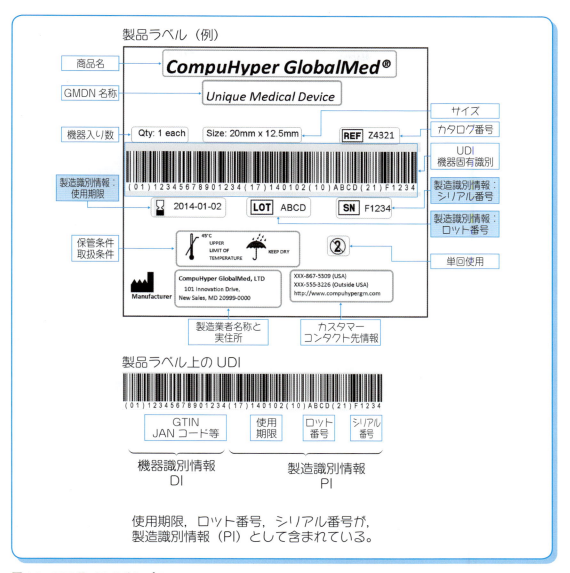

図 4.1　UDI ラベルのサンプル

　製品コードは GS1 コード体系，HIBCC（米国医療産業ビジネス情報協議会：Health Industry Business Communications Council）のコード体系，または ICCBBA（血液関係製品自動化・共有化国際協議会：International Council for Commonality in Blood Banking Automation）のコード体系のうちのいずれかを使用する。国内では厚生労働省経済課通知（平成20年3月28日：医政経発第0328001号）によって，すでに GS1 コード体系が選択され，全国の医療機器メーカーでの GS1 コード体系は9割の取得率となっている。

　図 4.1 に，UDI を含む製品ラベルの具体例を示した。

第5章

医療機器業界参入のための規格を知る

医療機器業界参入の際には，当該医療機器の安全性を証明するため国際規格に対応した開発・生産ができるかがポイントとなる。本章では，医療機器の開発や生産，および製品のライフサイクルにおいて関連する代表的な国際規格の概要を説明する。

本章の目的は，医療機器業界参入に際し，どのような規格が存在し，それらがどのような内容かの大枠を知ることである。ただし，実際の業務にあたっては必ず最新の原本の規格によって，詳細を理解する必要がある。また，原本を読む際は，邦訳だけでなく，より正しい理解のために，原文も対比して読むことをすすめる。

以下に，各業務とそれに関係する規格の表をあげた。これも各業の業務内容によって必要な規格の判断が変わるので，あくまでも参考としてとらえ，本章を読む際の目安として使用してほしい。

各業務とそれに関係する必要規格

	ISO 13485	ISO 14971	IEC 62304	IEC 62366-1	IEC 60601-1（通則）	IEC 60601-1-x（副通則）	IEC 60601-2-x（個別規格）
設計会社（ハードウエア）	◎	◎	○	○	○	○	○
設計会社（ソフトウエア）	◎	◎	◎	○	○	○	×
部品会社	×	×	×	×	×	×	×
部品会社（ユニット生産）	○	○	×	×	×	×	×
製造会社（生産のみ）	◎	◎	×	×	×	×	×
製造販売会社（一義的責任者として）	◎	◎	○	○	○	○	○

◎：とくに必要な機会が多い，○：必要な機会が多い，×：必要な機会が少ない

5.1 国際規格の基礎知識

▶ 医療機器でも国際標準化規格が重要

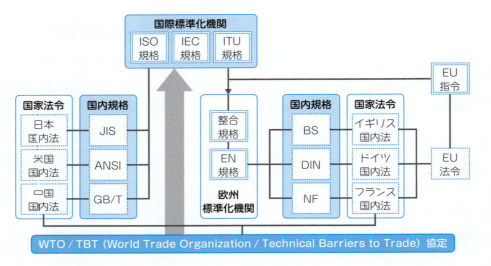

法で規格の対応を求め，WTOで国内の規格を国際規格に適合させると決めたため。

- ・国際標準化規格がJIS化され，医薬品医療機器等法にひもづくことで効力を発揮する。
- ・法の施行開始時期によっては，製品や材料の廃棄が必要になるので注意が必要。

　1990年以後に急速に進んだグローバリゼーションは，文化と経済の枠に捉われない貿易を促進させるが，そのためには各国間の互換性の確保，試験方法の統一や品質・安全の確保が重要になる。その中心にISO，IECやITUなどの国際標準化機関があり，その規格と各国規格との整合化を図ることにより，技術やルールは国を越えて世界共通で使えるようになり，各国の製品やサービスの国際的な貿易に寄与できるようになってきた。世界経済のグローバリゼーション化が進むなか，ISOやIECなどの国際規格の重要性が増しつつある。

　とくに1995年に発効されたWTO／TBT（World Trade Organization／Technical Barriers to Trade；貿易の技術的障害に関する協定）により，加盟各国は，国内の規制・規格やJIS等の国内規格を国際規格（ISO，IEC，ITU等）に原則適合，規格適合性評価手続きもISOやIEC等のガイドラインや勧告を採用，適合性評価の結果の他での

採用である相互承認の推奨，を遵守しなければならなくなった。さらにWTOの政府調達に関する協定においても，政府-政府機関の調達基準は原則として国際規格に基づくことの取決めもあり，ますます国際標準化機関の決定が各国にも大きく影響するようになっている。これらにより，各国は戦略的に国際標準規格を自国の規格に早く採用したり，自国の規格を国際標準規格に採用させるような戦略的対応を強化している。

　各国の規格はそのままでは強制力はないが，その規格等が各国の法律にひもづけられたときに法的な効力をもつので，規格と法の関連は常に注意していなければならない。たとえば，医療機器に求められている有効性，安全性，品質（維持）の3要素のうち，品質（維持）に関連する品質システム関連のJIS Q 13485はQMS省令で，リスクマネジメントのJIS T 14971やJIS T 0601-1は製品の承認や認証の基準として採用されており，法的拘束力をもつ規格になっている。

　国際標準化機関の決定が各国の規格になる協定下では，企業の戦略にも大きく影響する。たとえば，医療機器のように開発のサイクルが長く，製品寿命も比較的長い製品は，製品の在庫や部品在庫を抱えている間に規格が変わり，法的な施行時期がくるとそれらの在庫を市場に出せなくなることも多いので，とくに注意が必要である。

▶ 国際標準化規格が発行されるまでのプロセス

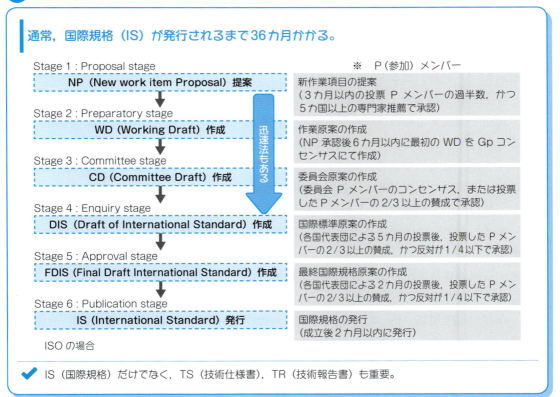

企業戦略上でも大きな影響力をもつ国際標準化規格がどのようなプロセスを経て規格化されるのかを知ることは規格づくりに参加してもしなくても重要なので，その概略を載せた．

　国際標準化規格（IS：International Standard）が発行されるまでにはステージが6段階あり，通常，第1ステージから第6ステージまで3年（36カ月）かかる．第1ステージは「NP（New work item Proposal）提案」といわれ，新作業項目の提案が参加メンバー（Pメンバー）からなされ，提案されてから3カ月以内に投票が行われる．議決は，Pメンバーの過半数で，かつ5カ国以上の専門家推薦が得られれば承認される．第2ステージは「WD（Working Draft）作成」のステージで，これは作業原案の作成のことであるが，NP承認後6カ月以内に最初のWDをGpコンセンサスにて作成する．第3ステージは「CD（Committee Draft）作成」で委員会原案の作成のことであるが，委員会Pメンバーのコンセンサス，または投票したPメンバーの2/3以上の賛成で承認される．第4ステージが「DIS（Draft of International Standard）作成」とISOで呼ばれるステージで，国際標準原案の作成，および照会のステージであり，メンバーでない国はこの時点で内容を知ることになる．決議は各国代表団による5カ月間の投票後，投票したPメンバーの2/3以上の賛成，かつ反対が1/4以下で承認となる．なお，このステージはIECでは，「CDV（Committee Draft for Vote）作成」と呼ばれる．第5ステージが「FDIS（Final Draft International Standards）作成」で，最終国際規格原案の作成にあたるが，各国代表団による2カ月間の投票後，投票したPメンバーの2/3以上の賛成，かつ反対が1/4以下で承認となるステージである．そして第5ステージが承認されると，原則2カ月以内に国際規格の発行「IS（International Standard）発行」となる．

　以上が6つのステージであるが，この通過に36カ月かかるのは，広く認められる国際規格を作成する際は反対意見や重要な技術的見解の不一致をなくすことが不可欠であるため，十分に時間を費やし・審議し・検討し・解決を図ることが必要との基本コンセンサスがあるためである．ただ一方，ファストトラック制度（優先審査制度）もあり，これは審議プロセスが簡素化される制度で，第1ステージから第4ステージにジャンプしてWDやCDを飛ばすことができる．EUなどはこれを戦略的に利用している．

　前述したように国際規格はWTO／TBTで原則国内の規格にもなるため，国内の医療機器メーカーが海外に販路を広げる際にも避けて通れない規格となっている．各社に関連する国際規格案がいまどのステージにあるかをつかむことは重要であるので，このプロセスをぜひ理解しておいていただきたい．

　なお，国際規格（IS）だけでなく，技術仕様書（TS）や技術報告書（TR）も国際規格を深く理解する上で重要なので，動向を注意深くみていく必要がある．

日本の標準化機関および業界団体

各業界団体から国際標準化機関の専門委員会（TC），分科委員会（SC）に参加している。

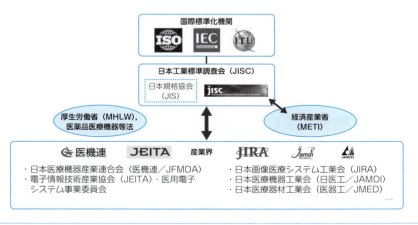

- JISは，用語等の基本規格，測定の方法等の作業標準などの規定と，製品規格3つに分類される。
- 医療機器関連はJIS T（医療安全用具：医療用電気機器類，一般医療機器，歯科機器，歯科材料，医療用設備・器械，福祉関連機器）である。

　日本の標準化機関は，日本工業標準調査会（JISC：Japanese Industrial Standards Committee）といわれ，JISCは工業標準化法に基づいて経済産業省に設置されている審議会で，日本工業規格（JIS）の作成や工業標準化全般に関する調査・審議を行っている。さらにここは，国際標準化機関に対する日本の正式機関であり，国際標準化機関にメンバーを派遣している。規格策定には多くの日本の業界団体からも参加して，実際の審議や国際標準化機関の専門委員会（TC），分科委員会（SC）やワーキンググループ（WG）のメンバーとして働いている。しかし，産業のグローバル化の中にあり，競争力強化のための国際標準化活動は戦略的に重要になってきているにもかかわらず，日本の企業や団体からの国際標準化機関への参画状況は十分なものとはいいがたい状況で，これからもさらに戦略的な国際標準化活動に対する理解が不可欠である。

　医療機器関連の業界団体は，「日本医療機器産業連合会（医機連／JFMDA）」，「電子情報技術産業協会（JEITA）・医用電子システム事業委員会」，「日本医療機器工業会（日医工／JAMDI）」，「日本医療器材工業会（医器工／JMED）」，「日本画像医療システム工業会（JIRA）」，「日本医療機器販売業協会（医器販協）」など，多く存在している。とくに医機連は，医療機器産業界の総意を形成し，これを社会に発信するとともに，医療機器産業界内部に対してもあるべき方向を示す役割を負う連合会として活躍している。また，JEITAは，医療技術の発展に医療関連の電気・電子機器が大きな役割を果たし，電子技術の進歩とともに機器の性能は高度化し，またIT機器と組み合わせた医療システムも増えているなか，大きな役割を担っている。

一方，規格でなじみのある日本産業規格（JIS：Japanese Industrial Standards）の分類表示方法は，JISの後に分野を表すアルファベットと4桁の数字の組み合わせだが，医療機器版はJIS T医療安全用具で，これには医療用電気機器類，一般医療機器，歯科機器，歯科材料，医療用設備・器械，福祉関連機器などが含まれ，基本規格・測定や作業の標準規格，さらに製品規格の3つの区分が決められている。JIS Q管理システムもJIS Q13485を代表として，医療機器の規格として強い関連がある。

▶ 米国の標準化機関および関連団体

　米国の標準化機関は，米国規格協会（ANSI：American National Standards Institute）で，米国商務省 国家標準技術研究所（NIST：National Institute of Standards and Technology）がANSIに対し，規格制定の権限を与えている。また，国際標準化機関にはANSIがメンバーを派遣しているが，ANSI自体が規格を作成しているわけではなく，民間の標準開発機関（SDOs：Standards Development Organizations）がそれに携わっている。

　米国における国際標準化戦略は，1995年のWTO／TBT後，自国の自主的規格のデファクト化であり，国際標準化機関による国際規格策定に積極的にかかわるようになった。さらにTC（Technical Committee：専門委員会）やSC（Sub Committee：分科委

員会)の幹事国を積極的に引き受け,自国の産業に有利な立場の構築や情報の入手で強固な地位を築いている。たとえば,医用電気機器の共通事項(Common Aspects of Electrical Equipment Used in Medical Practice)にかかわる規格を作成しているIEC TC/SC62Aの幹事国もANSIであり,IEC 62304(医療機器ソフトウェアのライフサイクル規格)やIEC 60601-1(医用電気機器の一般要求事項)の策定に大きな影響力をもっている。また,米国内においても,連邦機関が何かを規制する際,ANSIが定めた規格を採用するよう義務づけた連邦技術移転促進法もあり,国際規格が米国の規格となり,さらにそれが米国内の法とひもづけられるようになっている。

標準開発機関(SDOs)には,米国医科器械協会(AAMI:Association for the Advancement of Medical Instrumentation),米国材料試験協会(ASTM:American Society of Testing and Materials),米国機械工業会(ASME:American Society of Mechanical Engineers),電子工業会(EIA:Electronic Industries Alliance),米国電気電子技術者協会(IEEE:Institute of Electrical and Electronics Engineers)や米国保険業者安全試験所(UL:Underwriters Laboratories)などがあり,実際の規格作成を担当している。さらにこの各団体に,産業界やアカデミアから参加する構造となっている。

以前はUL規格やMILスタンダードが国際規格として有名であったが,これらの国際標準化機関とのつながりや影響力は以前より弱まっているようにみえる。

▶ EU指令とEU各国の標準化機関

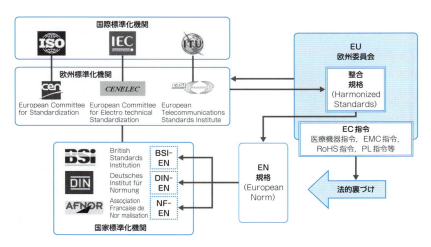

EUはファストトラック制度により,EN規格のISO/IEC化の戦略をとっている。

✓ EUの整合規格は,CEマーキング制度の適合要件なので,適合しないとEUでの製品の流通が認められない。

まずEUにおける標準化機関としてある欧州標準化委員会（CEN：European Committee for Standardization）は，国際標準化機関の1つであるISO関連の欧州内の標準化団体である。CENは，一貫した標準規格と仕様の開発・保守・配布を行うための効率的基盤を提供することによって，国際社会におけるヨーロッパ経済の力を強め，ヨーロッパの市民の福祉や環境を高めることを目的とした私的な非営利組織であるが，国際規格の策定で大きな地位を占めている。同じようにIEC関連の欧州内の標準化団体が，欧州電気標準化委員会（CENELEC：European Committee for Electrotechnical Standardization），加えてITU関連の欧州内の標準化団体が，欧州電気通信標準化機構（ETSI：European Telecommunications Standards Institute）というように，各カテゴリーごとの標準化機関が1対1の関係となっている。さらに各機関が国際標準化機関とウィーン協定やドレスデン協定を結び，規格の共同開発や，国際規格をEN規格に，EN規格を国際規格になるように定めているので，実質的には国際規格とEN規格は同一になるしくみである。EUのEN規格のISO/IEC化戦略の1つの例が，ファストトラック制度であり，通常6つのステップを経て国際規格は発行されるところを，第1ステップのプロポーザルから第4ステップの原案策定へジャンプアップして進めることができる制度である。このため，CENやCENELECで策定された規格がいきなり国際規格の原案策定の場に登場することになり，参加していない国では情報の入手が遅くなったり対応に大きな遅れが生じるため，市場で大きな不利益を被ることにもなる。

また，EN規格は欧州規格（European Standard）と呼ばれ，欧州の統一規格として制定されたものであるが，その後，欧州それぞれの国で調整されて取り入れられ，それぞれの国の標準化機関の名前を冠して呼ばれている。たとえば英国では，BSI-EN（British Standards Institution European Norm），ドイツではDIN-EN（Deutsches Institut für Normung European Norm）と呼ばれる。ただし，基本的な内容は同じなので，各国の標準化機関はEN規格を各国の言葉に翻訳する仕事を請け負っているといえる部分もある。

ここで述べたように，国際規格が欧州規格になり，その規格が欧州各国の規格となる構造をEUがつくり上げているのは，まさにグローバリゼーションにおける覇権戦略そのもののようにみえる。さらに，EN規格だけでは強制力のない任意規格であるが，EU委員会が出すEC指令により規格が指令という法の枠組でひもづくことで強制力に変わるしくみとしている。もう少し詳しく説明すると，欧州委員会（EC）が，たとえば医療機器の法律を決める際，それに使われる規格である整合規格（Harmonized Standards）策定をCENやCENELECなどの欧州標準化機関に依頼する。そうすると，欧州標準化機関は当然，EN規格を整合性規格として答申する。さらに欧州委員会は加盟の欧州の国々にEUの指令として，この医療機器の整合規格をEU全域で施行するニューアプローチ指令として出すので，EN規格が整合規格として欧州各国で実質的な強制力をもつようになる。欧州に流通する医療機器にはCEマークを貼付しないと欧州

で流通させることができないが，そのCEマーク取得という拘束力のある要件が，整合規格適応の証なのである。

以上のとおり，EUは，EN規格をファストトラック制度やウィーン協定などを活用してISOやIECの国際標準化規格とし，国際標準化機関の活動を主導するとともに，ニューアプローチ指令で法的なひもづけを行うという，巧みな戦略をとっている。

▶ 主な国際標準化機関

知らなければならない機関は3＋One。

ISO
（国際標準化機構：International Organization for Standardization）

IEC
（国際電気標準会議：International Electrotechnical Commission）

IMDRF International Medical Device Regulators Forum

ITU
（国際電気通信連合：International Telecommunication Union）

 ・IMDRFは，2011年設立で主に政府関係者で構成される医療機器の規制の国際整合化を進めるフォーラム。
・IMDRFを構成する管理委員会のメンバーは，オーストラリア，ブラジル，カナダ，中国，欧州連合（EU），日本，ロシア，シンガポール，韓国，そしてアメリカ合衆国で，世界保健機関（WHO），英国，アルゼンチンは公式オブザーバーである。

医療機器業界へ参入するために知らなければならない規格を提供する国際標準化機関は4つある。1つ目は，国際標準化機構（ISO：International Organization for Standardization）である。ISOは電気分野を除くあらゆる分野（鉱工業，農業，医薬品等）の国際規格化を推進する国際機関で，その目的は国家間の製品やサービスの交換を助けるために標準化活動の発展を促進すること，知的，科学的，技術的，そして経済的活動における国家間協力を発展させることである。会員数は，2021年12月末時点で165ヵ国，制定規格数24,115，委員会数は専門委員会（TC）と分科委員会（SC）併せて802と，ISOのホームページで公表している。医療機器では，ISO 13485やISO 14971など，広く関係している。

2つ目が，国際電気標準会議（IEC：International Electrotechnical Commission）で，電気および電子の技術分野における標準化のすべての問題，および規格適合性評価のような関連事項に関する国際協力を促進し，これによって国際理解を促進することを目的

とした，電気および電子の技術分野の国際規格化を推進する非政府間国際機関である。2021年12月末時点での会員数は88カ国，規格数7,725（2018年1月時点），規格作成委員会数は専門委員会（TC）110，分科委員会（SC）102（IECのホームページより）で，医療機器ではIEC 60601-1やIEC 62304などが関係している。

　3つ目が，国際電気通信連合（ITU：International Telecommunication Union）で，これは，国際電気通信連合憲章に基づき，無線通信と電気通信分野において各国間の標準化と規制を確立することを目的としている国際連合と連携関係にある国連機関である。国連機関ということもあり，ISOやIECと運営方法や組織形態は異なるが，今後，医療機器のIT化やネットワーク化に大きく関係する国際機関である。国際連合広報センターの2020年12月時点でのホームページによると，加盟国193カ国，セクターメンバーは700社以上とある。

　4つ目がIMDRF（International Medical Device Regulators Forum）で，医療機器規制の国際整合化について将来の方向性を議論するフォーラムとして，2011年10月に設立された。規制当局で構成され，フォーラムの戦略，方針，方向性，メンバーシップ，および活動に関するガイダンスを提供するIMDRF管理委員会の2021年時点のメンバーは，オーストラリア，ブラジル，カナダ，中国，欧州連合（EU），日本，ロシア，シンガポール，韓国，そしてアメリカ合衆国で，世界保健機関（WHO），英国，アルゼンチンは公式オブザーバーであり，アジア調和作業部会（AHWP），パンアメリカン健康機構（PAHO），およびAPEC LSIF規制調和運営委員会は，IMDRF地域調和イニシアチブとなっている。基本的には主に政府関係者で構成される医療機器の規制の国際整合化を進めるフォーラムであるが，医療機器の戦略やポリシーを提供することがホームページ上に書かれてあり，さらに「GHTF（Global Harmonization Task Force）における強固な基盤作業を土台とする世界各国の医療機器規制当局による任意の活動」とあるので，いままでGHTF（2012年12月で活動終了）が進めてきた市販前を含む規制制度，医療機器の不具合報告関係等の品質システム要求事項・ガイダンス，QMS査察方法などを引き継ぎ，医療機器規制の国際調和を促進し，画期的かつ革新的な医療機器の患者アクセスの迅速化，適時適切な安全対策の措置が可能となることなどが期待される。

▶ 医療機器の基準と国際標準化規格との関係

医療機器の品質・有効性及び安全性を表す，基本要件基準，製造販売の要件であるQMS適合調査の基準，認証基準（承認基準）は国際標準規格（JIS）と結びついている。

医療機器は，有効性確保，安全性確保，品質確保維持のために製造販売認証（承認）届出等で規制される。

規制の基準

- 認証基準（承認基準）
  - IEC 60601-1等
  - JIS T 1115：2018
  - 非観血式電子血圧計
- 基本要件基準
  - ISO 14971 リスクマネジメント
  - IEC 62304 SWライフサイクルプロセス
  - IEC 62366-1 ユーザビリティー
  - IEC 60601-1 基礎安全及び基本性能
- QMS適合性調査の基準
  - ISO 13485
  - QMS省令

✓ 基本要件基準は，すべての医療機器が備えるべき品質・有効性及び安全性に関する18条からなる基準。

　本書の第3, 5章で医薬品医療機器等法の目的を踏まえて医療機器の基準について述べた。それを改めて整理すると，医療機器は，品質，有効性及び安全性の確保のために規制されるが，その規制の基準が医療機器の基準であり，その基準の1つがすべての医療機器が備えるべき品質・有効性及び安全性に関する18条からなる基準である基本要件基準，2つ目が医療機器の製造販売認証（承認を含む）の際の要件となる基準の認証基準（承認基準），加えて同じく製造販売の要件となるQMS適合性調査の基準等がある。医療機器を製造販売する者は，当該の医療機器が各々の基準に適合することを示す必要があるが，その際認められ使われるのが国際標準化規格である。

　すなわち基本要件基準では，ISO 13485品質マネジメントシステム，ISO 14971リスクマネジメントの規格，IEC 62304ソフトウェアライフサイクルプロセスの規格，IEC 62366-1ユーザビリティーの規格，IEC 60601-1 ME医療機器の基礎安全及び基本性能の規格等が特定文書の確認として使われる。また認証基準等では，JIS等（ISO，IEC）が明示され，加えてQMS適合性調査の元となるQMS省令がISO 13485をもとに作成されているように，医療機器を設計開発する際には，その法を知る以上に，ひもづけられた国際標準化規格を知ることが，とても大切である。

5.2 品質マネジメントシステム（QMS）規格

5.2.1 ISO 13485：2016

▶ **ISO 13485：2016とは何か**

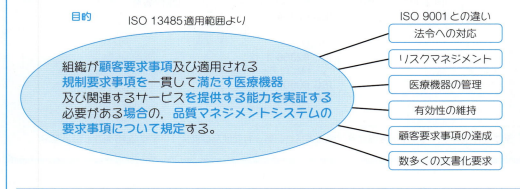

- 各国の法規制として採用されることを意図した規格でQMS省令・MDR・QSRの基となる規格。

　規格名が「医療機器−品質マネジメントシステム−規制のための要求事項」である，ISO 13485は，医療機器に関する品質マネジメントシステム（Quality management systems：QMS）の規格で，本規格の「適用範囲」に，「この規格は，組織が顧客要求事項及び適用される規制要求事項を一貫して満たす医療機器及び関連するサービスを提供する能力を実証する必要がある場合の品質マネジメントシステムの要求事項について規定する。」とあるように，どのようなQMSを構築し実行すれば医療機器を提供する能力があることを示せるかが記載されている。また国際標準化機関であるISOでもわかるように，それ自体では任意の規格だが，各国の法規則で採用されることを意図してつくられているので，医療機器関連の規格としても最も重要な規格の1つである。日本では「医療機器及び体外診断用医薬品の製造管理及び品質管理の基本に関する省令」，いわゆるQMS省令で使われて法とひもづけられている。また，米国では21CFR Part 820のQSRとかなりの共通点をもっているし，EUでは医療機器指令（MDR：2017/745）の整合規格として採用され，実質的な拘束力のある規格となっている。

もともとISO 9001を医療機器関連業務用に書き換えたのでセクター規格と理解してもよいが，独立した規格のため，ISO 13485への適合はISO 9001の適合にならない。違いの部分は，「法令に従うこと」，「リスクマネジメント」，「医療機器の管理」，「有効性の維持」，「顧客要求事項の達成」，さらに「多くの文書化要求」の大きく分けてこの6つであるが，この違いは，本規格書の各章に分散して埋め込まれている要求事項なので，（たとえば，法令に従う要求は4.2.1で，「法令が求める手順の文書管理」や8.3で，「法的基準に合う場合のみ特別採用が可能」など多くの部分で，リスクマネジメント要求は7.1「製品実現の計画」や7.3「設計・開発」で），ISO 9001との違いの大枠として捉えるとISO 13485体制構築の助けになる。

新規に医療機器関連業務に参入を考えている多くの企業へのガイドの観点からいうと，ISO 13485の体制を築く際，すでに取得していると想像されるISO 9001の体制をもとに，違いを認識し，追加・変更による構築が合理的であろう。ISO 13485：2016 Annex BにISO 9001：2015との対応が載っているので，両規格の違いをつかむのに有用である。

▶ ISO 13485：2016における2つの基本的考え方

ISO 13485：2016は，プロセスアプローチとリスクベースアプローチの2つの基本的考え方をもとに構成されている。

プロセスとは，

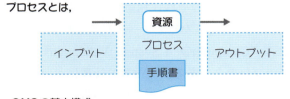

資源である「適用基準」，「装置，設備などのインフラストラクチャー」，「人の力量」「情報や資金などのその他の支援」を使い，インプットをアウトプットに変える活動

QMSの基本構成

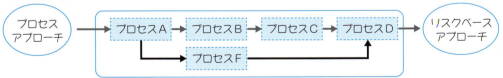

プロセスを明確にし，その相互関係を把握し，運営管理することと併せて，一連のプロセスをシステムとして適用することがプロセスアプローチ

リスクの高い医療機器の製造や品質維持にはコンプライアンスコストをかけなければならないが，リスクが低い医療機器の場合それに相応のコンプライアンスコストでよいという考えを適用することがリスクベースアプローチ

✓ ・プロセスの管理（アウトソース，CSV，人的資源，購買プロセス，購買製品の検証等のプロセス）においては，リスクに基づくリスクベースアプローチを適用すること。

本規格では，資源（「適用基準」，「装置，設備などのインフラストラクチャー」，「人の力量」や「情報や資金などのその他の支援」）を利用し，インプットをアウトプットに変換する活動を，プロセスと定義しているが，組織において，一連の活動であるプロセスを明確にし，その相互関係を把握し，運営管理することと併せて，一連のプロセスをシステムとして適用することを「プロセスアプローチ」と呼ぶ。ISO 13485は，品質マネジメントシステムの開発・実施，および有効性の維持においてプロセスアプローチに基づいている。そして，組織が効果的に機能するためには，多くの関連し合うプロセスを明確にし，管理すること，また1つのプロセスからのアウトプットは，次のプロセスへの直接のインプットとなることを認識し，プロセスアプローチを適用することが顧客の要求事項への適合や，安全で有効な医療機器の提供という目的にかなうとの考えが，ISO 13485の基本的な考え方である。簡単にいうと，正しいプロセスで仕事をすることが，高い品質を得る方法との考え方である。さらに，インプットやアウトプット，およびプロセスの「文書化要求」があるが，これも本規格の目的を達成するために必要な，本規格の基本的な考え方なのである。

　各プロセスの手順書にはプロセスアプローチの考えからインプットやアウトプットの明示が必要になるが，同じようにプロセスがいつ開始され，いつ終了するかの基準である開始基準（Entry Criteria）と終了基準（Exit Criteria）の明示も重要である。

　もう1つの基本的な考え方が「リスクベースアプローチ」で，この考え方はISO 13485：2016から導入された。リスクの高い医療機器の製造や品質維持には患者の安全性を担保するために規制要件を強化することで生まれるコンプライアンスコストをかけなければならないが，リスクが低い医療機器の場合それに相応のコンプライアンスコストでよいという考えを適用するのが，リスクベースアプローチの考え方である。ISO 13485：2016では，アウトソース，CSV（Computerized System Validation），人的資源，購買プロセス，購買製品の検証等のプロセスであるプロセスの管理においては，リスクに基づくリスクベースアプローチを適用することが求められている。

ISO 13485：2016の全体構成とQMSの本質

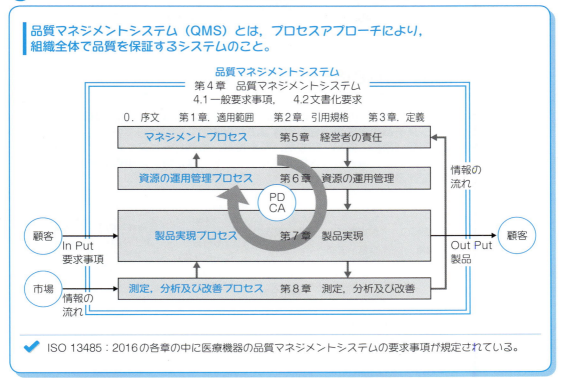

- ISO 13485：2016の各章の中に医療機器の品質マネジメントシステムの要求事項が規定されている。

　品質マネジメントシステム（QMS）とは，プロセスを明確にし，その相互関係を把握し，運営管理することと併せて，一連のプロセスをシステムとして適用することであるプロセスアプローチにより，組織全体で品質を保証するシステムのことである。

　本図は，医療機器ライフサイクルの品質マネジメントシステムの要求事項が記載された第4章から第8章に示されているプロセス名とそのつながりを表している。また，顧客の要求事項をインプットとして定義し，さらに顧客が要求する製品をアウトプットに表すことで，顧客を主体とした「品質マネジメントシステム」自体が大きなプロセスとして表されていることがわかる。さらに，顧客からフィードバックされた「情報の流れ」は，組織が顧客の要求を満たしたかどうかに関する情報の評価を要求しているし，ISO 13485全体を通しての「文書化要求」も示されている。ISO 13485規格の全体構成は，「プロセスアプローチで表され，相互のつながりの上に提供される継続的な管理構成」といえるが，本図はそれをよく表している。

　ISO 13485に基づく品質マネジメント体制を構築する際には，第4章から第8章を「プロセス」と捉え，さらにその中の細部，いわゆる「アクティビティ」や「タスク」レベルでの要求事項を明確にし，文書化された品質マネジメント体制を構築することが重要で，かつ求められている。さらに「Plan, Do, Check, Action」で知られる「PDCAサイク

ル」の考え方がISO 13485に基づく品質マネジメントのすべてのプロセスに適用されていると理解すると、品質マネジメント体制構築や実施する際、大きな助けになる。

ISO 13485：2016の目的と適用分野

医療機器ライフサイクルの1つのまたは複数の段階に関係する組織が、適用分野における品質マネジメントシステムの要求事項を規定するのが目的。
また、上記組織に製品（原料、部品、組立品、医療機器、滅菌サービス、校正サービス、流通サービス、保守サービスなど）を提供するサプライヤーまたは外部組織にも要求事項を使用することができる。

適用分野

- ・顧客要求事項、および規制要求事項を満たす組織の能力を実証する必要がある場合
- ・組織自身が内部で評価する場合
- ・審査登録機関を含む外部機関が評価する場合

にも使用することができる。

　ISO 13485の序文に「医療機器の設計・開発，製造，保管・流通，据付，付帯サービス，関連するサービスの設計・開発の提供，及び関連した活動の提供（技術支援など）に対して，組織が使うことができる品質マネジメントシステムの要求事項を規定する」とあることでもわかるように，適用分野は「医療機器の設計・開発」，「医療機器の製造」，「医療機器の据付（設置管理医療機器など）」，「修理保守点検，技術的援助の提供，ユーザー教育，予備部品の提供等のサービス」や，「関係したサービスの設計・開発・提供（医療機器製造販売業等の医療機器メーカーへ重要部品や重要ブロックを提供したり，医療機器の設計や開発等のサービスを提供するなど）」であり，適用される規制要求における役割（適用分野）を明確にする必要がある。ただし，適用分野ではあるが，その組織で設計活動を行っていなかったり，法で設計活動を対象にしなくてもよい医療機器の設計活動を行っている場合などでは，その部分を「除外」できる。また，滅菌工程を必要としない医療機器の製造などでは，これに関連した要求事項を「非適用」にすることが許されているので，役割（適用分野）の活動に適用される規制要求事項を明確化し，品質マネジメントシステム内に規定する必要がある。

　ISO 13485の目的は，組織が「顧客要求事項」および医療機器，ならびに関連するサービスに適用される「規制要求事項」を一貫して満たす「医療機器を提供する能力を

もつことを実証する必要がある場合」の，「品質マネジメントシステムに対する要求事項を規定する」ものである。実際に法は「医療機器を提供する能力をもつ」組織でないと，適用分野の業務ができないこととしているので，この規格が重要になる。さらに，ISO 13485は，組織自身が内部で評価する場合（内部監査など），また，審査登録機関を含む外部機関が評価する場合（都道府県や登録認証機関の審査などを想定）にも使用することができ，対象の組織は，その組織の形態および規模を問わず適用できる。

▶ 第4章「品質マネジメントシステム」での要求事項1

ISO13485の要求事項と適用される規制要求事項に従って，品質マネジメントシステムを文書化し，その有効性を維持すること，またすべての要求事項，手順，活動または取決めを確立し，実施し，維持することが，第4章　品質マネジメントシステムの要求事項である。

第4章　品質マネジメントシステムの要求事項の概念図

・加えて，組織は適用される規制要求事項に従って，
　組織が引き受けている役割を文書化することも要求されている。

✓ ・QMS構築時には，規制要求事項（医薬品医療機器等法，QMS省令，GVP省令，体制省令等，また必要ならCFR Part820等）を含め作成すること。
　・プロセスを変更する場合は品質マネジメントシステムと医療機器への影響評価が必要。
　・プロセスをアウトソースする場合，適用範囲を明確化して監視を含む管理が必要。
　・品質マネジメントシステムで使用するコンピュータ化システムはソフトウエアバリデーションが必要。

　本規格名が「医療機器−品質マネジメントシステム−規制目的のための要求事項」であるように，本規格の理解には要求事項を知ることが大切なので，ここからは，規格書の各章ごとの「要求事項」を確認していく。ただし，本書の性格上，要求事項の概要を示すことに主眼を置くので，実際にISO 13485に対応した品質マネジメントシステムを構築する場合は，さらに要求事項の詳細を吟味して構築する必要がある。加えてQMS構築の際には，医薬品医療機器等法，QMS省令，GVP省令，体制省令等，また必要ならCFR Part 820等の規制要求事項を含め作成することも大切である。
　第4章「品質マネジメントシステム」の要求事項は，医療機器ライフサイクルの役割に応じた品質マネジメントシステムを確立し（構築し），文書化し，実施し，維持すること，また，その有効性を維持することを求めているが，これは一般要求事項といわれる。文中

の「品質マネジメントシステムの維持および有効性の維持」とは，時間的な経過の中で法規や顧客の要求事項の変化に対し，品質システムを対応させることであったり，内部監査やマネジメントレビューの実行もこの維持および有効性維持の活動の1つになる。

　加えて，組織は適用される規制要求事項に従って，組織が引き受けている役割を文書化することも要求されている。この一般要求事項の具体的な内容は，必要なプロセスを決め，その順序と相互関係や，リスクベースで運用と管理の判断基準を決めることとなる。さらに，必要な資源・情報の提供をすることで，計画したことを実施し，その結果を記録として残し，その結果などを監視・解析・評価することで，次の改善を生む活動をすることを要求している。いわゆるPDCAを回すことである。また，プロセスを変更する場合は，品質マネジメントシステムと医療機器への影響度評価が要求され，プロセスをアウトソースする場合は適用範囲の明確化と監視を含む管理が要求され，プロセスにコンピュータ化システムを使用する場合はソフトウェアバリデーションが要求される。

▶第4章「品質マネジメントシステム」での要求事項2

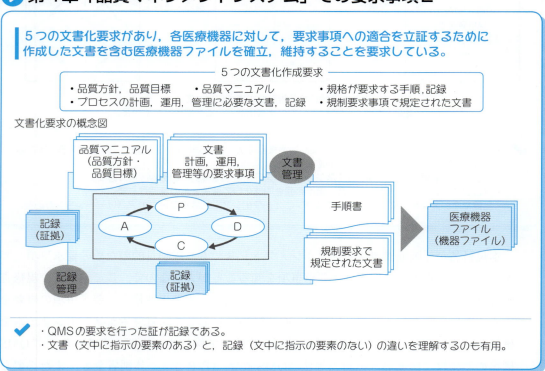

　第4章でのもう1つの要求事項が，文書化に関する要求事項である。文書化の要求はISO 13485にとどまらず国際標準規格全般にみられる要求で，日本の文化とは必ずしもなじまないが，「QMSの要求を行った証が記録である」との考えはグローバル化の大き

な特徴と受け入れ，対応しなければならない。ISO 13485でも文書化要求の具体的な内容を，「文書化した品質方針，および品質目標」の表明，「品質マニュアル」，この規格が要求する「文書化された手順」，組織内の「プロセスの効果的な計画，運用および管理を確実に実施するために組織が必要と判断した文書，この規格が要求する記録」，さらに国または地域の法令で「規定されているその他の文書化」に関する要求事項のすべてと明示している。さらに，品質マニュアルや文書管理，および記録の管理の具体的方法等にも本規格は触れている。

　さらにISO 13485：2016より，「組織は，それぞれの医療機器の型式又は医療機器ファミリに対して，この規格及び適用される規制要求事項への適合を立証するために作成した文書を含むか又は参照する一つ以上のファイルを確立し，維持する。」と記載された，医療機器ファイルを作成する必要がある。

　また，文書化要求での注意点に，「文書」と「記録」の違いがある。「記録」は，文書の特別な形態で「作業を実施した結果の証拠でもあり，文中に指示の要素が入っていない文書」と理解し，他の「文書」（マニュアルや手順等を含む）は「作業を実施するための決まりがあり，文中に指示の要素がある文書」と意識的に分けて考えることが大切である。ちなみに規格書も現在使われている版は「文書」であるが，これが改版されたことで古くなった場合，改版が有効になった時点で「記録」となったと理解すればわかりやすい。

▶ 第5章「経営者の責任」での要求事項

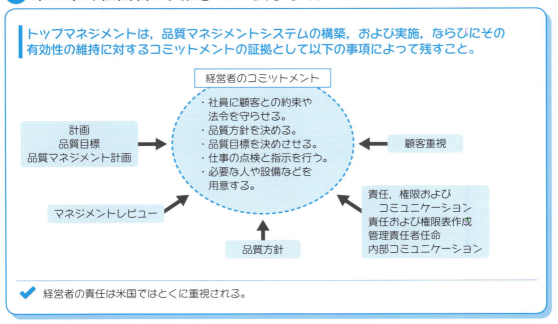

✓ 経営者の責任は米国ではとくに重視される。

ISO 13485は，経営者の責任を大変重視しているが，第5章では，その経営者が品質マネジメントに関係して何をやらなければならないかについて，責任者への要求事項を明記している。その要求事項は，「トップマネジメントは，品質マネジメントシステムの構築および実施，ならびにその有効性の維持に対するコミットメントの証拠を次の事項によって示すこと」とあるので，正しく品質マネジメントシステムをつくり・実施させ・維持改善することを強く約束し，その証拠として以下の5つの実行を求めている。

すなわち，

① 法令・規制要求事項を満たし，かつ顧客要求事項を満たすことの重要性を組織内に周知すること（社員にこれらを守らせること）
② 品質方針を設定すること
③ 品質目標が設定されることを確実にすること
④ マネジメントレビューを実施すること
⑤ 資源（必要な人や設備など）が使用できることを確実にすること

である。なお，「経営者の責任」の重視の傾向は米国で強く，監査等でも経営者が本コミットメントをどれだけ理解し，確実なものとしているか確認されることが多くある。また，これは世界的な方向でもある。

第5章では，この5つのコミットメントの実行の具体的行動に対し説明し，それぞれの要求事項を記載している。たとえば①に対しては「顧客重視」の概念で説明し，そのため顧客の要求事項を担当社員が理解し，確実に実行されることを要求している。同じように「品質方針」や「マネジメントレビュー」についても具体的に述べ，それぞれの要求事項を提示している。加えて経営者のコミットメントを確実なものとする要素である「計画」についても，品質目標や品質マネジメント計画の点から要求事項を提示している。さらに「責任，権限およびコミュニケーション」の視点から，文書化した手順・組織図・責任権限表の作成や「管理責任者」の任命，また組織内に適切なコミュニケーションのためのプロセスが確立され，品質マネジメントシステムの有効性に関しての情報交換が行われることも要求事項として掲げている。

▶ 第6章「資源の運用管理」での要求事項

> 組織はQMSの実施・有効性の維持と，法規制要求を含む顧客要求事項を満足するために，資源を提供することを要求されている。

人を確保すること	混同を防止し，秩序だった取扱いを保証するためにインフラを確保すること	作業環境（汚染管理）を確保すること
・教育・訓練・技能・経験で，力量を測ること ・仕事の重要性を認識させ，教育・訓練し，記録を残す	・施設・ユーティリティー ・設備・サポート体制の維持管理と，その記録を残すこと	・要員の衛生管理 ・室内環境の管理 ・管理区域への立入者の管理，汚染物の管理とその記録

> 組織は，必要な人員，インフラ，作業環境など，必要な資源を提供すること。

✓ 要員の力量の確立，必要な教育訓練の提供および認識を確実にするためのプロセス手順が記載された教育訓練手順書の作成が必要となる。とくに，プロセスを実行する力量を担保するための教育訓練に重視される。

　第6章「資源の運用管理」での要求事項は明確で，品質マネジメントシステムを実施し，また，その有効性を維持するため，また規制要求事項および顧客要求事項を満たすために必要な資源を明確にし，提供することである。そして，その必要な資源として，「人的資源」，「インフラストラクチャー」，「作業環境（汚染管理）」の3つを掲げている。
　とくに「人的資源」では，
　①製品品質に影響がある仕事に従事する要員に必要な力量を明確にすること
　②必要な力量がもてるように教育・訓練し，または他の処置をとること
　③教育・訓練，または他の処置の有効性を評価すること
　④組織の要員が，自らの活動のもつ意味と重要性を認識し，品質目標の達成に向けて自らどのように貢献できるかを認識することを確実にすること
　⑤教育・訓練・技能，および経験について，該当する記録を維持すること
と具体的な要求が並んでいる。実際，実務を経験してみると，いかに人的資源である力量の把握と，その力量を高める教育・訓練が重要であるかが理解できるので，この具体的な要求事項もよく理解できる。またこの重要性を裏づけるように，ISO 13485：2016より，要員の力量の確立，必要な教育訓練の提供および認識を確実にするためのプロセス手順が記載された教育訓練手順書の作成が必要となった。
　また，「インフラストラクチャー」では，混同を防止し，秩序だった取扱いを保証するために，施設である建物・作業場などのユーティリティーやハード・ソフトを含む設備，および運送などの支援業務であるサポート体制の維持管理を示し，これらの確保を要求している。

さらに 3番目の「作業環境（汚染管理）」では，要員の衛生管理，室内環境の管理，管理区域への立入者の管理，汚染物の管理など，医療機器を含む製品の品質に影響を及ぼすような作業環境に対する要求事項を明示している。

第4章で本規格を通しての「文書化要求」について説明したが，第6章の「資源の運用管理」のこの3つの要求でも，文書化した手順や記録を確実に残すことが当然のごとく求められている。

▶ 第7章「製品実現」での要求事項

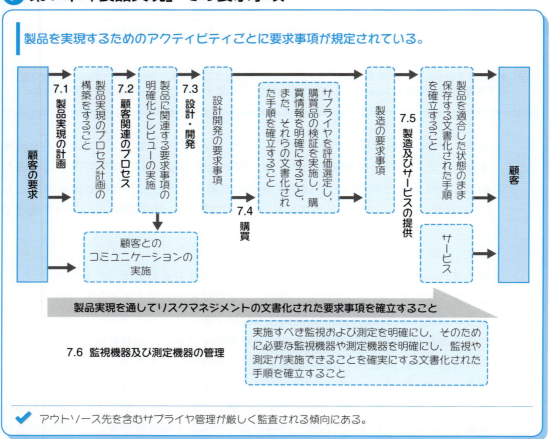

ISO 13485を構成する各章立て（プロセスと定義されている）での要求事項に重要性の大小はないが，第7章の「製品実現」は設計開発と製造行為に対する説明と要求事項の記載であるので，ある意味，最も注目されなければならないプロセスであり，必然的に多くの要求事項を含むこととなる。ただし，紙面の関係もあり，ここでは「製品実現」を構成する各アクティビティ（プロセスを細分化した仕事の固まり）を図示し，かつそのつながりを表し，個々のアクティビティ内で要求されている事項の概要を章番号

とともに記載した。また，製品実現のプロセスでも本規格の基本である「プロセスアプローチ」の手法が用いられているが，インプットをアウトプットに変えるプロセスを，ここではアクティビティと呼んでいる。

7.1「製品実現の計画」では，製品実現のプロセス計画の構築をすることが，7.2「顧客関連のプロセス」では，製品に関連する要求事項の明確化とレビューの実施，顧客とのコミュニケーションの実施が要求事項である。さらに，製品実現の計画では，次の4つを明確にすることを求めており，製品実現でとくに重要な「リスクマネジメント」についても，製品実現を通してリスクマネジメントの文書化された要求事項を確立することを要求されている。

①製品に対する品質目標，及び要求事項を明確にすること
②インフラストラクチャー及び作業環境を含む，製品に特有なプロセス，及び文書の確立の必要性，ならびに資源の提供の必要性を明確にすること
③製品のための検証，バリデーション，監視，測定，検査，試験，取扱，保管，流通，及びトレーサビリティ活動，ならびに製品合否判定基準を明確にすること
④製品実現のプロセス，及びその結果としての製品が要求事項を満たしていることを実証するために必要な記録を明確にすること

7.3「設計・開発」と7.5の「製造及びサービスの提供」の要求事項の洗い出しは，次項にまとめる。続いて7.4「購買」の要求事項は，アウトソース先を含むサプライヤーを評価，選定し，購買品（アウトソースのアウトプットを含む）の検証を実施し，購買情報を明確にすること，またそれらの文書化された手順を確立することである。とくに製品実現のプロセスを，EMS（Electronics Manufacturing Service）等のサービス業の発達で外部の組織に委託することが医療機器分野でも増加していることもあり，「購買」におけるサプライヤー管理は厳しく監査される傾向にある。製品の有効性や安全性，また品質維持に対する業務も外部に委託され，メーカーはその協力企業を管理する業務に集中する方向は世界的傾向であることを表している。

第7章の最後のアクティビティである7.6「監視機器及び測定機器の管理」の要求事項は，実施すべき監視，及び測定を明確にし，さらにそのために必要な監視機器や測定機器を明確にし，監視や測定が実施できることを確実にすること，またそれらを文書化された手順として確立することである。つまり，製品の有効性・安全性，また品質維持のために使われる機器を常に正しく使い，また使えるように管理，校正することを要求している。これらの要求事項はものづくりにおいてはあたり前の内容であるが，このごろ現場でもなかなかあたり前のことがあたり前にできなくなってきているので，このような管理手法が国際的に求められるのも理解できる。

設計・開発の要求事項，製造の要求事項

> 要求事項の基本はPDCAである。

設計・開発の要求事項

- 設計・開発に対して文書化された手順を確立すること
- 設計・開発の計画を策定し，管理すること
- 設計・開発へのインプットを明確にし，記録を維持すること
- 設計・開発へのインプットと対比した統計的手法に基づく検証ができるように，設計・開発からのアウトプットの記録を維持すること
- 設計・開発の適切な段階で，体系的なレビューを行い，記録を維持すること
- 計画した方法に従って，統計的手法に基づく設計・開発バリデーションを実施し，記録を維持すること
- 設計・開発移管の手順を文書化し，移管の結果と結論の記録を維持すること
- 設計・開発の変更を管理する手順を文書化し，記録を維持すること
- 設計・開発，及び設計・開発の変更の要求事項への適合性を示すため，設計・開発ファイルを維持すること

製造及びサービスの提供の要求事項

- 製造及びサービスの提供は，製品が仕様に一致することを確実にするため，計画し，実施し，監視し，管理すること
- 製品の清浄性，及び汚染管理に対する要求事項を文書化すること
- 適切な場合，据付活動の要求事項を文書化し，検証の記録を維持すること
- サービスが要求事項である場合，サービス活動の実施と製品要求事項の一致の検証のために，手順，参照資料，参照測定値を文書化すること
- 統計的手法に基づく製造及びサービス提供に関するプロセスバリデーション手順を文書化し，結果と結論の記録を維持すること
- 製造及びサービス提供のためのコンピュータソフトウェアの適用のバリデーション手順を文書化し，リスクベースで実施すること
- 製品を適切な手段で識別する手順を文書化すること
- 適用される場合，機器固有識別（UDI）システムを文書化すること
- 適用される規制要求事項の範囲と維持する記録を含むトレーサビリティの手順を文書化し，記録を維持すること
- 顧客所有物の識別，検証，保護，及び防護を実施すること
- 製品を要求事項に適合した状態のまま保存する手順を文書化すること

 要求と実現のトレーサビリティ等では，トレーサビリティマトリックスの手法が有効。

　ここでは第7章の「製品実現」の中の7.3「設計・開発」の要求事項，7.5「製造及びサービスの提供」の要求事項を抜き出して整理しているが，要求事項の基本はPDCAサイクルであるのは変わらない。
　まず「設計・開発」の主な要求事項を抜き出したのが以下である。

- 設計・開発に対して文書化された手順を確立すること
- 設計・開発の計画を策定し，管理すること
- 設計・開発へのインプットを明確にし，記録を維持すること
- 設計・開発へのインプットと対比した統計的手法に基づく検証ができるように，設

計・開発からのアウトプットの記録を維持すること
- 設計・開発の適切な段階で，体系的なレビューを行い，記録を維持すること
- 計画した方法に従って，統計的手法に基づく設計・開発バリデーションを実施し，記録を維持すること
- 設計・開発移管の手順を文書化し，移管の結果と結論の記録を維持すること
- 設計・開発の変更を管理する手順を文書化し，記録を維持すること
- 設計・開発，及び設計・開発の変更の要求事項への適合性を示すため，設計・開発ファイルを維持すること

また，「製造及びサービスの提供」の主な要求事項は以下のとおりである。

- 製造及びサービスの提供は，製品が仕様に一致することを確実にするため，計画し，実施し，監視し，管理すること
- 製品の清浄性，及び汚染管理に対する要求事項を文書化すること
- 適切な場合，据付活動の要求事項を文書化し，検証の記録を維持すること
- サービスが要求事項である場合，サービス活動の実施と製品要求事項の一致の検証のために，手順，参照資料，参照測定値を文書化すること
- 統計的手法に基づく製造及びサービス提供に関するプロセスバリデーション手順を文書化し，結果と結論の記録を維持すること
- 製造及びサービス提供のためのコンピュータソフトウェアの適用のバリデーション手順を文書化し，リスクベースで実施すること
- 製品を適切な手段で識別する手順を文書化すること
- 適用される場合，機器固有識別（UDI）システムを文書化すること
- 適用される規制要求事項の範囲と維持する記録を含むトレーサビリティの手順を文書化し，記録を維持すること
- 顧客所有物の識別，検証，保護，及び防護を実施すること
- 製品を要求事項に適合した状態のまま保存する手順を文書化すること

さらに，製品の機能性が製品の適切な使用のための整備点検やメンテナンスに依存し，組織が保証か契約で製品のサービスの提供を約束するような付帯サービス活動がある場合は，付帯サービスの活動を実施し，その活動が規定要求事項を満たしていることを検証するために，文書化された手順，作業指示書，および必要であれば，参照規格を確立することが要求事項として加わる。

「製品実現」には多くの要求事項があり，それらを抜けなく確実に実行することが課題となる。有用な解決方法の1つとして，製品実現の手順書を確立する際，これらの要求事項を網羅したチェックシートを完備することがある。

また、他のプロセスでも、完成された手順書の作成がISO 13485の整合性を得る近道であるといえる。マニュアル方式を嫌う人もいるが、医療機器が要求する有効性・安全性や品質維持の担保には必要と理解することが大切である。さらに、顧客のニーズがシステムの要求事項として文書化され、それに基づき設計仕様を完成するわけであるが、その間のもとの要求と、設計の1項目1項目で達成される手段とのトレースが完全にできているかを管理することが要求される。

このトレーサビリティは完成された製品のバリデーションまで必要となるが、そのための管理手法としては、トレーサビリティマトリックスの手法が有効である。

▶第8章「測定・分析及び改善」での要求事項

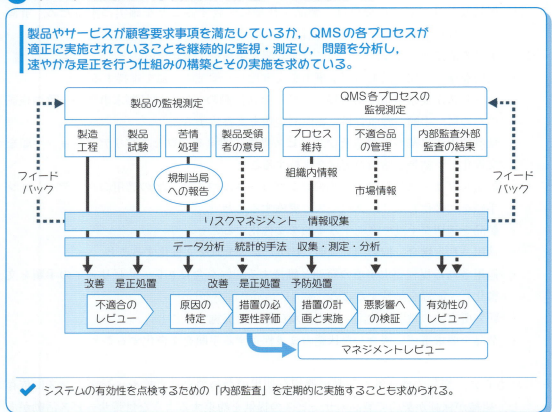

第8章での要求事項は、製品の適合性（顧客要求事項を満たしているか）の実証と品質マネジメントシステム（QMS）に適合していることを確実にしかつ品質マネジメントシステムの有効性を維持するため、必要な監視・測定・分析、および改善のプロセスを計画し、実施することである。

まず監視・測定要求の対象には2つの視点がある。1つが市場の製品や顧客情報が顧

客の要求を満たしているかを監視・測定し，組織にフィードバックをかける「市場」の視点。もう1つが，組織内の品質マネジメントシステムが要求を満たしているかを監査する内部監査の実施，組織のプロセスが有効に機能しているかの監視・測定，さらに組織内の製品が製品要求事項を常に満足しているかを監視・測定する「組織内」への視点である。組織内の製品に対する監視・測定では，不適合製品が誤って使用されたり，引き渡されることがないように，責任や権限を文書化された手順で規定することも要求される。

　以上，監視・測定されたそれぞれの結果を含めて，組織は，製品の適合性と，品質マネジメントシステムの適合性，および有効性を実証するため，また品質マネジメントシステムの有効性の改善を評価するために適切なデータを明確にし，それらのデータを「収集・分析」するために，文書化された手順を確立することを要求している。

　さらに，組織には，再発防止のため不適合の原因を除去する処置をとる「是正処置」，起こりうる不適合が発生することを防止するために，その原因を除去する「予防処置」が求められる。これにより品質方針，品質目標，監査・測定結果，データの分析，是正処置，予防処置およびマネジメントレビュー等を通じて品質マネジメントシステムの継続的な適合性，および有効性を確実にし，維持するために，必要なすべての変更を明確にし，実施することを，「改善」として要求される。必要な場合は「規制当局への報告」，および改善のもととなるデータが設計開発時に実施したリスクマネジメントと異なる場合は「リスクマネジメントのインプット」とする必要がある。ISO 14971でいうリスクマネジメントが第8章「測定・分析及び改善」でも組み込まれ重要な実施要求になっている点も忘れてはならない。なお，改善のもととなるデータは「統計的手法」に基づき，収集・測定・分析されたかを監査官は確認するので，すべてのデータ処理を統計的手法に基づくことが大切である。

▶ 改正QMS省令でも取り入れられた2016年版の改訂ポイントは何か？

> 2016年版の主な改訂ポイントは以下のとおり。

主な改訂ポイント	要求項番	説明
リスクベースの考え	4.1.2.	品質マネジメントシステムのために必要とする適切なプロセスの管理においてはリスクに基づくアプローチを適用する
ソフトウェアの適用バリデーション	4.1.6	QMSで使用されるコンピュータソフトウェアのアプリケーションのバリデーション
無菌包装システムのプロセスのバリデーション	7.5.7.	バリデーション手順の文書化（滅菌プロセスも含む）
微生物と微粒子の管理	6.4.2.	要求事項の文書化
苦情処理の手順化	8.2.2.	適用される規制要求事項に従ってタイムリーな苦情処理のための手順
統計的手法	7.3.6. 7.3.7. 7.5.6. 8.4.	サンプルサイズの根拠の文書化
設計・開発の移管	7.3.8.	設計・開発の移管の手順

- 2016年版の主要な改訂のポイントである「リスクベース」の考え方は，限りある資源を有効に活用する手段である。
- CSV，教育訓練手順，マネジメントレビュー手順，設計移管手順，変更管理手順，苦情管理手順等，手順の要求が追加された。

　先に2021年の改正QMS省令の大きな変化点は第2章がISO 13485：2016の内容と一致したことを述べたが，ISO 13485の2016年版でも，さまざまな要求が増えた。中身を見てみると，米国のQSRの要求に近づいたこと，リスクベースの考え方の導入がある。このリスクベースというのは，規制要求事項への対応方法は一律ではなく，リスクに見合った対応をレベル分けして規定し，実行する考え方である。たとえば，サプライヤーの評価について，一律に実地監査を行うのではなく，そのサプライヤーで購買する構成部品のリスクが高い場合は実地監査を行い，リスクが低い場合は書面審査で済ませるなどが考えられる。2016年版で要求されている代表的なリスクベースの考え方のプロセスとしては，4.1.5.アウトソース，4.1.6.ソフトウェアの適用バリデーション，6.2.人的資源（教育訓練の有効性確認），7.4.1.購買プロセス（サプライヤー評価），7.4.3.購買製品の検証（受入検査の方法）などがある。すでに米国のFDAやIEC 62304などで採用されているリスクベースの考え方であるが，限りある資源（ヒト，モノ，カネ）を有効に活用し，品質の良い医療機器を実現するためにはとても良い考え方であり，今回の2016年版の主要な改訂ポイントの1つである。加えて，手順要求の適用範囲が拡大され，ソフトウェアの適用のバリデーション（コンピュータ化システムのバリデーション：CSV）の手順要求の適用範囲が拡大，教育訓練手順，マネジメントレビューの手

順，最終的な製造仕様になる前に設計・開発からのアウトプットが製造に適していることを検証し，製造能力が製品要求事項を満たすことを確実にする手順，変更管理手順，またタイムリーな苦情処理のための手順の要求等が追加されるなど，米国のQSRですでに要求されている手順が増えたのもISO 13485：2016の特徴である。

以下に2016年版の認証監査に向けて，改訂ポイントの対応優先順位を4つのレベル（最高，高，中，低）に分けて記載するが，低レベルのものでも対応が不要というわけではないので，最低限でも品質マニュアルには記載し，なるべく早く手順書レベルで対応したほうがよいと考える。ちなみに，低レベルでも米国のQSRでは要求されている事項であり，FDA査察では指摘事項になるので注意が必要である。

(1) 最高レベル
・リスクベースの考え方（4.1.2.）

(2) 高レベル
・ソフトウェアの適用バリデーション（4.1.6.）
・無菌包装システムのプロセスのバリデーション（7.5.7.）
・微生物と微粒子の管理（6.4.2.）
・苦情処理の手順（8.2.2.）
・統計的手法：サンプルサイズの根拠の文書化（7.3.6.）（7.3.7.）（7.5.6.）
・統計的手法：データ分析手順に統計的手法を記載（8.4.）
・設計・開発の移管（7.3.8.）

(3) 中レベル
・プロセスの変更管理（4.1.4.）
・医療機器ファイル（4.2.3.）
・マネジメントレビュー手順の追加（5.6.1.）
・マネジメントレビューインプット情報の追加・分割（5.6.2.）
・製品の要求事項にユーザトレーニングの追加（7.2.1.）（7.2.2.）
・規制当局との連絡の実施とその手順の文書化（7.2.3.）
・トレーサビリティを確実にするための方法を計画（7.3.2.）
・設計・開発へのインプット要求の追加（7.3.3.）
・他の機器への接続又はインターフェースを要求している場合の要求事項の追加設計・開発の検証（7.3.6.）
・設計・開発のバリデーション（7.3.7.）
・設計・開発のバリデーションは製品を代表するもので実施（7.3.7.）
・設計・開発の変更管理への要求事項追加（7.3.9.）
・設計・開発ファイルの要求（7.3.10.）
・サプライヤーの評価，選定の基準要求事項の追加（7.4.1.）
・サプライヤーの監視及び再評価へのPDCAプロセスの導入要求（7.4.1.）

・サプライヤーの変更の事前通知の合意の要求（7.4.2.）
・購買製品の変更への対応として，医療機器への影響評価の要求（7.4.3.）
・付帯サービス活動の記録に対する分析の要求（7.5.4.）
・識別手順の文書化，及び法規制が存在している場合のUDIシステムの文書化（7.5.8.）
・製品の保護手段の明示（7.5.11.）
・製造中のフィードバックの文書化要求（8.2.1.）
・フィードバック情報の各プロセスへのインプット（8.2.1.）
・データ分析の対象の追加（8.4.）
・是正処置の影響検証（8.5.2.）
・予防処置の影響検証（8.5.3.）

（4）低レベル

・組織の役割の文書化（4.1.1.）
・機密健康情報の保護（4.2.5.）
・教育訓練のプロセスの文書化要求（6.2.）
・要求事項（混同防止，秩序だった取扱い）の具体化（6.3.）
・要員の必要な力量を含む，必要なリソースを計画（7.3.2.）
・設計・開発のレビュー参加者の識別（7.3.5.）
・製品が滅菌あるいはその使用以前に洗浄されることができない追加（7.5.2.）
・プロセスに対する変更の承認の要求追加（7.5.6.）
・保存要求対象に構成部品も追加（7.5.11.）
・規制当局への報告（8.2.3.）
・測定活動に用いた検査機器を特定する要求事項の追加（8.2.6.）
・文書化内容の追加（8.3.1.）
・是正処置のタイムリー要求（8.5.2.）

▶ 規格を理解する上でぶつかる疑問（その１）：V＆Vとは？

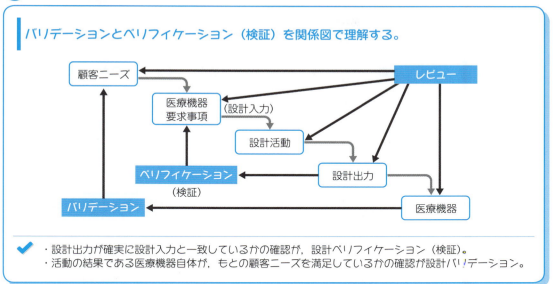

- 設計出力が確実に設計入力と一致しているかの確認が，設計ベリフィケーション（検証）。
- 活動の結果である医療機器自体が，もとの顧客ニーズを満足しているかの確認が設計バリデーション。

　ISO 13485を読み進めるうちに，ベリフィケーション（Verification；検証）とバリデーション（Validation），およびレビュー（Review）の意味合いが，規格を理解する上で重要であると気づいてくる。ただ漫然と読み進んでいくとこの言葉の理解ができず，かえって規格の要求事項を読み違えることもあるので，ここに設計ベリフィケーション，設計バリデーションと，レビューの関係を図として整理した。

　設計ベリフィケーション（検証）とは，完成された医療機器やそれを生産するに必要なすべての情報である設計出力が，顧客のニーズから生まれた医療機器へのすべての要求事項を含んだ設計入力と確実に一致しているかの確認のことである。また，設計バリデーションとは，設計活動で生まれた製品がもともとの顧客のニーズに合致しているかを顧客の立場で行う確認のことをいう。一方，レビューは，設計の各プロセスごとに要求される行為や要求事項が，確実に行われ，インプットに対応してプロセスごとの正しいアウトプットが生まれているかを確認することと理解するとわかりやすい。

　なお，バリデーションについて，ここでは設計バリデーションを説明したが，生産工程でのプロセスバリデーションやソフト開発におけるソフトウェアバリデーションのように，違う言葉を冠してバリデーションが使われている。基本的な考え方は同じと捉えてよいが，プロセスバリデーションは生産プロセスへの要求事項で，つくったもとのニーズ（設計プロセスが要求するニーズ）が実際の製造によって確かに達成できることを客観的証拠により示すことである。また，ソフトウェアバリデーションについても同じであるが，詳細はIEC 62304のところで触れている。

　なお，V＆Vについては222ページの「QSRの要求事項とISO 13485との主な違いⅢ」でも記載したので，参考にされたい。

規格を理解する上でぶつかる疑問（その2）：DHF, DMR, DHRとは？

> 製品の各プロセスにおける情報のファイルで、国により呼び名が異なる。

文書	米国	EU	日本	著者の補足
設計活動の履歴を記述、および記録した記録書の編集物。 例として、 ・計算、設計インプット ・要求事項および仕様書 ・設計試験報告書 ・リスク分析、設計レビュー、設計検証報告書 ・設計バリデーション報告書 ・製品表示事項、および、設計変更と関連する記録 など	DHF（Design History File；設計履歴ファイル）	技術書類および設計文書の一部	製品標準書の一部および設計・開発ファイル	意図された1台の製品を生み出すために必要な、すべての設計情報のファイル
試験と合否判定に関する基準を含む、製品の生産過程を規定した設計活動に基づく文書の編集物。 例として、 ・原材料の仕様書 ・包装および表示、工程／製品の仕様書 ・技術図面 ・部品リスト ・作業指示書（設備機器の操作を含む） ・滅菌手順書（必要な場合） ・品質計画書 ・製造、試験、検査手順書 ・合否判定基準 など	DMR（Device Master Record；機器原簿）	技術書類および設計文書の一部	製品標準書（医療機器ファイル）	製品の製造に必要な方法を示した、すべての文書
製造前工程の文書に対する適合性を実証するための生産／製造履歴を含んだ記録書の編集物。 例として、 ・製造試験報告書 ・ロットまたはバッチ記録書 ・移動票 ・機能試験報告書 ・実際のラベリング など	DHR（Device History Record；機器履歴簿）	製造記録書	品質記録書	製造前工程の文書に対する適合性を実証するための生産／製造履歴を含んだ記録書（台ごと）

✓ 2016年版から明示された医療機器ファイルは、米国のDMR、日本では製品標準書にあたる。

　302ページ「品質マネジメントシステムでの要求事項2」で、文書化の要求事項について説明し、その他の章でも文書化した手順とか、品質マニュアル等の文書や記録の話を通し、本規格での文書化の大切さを強調した。

　本図では、製品実現のプロセスにおいて、とくに重要な3つの文書類について説明を補足している。製品実現のプロセスは、顧客のニーズを設計・開発のアクティビティを通して実現し、その結果生まれた設計情報をもとに、製造およびサービス提供のアクティビティで製品化することを示しているが、この設計情報を米国ではDHF（Design History File）、EUでは技術書類の設計文書の一部、日本では製品標準書の一部および設計・開発ファイルとして取り扱い、重要な文書類の1つとなる。このように国や地域により、文書類のまとめ方は違うが、製品実現のプロセスのトレースからしても、文書

類の識別管理要求の点からしても，米国の分類がわかりやすいので，これをもとにさらに説明を加えると，「意図された1台の製品を生み出すために必要な，すべての設計情報のファイルをDHF」，これを受けて「製品の製造に必要な方法を示したすべての文書」をDMR（Device Master Record），製造の結果，生まれたそれぞれの製品の履歴で「製造前工程の文書に対する適合性を実証するための生産／製造履歴を含んだ記録書」をDHR（Device History Record）と呼ぶ。これらは3つの重要な文書類として，それぞれ該当する文書・記録を識別管理するためにもそれぞれファイルされる。

加えて，米国のDMRは，EUで技術書類および設計文書の一部，日本では製品標準書と扱い，米国のDHRは，EUで製造記録書，日本では品質記録書と呼ばれる。

2016年版から明示された医療機器ファイルは，米国のDMR，日本では製品標準書にあたる。

▶ ISO 13485：2016 QMS体系図

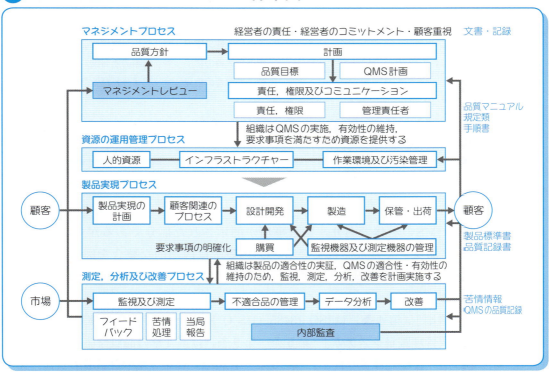

ここにISO 13485：2016 QMSの要求を体系図としてまとめた。

5.2.2 ISO 13485：2016 と改正 QMS 省令および QSR との関係

▶ QMS 省令第 2 章と ISO 13485 の比較

> 第 2 章は 6 節（第 4 条～第 64 条）で構成され，ISO 13485 の各章に対応している。

構成の対比

QMS省令	ISO 13485（JIS Q 13485）
第 1 節　通則（第 4 条）	1　適用範囲（1.2）
第 2 節　品質管理監督システム（第 5 条～第 9 条）	4　品質マネジメントシステム
第 3 節　管理監督者の責任（第 10 条～第 20 条）	5　経営者の責任
第 4 節　資源の管理監督（第 21 条～第 25 条）	6　資源の運用管理
第 5 節　製品実現（第 26 条～第 53 条）	7　製品実現
第 6 節　測定，分析及び改善（第 54 条～第 64 条）	8　測定，分析及び改善

用語の対比

製品標準書　⇔　品質マネジメントシステムの文書（DMR）	業務運営基盤　⇔　インフラストラクチャー
照査　⇔　レビュー	追跡可能性の確保　⇔　トレーサビリティ
管理監督者　⇔　トップマネジメント	製品受領者の物品　⇔　顧客の所有物
職員　⇔　要員	製品受領者の意見　⇔　フィードバック

✓ 改正 QMS 省令（令和 3 年，厚生労働省令第 169 号）は，国際的な整合を図るために ISO 13485：2016 を踏まえ，改正された。

　第 2 章は QMS の本体であり，要求事項が明示された部分であるが，ここは 6 節（第 4 条～第 64 条）で構成されている。QMS 省令は国際的な整合を図るために ISO 13485：2016 を踏まえて作成されたため，各節が図に示したように ISO 13485 の各章に対応している。

　第 1 節「通則」（第 4 条）は ISO 13485（JIS Q 13485）の第 1 章の適用範囲（1.2），第 2 節「品質管理監督システム」（第 5 条～第 9 条）は第 4 章の品質マネジメントシステム，第 3 節「管理監督者の責任」（第 10 条～第 20 条）は第 5 章の経営者の責任，第 4 節「資源の管理監督」（第 21 条～第 25 条）は第 6 章の資源の運用管理，第 5 節「製品実現」（第 26 条～第 53 条）は第 7 章の製品実現，最後の第 6 節「測定，分析及び改善」（第 54 条～第 64 条）は第 8 章の測定，分析及び改善にそれぞれ対応している。

　また，図には省令で使われている用語の対比も一部掲載した。いくつかの例を図示したので参考にしてほしい。多くの人は ISO 9001 からの流れで ISO 13485 の用語に親し

んでいるので，QMS省令で使われている用語には違和感を覚えることもあると思うが，省令の用語に接し，ISO 13485の用語では不明であったことや，要求事項の理解が深まる場合もある。ただし，ここに用いた用語はISOからJIS化の際に日本語に訳されているので，正しい理解のためにISOの英単語とJIS訳，およびQMS省令での用語の対照表を自分でつくることも有用である。

▶ 第2節，第3節とISO 13485の比較

> 第2節は「品質管理監督システム」，第3節は「管理監督者の責任」。

QMS省令（令和3年厚生労働省令第60号）	ISO 13485：2016
第五条　品質管理監督システムに係る要求事項	4.1.1　4品質マネジメントシステム　4.1　一般要求事項の下位条項
第五条の二　品質管理監督システムの確立	4.1.2　4.1一般要求事項の下位条項　見出しなし
第五条の三　品質管理監督システムの業務	4.1.3　4.1一般要求事項の下位条項　見出しなし
第五条の四　品質管理監督システムの管理監督	4.1.4　4.1一般要求事項の下位条項　見出しなし
第五条の五　外部委託	4.1.5　4.1一般要求事項の下位条項　見出しなし
第五条の六　ソフトウェアの使用	4.1.6　4.1一般要求事項の下位条項　見出しなし
第六条　品質管理監督システムの文書化	4.2.1　一般（4.2　文書化に関する要求事項）
第七条　品質管理監督システム基準書	4.2.2　品質マニュアル
第七条の二　製品標準書	4.2.3　医療機器ファイル
第八条　品質管理監督文書の管理	4.2.4　文書管理
第九条　記録の管理	4.2.5　記録の管理
第十条　管理監督者の関与	5.1　経営者のコミットメント（5　経営者の責任）
第十一条　製品受領者の重視	5.2　顧客重視
第十二条　品質方針	5.3　品質方針
第十三条　品質目標	5.4.1　品質目標（5.4　計画）
第十四条　品質管理監督システムの計画の策定	5.4.2　品質マネジメントシステムの計画
第十五条　責任及び権限	5.5.1　責任及び権限（5.5　責任，権限及びコミュニケーション）
第十六条　管理責任者	5.5.2　管理責任者
第十七条　内部情報伝達	5.5.3　内部コミュニケーション
第十八条　管理監督者照査	5.6.1　一般（5.6　マネジメントレビュー）
第十九条　管理監督者照査に係る工程入力情報	5.6.2　マネジメントレビューへのインプット
第二十条　管理監督者照査に係る工程出力情報	5.6.3　マネジメントレビューからのアウトプット

✓ QMS省令の理解には，逐次解説H26薬食監麻発0827第4号，Q&A H26薬食監麻発1121第25号，改正省令R3薬生監麻発0326第4号も有用。

ここでは参考として，第2章第2節と第3節の，QMS省令上の各条とISO 13485の対応比較表を載せた。もし，ISO 9001の品質システム体制をもとにISO 13485の体制を構築し，さらにそこにQMS省令の要求事項を付加する場合や，その体制下でQMS省令への適合性評価の内部監査や評価を受ける際は，この表を完成させておくと便利である。また，QMS省令の理解には，逐次解説H26薬食監麻発0827第4号，Q&A H26薬食監麻発1121第25号，改正省令R3薬生監麻発0326第4号も有用である。

▶ QMS省令とISO 13485の違い

第3章は，ISO 13485への日本独自の追加要求事項。第4章から第6章は準用規定等。

ISO 13485	ISO 13485			
	ISO 13485に相当	追加要求	他業態への準用規定等	
QMS省令	QMS省令第2章	第3章	第4章から第6章	

第4章	生物由来医療機器
第5章	放射性体外診断用医薬品
第5章の2	再製造単回使用医療機器
第6章	製造業者等への準用

第3章　追加的要求事項の概要

条項	項目	概要
第65条	削除	第5条の5にて規定
第66条	品質管理監督システムに係る追加的要求事項	品質管理監督システムの文書化，管理監督等 製造委託先に対する品質管理監督基準の作成の要請
第67条 第68条	品質管理監督文書，記録の保管期限	文書・記録の保管期限 特定保守管理医療機器は，15年間 それ以外の医療機器・教育訓練記録は，5年間
第69条	不具合等報告	委託製造所に市場での副作用に関する情報を知り得たときは製造販売業に告知する手順の作成
第70条	製造販売後安全管理基準との関係	GVP省令に基づき，手順等の構築，実施
第71条	医療機器等総括製造販売責任者の業務	総括製造販売責任者の業務
第72条	国内品質業務運営責任者	資格，業務，市場への出荷可否の委任及びその報告
第72条の2	その他の遵守事項	製造所等との取決め，修理の通知，販売又は貸与の品質確保，中古品の通知の手順の作成
第72条の3	選任外国製造医療機器等製造販売業者等の業務	選任製販の業務

参考資料：「医薬品医療機器等法に関する講習会」平成27年東京都健康安全研究センター広域監視部医療機器監視課

 QMS省令の第3章の追加要求事項は，まとめると下記の3点となる。
1. 旧薬事法のGQP省令要求事項（総括製造販売責任者，国内品質業務運営責任者，関連業者の管理・確認等）
2. 文書・記録の管理（保管期限）
3. 製造販売業者が行う製造所等の管理・確認

よく「QMS省令とISO 13485に違いはあるのか」という質問を受ける。その際，質

問の趣旨がそれぞれの深い部分までの理解ではなく，概要として理解したい場合には，「同じです」と答えることが多いが，厳密にいうと一部，追加要求事項を含んでいるため同一ではない。もともとISO 13485は国際標準化機関がつくった規格で，多くの国の法律でひもづけられることを前提としているが，各国で自国の事情に合わせて一部変更を加えて，自国に導入されるのが通常である。平成26年に改正された新QMS省令，また令和3年の改正QMS省令もISO 13485から追加要求している部分があり，それが第3章 医療機器等の製造管理及び品質管理に係る追加的要求事項（第65条から第72条の3）である。

QMS省令第3章追加要求事項の概要は，下記の3点である。

> 1．文書・記録の管理（保管期限）
> 2．製造販売業者によるサプライヤー製造所等の管理
> 3．旧法のGQP省令からの要求事項

1．文書・記録の管理

第67条，第68条の品質管理監督文書，記録の保管期限が該当する。QMS省令独自要求として，特定保守管理医療機器は15年間，それ以外の医療機器・教育訓練記録は5年間（ただし，製品の有効期間に1年を加算した期間がこの保管期間よりも長い場合は，製品の有効期間に1年を加えた期間）と，製品に応じて保管期間を規定している。

2．製造販売業者によるサプライヤー製造所等の管理

第65条登録製造所の品質管理監督システム，および第66条品質管理監督システムに係る追加的要求事項では，製造販売業者による製造所やサプライヤーの製造管理・品質管理の管理が規定されている。製造所等のQMS実施状況を定期的に確認して管理するためには，製造所とQMSについての定期確認の方法，その確認結果によるアクション（是正要求等）を含めた取決めを締結しておくことが有効である。

第69条不具合等報告では，委託製造所に対して，市場での有害事象（不具合，副作用）の情報を入手したときに適切に製造販売業者へ報告する手順を確立，文書化させることが規定されている。具体的には，製造所との間で締結する取決めや，サプライヤーの契約書の中でどのような情報を報告すればいいのかといった報告対象と，だれにどう連絡するか等の報告方法を具体的に含めるとよい。

3．旧法のGQP省令からの要求事項

第70条製造販売後安全管理基準との関係では，GVP省令に基づき，手順等の構築，実施することが規定されている。その他，旧GQP省令要求事項として，第71条，第72条では，総括製造販売責任者と業務国内品質業務運営責任者の要件と業務を規定し，第

72条の2のその他の遵守事項では，製造所等との取決め，修理の通知，販売又は貸与の品質確保，中古品の通知処理の手順の確立と文書化が規定されている。

組織にとって，どのような品質マネジメントシステムを構築するかは大きな経営課題だが，対象医療機器の市場が国内だけならQMS省令を，海外も対象にするならISO 13485をもとに構築するのが妥当なやり方である。ただし，海外といっても，米国が市場の場合は，次の4.2.3項で述べるQSR（21 CFR Part 820 Quality System Regulation；医療機器の品質システム規則）への対応が必要になる。

▶ QSRとは何か

> 米国連邦規則集CFRのパート820に書かれた医療機器の品質システム規則。
>
> - 21 CFR Part 800-1299：
>   Code of Federal Regulations Title 21 Parts 800-1299
> - 21 CFR Parts 820：
>   Quality System Regulation；医療機器の品質システム規則
>
> ✓ 米国連邦食品医薬品化粧品法（FDCA；Federal Food, Drug and Cosmetic Act）にひもづけられた規則で，罰則を伴う。

QSRは，Quality System Regulationのことで，米国連邦規則集（CFR：Code of Federal Regulations）のパート800からパート1299間に記載されている医療機器等に関係する規則の中で，パート820に書かれた医療機器の品質システム規則のことである。3.3節の「米国の法規制」でも触れたが，CFR（米国連邦規則集）は米国連邦食品医薬品化粧品法（FD&CA；Federal Food, Drug and Cosmetic Act）にひもづけられた規則であり，違反すると罰則を伴う。

医療機器に対する各国の法律は，国により内容は違ったとしても，自国の国民に提供される医療機器は常に「安全」で「有効」で，かつ意図した「品質維持」がなされていることを確かにするための規制である。米国でも，医療機器としてPMA（Pre-Market Approval）や510KのClearanceを受けた製品が，常に意図されたとおりに生産され，市場の顧客の要求に応え続けるために守らなければならない「品質システム」を規制しており，これがQSRである。

なお，3.3節では「QSRの要求事項とISO 13485との主な違い」について述べたが，本節ではQSR自体の概要を説明することに主眼をおく。

▶ QSRの構成と適用

15のサブパートで構成され，完成医療機器の製造業者（Manufacturer）に適用する基本的な要求事項を確立している。

CFR 820の構成
Subpart A ── General Provisions； 総則
Subpart B ── Quality System Requirements； 品質システム要求事項
Subpart C ── Design Controls； 設計管理
Subpart D ── Document Controls； 文書管理
Subpart E ── Purchasing Controls； 購買管理
Subpart F ── Identification and Traceability； 識別およびトレーサビリティ
Subpart G ── Production and Process Controls； 製造および工程の管理
Subpart H ── Acceptance Activities； 受入活動
Subpart I ── Nonconforming Product； 不適合品
Subpart J ── Corrective and Preventive Action； 是正処置と予防処置
Subpart K ── Labeling and Packaging Control； ラベリングと包装の管理
Subpart L ── Handling, Storage, Distribution, and Installation； 取扱い，保管，流通，および据付
Subpart M ── Records； 記録
Subpart N ── Servicing； 付帯サービス
Subpart O ── Statistical Techniques； 統計的手法

サブパート内の構成例をみると，

Subpart B ── Quality System Requirements；品質システム要求事項
820.20 Management responsibility； 経営者の責任
820.22 Quality audit； 品質監査
820.25 Personnel； 要員

Subpart M ── Records；記録
820.180 General requirements； 一般要求事項
820.181 Device master record； 機器原簿
820.184 Device history record； 機器履歴簿
820.186 Quality system record； 品質システム記録
820.198 Complaint files； 苦情ファイル

✓ 要求事項は，ヒト使用に意図されたすべての完成機器の設計，製造，包装，ラベリング，保管，据付，および付帯サービスの業務に使用される設備および管理が対象。

　CFRパート820であるQSRは，サブパートAからサブパートOまでの15のサブパートで構成されていて，各サブパートの中にはさらに関連した項目が820のパート番号とサブパート番号を冠して記載されている。

　QSRは，完成医療機器の製造業者（Manufacturer）に適用する品質システムの基本的な要求事項を確立しているが，この要求事項は，ヒト使用に意図されたすべての完成

機器の設計，製造，包装，ラベリング，保管，据付および付帯サービスの業務に使用される設備および管理を対象としている。また，目的は，完成機器が安全かつ有効で，その他の点で連邦食品医薬品化粧品法（FD&CA）に適合するよう保証することを意図している。

▶ ISO 13485とQSRの比較

章立ても異なり，要求事項もそれぞれ分散していて，内容の違いも多い。
一方，QSRを国際規格ISO 13485:2016に整合させるためのQSR改定案も公表されている。

ISO 13485	CFR 820
4　品質マネジメントシステム	Subpart A　総則　820.5 品質システム
4.1　一般的要求事項	
4.2　文書化に関する要求事項	Subpart D　文書管理　820.40 文書管理
4.2.1　一般	Subpart M　記録　820.181 機器原簿（DMR）
4.2.2　品質マニュアル	Subpart B　品質システム要求事項 820.20 経営者の責任　(e) 品質システム手順
4.2.3　文書管理	Subpart D　文書管理 820.40 文書管理　(a) 文書の承認および配付
	Subpart M　記録 820.186 品質システム記録
	Subpart D　文書管理 820.40 文書管理　(b) 文書の変更
	Subpart M　記録 820.180　一般要求事項
	Subpart D　文書管理 820.40 文書管理　(b) 文書の変更
4.2.4　記録の管理	Subpart M　記録 820.180　一般要求事項
	Subpart M　記録 820.180　一般要求事項　(b) 記録の保管期間
	Subpart M　記録 820.184 機器履歴簿
	Subpart M　記録 820.186 品質システム記録

- QSRを理解するためには，ISO 13485の理解では不足で，FDA等が発行している各種ガイダンスの理解が不可欠。
- 改定案ではISO 13485の章がQSRの現在のサブパートにどのようにマッピングされるか，および改定案が類似しているか異なるかを示している。

5.2節では，主にISO 13485を中心に説明し，QMS省令についてはISO 13485とその

違いについても説明してきた。QMS省令を例にすると，ISO 13485を積極的に取り入れ，国の法律上の整合性から必要な要求事項を追加しているので，章立ても同じで，高い親和性をもっている。

　QSRについても同じように章立てで比較を試みたのが前ページの表であるが，ISO 13485の第4章である「品質マネジメントシステム」内の章立てに即した要求事項がQSRのどのサブパートに書かれているかを整理しても，それぞれ分散していて違いもみられる。米国も医療機器規格の国際整合性を進める立場であり，かつWTO／TBT（World Trade Organization／Techical Barriers Trade）協定を結んでいるので，ISO 13485が米国でも採用され，QSRと基本的には同じになるはずだしISO 13485：2016ではQSRの考え方が多く取り入れられた。ただQMS省令がそうであるように，国により考え方は異なるので，FDAの監査に耐えうるレベルでQSRを理解するためには，ISO 13485の理解だけでは不足で，QSRのほかにFDA等が発行している各種ガイダンスの理解も重要で不可欠である。

　一方，QSRを国際規格ISO 13485：2016に整合させるためのQSR改定案も公表されている。改定案ではISO 13485の章がQSRの現在のサブパートにどのようにマッピングされるか，および改定案が類似しているか異なるかを示している。

▶ QSRを含んだQMSの構築方法

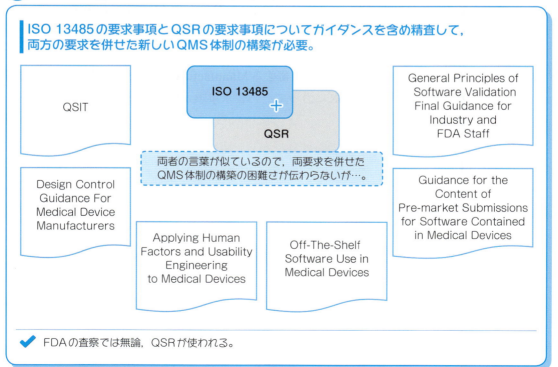

日本の医療機器メーカーが，海外の医療機器の市場を視野に入れて医療機器の市場戦略を図る場合は，品質マネジメントシステムを米国やEUにも対応したものにしなければならない。EUは原則，ISO 13485が整合規格であることと，QMS省令とISO 13485に大きな違いがないことからすると，注目しなければならないのがこのQSRということになる。すなわち，医療機器を米国の市場に出す戦略をもつManufacturerはISO 13485の要求事項とQSRの要求事項をガイダンスを含め精査して，両要求を併せた新しいQMS体制を構築し，実施しなければならない。しかし，両者の規格の構成が違うにもかかわらず両規格内で使われている言葉が似ているので，両要求を併せたQMS体制の構築の困難さはなかなか認識しづらいが，相当大きな投資が必要になることを認識する必要がある。なお，QSRの理解には各種のガイダンスの理解が不可欠であるが，具体的に必要なガイダンスの一例を以下に示す。サーバーセキュリティなどの製品特性によって必要なガイダンスがあったり，新しいガイダンスが発行されたりするので，注意が必要である。

・QSIT（Quality System Inspention Technique）
・Design Control Guidance For Medical Device Manufacturers
・Applying Human Factors and Usability Engineering to Medical Devices
・Off-The-Shelf Software Use in Medical Devices
・Guidance for the Content of Pre-market Submissions for Software Contained in Medical Devices
・General Principles of Software Validation Final Guidance for Industry and FDA Staff

　FDAの査察は，米国に医療機器を出荷するManufacturerにとっては大きな経営的課題になるが，FDAは無論，QSRに沿ってその要求事項が確実になされているかを査察する。

5.3 医療機器ーリスクマネジメントの医療機器への適用の規格 (ISO 14971：2019)

▶ ISO 14971：2019とは何か

医療機器へのリスクマネジメントの適用方法が書かれた規格で，他の規格や省令とも関係が深く，ISO13485と同じく重要なプロセス規格である。

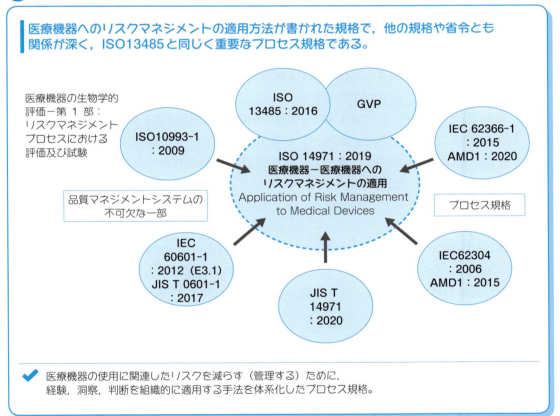

✓ 医療機器の使用に関連したリスクを減らす（管理する）ために，経験，洞察，判断を組織的に適用する手法を体系化したプロセス規格。

　ISO 14971：2019は「医療機器 ― 医療機器へのリスクマネジメントの適用（Medical devices ― Application of Risk Management to Medical Devices）」と呼ばれる，医療機器へのリスクマネジメントの適用方法が書かれたプロセス規格である。

　ISO 14971：2019は，製造業者が医療機器のライフサイクルのすべての段階に適用でき，医療機器に関連するハザードを特定し，関連するリスクを推定し，評価し，これらのリスクをコントロールし，コントロールの有効性を監視するプロセスについて規定している。要は，医療機器の使用に関連したリスクを減らす（管理する）ために，経験，

洞察，判断を組織的に適用する手法を体系化したプロセス規格である。

したがって，医療機器のライフサイクルに関係する対象組織である医療機器の製造業者などが，自社のリスクマネジメントシステムを構築する際，この国際規格に含まれるプロセスの要求事項を組み込まなければならない。なお，リスクマネジメントシステムは，各組織の品質マネジメントシステムの一部として存在することが合理的でもあり，いいかえれば，上図のように「リスクマネジメントシステムは品質マネジメントシステムの不可欠な一部」といえる。

また，他の国際標準化規格との関連をみてみると，ISO 13485：2016「医療機器 ─ 品質マネジメントシステム ─ 規制目的のための要求事項」では参照規格として使われている。IEC 60601-1：2012（Ed.3.1）（医療機器 ─ 第1部：基礎安全及び基本性能に関する一般要求事項）ではISO 14971は一般要求事項となっており，同じくIEC 62304：2006/Amd 1：2015（医療機器ソフトウェア ─ ソフトウェアライフサイクルプロセス）でも一般要求事項であり，ISO 14971要求事項に加えたリスクマネジメント要求が各規格に存在するので，注意が必要である。

加えて，ISO 10993-1：2009（医療機器の生物学的評価－第1部：リスクマネジメントプロセスにおける評価及び試験）でも関連が深い。

また，ISO 14971：2019と同じく重要度が増しているIEC 62366-1：2015/Amd 1：2020（医療機器 ─ 第1部：医療機器へのユーザビリティエンジニアリングの適用）は引用規格でもあるように，医療機器の多くの規格にも関連するとても重要な標準規格といえる。

さらに，ISO 14971は各国の法令とひもづいていて，日本ではQMS省令やGVP省令と，米国ではQSRでひもづき，EUではMDRの整合規格となっているので，法的な拘束力のある規格として解釈しても間違いではない。

ISO14971：2019の構成とISO/TR 24971：2020

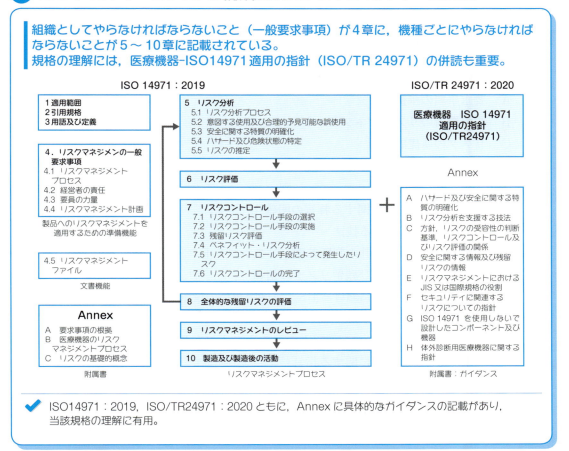

ISO14971：2019, ISO/TR24971：2020ともに，Annexに具体的なガイダンスの記載があり，当該規格の理解に有用。

　規格を理解する場合，そこに書かれている要求事項の理解や詳細説明の理解も大切だが，章立てを通して構成を見てみるのも，各プロセスのつながりや全体の俯瞰に有用であるので，ここでもISO 14971：2019の構成を見てみる。

　第1章には本規格の適用範囲が，第2章には引用規格，第3章には用語や定義が書かれている。第4章には本題の要求事項のうち，全体に共通し組織としてやらなければならないことである一般要求事項が記載されている。また，第5章の「リスク分析」から第10章の「製造及び製造後の活動」までが，実際のリスクマネジメントの適用に関する部分の説明と要求事項が記載されている部分であり，機種ごとにやらなければならいことが記載されている。ちなみに第5章，第6章の部分を合わせてリスクアセスメントと呼ばれている。

　なお，本規格の理解には，ISO 14971：2019を幅広い種類の医療機器に適用する上での指針である「医療機器-ISO 14971適用の指針（ISO/TR24971：2020）」の併読も欠かせない。本指針の章立てはISO 14971：2019のそれと同じなので，対比しながら理解を

進めるのがよい。
　さらに，構成で多くのスペースを割いているのがAnnexの部分である。その内容は，各々以下のとおりである。

ISO 14971：2019 Annex
A　要求事項の根拠
B　医療機器のリスクマネジメントプロセス
C　リスクの基礎的概念

ISO/TR 24971：2020 Annex
A　ハザード及び安全に関する特質の明確化
B　リスク分析を支援する技法
C　方針，リスクの受容性の判断基準，リスクコントロール及びリスク評価の関係
D　安全に関する情報及び残留リスクの情報
E　リスクマネジメントにおけるJIS又は国際規格の役割
F　セキュリティに関連するリスクついての指針
G　ISO 14971を使用しないで設計したコンポーネント及び機器
H　体外診断用医療機器に関する指針

　Annexで書かれていることは規格としての要求事項ではないが，リスクマネジメントを実際の医療機器において行うための実務を理解する上で役立つ不可欠な部分である。
　この章立てを見ても，ISO 14971は，医療機器の安全対策のプロセス規格であり，製品に焦点を当てた安全規格であるともいえる。

　なお，ISO 14971の基本的な考え方（ISO/IEC Guide 51によると）は，
・絶対的な安全というものはありえない。
・安全はリスクを許容可能なレベルまで低減されることで達成される。
・許容可能なレベルは常に見直す必要がある。
・許容可能なリスクは，リスクアセスメント（リスク分析及びリスクの評価）による
　リスク低減のプロセスを反復することで達成できる。
の4つで，この考え方が各要求事項のベースとなっているので，本規格のよりよい理解のため，本文に追加して記載しておく。

リスクマネジメントに関連する重要な用語

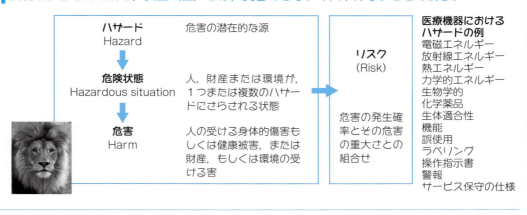

規格の理解には用語の正しい理解が不可欠であり，とくにISO 14971のリスクマネジメントに関連する用語は，その新規性もあり，用語の定義と理解は重要である。以下に，リスク分析に欠かせない用語をピックアップする。

ハザード（Hazard）：危害の潜在的な源。

危険状態（Hazardous situation）：人，財産または環境が，1つまたは複数のハザードにさらされる状態。

危害（Harm）：人の受ける身体的傷害・健康被害，または財産，環境の受ける害。

リスク（Risk）：危害の発生確率と，その危害の重大さとの組合せ。

安全（Safety）：受容できないリスクがないこと。

ベネフィット（Benefit）：医療機器の使用が，個人の健康に与える良い影響。もしくは望ましい結果，または患者管理もしくは公衆衛生に与える有益な影響。

ここであげたハザードからリスクまでの理解には，よく動物園で飼われているライオンの例が使われる。ライオンは野生動物でもあり，「危害を加える潜在的な源」なので「ハザード」と特定できる。動物園で飼われているライオン自体は普段は強固な檻に入れられているので害には至らない。しかし，たとえば飼育員がライオンの檻のドアを閉め忘れたり，檻のメンテナンスが悪く一部，檻が壊れていて強度が著しく落ちている場合などの事象（後述する一連の事象の例）が起きて，観客の前にライオンが檻から出てしまうような状態が想定でき，これが「危険状態」の例である。

ただし，この状態でもまだ「危害＝人の受ける身体的傷害・健康被害，または財産，環境の受ける害」に至っているわけではなく，たとえば運よくライオンが満腹で自分で檻に戻ったり，飼育員が側にいてすぐにライオンを檻に戻すことができるかもしれない。そうではなく，残念ながら，ライオンが観客にかみつき大きなけがをさせてしまった場合の，この大きなけがが「危害」となる。

　すなわち，檻の鍵を閉め忘れ，その後，ライオンが外に出てしまう危険状態になるのにもある確率があり，さらに危害状態から大けがという危害に至るのにも，ある確率があることがわかる。そこで，この両者の確率を掛けた確率を「危害の発生確率」という。また，「危害」にも，死や大きなけがから小さなけがまであり，その重大さが違うが，この違いの程度を「危害の重大さ」と呼び，「リスク」の定義に組み込まれている。これが，「リスクは危害の発生確率とその危害の重大さとの組み合わせ」といわれるゆえんであり，動物園のライオンの例でもわかるように，動物園に行き，ライオンを見る行為にもリスクがある。それでも多くの人が生のライオンを見られるという利益のほうがリスクより大きいと判断している。

　要は，この例でも「ベネフィットがリスクを上回るか？」を判断しているように，医療機器のリスクマネジメントプロセスでも同じく，「ベネフィットがリスクを上回るか？」の判断が組み込まれている。

　補足として，本図に医療機器におけるハザードの例をあげたが，医療機器における危害の潜在的な源がわかれば，リスクも設計開発の経験やそこからくる洞察によりリスクも想起しやすく，想起できれば事前の対応も可能になりやすいので，これらのハザードの例（本規格書のAnnex C内の表C.1より一部記載）は有用な情報である。

リスクマネジメントに関連する重要な用語，リスクマネジメントプロセスとは

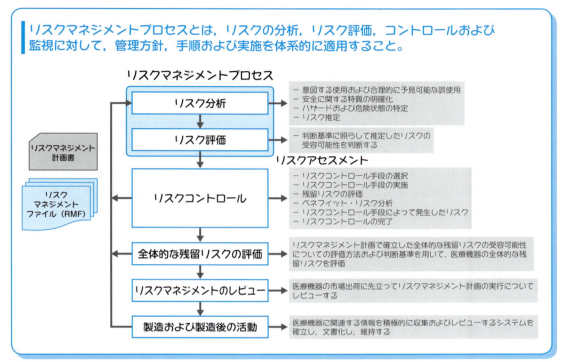

　リスクマネジメントプロセスとは，リスク分析とリスク評価により推定されたリスクに対してリスクコントロールや監視を行うことによって，許容できるレベルまでリスクを下げる活動で，そのリスクの分析，評価，コントロールおよび監視に対して，管理方針・手順および実施を体系的に適用するプロセスである。

　本図はリスクマネジメントプロセスの概念図でもあり，ISO 14971：2019の俯瞰図でもある。リスクマネジメントプロセスで行わなければならないことは以下のとおりである。

　リスク分析では，意図する使用および合理的に予見可能な誤使用・安全に関する特質を明確化し，ハザードおよび危険状態を特定し，リスク推定する。

　リスク評価では，判断基準に照らして推定したリスクの受容可能性を判断する。なお，リスク分析とリスク評価を合わせてリスクアセスメントと呼ぶ。

　リスクコントロールでは，リスクコントロール手段を選択し，リスクコントロール手段を実施し，残留リスクの評価をし，ベネフィット・リスク分析をした後，リスクコントロール手段によって発生したリスクの影響分析をし，リスクコントロールの完了となる。

　全体的な残留リスクの評価では，リスクマネジメント計画で確立した全体的な残留リ

スクの受容可能性についての評価方法および判断基準を用いて，医療機器の全体的な残留リスクの評価を行う。

リスクマネジメントのレビューでは，医療機器の市場出荷に先立ってリスクマネジメント計画の実行についてレビューする。

最後の**製造および製造後の活動**では，医療機器に関連する情報を積極的に収集およびレビューするシステムを確立し，文書化し，維持することが求められている。

また，リスクマネジメントプロセスで重要なポイントの1つが，リスクマネジメント活動を計画することだが，対象となる特定の医療機器について，リスクマネジメントプロセスに従ってリスクマネジメント計画を確立し，文書化することが要求されている。加えて，対象とする特定の医療機器についてリスクマネジメントファイル（RMF）を作成し，維持するとともに，特定した各ハザードについて，次の活動に対してのトレーサビリティをもたなければならない。

▶ 組織として具体的に行うこと-1

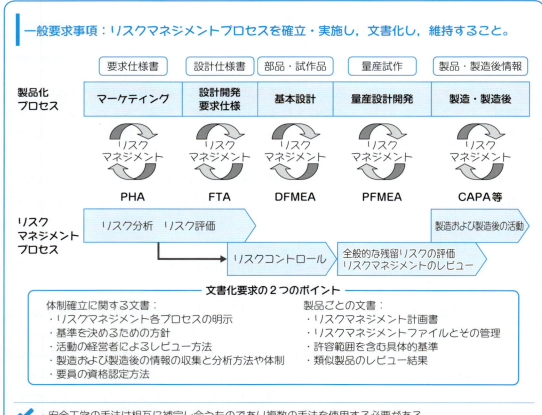

5.3 医療機器－リスクマネジメントの医療機器への適用の規格（ISO 14971：2019）

一般要求事項は，個別の医療機器ではなく，医療機器のライフサイクル全般に対する要求事項で，5つある。その1つが，ここにあげた「製造業者は，（製品の）ライフサイクルを通じて，医療機器に関連するハザードを明確化し，関連するリスクを推定・評価し，これらのリスクをコントロールし，そのコントロールの有効性を監視する一連のプロセスを確立，文書化し，維持すること」である。

ISO 14971では，ISO 13485第7章　製品実現のプロセスの中にリスクマネジメントプロセスの該当部分を含めることを要求している。しかし，あくまでリスクマネジメントプロセスはライフサイクルを通じて行うべきことなので，企画段階から製造後も含め，その医療機器が廃棄されるまでのライフサイクルの各プロセスごとにリスクマネジメントを実行することが安全性を高めるためにも必要である。

上記のように一般要求事項で，リスクマネジメントプロセスを確立することが要求されているが，この規格の各要求を網羅していれば，その組織独自のプロセスを確立できる。

上図では，製品化プロセスに対比して顧客のニーズから「医療機器の要求仕様書」をつくる際に，予備的ハザード解析（PHA：Preliminary Hazard Analysis），「設計仕様書」をつくる際に，故障の木解析（FTA：Fault Tree Analysis），基本設計時の試作の際に，設計故障モード影響解析（DFMEA：Design Failure Mode Effects Analysis），および量産試作の際に，プロセス故障モード影響解析（PFMEA：Process Failure Mode Effects Analysis）の手法などをもとにリスクマネジメントを行い，結果をリスクマネジメントファイルとしてまとめ，設計移管する例をあげている。ここにあげたPHA等の安全工学の手法は相互に補完し合うものであり，複数の手法を使用するのが原則である。また，リスク分析・評価は要求仕様の一部となり，リスクコントロールは設計仕様の一部であることにも留意していただきたい。

参考：安全工学の手法

PHA（Preliminary Hazard Analysis）
　　プロジェクトの早期開発であり，設計の詳細または操作手順について情報が少ない場合に最も一般に実施され，ハザードまたは欠陥についてこれまでに得られている経験または知識を適用する分析方法。

FTA（Fault Tree Analysis：故障の木解析　トップダウン解析）
　　予防すべき重大な危険状態を想定し，その要因事象を展開し，要因事象の発生頻度を集計してその重大事象の発生頻度を計算し原因を分析する手法・活動。
　　「もし，こんな問題が起きるとすると，その要因は何か？」と問いかける。

FMEA（Failure Mode and Effect Analysis：故障モード影響解析　ボトムアップ解析）
　　「設計FMEA（DFMEA）」は，設計段階において，設計以降の後工程で発生する問題を予測し，定量的に重みづけをした上で，リスク低減の方策を実施する。
　　「もし，この部品やこのブロックに問題が出ると，どのようなことが起きるか？」と問いかける。

> 「工程FMEA（PFMEA）」は，製造品質に影響を及ぼすと考えられる製造プロセス上の品質不具合を特定し，定量的に重みづけをした上で，リスク低減の方策を実施する。**「もし，この工程に問題が出ると，どのようなことが起きるか？」**と問いかける。

　本図ではISO 13485の監視および測定（フィードバック）が，製造のプロセスにおけるリスクマネジメントに関連するので，これを，GHTFの文書を参考に製造プロセスにもリスクマネジメントを加えたが，是正処置・予防処置（CAPA：Corrective Action and Preventive Action）のIn Putとするのがよい。
　さらに，製造後も製造後情報をもとにリスクマネジメントを行うことを示している。
　なお，上図では製品化プロセスとリスクマネジメントプロセスを併記することで，両プロセスの関連を表した。

　ISO 14971でも文書化要求が一般要求であるが，それは次のように2つに分類される。1つはリスクマネジメントの体制確立に関する文書化要求で，以下のとおりである。
- ・リスクマネジメント各プロセスの明示
- ・基準を決めるための方針
- ・活動の経営者によるレビュー方法
- ・製造および製造後の情報の収集と分析方法およびその体制
- ・要員の資格認定方法

もう1つは，製品ごとに要求される文書で，以下のとおりである。
- ・各製品のリスクマネジメント計画書
- ・各製品のリスクマネジメントファイルとその管理
- ・許容範囲を含む具体的基準
- ・類似製品のレビュー結果

これらが記載されていなければ本規格に適合しない。

▶ 組織として具体的に行うこと-2

> **一般要求事項：経営者の責任**　トップマネジメントはリスクマネジメントプロセスへのコミットメントの証拠として以下のことを示すこと。
>
> - 十分な資源の提供とリスクマネジメントの**力量がある要員**の割当てをすること
>
>   > **一般要求事項：要員の力量**
>   > リスクマネジメントのために適切な 教育，訓練，技能と経験（該当の医療機器の知識，医療機器の使用方法，関連技術，リスクマネジメント手法）に基づく力量をもつ要員
>
> - リスクの受容可能性についての**判断基準を確立するための方針**を定義し文書化すること
>
>   > **判断基準の方針例**
>   > 当社の医療機器のリスクの受容判断は以下とする。
>   > 1. 日本および出荷先の規制で求められる安全性レベル厳守
>   > 2. 製品に適用される国際規格，地域・国の規格を定め，その規格で求められる安全性レベル厳守
>   > 3. 自社既存製品，同レベルの他社類似製品等で一般的に採用されている安全対策の採用
>   > 4. 文献，学会発表で広く公知になっている安全性対策の使用
>
> - このプロセスの継続的な有効性を保証するため計画した間隔でこの**プロセスの適切性をレビューし文書化すること**

- 要員の力量の適切な記録も求められる。
- 要員の力量・プロセスの適切性をレビューするなど一般要求事項の適合性は文書・記録の確認となる。

　本規格でもISO 13485と同様に「経営者の責任」が重要視されていて，要求事項は以下のとおりである。
①十分な資源の提供
②リスクマネジメントの力量がある要員の割当て
③リスクの受容可能性についての判断基準を確立するための方針を定義し文書化する
④このプロセスの継続的な有効性を保証するため計画した間隔でこのプロセスの適切性をレビューし文書化する

　ここでとくに重要なのは，③の「リスクの受容可能性についての判断基準を確立するための方針を定義し文書化する」であり，これは「どこまでリスクを許容するかの判断は経営者の責任で行われる」ことを意味しているので，大きな判断基準を経営者が自ら示すことを要求されていることになる。当然，判断は勝手には決められないが，その点では「この方針は，判断基準が適用される国または地域の規制および関連のあるJISまたは国際規格に基づくことを確実にするための枠組みを提供し，ならびに一般に認められた最新の技術水準および既知である利害関係者の懸念などの利用可能な情報を考慮する。」と規格書にあり，ますます経営者は広範囲な知識と判断力が求められている。この経営者の責任がリスクマネジメントプロセスの確立・文書化に続く2番目の一般要求事項である。

なお，本図には判断基準の方針例として以下の4項目をあげた。

> 当社の医療機器のリスクの受容判断は以下とする。
> 1. 日本および出荷先の規制で求められる安全性レベル厳守
> 2. 製品に適用される国際規格，地域・国の規格を定め，その規格で求められる安全性レベル厳守
> 3. 自社既存製品，同レベルの他社類似製品等で一般的に採用されている安全対策の採用
> 4. 文献，学会発表で広く公知になっている安全性対策の使用

　3つ目の一般要求事項は「要員の力量」で，リスクマネジメント作業を実施する人は，割り当てられた作業に対して適切な教育，訓練，技能および経験に基づいた力量がなければならない。その要員は，特定の医療機器およびその使用，関連技術または採用したリスクマネジメント技法についての知識および経験をもたなければならない。また要員の力量の適切な記録も求められる。

　今後のリスクマネジメントの重要性を考慮すれば，各プロセスごとに「リスクマネジメント」を専門とする要員を配置・確保しなければならなくなることも十分予想できる。

　なお，これらの一般要求事項の適合性は文書・記録の確認となる。

▶ 機種ごとに具体的に行うこと

一般要求事項：リスクマネジメント計画
　各医療機器について，リスクマネジメントプロセスに従って，リスクマネジメント計画を確立し，文書化すること。

一般要求事項：リスクマネジメントファイル
　各医療機器について，リスクマネジメントファイルを確立し，維持しなければならない。

リスクマネジメント計画書
a) 計画されたリスクマネジメント活動の範囲，医療機器の特定及び説明，並びに計画の要素が適用されるライフサイクルの各段階
b) リスクマネジメント業務の責任と権限の割り当て
c) リスクマネジメント活動のレビューに関する要求事項
d) リスクの受容可能性の判断基準
e) 全体的な残留リスクを評価する方法，およびリスクが受容可能かどうかを判断するための製造業者の方針に基づく全体的な残留リスクの受容可能性の判断基準
f) リスクコントロール手段の実施およびその有効性についての検証活動
g) 関連ある製造及び製造後情報の収集とレビューに関する活動

リスクマネジメントファイル（RMF）
・リスクマネジメント計画
・リスクマネジメント計画に沿った実施記録
・リスクマネジメント報告書
・各箇条の要求事項

↓

要求事項に加えて，識別されたハザードの
・リスク分析
・リスク評価
・リスクコントロール手段の実施及び検証
・残留リスクの受容性の評価への
　トレーサビリティへの提供

✓ 本一般要求事項の適合性は，リスクマネジメントファイルの調査の確認となる。

5.3 医療機器―リスクマネジメントの医療機器への適用の規格（ISO 14971：2019）

4番目と5番目の一般要求事項は文書化・記録とその保管に関連する要求である。要求の4番目は，「各医療機器について，製造業者はリスクマネジメントプロセスに従ってリスクマネジメントの計画を確立し，文書化し，リスクマネジメントファイル（RMF）にファイルすること（リスクマネジメント計画はRMFの一部となる）。」であり，「リスクマネジメント計画」を作成することである。また，その中には，

a）計画されたリスクマネジメント活動の範囲，医療機器の特定および説明，ならびに計画の要素が適用されるライフサイクルの各段階
b）リスクマネジメント業務の責任と権限の割り当て
c）リスクマネジメント活動のレビューに関する要求事項
d）リスクの受容可能性の判断基準
e）全体的な残留リスクを評価する方法，およびリスクが受容可能かどうかを判断するための製造業者の方針に基づく全体的な残留リスクの受容可能性の判断基準
f）リスクコントロール手段の実施およびその有効性についての検証活動
g）関連ある製造及び製造後情報の収集とレビューに関する活動

を含むことを要求している。

とくにリスクマネジメント計画は重要なので，以下にリスクマネジメント計画書の具体例をあげる。

リスクマネジメント計画書

- 製品名：自動電子血圧計
- 説明：血圧の間接的（非観血的）測定に用いる電子式装置をいう。医師の指導のもと，在宅での自己血圧測定に使用するものであり，使用者の自己血圧管理を目的とするものである。耐用回数は最大30,000回であり，それを使用者に告知しなければならない。カフは自動的に加圧する。通常，収縮期及び拡張期血圧に加えて心拍数を表示する。
- リスクマネジメント活動の範囲：企画から設計移管までの設計開発プロセス間。
- 責任及び権限の割り当て：認定されたリスクマネジメントチームが行い，リスクマネジメント責任者である設計PLが全権限をもつ。
- リスクマネジメント活動のレビューに関する要求事項：DR0, DR1, DR2, DR3にて行う。経営者によるレビューは，各プロセス終了時に行う。リスクの受容性判断基準で受容できない場合には，リスク低減方法を見直す。
- リスク低減のため用いた対策の効果の評価方法：設計・開発の検証や妥当性確認ステップでの評価。
- リスクの受容性判断基準：リスクマネジメント手順書に記載の基準を採用。
- 全体的な残留リスクを評価する方法：トップマネジメントおよび専門家を含んだリスクマネジメントチームの合議を基準とする。
- リスクコントロールの検証活動：DR4の中で検証する。
- 関連する製造中及び製造販売後の情報の収集及び見直しに関する活動：設計移管または販売開始後に問題があった場合には，その内容によって再度リスク評価を行う。

この例に，全体の日程表，工程表，リスク分析ツール，または特定のリスク受容基準を選択した理由説明等の情報が入ればなおよい。

また5番目の要求事項は，リスクマネジメントファイル（RMF）で，これはリスクマネジメント計画，リスクマネジメント計画に沿った実施記録，リスクマネジメント報告書，各箇条の要求事項等が一元的にファイルされることの要求である。

なお，リスクマネジメントファイルでは，各医療機器について，個々のリスクマネジメントに関する要求事項に加えて，識別されたハザードの以下の事項のトレーサビリティを記載することが求められる。

・リスク分析
・リスク評価
・リスクコントロール手段の実施および検証
・残留リスクの受容性の評価へのトレーサビリティへの提供

を含むファイルをつくり，維持することを求めている。

この文書関連の要求は，ISO 14971でも重要な監査項目で，査察時にはこのRMFを各トレーサビリティを含め精査されることとなる。

▶ 機種ごとに具体的に行うリスク分析の方法-1

意図する使用および合理的に予見可能な誤使用，安全に関する特質の明確化に規定したリスク分析を医療機器に対し実施する。計画したリスク分析活動の実施およびそのリスク分析結果は，リスクマネジメントファイルに記録する。

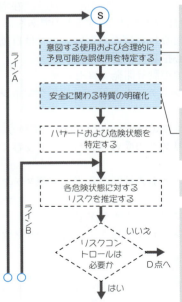

意図する使用は，次のような情報を考慮すること。
− 意図する医学的適応。たとえば，2型糖尿病，循環器疾患の治療または診断
− 患者集団。たとえば，年齢群（成人，小児，思春期，老年，性別（男，女）
− 相互に作用し合う対象の体の部分または生体組織の種類。たとえば，足，または腕
− ユーザープロファイル。たとえば，患者，一般の人，医療従事者
− 使用環境。たとえば，在宅，院内，ICU
− 動作原理。たとえば，機械ピストン式注射筒，X線画像診断装置

安全に影響する医療機器の特質を特定することを要求している。これらの特質の検討は，医療機器に関連するハザードを特定するための重要なステップである。これを行う1つの方法は，「ISO/TR 24971：2020 Annex A ハザードおよび安全に関する特質の明確化」の一連の質問を行うことである。

ANNEX A ハザードおよび安全に関する特質の明確化（37の質問の11番・15番）

A11：測定をするか考慮することが望ましい要因には，測定するパラメーター，測定確度，測定精度などのほか，測定機器またはデータが不正アクセスされる可能性があるか，がある。
これに加えて，校正および保守の必要性を検討することが望ましい。
A15：医療機器は，環境的影響を受けやすいか考慮することが望ましい要因には，使用・輸送・保管などの環境がある。
これらには，照明，温度，湿度，振動，こぼれ，電力および冷却の供給変化の受けやすさ並びに電磁干渉などがある。

✔ Annexに実例があり，理解しやすいので十分活用するとよい。

5.3 医療機器−リスクマネジメントの医療機器への適用の規格（ISO 14971：2019）

第5章から第10章までが，実際の医療機器に対するリスクマネジメントプロセスに対する要求事項となっている。そのスタートが第5章で，「リスク分析プロセス」と"プロセス"という表現になっているが，リスクマネジメントプロセス全体からみた場合の"サブプロセス"と理解するのがよい。"プロセス"は「インプットをアウトプットに変換する，相互に関連する，または相互に作用する一連の活動」と定義されているので，さしずめインプットはリスクマネジメント計画で，「リスク分析プロセス」の結果としてリスクをすべて洗い出しリスクの推定を含めリスト化することが"アウトプット"ということになる。

このプロセスでは，まず「意図する使用および合理的に予見可能な誤使用」を行う。「意図する使用」が何であるかによってリスクも変わるので，この「意図する使用」を明確にするのはとても大切である。たとえば，電子血圧計でも，意図する使用をする人が医者なのか一般の患者なのかによっても，そのリスクが異なることからも，この意図がよくわかる。

本規格書には，「意図する使用」では，次のような情報を考慮することが望ましいとある。
− 意図する医学的適応。たとえば，2型糖尿病，循環器疾患，骨折または不妊症の治療または診断
− 患者集団。たとえば，年齢群（成人，小児，思春期，老年），性別（男性，女性），または病態
− 相互に作用し合う対象の体の部分または生体組織の種類。たとえば，足，または腕
− ユーザープロファイル。たとえば，患者，一般の人，医療従事者
− 使用環境。たとえば，在宅，院内，ICU
− 動作原理。たとえば，機械ピストン式注射筒，X線画像診断装置，MR画像診断装置，皮下薬剤投与

同じく「合理的に予見可能な誤使用」では，設計・開発において，たとえば，ユーザビリティエンジニアリングプロセスを適用して，模擬した使用を解析すること，または製造後段階において実際の使用を解析することによって特定可能である，とあるように，当該の医療機器の使用を想定して，たとえば電子血圧計を使用するのが老年であれば，カフを間違った位置に装着する可能性が高いなど，合理的に「予見可能な誤使用」を見つけ出すことを求めている。

また，誤使用は，「ユーザビリティ等に関連するハザード」の1つでもある。

筆者は，意図する使用を考慮するなかで，当該医療機器の合理的に予見可能な誤使用を見つけ出す訓練が，製造業者の潜在的な誤使用を予想する能力を増進していく近道だと考える。

次に，「安全に関わる特質の明確化」では，安全に影響する医療機器の特質を特定することを要求している。これらの特質の検討は，医療機器に関連するハザードを特定するための重要なステップであるが，これを行う方法は，「ISO/TR 24971：2020 Annex A ハザード及び安全に関する特質の明確化」の一連の質問を行うのがよい。

使用者，保守担当者，患者などのすべての関係者の観点からこれらの37の質問事項

を行うことによって，ハザードがどこに存在するかの全体像が見えてくる。

　本図には，Annex A ハザードおよび安全に関する特質の明確化の37の質問の中の11番と15番を例としてあげるが，当該の医療機器では，測定確度，測定精度，校正及び保守の必要性，輸送・保管，振動が，ハザードになることに気づくであろう。

> A11：測定をするか考慮することが望ましい要因には，測定するパラメーター，測定確度，測定精度などのほか，測定機器またはデータが不正アクセスされる可能性があるか，がある。
> 　これに加えて，校正及び保守の必要性を検討することが望ましい。
> A15：医療機器は，環境的影響を受けやすいか考慮することが望ましい要因には，使用・輸送・保管などの環境がある。これらには，照明，温度，湿度，振動，こぼれ，電力及び冷却の供給変化の受けやすさ並びに電磁干渉などがある。

▶ 機種ごとに具体的に行うリスク分析の方法-2

医療機器についての既知および予見可能なハザードを，意図する使用，合理的に予見可能な誤使用および安全に関する特質に基づいて，正常状態および故障状態の両方において特定し，文書化（リスト化）する。

表　C.1－ハザードの例＋ISO 14971：2007 Annex E.1の例

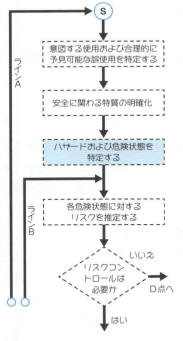

エネルギーに関連するハザード	性能に関連するハザード	ユーザビリティ等に関連するハザード
音響エネルギー 　－低周波音 　－音圧 　－超音波 電気エネルギー 　電界 　漏れ電流 　磁界 　静電気 　電圧 機械的エネルギー 　運動エネルギー 　　－物体の落下 　　－動く部分 　位置（蓄積）エネルギー 　　－曲げ 　　－圧縮 　　－切断，せん断 放射線エネルギー 　電離放射線 　　－X線 　非電離放射線 　　－赤外線 　　－レーザー 　　－マイクロ波 　　－紫外線熱エネルギー 低温効果 温熱効果	データ 　－アクセス 　－可用性 　－機密性 　－転送 　－完全性 デリバリー 　－量 　－速度 診断情報 　－検査結果 　－画像のアーチファクト 　－画像の向き 　－画像の解像度 　－患者の識別・患者情報 　－機能性 　－アラーム 　－重要な性能 　－測定 機能 　・不正確又は不適切なアウトプット又は機能性 　・不正確な測定 　・誤ったデータ転送 　・機能の喪失又は悪化	ラベリング 　・使用上の注意の不備 　・性能特性の説明の不備 　・意図する使用に関する不適切な仕様 　・限界値に関する不適切な開示 操作指示 　・医療機器附属品の仕様の不備 　・使用前点検に関する不適切な仕様 　・複雑すぎる操作指示 警告 　・副作用に対する警告 　・単回使用医療機器を再使用した場合のハザードに関する警告 サービス及び保守の仕様 機能的なハザード 　・不正確又は不適切な出力もしくは機能性 　・不正確な測定 　・間違ったデータ転送 　・機能の喪失又は劣化 誤使用に関するハザード 　・不注意 　・物忘れ 　・規則に基づく失敗 　・知識に基づく失敗 　・日常的な違反

✓ 作成したリストおよび表 C.1 の事例リストなどの補助ツールによって，ハザードリストを作成する。

5.3 医療機器－リスクマネジメントの医療機器への適用の規格（ISO 14971：2019） 343

次に要求されるプロセスは，「ハザード及び危険状態の特定」である。

この「ハザードの特定」要求は，医療機器についての既知および予見可能なハザードを，意図する使用，合理的に予見可能な誤使用および安全に関する特質に基づいて，正常状態および故障状態の両方において特定し，文書化（リスト化）することである。

なお，医療機器に関連するハザードは，意図する使用および合理的に予見可能な誤使用，ならびに安全に関する特質に基づいて推定することが可能であるが，ハザードの特定には，本規格の Annex C の表 C.1 －ハザードの例を参考にするとよい。加えて ISO 14971：2007 の Annex E.1 の例もハザードの特定に有用だと著者は考えるので，本図にあえて加えた。

また，ハザードの文書化は，同じものか，または類似の医療機器に関連する経験をレビューすることから始めるのも適切である。

▶ リスクの基礎的な概念と推定方法

既知および予見可能なハザードのリストを作成し，危険状態および危害の原因になる予見可能な一連の事象を検討し，危害に至る時点では，発生する可能性のある危害の重大さと発生確率を推定することによってリスクを推定する。

ハザード・一連の事象・危険状態および危害の関係の図解例

表 C.1-ハザードの例

ハザード Hazard
危害の潜在的な源

例　電磁エネルギー（静電気），機能性（投与しない）

表 C.2-事象及び周囲の状況の例

一連の事象

P1（曝露）：危険状態が発生する確率
重大さに影響を与える状況

危険状態 Hazardous situation
ハザードにさらされる状況

例
(1) 静電気帯電した患者が輸液ポンプに触れる
(2) ESD（Electro-Static Discharge）によりポンプとポンプ警報が故障
(3) インスリンのコントロールが効かなくなる

P2：危険状態が危害に至る確率
重大さに影響を与える状況

例　高血糖値患者の知らないうちにインスリンが過剰投与される

危害の発生確率 P1×P2

危害 Harm
人の受ける身体的障害，または財産，環境の受ける害

危害の重大さ

例　不安，短時間の意識低下，昏睡，死亡

リスク：危害の発生確率とその危害の重大さとの組合せ

- ハザードのリスト化は，類似の医療機器に関連する経験をレビューすることから始めるのがよい。
- 医療機器に関連して発生し得る危害の分析から始めて，そこから危険状態，ハザード，きっかけとなる原因へと遡る方法が効果的である。

既知および予見可能なハザードのリストを作成し，危険状態および危害の原因になる

予見可能な一連の事象を検討し，危害に至る時点では，発生する可能性のある危害の重大さと発生確率を推定することによってリスクを推定するのが，「リスクの基礎的な概念と推定方法」である。

本図ではさらに相互の関連が理解しやすいように，Annex C（リスクの基礎的な概念）の図C.1 ハザード・一連の事象・危険状態および危害の関係の図解例に加え，輸液ポンプにおけるハザード（電磁エネルギー）が死亡等の危害になる例を載せた。

高血糖の患者に輸液ポンプを使い，インスリンを投与する場合のハザードの1つが電磁エネルギーである。とくに冬場の乾燥した空気では患者や看護師が帯電し，電子機器等に放電する場合があるので，電磁エネルギーがハザードになりうることは理解できると思う。このような環境で，静電気を帯電した患者等が輸液ポンプに触れることでポンプの制御系が破壊され，ポンプとポンプ警報が必要な動作を起こせない故障が発生するという「一連の事象」が起きると，高血糖患者が知らないうちにインスリンが体内に過剰投与されるという「危険状態」になる。この危険状態が，ある確率で意識低下，昏睡，死亡に結びつくと，これが「危害」となる。

一方で，意識の低下がごく短時間であったり，看護師が異常に気づいたため実被害が起きなかったが，この故障によって患者が機器に対し，大きな不安をもってしまったような「被害」の場合は，死の被害と比べて明らかに危害の大きさが違うことになる。この例が「危害の重大さ」の危害の結果に対する尺度の意味合いである。

また，ここにあげた一連の事象が必ず起きるわけではない。たとえば帯電した患者が触っても機器がアースしてあったり，機器に十分な静電気対策がなされていれば故障しない。したがって，「危険状態が発生する確率＝P_1」が存在する。さらに，高血糖患者が知らないうちにインスリンが過剰投与されるような危険状態になったとしても，先に述べたように，看護師がこの異常に気づき，すぐに対応するかもしれない。一方で，そのとき，あいにく看護師がほかに呼ばれて席を外している可能性もある。したがって，ここにも「危険状態が危害に至る確率＝P_2」が存在する。このように，考えられる危害に至る個々の現象の起こる確率（P_1，P_2，P_3，…）を掛けたものが「危害の発生確率」である。

この「危害の重大さ」と「危害の発生確率」の組合せが「リスク」の定義である。したがって，ISO 14971の第5章の「リスク分析」とは，ハザードを特定して危害の重大さと危害の発生確率を分析することであり，このリスク分析プロセスが品質工学に基づく。たとえば，予備的ハザード解析（PHA），故障の木解析（FTA）や故障モード影響解析（FMEA）等の手法は，包括的な分析に欠かせない。

リスクの推定方法に慣れるには，ハザードのリスト化では，類似の医療機器に関連する経験をレビューすることから始めるのがよく，その順番も，医療機器に関連して発生し得る危害の分析から始めて，そこから危険状態，ハザード，きっかけとなる原因へと遡る方法が効果的である。

5.3 医療機器－リスクマネジメントの医療機器への適用の規格（ISO 14971：2019）

▶ 機種ごとに具体的に行うリスク分析の方法-3

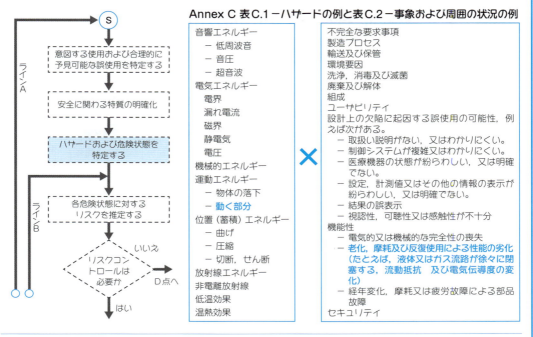

- 合理的に予見可能な一連の事象を特定するためには，「事象及び周囲の状況」についての検討が有効である。
- Annex C 表C.2「事象及び周囲の状況の例」に本表以外の実例があるので十分活用するとよい。

　続いて，特定した各ハザードに対して，危険状態を起こすような合理的に予見可能な「一連の事象」または事象の組合せを検討し，その結果起こる「危険状態」を特定し，文書化することが要求される。

　合理的に予見可能な一連の事象を特定するためには，事象および周囲の状況についての検討が有効である場合が多い。

　Annex Cの表C.2は，「事象および周囲の状況の例」を一般的な分類にまとめたものであり，網羅的なものではないが，医療機器に関連して予見可能な一連の事象を特定する場合に，考慮する必要がある事象および周囲の状況を多岐にわたって示している。

　具体的な事象および周囲の状況の例の使い方を，上図の例を使って以下に示す。

　先に特定したハザードが運動エネルギーの動く部分があったとして，このハザードに対して，老化や摩耗および反復使用による性能の劣化という事象および周囲の状況の変化があった場合，どのような危険状態が発生するか？ を問いかけることで，危険状態を推定するのが，1つの例である。

とくに事象及び周囲の状況に「変化」があった場合を想定すると，危険状態を推定しやすいのではないだろうか。

▶ 機種ごとに具体的に行うリスク分析の方法-4

特定された危険状態について，使用可能な情報やデータにより，関連するリスクを推定すること。

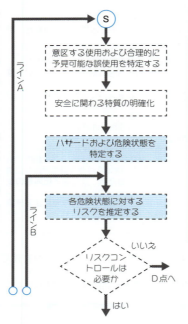

表C.3－ハザード，予見可能な一連の事象，危険状態と起こりうる危害との関連の事例

ハザード	予見可能な一連の事象	危険状態	危害
電磁エネルギー（商用電圧）	電極ケーブルを間違えて商用電源ソケットに接続する	商用電圧が電極上に生じる	重篤な熱傷 心臓の細動 死亡
化学物質（揮発性溶剤）	製造工程で使用した揮発性溶剤を完全に洗浄しきれていない	透析時に血流中で気泡が発生する	ガス塞栓症 脳障害 死亡
	溶剤残留物が体温で気化する		
機能（出力停止）	植込み形除細動器のバッテリーが寿命に達する	不整脈の発生時に除細動機能が作動しない	死亡
	臨床的な経過観察受診間隔が不適切に長い		
測定（不正確な情報）	測定エラー	医師に不正確な情報が報告され，誤診する，及び／又は適切な治療が施されない	疾病の進行 重傷
	測定エラーがユーザーによって検出されない		

リスク推定のための情報又はデータは，たとえば，次によって得ることができる。
a) 発行済みの規格
b) 科学的データ
c) 公表された事故報告を含め，すでに使用している類似の医療機器の市場データ
d) 標準的な使用者によるユーザビリティの評価
e) 臨床での情報（使用方法，評価の結果，経験など）
f) 適切な調査結果
g) 専門家の意見
h) 外部機関による品質調査

✓ 「リスク分析」の理解にはリスク分析の事例に多く接することが有用である。

　続いて「各危険状態に対するリスクの推定」を行う。これは，「危険状態を引き起こす可能性のある事象の予見しうる順序や組合せを考慮し，特定された危険状態について，使用可能な情報やデータにより関連するリスクを推定すること」である。これにはAnnex C.4 の「ハザード，予見可能な一連の事象，危険状態と起こりうる危害との関連の事例」とAnnex C「リスクの基礎的な概念」および，本書の「リスクの基礎的な概念と推定方法」を参照し，リスクの重大性と発生頻度を推定し，リスト化することであり，この結果がサブプロセスのアウトプットとなる。
　なお，リスクを推定する際，使用される情報やデータは次のようなことで得られる。
　①公表された規格
　②科学的な技術データ

③公表された事故報告を含め，すでに使用している類似の医療機器の市場データ
④標準的なユーザーによる使い勝手の評価
⑤臨床的な証拠
⑥適切な調査結果
⑦専門家の意見
⑧外部機関による品質評価スキーム

なお，本図には，Annex C.4 の表 C.3「ハザード，予見可能な一連の事象，危険状態および起こりうる危害との関連の事例（一部省略）」を載せた。リスクマネジメントのプロセスで「リスク分析」のサブプロセスの理解は困難であるが，その理解には，やはりリスク分析の事例に多く接することが有用である。

▶ 機種ごとに具体的に行うリスク評価の方法

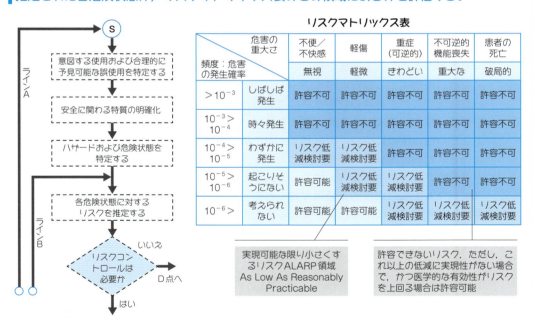

スク評価の要求事項は，「特定した各危険状態について，リスクマネジメント計画で定義したリスクの受容可能性の判断基準を用いて，推定したリスクを評価し，リスクが受容可能かどうかを決定しリスクマネジメントファイルに記録すること」である。要は，推定された各危険状態が，リスクマトリックス表のどの領域にあるかを評価するのである。

ここでは，特定した危険状態に対して，その低減が必要かどうかの判断が求められるわけであるが，低減を必要としないリスクのことを，許容できるリスクの意味で「受容可能なリスク」といい，その推定したリスクは，残留リスクとして扱う。

なお，その受容可能なリスクの範囲の決定は本規格が決めるのではなく，製造販売業者（製造業者）に任されている。ただし，組織として具体的に行うこと-2（337ページ）で記載した，「経営者の責任」の③「リスクの受容可能性についての判断基準を確立するための方針を定義し文書化する」に沿っていること，または同じであることはいうまでもない。また参考になる基準がISO/TR 24971のISO 14971適用の指針Annex Cに載っている。以下にこれら（囲み文）を引用するが，この方法に限るわけではなく，あくまで受容可能なリスクの決定は製造販売業者（製造業者）に任されているのと，この基準からなるリスクマトリックス表は，組織全体で1つの表というより，医療機器各々で異なる表となってもよいと考えることができる。これは「リスクマネジメント計画」の作成が，各医療機器ごとに作成されるという要求にも合致する。

- 医療機器が市販される地域で適用される規制要求事項
- 医療機器の関連する個別国際規格
- 一般に認められた最新の技術水準。これは，類似医療機器および類似製品に対する，国際規格，技術的な優れた実践，認められている科学研究の結果，権威ある人の出版物およびその他の情報についてのレビューから決定可能である。
- 確認された利害関係者の懸念。たとえば，ユーザー，臨床医，患者もしくは規制当局との直接のコミュニケーションによって，または報道，ソーシャルメディアもしくは患者フォーラムからの間接的な情報で得られる。リスクの受容可能性に関する認知および理解は，利害関係者のグループが異なると大きく変わり，利害関係者の背景および興味の性質によって影響される可能性があることを考慮することが重要である。

先に「リスクは危害の発生確率とその危害の重大さとの組合せ」と説明したが，上図では多くの組織でよく使われているものを基準に例示した。危害の発生確率を5段階，危害の重大さも5段階の5×5のマトリックスで表している。それぞれ，定性的・半定量的な指標も5段階評価にする。さらに，「許容不可」の領域（許容できないリスク領域，ただし，これ以上の低減に実現性がない場合で，かつ医学的な有効性がリスクを上回る場合は許容可能とする。）と，「リスク低減検討要」の領域（実現可能な限り小さくするリスク領域＝ ALARP〔As Low As Reasonably Practicable〕領域），さらに「許

容可能」の3つの領域に分け，発見されたリスクがどの領域にあるかを評価し，受容性を判断することで「リスク評価」を行う。なお，前にも述べたとおり，受容可能なリスクの決定は製造業者に任せられているので，ここに掲げたマトリックスもあくまで例と理解した上で，各組織のいろいろな背景のもとにマトリックスをつくり，維持することになる。

なお，危害の重大さでいう「軽傷」・「軽微」とは，一時的な負傷または専門的医療を必要としない負傷であり，「重症」・「きわどい」とは，専門的医療が必要な負傷や可逆的障害をいう。

▶ 機種ごとに具体的に行うリスクコントロールの方法

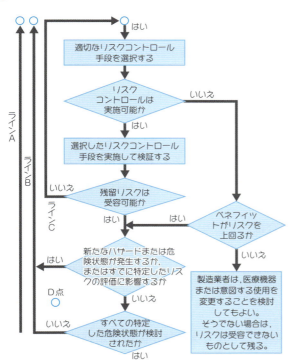

- リスクマネジメントファイルの完成度が適合性調査における大きなポイント。

第7章の「リスクコントロール」がリスクマネジメントプロセスの3番目である。リスクコントロールでの要求事項は以下の6つの活動を実施することである。

①リスクコントロール手段の選択
②リスクコントロール手段の実施
③残留リスクの評価
④ベネフィット・リスク分析
⑤リスクコントロール手段によって発生したリスク
⑥リスクコントロールの完全性

「リスクコントロール手段の選択」の手段は，根本的な解決手段から安全に対する情報の提供まで，次に示すように3つあるが，この3つの方法の単独か組合せで，個々のリスクに対してリスクコントロールの手段を選択し，リスクマネジメントファイル（RMF）に記録することを要求されている。

リスクコントロール手段とその例（カッコ内）
次の優先順位に従って，1つ以上のリスクコントロール手段を用いること。
 1. 本質的に安全な設計および製造
 （安全機能・耐久性・防滴性・ユーザビリティ等の本質的設計対応）
 2. 医療機器自体または製造プロセスにおける保護手段
 （警報機能・保護カバー等を装備）
 3. 安全に関する情報，および適切な場合，ユーザートレーニング
 （添付文書・取説・警告ラベル等で注意喚起）

次に，「リスクコントロール手段の実施」をする。そして，実施したことを検証し，これをRMFに記録する。さらにリスクコントロール手段の有効性の検証を行い，その結果もRMFに記録する。
　もし，それでも残留リスクがある場合は，先にリスクマネジメント計画で定義した基準を用いて受容可能か判断し，受容できない場合はラインCに沿って再度「リスクコントロール手段の選択」に戻り，あらためてリスクコントロール手段の選択から行う。一方，残留リスクが受容可能であるなら，そのようにRMFに記載するとともに，添付文書等での断り書き等の記載を検討する。
　また，「リスクコントロール手段の選択」でリスク低減が困難な場合は「ベネフィット・リスク分析」へ進み，製造業者はデータ・文献を収集，かつレビューして，意図する使用の医学的効用が残留リスクを上回るか判断してもよいこととなっている。その医学的効用がリスクを上回る場合は，残留リスクの開示をする。もし，医学的効用がリスクを上回らなければ，その医療機器を使用する許可は下りない。
　次に「リスクコントロール手段によって発生したリスク」について，
・新たなハザードまたは危険状態が発生しないかどうか？

5.3 医療機器−リスクマネジメントの医療機器への適用の規格（ISO 14971：2019）

・すでに特定した危険状態について推定したリスクが，リスクコントロール手段の導入によって変わらないかどうか？

の2点からレビューして，もし新たなリスクが発生していれば，図の左のラインBをたどり「各危険状態に対するリスクの推定」まで戻る。ここが「いいえ」なら，次の「リスクコントロールの完全性」へ進む。ここまでくると，製造業者は，特定したすべての危険状態から発生するリスクを検討しているが，すべてのリスクコントロール活動が完了されることを確実にするために，リスクコントロール活動をレビューすることも要求されている。やり残しや不完全が見つかれば，当然，戻って同じパスを進める必要がある。また，この活動の結果もRMFに記録しなければならない。

なお，要求事項の結果を記録したRMFの完成度が，本規格の適合性調査における重要なポイントであるので留意されたい。

本図にはリスクコントロールの手段の3つの方法の例を記載した。

「カテーテルの使用後の汚染」というハザードに対する「本質的な安全設計」としては「使用後の自己破壊」が，医療機器自体，または製造工程での「防護手段」としては「1回使用された場合の明確な表示機能」が，安全に関する情報提供の手段としては「再使用等の有害事象の警告」を添付文書や取扱説明書に記載する例が載っている。

もう1つの例の，患者データマネジメントでは，ハザードとして「誤ったデータ」があげられ，以下それぞれ「高い保全性のソフトウェア」，「チェックサムの使用」，「画面による警告」があげられていて，コントロールの手段を具体的に理解するのに大変役立つ。

加えて，ISO 14971適用の指針（ISO/TR 24971：2020）の表6−リスクコントロール手段の例を記載（一部省略）するので，参考にされたい。

リスクコントロール手段の例，残留リスク評価の例

> 安全に関する情報は，それ以上の他の方法によるリスク低減が現実的でないと決定した後にだけ用いることが望ましいリスクコントロール手段であり，残留リスクは，リスクコントロール手段を実施した後にも残るリスクである。

リスクコントロール手段の例

医療機器	ハザード	危険状態	本質的に安全な設計	保護手段	安全に関する情報
植込みペースメーカ	機能の喪失	早期のバッテリ切れによるペースメーカの機能停止	長期耐用バッテリ	バッテリ切れ前のアラーム	通常のバッテリ寿命についての情報
人工呼吸器	空気圧	ソフトウェアの故障によって，患者の気道に過剰な圧力がかかる	高い圧力をかけられないブロワー	人工呼吸器又は呼吸回路の安全弁	製造業者が提供する呼吸回路だけを用いる指示
血液分析装置	系統的誤差又は系統的バイアス	不正確な結果が臨床医に報告される	自己校正	計量的にトレース可能な校正器の提供	真度管理による校正検証の指示

ISO14971適用の指針（ISO/TR 24971：2020）の表6－リスクコントロール手段の例より（一部省略）

残留リスク評価の例（旧規格書から引用）

ハザード	危険状態	危害	危害の重大さ	危害の発生確率	リスクコントロール方法	残留リスク
耐久性不足による各部の故障	耐久性不足による故障機器の使用	患者の健康への影響，死亡	重大な	ときどき	・耐用期間を考慮した設計と検証 ・故障時の警報停止 ・耐用期間ラベル表示	広く受容可能
誤った操作	誤った操作による医療機器の目的外動作	患者の健康への影響，死亡	重大な	ときどき	・操作を誘導する設計 ・誤操作からの保護（キーロック） ・操作手順ラベル	広く受容可能

　本規格の理解には，多くの例に触れることが近道でもあるので，ここではリスクコントロール手段の例を，ISO 14971適用の指針（ISO/TR 24971：2020）の表6より記載し（一部省略），残留リスク評価の例を旧規格書から引用記載した。

　なお，先に述べた安全に関する情報は，製造業者がそれ以上の他の方法によるリスク低減が現実的でないと決定した後にだけ用いることが望ましいリスクコントロール手段であること，残留リスクは，リスクコントロール手段を実施した後にも残るリスクであること，を述べておく。

▶ 機種ごとに具体的に行う全体的な残留リスクの評価とリスクマネジメントのレビューの方法

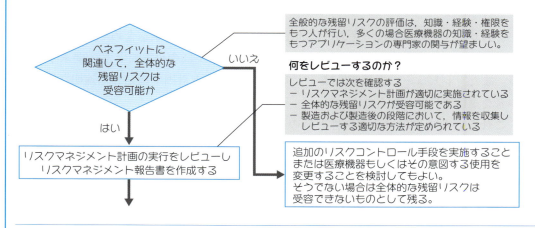

- 全体的な残留リスクを受容可能と判断した場合，重大な残留リスクをユーザーに通知し 残留リスクを開示するために必要な情報を附属資料に記載する。
- 適合性評価の中で，RM計画書・残留リスクの受容可能性・RM報告書が確認される。

　「すべてのリスクコントロール手段が実施および検証された後，製造業者は，すべての残留リスクの寄与を考慮し，意図する使用のベネフィットとの関連において，リスクマネジメント計画で確立した全体的な残留リスクの受容可能性についての評価方法および判断基準を用いて，医療機器の全体的な残留リスクを評価する。」のが，第8章の要求事項である。ポイントは，残留リスクの寄与と，意図する使用のベネフィットとの関連で考えることと，その判断基準は，リスクマネジメント計画で確立した全体的な残留リスクの受容可能性についての評価方法および判断基準であること，の2点である。

　また，全体的な残留リスクの受容可能性の判断基準は，医療機器の意図する使用のベネフィットの判断要素が入るので，個々のリスクの受容可能性の判断基準とは異なることがある点の理解も重要である。

　なお，全般的な残留リスクの評価は，知識・経験・権限をもつ人が行い，多くの場合は医療機器の知識・経験をもつアプリケーションの専門家の関与が望ましい。

　加えて，全体的な残留リスクを受容可能と判断した場合，重大な残留リスクをユーザーに通知し 残留リスクを開示するために必要な情報を，取説等の附属資料に記載することも忘れてはならない。

第9章の要求事項は,「リスクマネジメントのレビュー」であり,医療機器の市場出荷に先立ってリスクマネジメント計画の実行について,少なくとも次の点をレビューする。
- リスクマネジメント計画が適切に実施されている。
- 全体的な残留リスクが受容可能である。
- 製造および製造後の段階において,情報を収集しレビューする適切な方法が定められている。

このレビューの結果は,先の全体的な残留リスクの評価結果を含めて,リスクマネジメント報告書に記録し,リスクマネジメントファイルに含めることも,要求事項である。また,レビューの責任者には,リスクマネジメント計画で指定した適切な権限をもつ者を選ばなければならない。

これらの要求事項は,適合性評価の中で,RM計画書・残留リスクの受容可能性・RM報告書で確認される。

▶ リスクマネジメント表と記載例

> リスクマネジメントの文書化要求に対し,リスクマネジメントで行った経過・結果を記載するリスクマネジメント表。

リスクマネジメント表

ハザードID Hazard ID	ハザード Hazards	予見できる一連の事象 Reasonably foreseeable sequences	危険状態 Hazardous situation	危害 Harm	リスク(リスクコントロール前) Risk (Pre risk control)			リスクコントロール手段 Risk control measures	リスクコントロール手段の実施記録参照 Implementation of risk control measures record Reference	残留リスクの評価 Residual risk evaluation			リスク/効用分析 Risk / benefit analysis	リスクコントロールによって発生したリスク Risks arising from risk control measures	リスクコントロールの完了 Completeness of risk control	残留リスクの許容性の全体的な評価 Evaluation of overall residual risk acceptability	備考 Remarks
					重大さ Severity	発生確率 Probability	受容可能性 acceptability			重大さ Severity	発生確率 Probability	受容可能性 acceptability					
製品 ID-H-1	電磁エネルギー (商用電圧)	(1) 電極ケーブルを間違えて商用電源ソケットに接続する	商用電圧が電極上に生じる	重篤な熱傷心臓の細動死亡	破局的 (Catastrophic)	起こりそうにない (Improbable)	許容不可 (Intolerable)										
製品 ID-H-2	化学物質 (揮発性溶剤)	(1) 製造工程で使用した揮発性溶剤を完全に洗浄しきれていない (2) 溶剤残留物が体温で気化する	透析時に血流中で気泡が発生する	ガス塞栓症脳障害死亡	重大な (Critical)	わずかに発生 (Remote)	リスク低減検討要 (ALARP)										

✓ リスクマネジメント表の各項目(行・列とも)はすべて埋めること。

本図では,リスクマネジメントの文書化要求に対し,リスクマネジメントで行った経過・結果を記載するリスクマネジメント表を掲載した。このリスクマネジメント表は,各要求事項が網羅され,その実施結果も一覧で記載できることもあり,多くの現場で使

われている。

なお，図では実際の記載例の一部を載せたが，リスクマネジメントのレビュー時までには，リスクマネジメント表の各項目をすべてを埋める必要がある。

▶ 機種ごとに具体的に行う製造及び製造後の活動

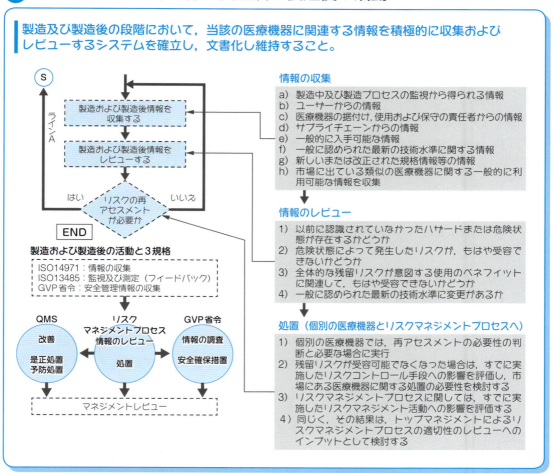

リスクマネジメントプロセスの最後の要求事項が，第10章の「製造及び製造後の活動」であり，具体的な要求事項は，「製造及び製造後の段階において，その医療機器に関連する情報を積極的に収集およびレビューするシステムを確立し，文書化し，維持する。このシステムを確立する場合には，製造業者は，情報を収集し処理する適切な方法を検討する。」である。

これを流れで表すと，情報を収集し，情報をレビューし，処置することとなるが，各々の内容は以下のようである。

「情報の収集」では，次の情報を集める。
　a）製造中および製造プロセスの監視から得られる情報
　b）ユーザーからの情報
　c）医療機器の据付け，使用および保守の責任者からの情報
　d）サプライチェーンからの情報
　e）一般的に入手可能な情報
　f）一般に認められた最新の技術水準に関する情報
　g）新しいまたは改正された規格情報等の情報
　h）市場に出ている類似の医療機器に関する一般的に利用可能な情報を収集

「情報のレビュー」では，収集した情報を安全との関連の有無に対して以下についてレビューする。
　1）以前に認識されていなかったハザードまたは危険状態が存在するかどうか
　2）危険状態によって発生したリスクが，もはや受容できないかどうか
　3）全体的な残留リスクが意図する使用のベネフィットに関連して，もはや受容できないかどうか
　4）一般に認められた最新の技術水準に変更があるか

「処置」では，収集した情報が安全に関連すると判断した場合には，次について行う。
　1）個別の医療機器では，再アセスメントの必要性の判断と必要な場合に実行する。
　2）残留リスクが受容可能でなくなった場合は，すでに実施したリスクコントロール手段への影響を評価し，市場にある医療機器に関する処置の必要性を検討する。
　3）リスクマネジメントプロセスに関しては，すでに実施したリスクマネジメント活動への影響を評価する。
　4）同じく，その結果は，トップマネジメントによるリスクマネジメントプロセスの適切性のレビューへのインプットとして検討する。
　これらが確実に行われたかの適合性は，リスクマネジメントファイルおよび他の適切な文書の調査によって確認される。

　なお，この製造および製造後の活動は，ISO 13485（QMS省令）でも，GVP省令でも，同じような要求があることに気がつく。すなわち，ISO 14971では，情報の収集・情報のレビュー・処置であり，ISO 13485（QMS省令）では，監視および測定（フィードバック）・改善，是正処置・予防処置となり，GVP省令では，安全管理情報の収集・情報の調査・安全確保措置である。
　国際規格は異なるが，要求の中身は同じなので，医療機器の品質管理の実務では各々バラバラに行わず，一体化したシステムとその運用が合理的であり推奨する。

5.4 医療機器-第1部:基礎安全及び基本性能に関する一般要求事項の規格(IEC 60601-1:2012,第3.1版)

▶ IEC 60601-1:2012(第3.1版)とは何か

IEC 60601-1は,通称「親規格」ともいわれるME機器とMEシステムの基礎安全と基本性能の規格。

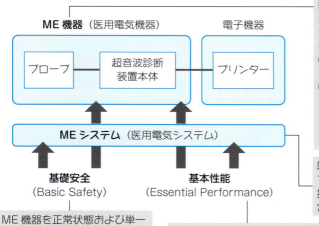

✔ IEC 60601-1は電気がからんだ医療機器の製品の安全規格であり,製品規格として試験が行われる。

　IEC 60601-1は,医療機器の中でも電気的エネルギーを利用する医療機器の製品に対する,いわゆる安全規格である。医療の現場でも多くの電気系の医療機器が使われているが,それらの基本的規格で通称「親規格」とも呼ばれている。わざわざ「IEC 60601-1:2012(第3.1版)」から版数を記載したのは,第3.1版はいままで使われてきた第2版から大きく内容が増強され,設計開発においても対応しなければならない要求が飛躍的に増えたことで,第3.1版への対応が経営的課題になっているので,あえて版数を入れている。

IEC 60601-1：2012（第3.1版）の正式な名称は「医療機器 — 第1部：基礎安全及び基本性能に関する一般要求事項」であるが，この名のとおり「ME機器とMEシステムの基礎安全と基本性能の規格」である。「基礎安全（Basic Safety）」は，「ME機器を正常状態及び単一故障状態で使用するとき，物理的ハザードに直接起因する受容できないリスクがないこと」と定義されているが，別の箇所で「リスクマネジメントプロセスを経ずとも，この規格の要求事項を満足することで安全といえる事項」と書かれているように，文字どおり「安全であること」と理解すればよい。また，「基本性能（Essential Performance）」は，「基礎安全に関連する以外の臨床機能の性能において，製造業者の指定した限界を超えた欠如又は低下が生じたときに受容できないリスクを生じさせる性能」と定義されていて，患者，操作者，またはその他の者が受容できないリスクにさらされないための特徴や機能のことである。一般的には，安全は強制するもの，性能は市場に委ねるものとして区別されるが，医療機器では，安全と性能を分離することは適切な設計が行われなくハザードを増加させる可能性を高めるとして，性能も安全の一部であると捉えている。

　先に，「医療機器の中でも電気的エネルギーがからんだ医療機器の製品に対する，いわゆる安全規格」としたが，厳密には，対象の医療機器を「医用電気機器（ME機器）」と「医用電気システム（MEシステム）」と明示していて，それぞれの定義は以下のとおりである。

　医用電気機器は，「装着部をもつか，患者との間でエネルギーを授受するか，または患者に与えるか，もしくは患者から受け入れるエネルギーを検出する次の電気機器」である。
① 特定の電源に対する接続は1カ所で行い，および，
② 製造業者が意図する次の用途をもつ。
　・患者の診断，治療もしくは監視，または，
　・疾病，負傷，もしくは障害の補助あるいは緩和

　医用電気システムは「製造業者が規定した，機能的接続によって，またはマルチタップを用いて相互を接続した，少なくとも1つの医用電気機器を含む機器の組合せ」と定義されている。

　前者の医用電気機器の定義は，一見複雑だが，読めば理解できると思う。また，後者の医用電気システムの定義は，本図の例のように「超音波診断装置にプリンターを接続したシステムを製造業者が組むと，いわゆる一般電子機器であるプリンターも医用電気システムになる」ことを意味しているので，医用電気機器と接続されている場合，安全規格や性能に関してIEC 60601-1が他の一般電子機器，一般電気機器にも適用されることを示している。

基礎安全及び基本性能とは何か

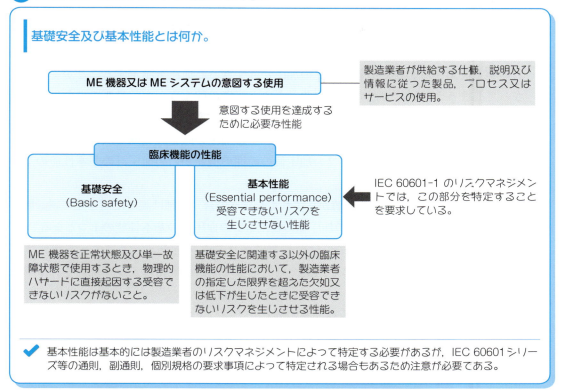

　IEC 60601-1は「医療機器－第1部：基礎安全及び基本性能に関する一般要求事項」であり，この規格を理解する上で「基礎安全（Basic Safety）」および「基本性能（Essential Performance）」を理解することは大変重要である。

　基礎安全は，「ME機器を正常状態及び単一故障状態で使用するとき，物理的ハザードに直接起因する受容できないリスクがないこと」と定義されており，基礎安全は一般的に製品の分類や種類に依存しない特性（たとえば，漏れ電流，耐電圧，温度）に関連している。また，基礎安全の多くはハザードに対して受動的な保護（電気的な接地，放射線の遮蔽のような）である。基礎安全については別の箇所で「リスクマネジメントプロセスを経ずともこの規格の要求事項を満足することで安全といえる事項」と書かれているように，規格に規定されている要求事項に適合することによって，安全であることを確認する。

　また，基本性能は，「基礎安全に関連する以外の臨床機能の性能において，製造業者の指定した限界を超えた欠如又は低下が生じたときに受容できないリスクを生じさせる性能」と定義されている。

　意図する使用を達成するために，ME機器は，特定の範囲内で機能する必要があり，

特定の範囲を外れてしまうと患者，操作者または他の人に受容できないリスクを生じさせる可能性がある。この外れてしまうと受容できないリスクを生じさせる可能性がある特定の範囲の機能が基本性能である。

　ある血圧計を例にとると，血圧計は意図する使用を達成するためにカフを加圧して患者の腕を圧迫する必要があり，カフの加圧が弱すぎると血圧を測定することができなくなってしまうが，逆にカフの加圧が強すぎると患者の腕をうっ血，最悪の場合は壊死させてしまうかもしれない。製造業者は，血圧計として測定に必要なカフの加圧の強さ，かつ，患者にけが等の危害を生じさせないカフの加圧の強さの範囲を決定する必要がある。この上記の両方を満たすカフの加圧値の範囲の機能がこの血圧計の基本性能の1つとなる。

　また，カフの加圧値が正しい値からずれてしまう場合，医師は誤った値を見て誤診断をしてしまう可能性があり，カフの加圧値の精度もこの血圧計の基本性能の1つとなる。

　これらの基本性能は，基本的には製造業者がリスクマネジメントによって決定するが，IEC 60601規格群に含まれる通則，副通則または個別規格によって規定される場合もある。

　上記で記載したもの以外に基本性能の例としては以下のようなものがある。
・輸液ポンプによる薬剤の正確な投与
・心電計またはモニタが除細動器の放電の影響から復帰する能力
・集中治療または手術室のモニタシステムのアラームシステムの正確な作動
・医師が治療を決定する上での依存度が高いME機器からの正しい診断情報出力

▶ IEC 60601-1：2012（第3.1版）の適用範囲

> IEC 60601-1はME機器とMEシステムの基礎安全と基本性能に適用される。
>
>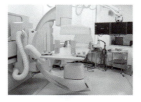
>
> 非ME機器　　　ME機器，MEシステム
>
> IEC 60601-1：2012 の範囲 ─ とくに記載されなければ，箇条，細分箇条はME機器・MEシステムの両方に適宜，適用する。
>
> ISO 14971 リスクマネジメントの範囲 ─ 疾病，負傷または障害の補助，もしくは緩和に使用する機器にも適用する。
>
> 基礎安全：リスクマネジメントを実施しなくても，この規格に適合する安全。
> 基本性能：安全にかかわる性能，性能の一部。
>
> 医療機器は，ME機器と非ME機器に分かれるが，IEC 60601-1は非ME機器，体外診断機器，能動植込み型医療機器の埋め込み部分には，適用されない。

　規格は，規制事項でもあるので，どの範囲まで適用されるのかは大変重要である。先にも述べたが，IEC 60601-1：2012（第3.1版）はME機器とMEシステムに適用され，かつその中のあくまで「基礎安全」と「基本性能」に関連する部分に適用される。

　医療機器は電気エネルギーのからんだME機器と，そうでない，たとえば聴診器や注射器などの非ME機器に分けられるが，まさしく前者への規格である。ただし，同じく電気エネルギーにからんでいても，体外診断機器や能動植込み型医療機器の埋め込み部分には適用されないため，それらの開発の際には関連する別の規格への対応が必要であるので注意する。

　また，IEC 60601-1は，第3.1版から疾病，負傷，または障害の補助，もしくは緩和に使用する機器にも適用されるようになった。たとえば，電動車いすや介護用電動ベッドなどでも対象となる可能性があるので，十分留意する必要がある。

　さらに，本規格で掲げられている箇条や細分箇条が，ME機器が対象なのかMEシステムが対象なのか，または両方なのかも重要なポイントである。とくに記載がなければ箇条，細分箇条はME機器，MEシステムの両方に適宜，適用する。そうでない場合はその旨が明記されている。

▶ IEC 60601-1 と JIS T 0601-1 との関係

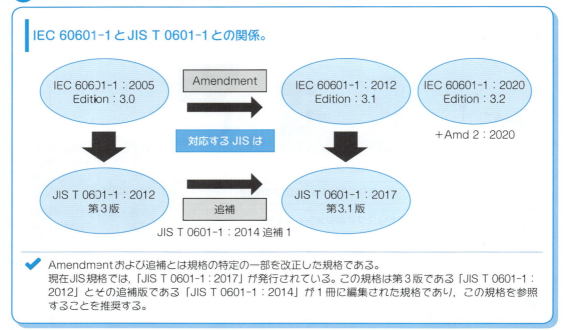

- Amendment および追補とは規格の特定の一部を改正した規格である。
  現在JIS規格では、「JIS T 0601-1：2017」が発行されている。この規格は第3版である「JIS T 0601-1：2012」とその追補版である「JIS T 0601-1：2014」が1冊に編集された規格であり、この規格を参照することを推奨する。

　IEC 60601-1は国際電気標準会議（International Electrotechnical Commision，IEC）が制定している国際規格である。それに対してJIS T 0601-1は日本工業規格が制定している日本の国家規格である。

　JIS T 0601-1はIEC 60601-1をもとに，日本の国の事情などを考慮し，技術的内容を変更して作成された規格である。変更されている内容は，引用規格が日本の国家規格であるJIS規格への変更等であり，内容が大きく異なってはいない。ただし，規格を正しく理解する上で，もとになる規格であるIEC 60601-1を参照することは大変有用であるため，併せて参照されることを推奨する。

　ちなみに，日本で製造販売する場合は，日本の国家規格であるJIS規格に適合すればよいが，日本以外で販売する場合にはIEC規格，もしくは，各国の国家規格（たとえば，欧州であればEN規格）に適用する必要があることに注意する。

　また，現在IEC 60601-1：2005（第3版）はAmendmentとして内容を修正，追加，削除した内容が制定され，IEC 60601-1：2012（第3.1版）となっているが，2020年に多少の修正が加わったAmd 2が出て，IEC 60601-1：2020（第3.2版）が最新のものとなっている。このIEC規格に対応するJIS規格は，それぞれJIS T 0601-1：2012（第3版）およびJIS T 0601-1：2014（追補1）が制定されている。

　なお，JIS規格では，JIS T 0601-1：2012（第3版）とJIS T 0601-1：2014（追補1）の2つの規格を編集し1冊にした規格であるJIS T 0601-1：2017（第3.1版）が発行されており，こちらの規格を参照することを推奨する。

▶ IEC 60601の部（-1，-2）と版の意味合い

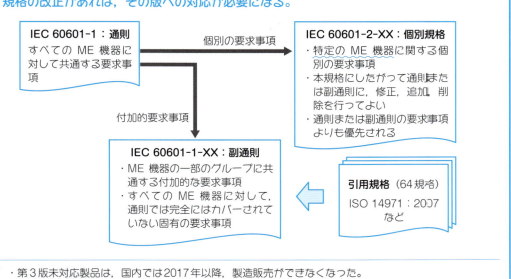

- IEC60601-1部，-2部ともME機器の基礎安全と基本性能の規格である。
- 規格の改正があれば，その版への対応が必要になる。

- 第3版未対応製品は，国内では2017年以降，製造販売ができなくなった。
- 副通則，引用規格とも，発行年が記載されていない場合は常に最新版が適用される。

以上，説明してきた各規格を含め，規格は最終改正年を記載することで最新版を特定しているが，IEC 60601-1については，発行年の2005だけでなく，第3版（Third edition）と版数も記載されている。これは，第2版から17年も経ってから第3版が出たことだけではなく，細分箇条の数も164から433に増え，ページ数も190ページ弱から390ページ弱に増えたように，まさに新しく制定された新しい規格に近いので注意を促しているものと理解できる。

また，発行年が2012である第3.1版（Edition 3.1）についても第3版と基本の構成は同じであるが，追加，変更になった要求事項があるため注意する必要がある。

そして，いままさに市場で使われている個々の医療機器も，改正が行われた場合は，法の指定により改正版に対応しなければならない。ただし，準備期間があるのが普通なので，発行即対応というわけではないが，対応にあたって設計変更が必要になるような大きな改正があれば，当然，承認や認証のやり直しになるので，経営的にも大きな課題になる。

ちなみに，IEC 60601-1：2005（第3版）は，日本ではJIS T 0601-1：2012としてJIS化され，現状規格からの移行通知が厚生労働省から出されているので必ず対応しなければならない。経過措置の期間は5年間であり，具体的には2017年5月末までは第2版対応の製品を製造販売することができたが，それ以降は製造販売できなくなった。

EUでも第3.1版がCEマーキングの技術的要求仕様を定めた整合規格になっているので，すでに市場品への対応も含め第3.1版適合が認められている。ただし，米国は考え方が違い（Grandfathering），第2版の有効期限が切れる2013年6月以降でもすでに510KのクリアランスやPMAの承認を受けた製品は市場に出し続けることができる。しかし，基本的には新しくなった規格には対応することが重要であり，医療機器への新規参入にあたっては間違いなく，この第3.1版への対応が必要である。

　このほか，IEC 60601シリーズとしての「部」の構成を知り，対応することも重要である。親規格60601-1の「-1」は「第1部」を意味し，「通則」であり，すべてのME機器に対しての共通する要求事項が記載されている。ほかにシリーズには第2部（特定のタイプの医療機器の個別規格，通称，「個別規格」）と，ME機器の副通則，（通称，「副通則」）があり，個別規格は特定のME機器に関する個別の要求事項を，副通則はME機器の一部のグループ（たとえば放射線機器）に共通する付加的な要求事項や，すべてのME機器に対して通則では完全にはカバーされていない固有の要求事項を規定している。

　なお，第2部は第1部から独立していて，第1部の目的が「一般要求事項を規定し，個別規格の基礎として役立つ」であるのに対して，第2部は「個別規格は通則，または副通則に修正，追加，削除を行ってよいし，通則または副通則の要求事項よりも優先される」とされている。さらに，IEC 60601には医療機器で重要なISO 14971：2007（リスクマネジメント規格）を含め，64の引用規格がある。引用によって本規格の一部として守らなければならない規格となっている。

　とくに重要なことは，副通則，引用規格とも，発行年が記載されている規格は引用した版を適用し，発行年が記載されていない規格はその規格の最新版（すべての追補を含む）を適用することとなっているので注意が必要である。知らない間に引用規格が変わっていると，法をおかすことを意味するので気をつけなければならない。

IEC 60601-1：2012（第3.1版）の構成

17の箇条と附属書からなり，電気，機械，ソフトウェアに関する規格に加え，表示やEMCなどの安全規格で構成されている。

箇条	表題	
1	適用範囲，目的及び関連規格	
2	引用規格	➡重要な引用元規格
3	用語及び定義	
4	一般要求事項	
5	ME機器の試験に対する一般要求事項	
6	ME機器及びMEシステムの分類	
7	ME機器の標識，表示及び文書	
8	ME機器の電気的ハザードに関する保護	
9	ME機器及びMEシステムの機械的ハザードに関する保護	
10	不要又は過度の放射のハザードに関する保護	
11	過度の温度及び他のハザードに関する保護	
12	制御及び計器の精度並びに危険な出力に対する保護	➡IEC 60601-1-6 ➡IEC 62366-1
13	ME機器の危険状態及び故障状態	
14	プログラマブル電気医用システム（PEMS）	➡IEC 62304
15	ME機器の構造	
16	MEシステム	
17	ME機器及びMEシステムの電磁両立性	➡IEC 60601-1-2
附属書	規格として附属書G，L，M，参考としてそれ以外の附属書AからK	

　本規格の詳細は省略するが，第3.1版の内容の大枠を知るには全体構成を俯瞰してみるのも有効なので，第3.1版を構成している各箇条とその見出しを掲載した。第3.1版は，箇条の見出しを見ても，電気，機械，ソフトウェアに加え，表示や電磁両立性（EMC；Electro Magnetic Compatibility）などの基本安全や基本性能に関する17の箇条と13の附属書からなっていることがわかる。

　附属書の見出しは以下のとおりである。
・附属書A（参考）　指針及び根拠
・附属書B（参考）　試験の順序
・附属書C（参考）　ME機器及びMEシステムの表示，及びラベリングに対する要求事項の指針
・附属書D（参考）　表示における図記号
・附属書E（参考）　患者漏れ電流及び患者測定電流の測定用器具（MD）の接続の例
・附属書F（参考）　適切な測定用電源回路
・附属書G（規定）　可燃性麻酔剤の発火を引き起こすハザードに対する保護
・附属書H（参考）　PEMS構造，PEMS開発ライフサイクル及び文書化

- 附属書I （参考） MEシステム概要
- 附属書J （参考） 絶縁経路の調査
- 附属書K （参考） 簡略化した患者漏れ電流回路図
- 附属書L （規定） 介在物絶縁なしで用いる絶縁巻線ワイヤ
- 附属書M （規定） 汚損度の低減

各箇条の要求事項

医療機器設計者が熟知していなければならない内容が書かれている。

一般要求事項

4．一般要求事項：
正常な使用，および予測可能な誤用において，基本性能の定義やリスクマネジメントの要求，有効期間の設定等の要求事項を規定

5．ME機器を試験するための一般要求事項：
ME機器の試験に対する一般的な要求事項として，形式試験の宣言や，サンプル数，温度や湿度・電源や電流等の条件を規定

PL，電気，機械共通事項

6．ME機器及びMEシステムの分類：
電源・夕装・滅菌・動作モード等の分類方法を規定

7．ME機器の標識，表示及び文書：
ユーサビリティエンジニアリングプロセス，標識の形，色，表示の見やすさ，表示規定などを規定

10．不要又は過度の放射のハザードに対する保護：
X線や紫外線のハザードを規定

11．過度の温度及び他のハザードに対する保護：
たとえば可燃性麻酔剤・ごみ等のハザードを規定

12．制御装置及び計器の精度並びに危険な出力に対する保護：
たとえばユーサビリティ，アラームシステムを規定

13．危険状態及び故障状態：
特定の危険状態，単一故障状態を規定

電気，メカ，SW関連事項

8．ME機器からの電撃のハザードに対する保護：
たとえば，沿面距離や空間距離，装着部の分類を規定

9．ME機器およびMEシステムの機械的ハザードに対する保護：
たとえば，動く部分に関連したハザード，不安定性や衝撃，音響・振動のハザードを規定

14．プログラマブル電気医用システム（PEMS）：
ソフトウェア関連のリスクマネジメントやプロセスを規定

15．ME機器の構造：
配置やサービス性を規定

16．MEシステム：
システムに対する要求事項を規定

17．ME機器およびMEシステムの電磁両立性：
IEC 60601-1-2への適合を規定

✓ ・PL（プロダクトリーダー），機械・電気・ソフトウェア系のエンジニアの専門家が必要。

　　IEC 60601-1：2012（第3.1版）にはME機器やMEシステムの親規格として，設計開発者であるエンジニアが熟知していなければならない内容が書かれているので，本規格や個別規格（-2）や副通則（-1-XX），加えて引用規格も理解し，それを設計開発行為に活かせるまでにならなければならない。そのためには，製品開発をリードするPL（プロダクトリーダー），機械エンジニア，電気エンジニア，またソフトウェア系のエンジニアなど，それぞれ専門家が必要であるので，教育訓練を含めた息の長い育成が必要で

5.4 医療機器－第1部：基礎安全及び基本性能に関する一般要求事項の規格（IEC 60601-1：2012, 第3.1版）

ある。当然，担当のエンジニアは第3.1版の規格書を精読し，さらに英文の原規格を読み内容を確認する必要がある。

▶ 副通則および個別規格

副通則および個別規格。

副通則（IEC 60601-1-XX）

No.	内容
IEC 60601-1-2	電磁両立性（EMC）
IEC 60601-1-3	診断用X線機器
IEC 60601-1-6	ユーザビリティ
IEC 60601-1-8	警報システム
IEC 60601-1-9	環境配慮設計
IEC 60601-1-10	閉ループ制御機器
IEC 60601-1-11	在宅機器
IEC 60601-1-12	救急医療サービス環境機器

個別規格（IEC 60601-2-XX）

No.	対象機器	No.	対象機器	No.	対象機器	No.	対象機器
-1	電子加速装置	-25	心電計	-49	多機能患者監視機器	-67	酸素保存機器
-2	電子手術器(電気メス)	-26	脳波計	-50	乳幼児用光線療法機器	-68	電子加速装置，軽イオンビーム治療及び放射線核種ビーム治療機器と併用するX線形イメージガイド放射線治療機器
-3	超短波治療器	-27	心電計監視装置	-51	—		
-4	細動除去器	-28	X線源・X線管装置	-52	医療用ベッド		
-5	超音波物理療法機器	-29	放射線療法シミュレータ	-53	—		
-6	マイクロ波治療器	-30	自動式非侵襲血圧監視機器	-54	X線撮影及び投資用装置	-69	酸素濃縮機器
-7	—	-31	体外式心臓ペースメーカ	-55	呼吸用ガスモニタ	-70	睡眠時無呼吸治療機器
-8	治療用X線機器	-32	—	-56	体温測定のための体温計	-71	機能的近赤外分光機器
-9	—	-33	MR装置	-57	治療，診断，監視及び美容/美的の使用を意図した非レーザー装置	-72	人工呼吸器依存患者のための在宅医療環境人工呼吸器
-10	神経及び筋刺激装置	-34	観血式血圧監視用機器			-73	—
-11	ガンマ線治療機器	-35	ブランケット，パッド，マットレス加温装置	-58	眼科手術用レンズ除去装置及び硝子体茎切除術装置	-74	呼吸用加湿装置
-12	肺ベンチレータ					-75	光線力学療法及び光線力学的診断装置
-13	麻酔システム	-36	体外誘導砕石術機器				
-14	—	-37	超音波診断装置	-59	人の発熱温度スクリーニングのためのスクリーニングサーモグラフ	-76	低エネルギー電離ガス止血機器
-15	—	-38	電動式ベッド				
-16	血液透析，濾過機器	-39	自動腹膜灌流用装置				
-17	近接照射療法機器	-40	筋電計・誘発反応機器	-60	歯科装置	-77	ロボット支援された外科手術用機器
-18	内視鏡機器	-41	無影照明器具	-61	パルスオキシメーター		
-19	早産児保育器	-42	—	-62	高強度治療用超音波装置（HITU）	-78	リハビリテーション，アセスメント，補償又は緩和のための医療ロボット
-20	搬送保育器	-43	X線装置				
-21	乳幼児用放射式加温器	-44	CT用X線装置	-63	歯科用口腔外X線機器		
-22	治療・診断用レーザー機器	-45	乳房用X線機器	-64	軽イオンビーム医用電気機器	-79	換気障害用換気支援機器
-23	経皮分圧監視機器	-46	手術台	-65	歯科用口内X線機器	-80	換気不全用換気支援機器
-24	輸液ポンプ・輸液コントローラー	-47	移動式心電計システム	-66	補聴器及び補聴器システム	-83	家庭用光線療法機器
		-48					

✓ 品質マネジメントシステム中に，どの規格の，どの版に対応しなければならないかを明示するようなプロセスを組み込むことが大切。
個別規格にはIEC 80601-2-XX，ISO 80601-2-XXのものがあるので注意すること。

　本図に2020年6月現在存在する副通則の一覧と個別規格の一覧を参考として載せた。今後，第3.1版に対応した副通則や個別規格の新設や改正が国際標準化機関であるIECから随時出されてくるので，その確認と対応が常に必要である。とくに品質マネジメン

トシステムを構築する際，製品要求事項を確認し，設計仕様書を確定するときのプロセスに，どの規格のどの版に対応しなければならないかを明示するよう，組み込むことが大切である。また，親規格同様，通則を含め，JIS化のタイミングや告示で国内施行時期が決まるので日ごろの確認と対応が欠かせない。

▶ IEC 60601-1：2012（第3.1版）の用語の例

147の用語がアルファベット順に並んでいる。

詳細箇条	用語	説明
3.4	附属文書	ME機器，MEシステム，機器，または付属品に付属し，責任団体または操作者のために，とくに基礎安全および基本性能に関する情報を記載した文書。
3.8	装着部	正常な使用において，ME機器またはMEシステムの機能を遂行するために，患者と物理的に接触させる必要があるME機器の部分。
3.13	クラスI	電撃に対する保護を基礎絶縁だけに依存せず，接触可能金属部または金属の内部が保護接地されるような手段を，追加安全策として備えた電気機器を意味する用語。
3.14	クラスII	電撃に対する保護を基礎絶縁だけに依存せず，二重絶縁または強化絶縁のような追加安全策を備えることによって，保護接地または設置の条件に依存しない電気機器を意味する用語。
3.15	明瞭に見える	正常な視力をもった人が読むことができる。
3.28	予測耐用期間	製造業者の指定した期間で，その期間内はME機器又はMEシステムが安全に使用できると予測する期間 （すなわち，基礎安全及び基本性能を維持する期間）。
3.44	意図する使用，意図する目的	製造業者が供給する仕様，説明および情報にしたがった製品，プロセスまたはサービスの使用。 意図する使用は，正常な使用と混同しないことが望ましい。両方とも製造業者が意図する使用の概念を含むが，意図する使用は，医療目的に焦点を，正常な使用は，医療目的だけではない。
3.58	操作者保護手段／MOOP	患者以外の人への電撃に起因するリスクを減らすための保護手段。
3.59	患者保護手段／MOPP	患者への電撃に起因するリスクを減らすための保護手段。
3.60	保護手段／MOP	この規格の要求事項にしたがって感電に起因するリスクを減らすための手段。
3.78	患者接続部	正常状態または単一故障状態で，電流が患者とME機器との間で流れる可能性がある装着部上の個々の部分。
3.117	単一故障安全	予測耐用期間中の単一故障状態においても，受容できないリスクを生じないME機器，またはその部分の特性。
3.116	単一故障状態	リスクを低減させる手段の一つが故障しているか，又は一つの異常状態が存在するME機器の状態。

✓ 規格の理解には，用語の理解が不可欠。

　第3.1版の箇条3には147の用語が並び，各用語の各定義が書かれている。上表に載せた用語以外には，次のようなものがある。

3.17 高信頼性部品：
　予測耐用期間の間に，ME機器が正常な使用，または合理的に予見可能な誤使用をしたとき，この規格の安全要求事項に関して機能を失わないことを確実にする，1つ以上の特性をもった部品。

3.29 F形絶縁装着部：
　外部の電源から発生した意図しない電圧が患者に接続された場合，患者接続部と大地との間に現れるその電圧によって，許容患者漏れ電流より大きい電流が流れないように，患者接続部をME機器の他の部分から分離した装置部。

3.20 耐除細動形装着部：
　患者への除細動器の放電が，他の人へ与える影響に対して保護した装着部。

3.70 正常状態：
　危険状態または危害に対する保護のために備えたすべての手段が機能している状態。

3.109 安全動作荷重：
　機器または機器の部分に外部から加わる，正常な使用時に許容される最大の機械的負荷（質量）。

3.131 トラッピングゾーン：
　ME機器，MEシステムの上もしくは内部で，機器環境の中で接触できる場合であって，人体または人体の一部が，挟み込み，衝突，せん断，衝撃，切断，巻き込み，引き込み，穿刺またはすり傷のハザードにさらされる場所。

3.132 B形装着部：
　とくに，許容患者漏れ電流，および患者測定電流について，電撃に対する保護を備えるために，この規格の規定要求事項に適合した装置部（CF形，またはBF形でない装着部）。

3.133 BF形装着部：
　B形装着部によって備える保護より，高い程度の電撃に対する保護を備えるために，この規格の規格要求事項に適合するF形装置部（電気エネルギー，または電気生理学的信号を患者と授受する装着部）。

3.134 CF形装着部：
　BF形装着部によって備える保護より，高い程度の電撃に対する保護を備えるために，この規格の規格要求事項に適合するF形装置部（心臓へ直接使用する装着部）。

3.135 形式試験：
　設計，および製造された機器が，この規格の要求事項を満たすことができるかどうかを判断するための，機器の代表的なサンプルの試験（この規格は，形式用である。製造工程の保証試験は別）。

　以上，10の用語を加えたが，これら以外の用語が重要ではないというわけではない。規格の正しい理解には用語の理解が不可欠である。

5.5 医療機器ソフトウェア－ソフトウェアライフサイクルプロセスの規格（IEC 62304：2006/Amd 1：2015）

▶ IEC 62304：2006/Amd 1：2015とは何か

IEC 62304は医療機器ソフトウェアの安全設計，および維持（保守）に必要となる活動と，ライフサイクルプロセスの枠組およびその要求事項を示す規格。
医療機器ソフトウェアは3つに分類できる。

安全維持 → 医療機器ソフトウェアが対象の安全のためのプロセス規格 ← 安全設計

（プロセス，アクティビティおよびタスク）

- 対象1：医療機器に組み込まれているソフトウェア
- 対象2：ソフトウェアそのものが医療機器
  - パソコンやPDAにインストールされることで，医療機器の役目を果たすソフトウェア
  - 安全なソフトウェアを生む開発原則の表を挿入する
- 対象3：ソフトウェアが医療機器の不可欠な部分になっている場合
  - 医療機器の付属のソフトウェアなどで，入出力を通し指示やデータのやりとり等を行うソフトウェア

✓ ME医療機器のデジタル化は医療機器のソフトウェア化を意味し，現状FDAのwarning letterによる指摘も多く，今後とも厳しい査察の対象。

　医療機器にも電気・電子機器化の流れは強く，多くのME機器が医療現場で使われているが，構造を見てみるとデジタル化が急速に進んできていることがわかる。デジタル化の大きな特徴は，機器内でのさまざまな機能がソフトウェアプログラムで制御されていることである。それは，医療機器の安全性が，ソフトウェアの信頼性に大きく依存してきていることを意味している。したがって，ソフトウェアの信頼性向上のため，さまざまなテスト方法も用いられてきたが，これらだけでは必ずしも満足のいく結果が得られていないのも事実で，FDAのレポートでもソフトウェアに起因する医療機器のリ

5.5 医療機器ソフトウェア-ソフトウェアライフサイクルプロセスの規格（IEC 62304：2006/Amd 1：2015）

コールが増えている。また，今までの種々のソフトウェアの開発経験から，いかなる種類のソフトウェアでも100％安全性を保守する方法はなく，性能試験・機能試験・検証試験・妥当性試験・ブラックボックス試験・ホワイトボックス試験・単体試験・結合試験・バグ曲線管理等のソフトウェア試験には限界がある。加えて正しいプロセス（仕組み）による開発や維持が正しい結果を生むとの考え方や，リスクマネジメント・品質マネジメント・ソフトウェアエンジニアリングの組合せにより，安全性の確保が可能となるとの原則や市場背景から生まれたのがIEC 62304：2006/Amd 1：2015（医療機器ソフトウェア-ソフトウェアライフサイクルプロセス）である。

IEC 62304は，「医療機器ソフトウェアの安全設計，および維持に必要になる活動（プロセス，アクティビティおよびタスク）と，ライフサイクルプロセスの枠組およびその要求事項を示す規格」である。すなわち，医療機器ソフトウェアの誕生から廃棄までに行われる開発やソフトウェアリリース後の変更等の維持行為の結果，それらのソフトウェアが常に安全なソフトウェアであるために，プロセスを規定したのがIEC 62304である。したがって，別の言葉で表すと，「医療機器ソフトウェアが対象の安全のためのプロセス規格」ともいえる。

まず本規格の対象である「医療機器ソフトウェア」を定義しておく。医療機器ソフトウェアは3つに分類でき，それらを定義することで，医療機器ソフトウェアの定義となる。

1つ目が「医療機器に組み込まれているソフトウェア」で，たとえばMRIやCTから電子血圧計や電子体温計など，その機器にインストールされているソフトウェアを指す。2つ目が「ソフトウェアそのものが医療機器」であるソフトウェアである。これはスタンドアローンなソフトウェアともいわれるが，パソコンやPDA等のいわゆる汎用デジタル機器にインストールして使われ，医療機器の役割をなすソフトウェアのことを指す。3つ目が，「ソフトウェアが医療機器に不可欠な部分になっている場合」とIEC 62304には書かれているが，「医療機器に付属のソフトウェアなどで，入出力を通し，指示やデータのやりとり等を行うソフトウェア」とか，「医療機器と能動的に接続されているソフトウェア」といいかえたほうが理解しやすいかもしれない。

▶ IEC 62304の目的

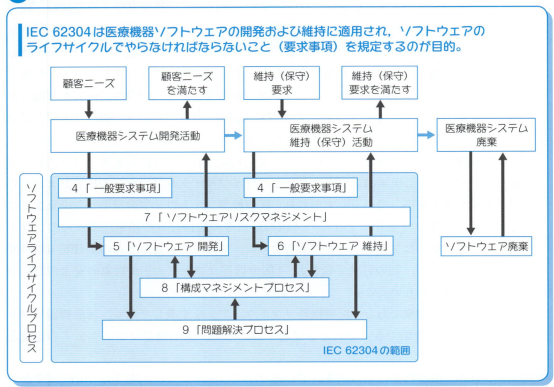

　次にIEC 62304の目的であるが，医療機器ソフトウェアの開発および維持（保守）に適用され，ソフトウェアのライフサイクルでやらなければならないこと（要求事項）を規定することである。上図は，ソフトウェアのライフサイクルの理解のための，製品化実現とその維持を含めた概念図である。図のとおり，ソフトウェアのライフサイクルは，顧客のニーズがトリガーになり医療機器ソフトウェアが開発されリリースされ，保守・変更等の維持活動を経て，ソフトウェアが廃棄されるまでのことである。また，ソフトウェアライフサイクルプロセスは，「そのライフサイクルにおける各プロセス」をいい，たとえば「開発プロセス」は，ソフトウェア開発ライフサイクルプロセスとも呼ばれる。

▶ IEC 62304の章構成

第4章から第9章にかけて,各要求事項が記載されている。

1	目的及び適用範囲
1.1	目的
1.2	適用範囲
1.3	他の規格との関係
1.4	適合性
2	引用規格
3	用語及び定義

5 ソフトウェア開発プロセス
- 5.1 ソフトウェア開発計画
- 5.2 ソフトウェア要求事項分析
- 5.3 ソフトウェアアーキテクチャの設計
- 5.4 ソフトウェア詳細設計
- 5.5 ソフトウェアユニットの実装
- 5.6 ソフトウェア結合及び結合試験
- 5.7 ソフトウェアシステム試験
- 5.8 システムレベルで使用するためのソフトウェアリリース

6 ソフトウェア維持(保守)プロセス
- 6.1 ソフトウェア維持(保守)計画の確立
- 6.2 問題及び修正の分析
- 6.3 修正の実装

7 ソフトウェアリスクマネジメントプロセス
- 7.1 危険状況を引き起こすソフトウェアの分析
- 7.2 リスクコントロール手段
- 7.3 リスクコントロール手段の検証
- 7.4 ソフトウェア変更のリスクマネジメント

8 ソフトウェア構成管理プロセス
- 8.1 構成識別
- 8.2 変更管理
- 8.3 構成状態の記録

9 ソフトウェア問題解決プロセス
- 9.1 問題報告書の作成
- 9.2 問題の調査
- 9.3 関係者への通知
- 9.4 変更管理プロセスの使用
- 9.5 記録の保持
- 9.6 問題の傾向分析
- 9.7 ソフトウェア問題解決の検証
- 9.8 試験文書の内容

4 一般要求事項
- 4.1 品質マネジメントシステム
- 4.2 リスクマネジメント
- 4.3 ソフトウェア安全性クラス分類
- 4.4 レガシーソフトウェア

付属書A この規格の要求事項の根拠
付属書B この規格の適用についての指針
付属書C 他の規格との関係
付属書D 実施
付属書JA 定義した用語の索引

　上図はIEC 62304の章構成である。他の規格同様,全体を俯瞰し,それぞれのプロセスなどのつながりを理解することは重要である。また,繰り返しになるが,実務として業に規格がからむ場合は,必ず規格書原本を,できれば訳文でない原本を精読する必要がある。

　なお,IEC 62304の一般要求事項を含めた要求事項は,第4章から第9章までに記載されている。

第4章 一般要求事項，ソフトウェア安全性クラス分類1

製造業者は，ソフトウェアシステムに起因する危険状態が，最悪の場合に患者，操作者，またはその他の人にもたらす危害のリスクに応じて，ソフトウェア安全性クラス（A，B，C）を割当てること。

ソフトウェア安全性クラス分類

クラスA：ソフトウェアシステムは危険状態の一因とならない場合。または危険状態の一因となるが，そのソフトウェアシステム以外で実施するリスクコントロール手段を考慮すれば，受容できないリスクは生じない場合。

クラスB：ソフトウェアシステムは危険状態の一因となり，そのソフトウェアシステム以外で実施するリスクコントロール手段を考慮しても，受容できないリスクが生じるが，重傷の可能性はない場合。

クラスC：同じだが，死亡又は重傷の可能性がある場合。

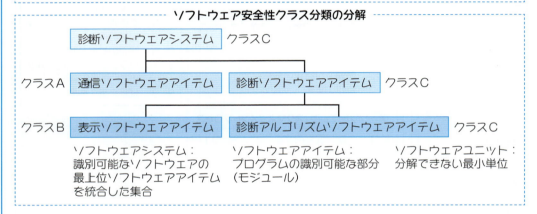

ソフトウェアシステムやソフトウェアアイテムをさらにいくつかのソフトウェアアイテムに分割する場合，それらのソフトウェアアイテムは，元のソフトウェアアイテム（又はソフトウェアシステム）のソフトウェア安全クラスを継承する。

IEC 62304には一般要求事項が4つある。その1つが「ソフトウェア安全性クラス分類」である。これはソフトウェア製造業者に対し，「ソフトウェアシステムに起因する危険状態が，最悪の場合に患者，操作者，またはその他の人にもたらす危害のリスクに応じて，ソフトウェア安全性クラスを割り当てる」よう要求している。

ソフトウェア安全性クラス分類は以下の3つのクラスがある。

クラスA：ソフトウェアシステムは危険状態の一因にならない，またはソフトウェアシステムは危険状態の一因になるが，ソフトウェアシステム以外で実施するリスクコントロール手段を考慮すれば，受容できないリスクは生じない。

クラスB：ソフトウェアシステムは危険状態の一因となり，ソフトウェアシステム以外で実施するリスクコントロール手段を考慮しても，受容できないリスクは生じるが，重傷の可能性はない。

クラスC：ソフトウェアシステムは危険状態の一因となり，ソフトウェアシステム以外で実施するリスクコントロール手段を考慮しても，受容できないリスクは生じ，死亡または重傷の可能性がある。

　このソフトウェア安全性クラス分類は，「識別可能なソフトウェアの最上位で，ソフトウェアアイテムを統合した集合」である。"ソフトウェアシステム"に対し，リスクマネジメントに基づいて割り当てられる。
　しかし，さらにそのソフトウェアシステムがいくつかの「ソフトウェアアイテム」（プログラムの識別可能な部分，いわゆるモジュール）に分解できれば，そのソフトウェア安全性クラスも分解したソフトウェアアイテムに引き継ぐことができる。
　すなわち，根拠があればソフトウェア安全性クラスを細分化できる。ただし，ソフトウェアシステムやソフトウェアアイテムをさらにいくつかのソフトウェアアイテムに分解する場合，それらのソフトウェアアイテムは元のソフトウェアアイテム（またはソフトウェアシステム）のソフトウェア安全性クラスを継承する。そして，「ソフトウェアシステム」を「ソフトウェアアイテム」に分解する際，リスクを考慮した分解ができれば，開発は効率的になる。
　たとえば，クラスCに該当する「診断ソフトウェアシステム」を「通信ソフトウェアアイテム」と「診断ソフトウェアアイテム」に分解し，さらに「診断ソフトウェアアイテム」を「表示ソフトウェアアイテム」と「診断アルゴリズムソフトウェアアイテム」に分解した場合，ソフトウェアシステムに起因するハザードがクラスCレベルで，その理由が「診断アルゴリズムソフトウェアアイテムに故障があると死亡または重大な傷害の可能性があるから」であったとする。このとき当然，「診断アルゴリズムソフトウェアアイテム」自体はクラスCであるが，一方，分解された他の「表示ソフトウェアアイテム」や「通信ソフトウェアアイテム」のクラスについてはソフトウェア安全性クラス分類の判定基準に基づくリスクマネジメントでクラスBやAになることが十分考えられる。後述のとおり，この細分化の結果，ソフトウェアライフサイクルプロセスで対応しなければならない要求事項の内容に大きく関連するので，合理的な方法といえる。

第4章 一般要求事項，ソフトウェア安全性クラス分類2

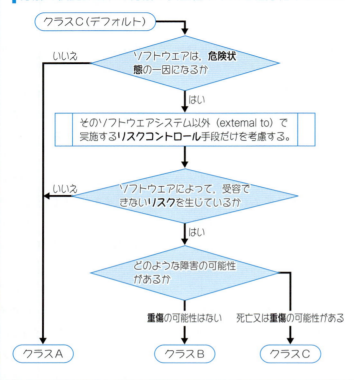

- 分類した各ソフトウエアシステムの安全クラスを，リスクマネジメントファイルに文書化すること。
- ソフトウェアシステム以外（external to）で実施するリスクコントロール手段を追加で実施して，そのソフトウェアシステムを新しいソフトウェア安全クラスに分類することができる。
- ソフトウェア安全性クラス分類は，FDAの懸念レベル（level of concern）とよく似ているが同一ではないので，注意が必要である。

　本図に基づきソフトウェアシステムのソフトウェア安全性クラスを割り当て，分解の根拠があれば分解し安全性クラスを細分化すること。また，分類した各ソフトウェアシステムの安全クラスを，リスクマネジメントファイルに文書化することもソフトウェア安全性クラス分類での要求事項である。

　また，各々のリスクがソフトウェアシステム以外（external to）で実施するリスクコントロール手段により低減できる場合は，ソフトウェア安全性クラス分類をCからB，BからAへ変更できる。当然，根拠がなければ変更できないが，たとえばソフトウェアアイテムのタスクをハードウェアで二重化するとか，そのソフトウェアシステムが含まれるシステムアーキテクチャの改善などを実施すれば，そのソフトウェア安全性クラスを低減することもできる。

この安全性クラス分類とよく似ている概念に，FDAガイダンス（ソフトウェアを含む医療機器の市販前届出内容）の懸念レベル（level of concern）がある。これはソフトウェア機器（ソフトウェアを含む医療機器）の懸念レベルを重度（Major），中度（moderate），軽度（minor）に分け，その懸念レベルに応じて市販前届出に用意すべき文書を決めるものである。安全性クラス分類との一番の差異は，ハザードの軽減前に懸念レベルを判断するという部分であり，注意が必要である。

▶ 第4章 一般要求事項，QMSとリスクマネジメント

QMSおよびリスクマネジメントのプロセス下でIEC 62304を実施すること。

一般要求事項2「品質マネジメントシステム」
医療機器ソフトウェアの製造業者は，顧客要求事項及び該当する規制要求事項に適合する医療機器ソフトウェアを提供する能力があることを実証する。

ISO 13485 第7章
EU ：MDD93/42/EEC（≒ISO 13485）
日本：QMS省令
米国：QSR　　　　等
　国の品質マネジメントシステム，または国の法令が要求する品質マネジメントシステムのこと。

一般要求事項3「リスクマネジメント」
製造業者は，ISO14971に規定したリスクマネジメントプロセスを適用する。

いかなる種類のソフトウェアでも，100％の安全性を保守する方法はない（網羅的検証は不完全）。

✔ リスクマネジメント，品質マネジメント，ソフトウェアエンジニアリングの組合せにより，ソフトウェアの安全性の確保が可能となる。

　2つ目3つ目の一般要求事項は，品質マネジメントシステム（QMS）と，リスクマネジメントであり，QMSおよびリスクマネジメントのプロセス下で本規格を実施することの要求である。いままで何度かこの2つに触れてきたので，簡単に，規格書の記載を以下にそれぞれ抜粋する。

　品質マネジメントシステムには，「医療機器ソフトウェアの製造業者に，顧客要求事項および該当する規制要求事項に適合する医療機器ソフトウェアを提供する能力があることを（マネジメントシステムを用いて）実証する。」とある。この実証は品質マネジメントシステムを用いて行えばよいが，品質マネジメントシステムとは，ISO 13485，EUではMDD93/42/EEC（≒ISO 13485），日本ではQMS省令，米国ではQSRのことをいい，国の品質マネジメントシステム，または国の法令が要求する品質マネジメントシステムのことである。

　リスクマネジメントでは，「製造業者は，ISO 14971に規定したリスクマネジメントプロセスを適用する。」とあり，要求内容が明確である。

しかし，先述したとおり，いかなる種類のソフトウェアでも100％の安全性を保守する方法はないとされており，いままで行われていた，たとえば網羅的検証だけでは不完全とされていて，「正しいやり方」で行うことを要求している．この安全性からみた「正しいやり方」とは，「リスクマネジメントと品質マネジメント，およびソフトウェアエンジニアリングの組合せにより，ソフトウェアの安全性は確保できる」という考え方で，これがまさに国際標準の考え方である．

▶ 第4章 一般要求事項，レガシーソフトウェア

> リスクマネジメントアクティビティ，ギャップ分析，ギャップ解消アクティビティ，レガシーソフトウェアを使用する根拠を文書化することで，レガシーソフトウェアの使用を認めるという救済策．

レガシーソフトウェアに対する要求	活動
リスクマネジメントアクティビティ	事故事例やヒヤリハット事例などのフィードバック情報を評価して，レガシーソフトウェアの継続使用に伴うリスクマネジメントアクティビティを実施する．
ギャップ分析	レガシーソフトウェアの安全クラス分類に基づいて，ソフトウェア要求事項分析，ソフトウェアアーキテクチャ設計，ソフトウェアシステム試験，およびソフトウェアリスクマネジメントプロセスの要求事項と使用可能な成果物のギャップ分析を行う．
ギャップ解消アクティビティ	ギャップ分析で特定した成果物を計画に基づき作成する．
レガシーソフトウェアを使用する根拠	レガシーソフトウェアのバージョンとともに，そのソフトウェアを継続使用する根拠を，成果物に基づいて文書化する．

✔ ・FDAはこのレガシーソフトウェアの条項を認知していないので，注意が必要である．

　IEC 62304：2006/Amd 1：2015で追加された内容に「レガシーソフトウェア」がある．レガシーソフトウェアとは，「法規制に適合して市場に出荷され，現在も市販されているが，この規格の現行版に適合して開発されたという客観的な証拠が不十分な医療機器ソフトウェア」という意味である．これは，リスクマネジメントアクティビティ，ギャップ分析，ギャップ解消アクティビティ，レガシーソフトウェアを使用する根拠を文書化することで，レガシーソフトウェアの使用を認めるという救済策と考えられる．なお，FDAはこのレガシーソフトウェアの条項を認知していないので，注意が必要である．

5.5 医療機器ソフトウェア―ソフトウェアライフサイクルプロセスの規格（IEC 62304：2006/Amd 1：2015）

▶ 第5章から第9章の実施要求

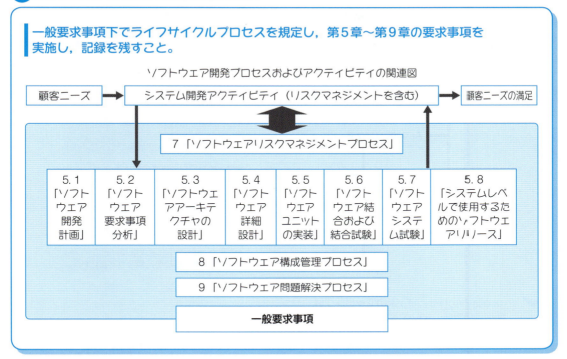

　一般要求事項下でライフサイクルプロセスを規定し，第5章から第9章の要求事項を実施し，記録を残すことである。ライフサイクルプロセスの規定は，次の図で説明するが，医療機器のソフトウェア開発では，「ソフトウェアリスクマネジメントプロセス」，「ソフトウェア構成管理プロセス」および「ソフトウェア問題解決プロセス」と連携しながら，以下の開発のアクティビティを実施することである。

- 5.1「ソフトウェア開発計画」のアクティビティ
- 5.2「ソフトウェア要求事項分析」のアクティビティ
- 5.3「ソフトウェアアーキテクチャの設計」のアクティビティ
- 5.4「ソフトウェア詳細設計」のアクティビティ
- 5.5「ソフトウェアユニットの実装」のアクティビティ
- 5.6「ソフトウェア結合および結合試験」のアクティビティ
- 5.7「ソフトウェアシステム試験」のアクティビティ
- 5.8「システムレベルで使用するためのソフトウェアリリース」のアクティビティ

ソフトウェアライフサイクルプロセスの規定

ソフトウェアライフサイクルプロセスの規定とは，医療機器ソフトウェアの開発・運用および維持（保守）に伴う作業を，"プロセス"，"アクティビティ"，"タスク"で階層化して表し，ソフトウェア（開発，維持）ライフサイクルモデルとして定めたもの。

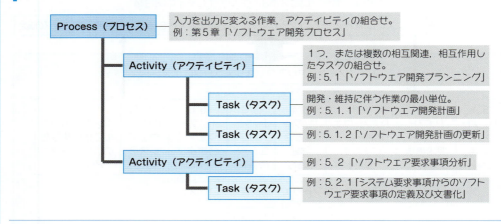

✓ Process／Activity／Taskのマッピングは，
・使用者の責任，作成する文書の名称・書式・明示内容は規定しない
・製造業者の組織構成や，どの部署の作業かは規定しない
とあるが，要はIEC 62304の規格書の章立ての構造どおりに実施することをすすめる。

　安全性からみた「正しいやり方」とは，「リスクマネジメントと品質マネジメント，およびソフトウェアエンジニアリングの組合せ」と述べたが，規格書の第5章以降は「ソフトウェアエンジニアリング」に立脚してソフトウェアのライフサイクルプロセスを規定しており，それに基づいた要求事項となっている。

　そして，医療機器ソフトウェアのライフサイクルである開発，運用，および維持（保守）に伴う作業を"プロセス"，"アクティビティ"，"タスク"で階層化して表し，これをソフトウェア（開発，維持）ライフサイクルモデルとして定めたのが，「ソフトウェアライフサイクルプロセスの規定」である。なお，ソフトウェアライフサイクルモデルの説明を次の図にのせた。

　IEC 62304では，「Process／Activity／Taskのマッピングは，使用者（製造業者）の責任，作成する文書の名称・書式・明示内容は規定しない，製造業者の組織構成やどの部署の作業かは規定しない」とあるので，自由に決めてよいともとれるが，当然，ソフトウェアエンジニアリングに立脚した根拠が必要である。すでにソフトウェアエンジニアリングに立脚したソフトウェア（開発，維持）ライフサイクルモデルがあるなら，新しくつくる必要はないが，そうでないならIEC 62304の章立ての構造どおりに，医療機器ソフトウェアのライフサイクルである開発，運用，および保守（維持）に伴う作業を"プロセス"，"アクティビティ"，"タスク"で階層化し実施することをすすめる。

また、"プロセス"は「入力を出力に変える作業で、相互関連または相互作用のアクティビティの組合せ」と定義され、IEC 62304でいえば第5章の「ソフトウェア開発プロセス」などにあたり、"アクティビティ"は「1つ、または複数の相互関連または相互作用したタスクの組合せ」と定義され、IEC 62304でいえば例5.1「ソフトウェア開発計画」などにあたる。さらに、"タスク"は「開発や維持に伴う作業の最小単位」で、例として5.1.1の「ソフトウェア開発計画」があげられる。

要は、IEC 62304を例にとれば、X章がプロセス、X.Y節がアクティビティ、X.Y.Z項がタスクである。

▶ ソフトウェア（開発）ライフサイクルモデルの掘り下げ

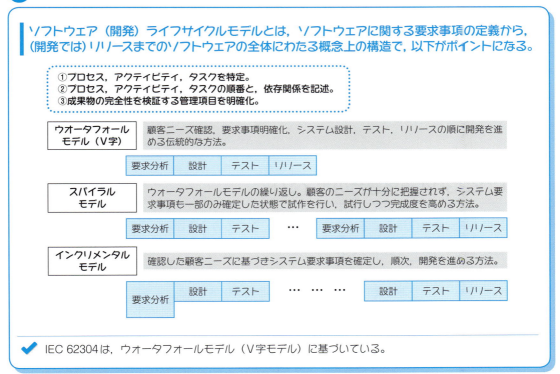

✓ IEC 62304は、ウォータフォールモデル（V字モデル）に基づいている。

前述のソフトウェアライフサイクルモデルを、開発のプロセスでもう少し補足してみる。

「ソフトウェア開発ライフサイクルモデル」とは、ソフトウェアに関する要求事項の定義から、開発ではソフトウェアのリリースまでのソフトウェアの全体にわたる概念上の構造であり、以下のことである。

①プロセス、アクティビティ、タスクを特定し、

②プロセス、アクティビティ、タスクの順番と依存関係を記述し、

③成果物の完全性を検証する管理項目を明確化する。

要は，380ページで図示した構造（階層化）をつくることと，文書化要求に応えることである。どのような開発モデルを採用するかも含め，「ソフトウェア開発計画書」に定義することが求められている。

上図では，ソフトウェア工学的にいくつかのソフトウェア開発モデルを記載した。1つは，ウォータフォールモデルで，設計のプロセスとそれに対峙したテスト検証のプロセスを並べるとVの字になるので，よくV字モデルといわれる。これは，顧客ニーズ確認，要求事項明確化，システム設計，テスト，リリースの順に開発を進める伝統的な方法で，IEC 62304でも，例としてこのウオータフォールモデルが使われている。

2つ目はスパイラルモデルで，ウオータフォールモデルの繰り返しを行うものである。顧客のニーズが十分に把握されず，システム要求事項も一部のみ確定した状態で試作を行い，試行しつつ完成度を高める方法である。

3つ目がインクリメンタルモデルであるが，これは確認した顧客ニーズに基づきシステム要求事項を確定し，順次，開発を進める方法である。

実際のソフトウェア開発の現場では，スパイラルモデル的な開発が多く，まさに創造と破壊が繰り返されているが，医療機器ソフトウェアの開発モデルとしては，要求事項を確定し，それに基づき設計活動をし，テスト検証し，リリースすることが厳格に求められていることに注意する。

▶ IEC 62304規格適合のポイント

ソフトウェア安全性クラスに応じて特定された，すべてのプロセス，アクティビティ，およびタスクを実施することで，要は規格要求に沿った文書作成・検証・プロセスの実行がなされていることがポイント。

- 規格要求どおりに文書化（項目を記載）すること。
  - 要求された項目がある文書（記録）を識別できる。
  - ソフトウェア要求仕様から検証結果まで追跡できる。
  - ソフトウェアのリリース状況が識別できる。
- 規格要求どおりにタスクの結果を検証すること。
  - ソフトウェア要求事項検証（レビュー）
  - ソフトウェアアーキテクチャ検証（レビュー）
  - ソフトウェアユニット検証
  - ソフトウェア結合の検証（レビュー）
  - ソフトウェア結合試験の検証
  - ソフトウェアシステム試験の検証
  - 回帰試験
- リスクマネジメントプロセスとひもづいていること。
- 構成管理ができていること。

✔ 規格で要求されるすべての文書の調査，ならびにソフトウェア安全性クラスに要求されるプロセス，アクティビティ，およびタスクを総合評価して判断する。

5.5 医療機器ソフトウェアーソフトウェアライフサイクルプロセスの規格（IEC 62304：2006/Amd 1：2015）

　規格があるということは，それに適合することを要求される。それが法とひもづけばなおさらである。ここに簡単に適合についてのポイントを図にまとめた。また，IEC 62304の1.4でも「適合」について書かれているが，「この規格に適合するとは，ソフトウェア安全性クラスに応じて，この規格で特定されたすべてのプロセス，アクティビティ，およびタスクを実施することをいう。」とある。要は規格要求に沿った文書作成・検証・プロセスの実行がなされていることがポイントである。

　そのポイントの詳細は，規格要求どおりに文書化（項目を記載）すること，規格要求どおりにタスクの結果を検証すること，リスクマネジメントプロセスとひもづいていること，構成管理ができていること，である。

　さらに「適合」をどのような点で確認するかを示す「適合性（確認）」は，「この規格で要求されるリスクマネジメントファイルを含むすべての文書の調査，ならびにソフトウェア安全性クラスに要求されるプロセス，アクティビティ，およびタスクのアセスメントを検査することを総合評価して，判断する。」とあるので，他の国際規格と考え方ややり方で大きく異なることはない。ただし，一般要求事項が前提であるので，品質マネジメントやリスクマネジメントへの適合性も同時に問われることを想定しておく必要がある。

▶ ソフトウェア開発プロセスのインプット

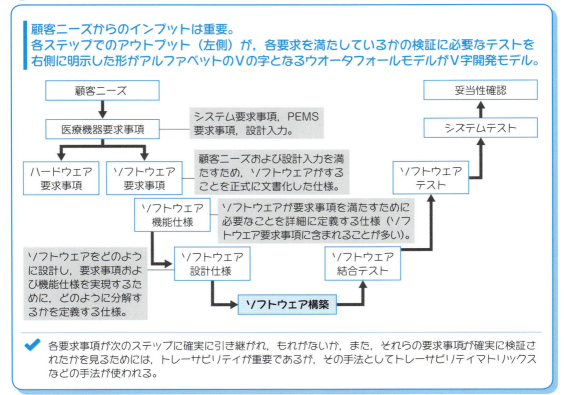

顧客ニーズからのインプットは重要。
各ステップでのアウトプット（左側）が，各要求を満たしているかの検証に必要なテストを右側に明示した形がアルファベットのVの字となるウオータフォールモデルがV字開発モデル。

✓ 各要求事項が次のステップに確実に引き継がれ，もれがないか，また，それらの要求事項が確実に検証されたかを見るためには，トレーサビリティが重要であるが，その手法としてトレーサビリティマトリックスなどの手法が使われる。

ここであえて「ソフトウェア開発プロセスのインプット」を取り上げたのは，ソフトウェアライフサイクルプロセスであるIEC 62304の範囲には，「顧客ニーズ」からスタートする「医療機器要求事項」の特定が入っていないからである。しかし，IEC 62304の範囲である「ソフトウェア要求事項」も，いきなり「ソフトウェア要求事項」が特定できるわけはなく，やはりシステム要求事項である「医療機器要求事項」が必要であり，そのもととして「顧客ニーズ」がある。さらに，医療機器の場合，システムの要求をハードウェアで実行するか，ソフトウェアで実行するかも重要なので，顧客のニーズが「ソフトウェア開発プロセスのインプット」として理解すべきである。また，顧客のニーズと同じことが設計の妥当性確認（設計バリデーション）についてもいえる。IEC 62304の規格では設計の妥当性確認を含めないが，実際のソフトウェア開発プロセスではこれも含めることが妥当である。

　なお，「ソフトウェア開発プロセスのインプット」に関する用語は重要にもかかわらず混同しやすいので，本図に付記しておいた。「医療機器要求事項」はシステム要求事項，PEMS要求事項，設計入力とも呼ばれる。また，「ソフトウェア要求事項」は顧客ニーズおよび設計入力を満たすため，ソフトウェアがすることを正式に文書化した仕様である。さらに，「ソフトウェア機能仕様」は，「ソフトウェア要求事項」に含まれることが多いが，ソフトウェアが要求事項を満たすために必要なこと（何をするか）を詳細に定義する仕様のことである。「ソフトウェア設計仕様」は，ソフトウェアをどのように設計し，要求事項および機能仕様を実現するために，どのように分解するかを定義する仕様のことである。IEC 62304では，ソフトウェアアーキテクチャ設計と呼ばれソフトウェアシステム（特定の機能や機能の集合を実現するためにまとめられた，ソフトウェアアイテムの統合された集合）をソフトウェアアイテム（識別可能なコンピュータプログラムの一部）に分解しそれらが明示されたアーキテクチャに変換する設計や，ソフトウェアの詳細設計と呼ばれ，アーキテクチャ上のソフトウェアアイテムをさらにソフトウェアユニット（それ以上，他のアイテムに細分することができないソフトウェアアイテム）に鈍化し記載する設計が，これにあたる。

　本図では，各ステップでのアウトプットが，確実に各要求を満たしているかを検証し妥当性確認に至るまでに必要な対応テストを右側に明示した。この形がアルファベットのＶの字に似てることから，**V字開発モデル**ともいわれている。

　IEC 62304では医療機器ソフトウェアのソフトウェア要求事項が確立され，実行され，検証されることが要求されるが，図はその全体を表した一例である。検証可能な要求事項の確立は，完成した医療機器ソフトウェアが使える状態にあることを立証する上で不可欠である。さらに，そのためには，要求事項が正しく実現されていることを判定するために，客観的基準（テスト等）を確立することが必要である。

　また，各要求事項が次のアクティビティ（ステップ）に確実に引き継がれ，もれがないこと，および要求事項が確実に検証されたことを見るためには，個々のトレーサビリ

ティが重要であるが，その手法としてトレーサビリティマトリックスなどの手法が使われる。この「トレーサビリティマトリックス手法」の結果について，査察時に提出が求められることがある。

ソフトウェアライフサイクルモデルと安全性クラス分類との関係

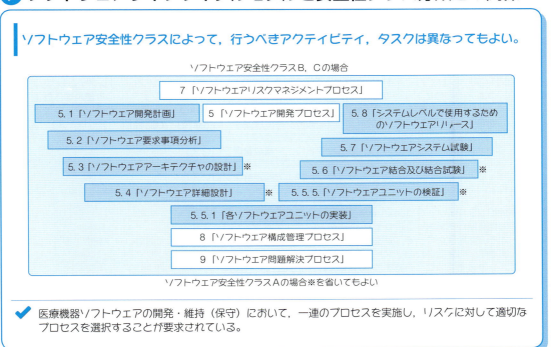

先に，ソフトウェア安全性クラス分類を，IEC 62304の一般要求事項として紹介した。

すなわち，各ソフトウェアシステムにソフトウェア安全性クラス分類を割り当て，可能であれば，さらにソフトウェアアイテム，ソフトウェアユニットに分解し，ソフトウェア安全性クラス分類もリスクに合わせてそれぞれ割り当てることを述べたが，このソフトウェア安全性クラス分類とソフトウェアライフサイクルモデルには大きな関連がある。

ソフトウェア開発ライフサイクルでは，一連のプロセスを実施するにあたり，リスクに対して適切なプロセスを選択することが要求されているので，リスクの高いクラスCやBで要求されるプロセスと，リスクの低いクラスAで要求されるプロセスは異なってもよい。これは，アクティビティやタスクでも同じである。

上図ではIEC 62304の記載に沿ってV字プロセスをクラスB，Cの場合と，クラスAの場合に分けた。そして，ソフトウェア安全性クラスAの場合は，第7章でいう「ソフトウェアリスクマネジメントプロセス」も省ける（一部を除き）。

▶ 第7章「ソフトウェアリスクマネジメントプロセス」の重要性

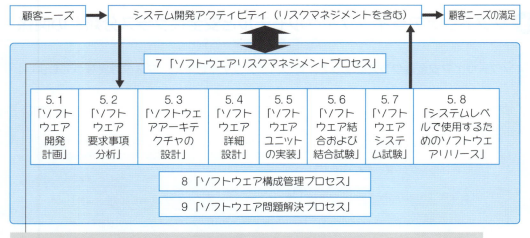

　ソフトウェア開発ライフサイクルモデルの概要を述べてきたが，開発に限らず，他のモデルで実行しようとも，以下に述べるソフトウェアリスクマネジメントプロセスはとくに重要である。ソフトウェアリスクマネジメントプロセスについては，一般要求事項にも記載されているが，IEC 62304の第7章で再度，ソフトウェアリスクマネジメントプロセスが記載され，要求事項が加えられている。

　第7章はISO 14971に基づいたリスクマネジメント活動が前提で，そこに医療機器リスクマネジメントの一部で補足的要求事項が加えられている。もう少し詳しく述べると，まず，危険状態を誘発するソフトウェアを分析し，危険状態を誘発するソフトウェアを特定し，さらに原因を特定後，コントロールし，トレーサビリティを含め文書化することが要求されている。これはISO 14971そのもののようだが，要は，ソフトウェアとの観点からリスクマネジメントを行い，ソフトウェアの視点で文書化することである。

5.5 医療機器ソフトウェア—ソフトウェアライフサイクルプロセスの規格（IEC 62304：2006/Amd 1：2015）

　また，ソフトウェアリスクマネジメントプロセスが要求されるモデルは，ソフトウェア安全性クラスBとCだけである。これも第7章で明らかにされている事項である。

　さらに，第7章で特筆すべきこととして，SOUP（Software Of Unknown Provenance；開発過程が不明なソフトウェアで，すでに開発されていて医療機器に組み込むことを目的に開発されたものではないソフトウェア，または以前，開発されたソフトウェアで，その開発プロセスに関する十分な記録が利用できないもの）アイテムに対する記載がある。ソフトウェアリスクマネジメントプロセスでは，危険な状況を誘発する潜在的原因の特定の中で，SOUPによる障害や予想外の結果が潜在原因にならないか，特定を求めている。規模の大きい医療機器ソフトウェア開発の際に使われることがある汎用OSや，それに対応したミドルウェアを使う際は，SOUPとしての注意が必要である。

　また，公表されているSOUPの異常リストの評価やソフトウェアの変更分析の結果でも，さらに構成マネジメントプロセスの箇所でもSOUPの識別について記載がある。これは，それだけSOUPの潜在的リスクが高いことを意味している。他の部分はIEC 62304の要求する事項などで安全性の高いソフトウェアであるにもかかわらず，SOUPはこのプロセスを経ていないのだから，無理からぬことではある。

▶ IEC 62304の各国の位置づけ

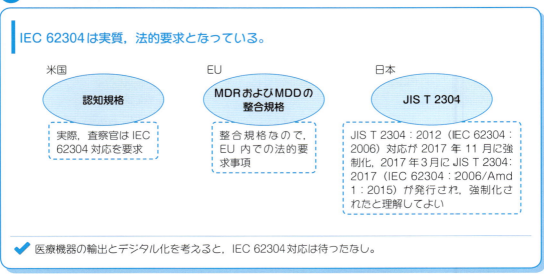

　ここまで医療機器に関係する重要な規格を解説してきたが，企業にとって規格に関して重要なポイントの1つは，国内および海外でその規格がどう扱われていて，各国の法律とどう結びついているかを知ることであるので，その視点からIEC 62304を整理した

のが本図である。

　まず米国やEUでは，医療機器の定義にソフトウェアが含まれている。医療機器による事故にソフトウェアがからんでいる例が増加している背景もあり，EUではMDRおよびMDDの整合規格として，すでに法とひもづいている。

　米国では，認知規格となっているが，過去にTherac-25（放射線治療装置）事故など，ソフトウェア起因のリコール増加もあり，認知規格として強制化に近いと理解したほうがよい。

　一方，日本では，本規格のJIS版として2012年3月にJIS T 2304：2012(IEC 62304：2006)が発行され，2017年11月に強制化，さらに，2017年3月にJIS T 2304：2017(IEC 62304：2006/Amd 1：2015) が発行され，強制化されたと理解してよい。

　企業としては，輸出という観点やデジタル化の進展を考えると，IEC 62304対応は待ったなしである。

▶ IEC 62304と他の規格との関連

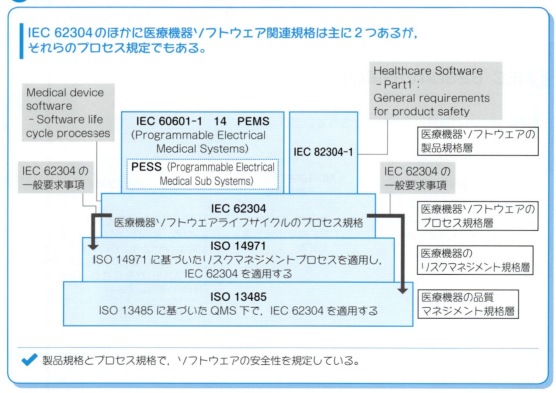

　上図はIEC 62304：2006/Amd 1：2015（Medical device software - Software life cycle processes；医療機器ソフトウェア－ソフトウェアライフサイクルプロセス）と他の関連規

5.5 医療機器ソフトウェア-ソフトウェアライフサイクルプロセスの規格（IEC 62304：2006/Amd 1：2015）

格との関係をレイヤー構造で表している。まず上層の２層が医療機器ソフトウェアの規格である。

規格上，医療機器等の安全性は，安全に関する「製品規格」と，いわゆるライフサイクルにおける「プロセス規格」で構成されることが多い。医療機器ソフトウェア関連では最上層のIEC 60601-1の箇条14（PEMS：Programmable Electrical Medical Systems）と，IEC 82304（Healthcare Software Systems - Part 1 General requirements）が「製品規格」にあたる。ただし，箇条14のPEMSを読んでも，内容はIEC 62304と同じ内容の縮小版のようにも読め，あまり製品規格のようには見えない。あえていえば，妥当性確認を含まないIEC 62304に対し，含むところが製品規格的と感じるところである。一方，IEC 82304は，これは医療機器ソフトウェアの分類において「ソフトウェアそのものが医療機器」に対する製品規格である。

第２層目が，IEC 62304のプロセス規格であるが，ISO 14971（Medical devices - Application of risk management to medical devices）を引用規格としている（引用規格としてISO 14971に発行年の記載がないので，最新版が適用される）。さらに，IEC 62304はISO 14971とISO 13485（Medical devices - Quality management systems Requirements for regulatory purposes）を含む品質マネジメントシステムの実質的適用を一般要求事項にしていることから，第３層と第４層で具体的に表している。

ソフトウェア関連の規格はレイヤー構造であることが多い。今後，医療機器ソフトウェアにからむ規格が出てくれば（たとえばIEC 62366-1など），このレイヤー図にあてはめていくとよい。

FDAガイダンスとIEC 62304の関係

IEC 62304は，ISO 14971とFDAガイダンスとともに，医療機器ソフトウェアの安全性に対する3規格の1つである。

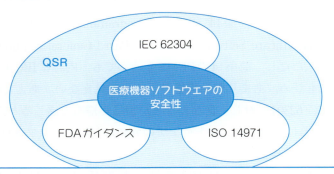

① General Principles of Software Validation；Final Guidance for Industry and FDA Staff（ソフトウェアバリデーションの一般原則）
② Guidance for the Content of Pre-market Submissions for Software Contained in Medical Devices（ソフトウェアを含む医療機器の市販前届出内容）
③ Guidance for Industry, FDA Reviewers and Compliance on Off-The-Shelf Software Use in Medical Devices（医療機器の既存品ソフトウェアの使用）

・Guidance for the Submission of Pre-market Notifications for Medical Image Management Devices（医療画像処理機器の市販前通知申請に関するガイダンス）
・ネットワーク化されたソフトウェアが医療機器として使われることが増加する中，Guidance for Industry-Cybersecurity for Networked Medical Devices Containing Off-the-Shelf (OTS) Software
も重要。

　FDAは，ミッションが指し示すように米国民の健康を守る責任をもつと宣言しているので，市場での不具合やリコールに至ってしまう事例をよく研究し，そのCAPAを査察する傾向にある。その最近の課題の1つが医療機器ソフトウェアであることはFDAの統計資料を見てもわかるが，医療機器のデジタル化を考えれば当然なのかもしれない。

　388ページで触れた米国での放射線治療装置「Therac-25」による6名の死亡原因がソフトウェア起因であったことから，以下3つのガイダンスが通知され，その後の米国における医療機器ソフトウェアの基準となっている。

① General Principles of Software Validation；Final Guidance for Industry and FDA Staff（ソフトウェアバリデーションの一般原則）
② Guidance for the Content of Pre-market Submissions for Software Contained in Medical Devices（ソフトウェアを含む医療機器の市販前届出内容）
③ Guidance for Industry, FDA Reviewers and Compliance on Off-The-Shelf

5.5 医療機器ソフトウェアーソフトウェアライフサイクルプロセスの規格（IEC 62304：2006/Amd 1：2015）

Software Use in Medical Devices（医療機器の既存品ソフトウェアの使用）

この3つのガイダンス後，IEC 62304が発行され，米国もIEC 62304を認知規格として推奨した。共通点が多いこともあり，査察関係者の話ではFDAはIEC 62304を強い推奨と捉え，実行することを求めているようである。

このような背景をもとに，米国における医療機器ソフトウェア関連の規格の位置づけを再度，図にまとめた。共通するのは，どれも「医療機器ソフトウェアの安全性」に対する規格であることである。すなわち，品質マネジメントシステム（QSR）をもとにして，IEC 62304，ISO 14971および3 FDAガイダンスが米国の医療機器ソフトウェアに要求される基準である。

さらに，医療機器ソフトウェアのガイダンスには医療画像処理のガイダンスであるGuidance for the Submission of Pre-market Notifications for Medical Image Management Devices（医療画像処理機器の市販前通知申請に関するガイダンス）や，ネットワーク化されたソフトウェアが医療機器として使われることが増加する中で，重要性が増している，Guidance for Industry-Cybersecurity for Networked Medical Devices Containing Off-the-Shelf（OTS）Softwareもあり，米国で医療機器ソフトウェアを上市する際は，これらを守らなければならない。

5.6 医療機器-第1部:医療機器へのユーザビリティエンジニアリングの適用の規格(IEC 62366-1:2015/Amd1:2020)

▶ IEC 62366-1:2015とは何か

> 医療機器の安全に関連する範囲で,医療機器へユーザビリティエンジニアリングを適用させるための,プロセスを規定するプロセス規格のこと。

ユーザビリティとは?

Usability
 有効性(正しく使える)+
 効率(すぐ使える)+
 ユーザの満足(だれでも使え満足)

= 使いやすくして,またそれによって意図する使用環境において有効性,効率およびユーザの満足度を確立するユーザインタフェース の特性

→ 使用に関するリスクを受容可能にする

ISO14971:2019と関係が強い

✓ ユーザビリティエンジニアリング(人間工学)とは,適切なユーザビリティの達成のために,人の行動・能力・限界および他の特性を医療機器システムやタスクの設計に適用すること。

医療の現場では多くの医療機器が使われていて,それらの医療機器は,輸入された物や国内で開発された物などさまざまある。それも異なった設計の手法や開発者の考え方が違うこともあり,操作が複雑で直感的に使えなかったり,操作を正しく覚えるのに多くの時間が必要であったり,専門家でなければ使えない医療機器も多く見受けられる。この使い勝手の悪さが,使用時にミスをおかしたり,ミスをおかしそうになることの原因であることを否定できない事象が非常に多くなっている。このように,ME医療機器の「誤使用」の原因は,使いにくいユーザインタフェース特性が直接原因であることも多く,それは,適切なユーザビリティエンジニアリング(人間工学)プロセスを経ていないための結果である。

適切なユーザビリティを達成するためのユーザインタフェースの設計には,そのユーザインタフェースの技術的実現とは別のプロセスおよび一連の技能が必要であるとの国際的合意のもと,医療機器の安全に関連する範囲で,医療機器へユーザビリティエンジニアリング(人間工学ともいえる,適切なユーザビリティの達成のために,人の行動・

5.6 医療機器－第1部：医療機器へのユーザビリティエンジニアリングの適用の規格（IEC 62366-1：2015/Amd1：2020）

能力・限界および他の特性を医療機器システムやタスクの設計に適用すること）を適用させるための，そのプロセスを規定したのが，IEC 62366-1：2015「医療機器－第1部：医療機器へのユーザビリティエンジニアリングの適用の規格」である。よって本規格は，医療機器の安全 に関連するプロセス規格である。

本規格で"ユーザビリティ"とは，「使いやすくして，またそれによって意図する使用環境において有効性，効率およびユーザの満足度を確立するユーザインタフェースの特性」と定義されていて，「正しく，完全に，間違いなく使える度合いが高く（有効性）」，「多くの時間や人等の資源を使わなくても，すぐ使える効率のよさ（効率性）」，さらに「特別な技能や技量がなくても，誰でも使え満足度が高い（ユーザの満足）」の3つの要素で構成されている。

簡単にいうと，ユーザビリティとは「いつでも，どこでも，誰にでも，正確に使える度合い」ということになる。したがって，その結果として，「使いやすいユーザインタフェース」が実現されている状態を簡単に表現すると，「ユーザビリティがよい」とか，「ユーザビリティが高い」ということになる。

また，ユーザビリティエンジニアリングプロセスは，誤使用を特定し（リスクを推定し），最低限に抑え（リスクをコントロールし），それによって使用に付随するリスクを軽減するためのものであるので，リスクマネジメントプロセスとの関連が強い。

▶ IEC62366-1の規定内容と，その使用法の種類の関係

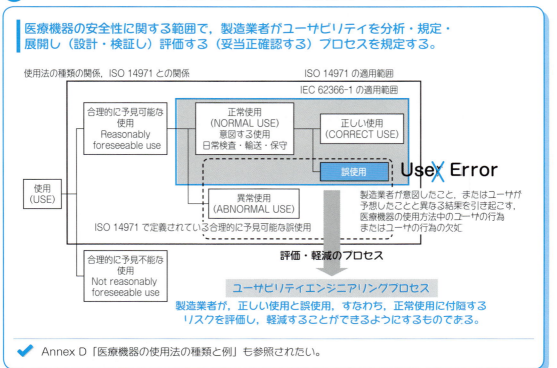

✔ Annex D「医療機器の使用法の種類と例」も参照されたい。

IEC 62366-1 の規定内容は，その適用範囲で確認すると，「医療機器の安全に関連する範囲で，製造業者がそのユーザビリティを分析し，規定し，展開し，評価するためのプロセスを規定している」とあるが，要はユーザビリティを設計し検証し，最後に妥当確認を行うプロセスを規定しているのが，本規格の適用範囲である。加えて「このユーザビリティエンジニアリング（人間工学）プロセス は，製造業者が，正しい使用（誤使用のない正常使用）と誤使用（製造業者が意図したこと，またはユーザが予想したことと異なる結果を引き起こす，医療機器の使用法中のユーザの行為またはユーザの行為の欠如），すなわち，正常使用（ユーザによる定期検査および調整，ならびに使用説明書によるまたは使用説明書を添えずに供給された医療機器に対して，一般に公認された実施基準による待機を含む操作）に付随するリスクを評価し，軽減することができるようにするものである。

　この規絡は，異常使用（正常使用に逆行するかまたはこれに違反し，また製造業者によるユーザインタフェースに関連するリスクコントロールの妥当なあらゆる手段を逸脱した意識的，意図的行為または，こうした行為の意図的省略）に付随するリスクの評価または軽減を行うものではないが，その特定に使用することはできる。」とあるように，本規格の対象は，使用方法の種類のうちの「正常使用」，「正しい使用」，「誤使用」である。よってユーザビリティエンジニアリングプロセスは，製造業者が，正しい使用と誤使用，すなわち，正常使用に付随するリスクを評価し，軽減することができるようにするプロセスである。

　本図では，IEC 62366-1：2015/Amd1：2020 の「図 A.4-この文書に記述説明する使用法の種類及び ISO 14971 の"合理的に予見可能な誤使用"の概念との関係」を使い，各々の使用法の種類の関連を表した。この図を見ると，「IEC 62366-1 の適用範囲」および前項で記載した ISO 14971 との関係が「ISO 14971 の適用範囲」で，加えて，「ISO 14971 で定義されている合理的に予見可能な誤使用」の範囲が俯瞰的に理解できると思う。

　本図には，使用法の種類の名称に，その意味の理解の手助けのため英名でも記載しておく。

　IEEE などの海外の文献を読んでみると，たとえば Use Error と User Error で誤使用と異常使用を表現している。誤使用はそのまま Use Error だが，異常使用を Abnormal Use ではなく User Error で表していておもしろい。たとえば，われわれが使っている机にしても，本や資料を読んだり資料を書いたりするための台として，本来の目的で使用するのが「正しい使用」であるが，机の上に乗り，天井の電球を取り替えることもある。これは「正しい使用」ではない。しかし，メーカーはこれも想定できる範囲として，（IEC 62366-1 の適用範囲として）机の強度を考えなければならないが，これがUse Error の範囲であり「誤使用」の例と理解してよい。

　規格の理解には，用語の理解が不可欠なので，上述したように英訳も参照すると理解

が深まる。なお，Annex D「医療機器の使用法の種類と例」に，さまざまな種類の医療機器使用法の関係と，そのいくつかの原因を例とともに図示されているので，参照されたい。

▶ IEC 60601-1，IEC 60601-1-6とIEC 62366-1との関連

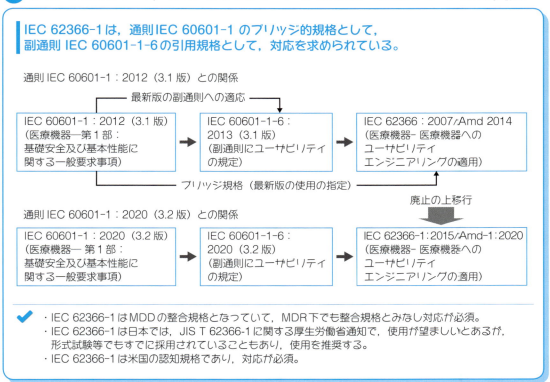

IEC 60601-1およびIEC 60601-1-6とIEC 62366-1との関連は，形式試験の適応範囲にも関係するので，ここに図示した。まず，IEC 60601-1は，医療機器の中のME機器に対し，「基礎安全及び基本性能に関する一般要求事項」の規格適応を求めた「親規格」や「通則」と呼ばれるが，その中にユーザビリティ要求があり，副通則であるIEC 60601-1-6への対応が求められている。ただし，この副通則にはユーザビリティへの具体的な要求記載はなく，この副通則がユーザビリティへの具体的な要求記載であるIEC 62366-1を引用する構成となっている。また，親規格（通則）であるIEC 60601-1の中でも，IEC 62366-1をブリッジ的規格として扱っている。

先に，規格を理解する際その規格番号だけでなくその年号（例：IEC 60601-1：2012等）も大切であると説明したが，本図に記載したように，IEC 60601-1：2012（3.1版）は，IEC 62366：2007 + Amd 2014を引用しているが，IEC 60601-1：2020（3.2版）は，

IEC 62366-1：2015/Amd1：2020を引用していることからも理解できると思う。

ちなみに，日本では2021年12月時点で，IEC 60601-1：2012（3.1版）がまだ有効なので，ユーザビリティ規格も本来はIEC 62366：2007 + Amd 2014ではあるが，厚生労働省通知で，IEC 62366-1：2015/Amd1：2020（実際は，このJIS版）の使用が望ましいとあるし，現状の形式試験等でもすでにIEC 62366-1：2015/Amd1：2020が採用されているので，今後の対応は，IEC 62366-1：2015/Amd1：2020でよい。また，IEC 62366-1：2015/Amd 2020の規格書には，IEC 62366：2007 + Amd 2014を廃止して，それに代わるものとの記載説明がある。

なお，IEC 62366-1への対応を各国はどのように要求しているかであるが，EUではMDDの整合規格となっているので，MDR下でも整合規格とみなし，IEC 62366-1への対応が必須である。

さらに，米国でも認知規格であり，かつ，FDAガイダンスとして「Applying Human Factors and Usability Engineering to Medical Devices」が2016年に発行されているため，同様の対応が必須である。

▶ IEC 62366-1の規格書の構成

組織に対する要求が（一般要求事項等）が原則として4章に，機種ごとに行われるユーザビリティエンジニアリングプロセス要求が5章に記載されている。

5. ユーザビリティエンジニアリングプロセス

左側	中央フロー	右側
1 適用範囲 2 引用規格 3 用語及び定義	5.1 使用のための仕様の作成 ↓ 5.2 安全に関連するユーザインタフェース特性及び潜在的な誤使用の特定 ↓ 5.3 既知の，又は予見可能なハザード及び危険状態の特定 ↓ 5.4 ハザード関連使用法シナリオの特定及び記述 ↓ 5.5 総括的（累積的）評価のためのハザード関連使用法シナリオの選択 ↓ 5.6 ユーザインタフェース仕様の確立 ↓ 5.7 ユーザインタフェース評価計画の確立 ↓ 5.8 ユーザインタフェース設計，実装及び形成的評価の実施 ↓ 5.9 ユーザインタフェースのユーザビリティの総括的（累積的）評価の実施	5.10 UOUP Annex Cによる
4. 原則 4.1 一般要求事項 ・ユーザビリティエンジニアリングプロセス ・ユーザインタフェース設計に関連するリスクコントロール ・ユーザビリティに関連する安全に関する情報 4.2 ユーザビリティエンジニアリングファイル 4.3 ユーザビリティエンジニアリング作業の調整		Annex A 一般手引及び根拠 B ユーザビリティに関連する考えられる危険状態の例 C 由来不明のユーザインタフェース（UOUP）の評価 D 医療機器の使用法の種類及び例 E 基本要件の参照
製品へのユーザビリティエンジニアリングを適用するための準備機能		IEC/TR 62366-2：2016 医療機器—パート2：医療機器へのユーザビリティエンジニアリングの適用に関するガイダンス
文書機能		附属書：ガイダンス

✔ 規格の具体的理解には，医療機器へのユーザビリティエンジニアリングの適用に関するガイダンス（IEC/TR 62366-2：2016）やAnnexの併読も重要。

ISO 14971：2019の章でも，規格を理解する場合，章立てを通して構成を見てみるのも，各プロセスのつながりや全体の俯瞰に有用であることを述べたが，本図でもIEC 62366-1：2015の構成を図示した。

　第1章には本規格の適用範囲が，第2章には引用規格，第3章には用語や定義が書かれている。第4章には本規格の要求事項のうち，組織としてやらなければならいことである製品へのユーザビリティエンジニアリングを適用するための準備機能として，4.1 一般要求事項，4.3 ユーザビリティエンジニアリング作業の調整が，また文書機能要求が，4.2 ユーザビリティエンジニアリングファイルの項に記載されている。

　第5章の「ユーザビリティエンジニアリングプロセス」の，「5.1 使用のための仕様の作成」から「5.9 ユーザインタフェースのユーザビリティの総括的（累積的）評価の実施」までが，実際のユーザビリティエンジニアリングの適用に関するプロセスの説明と要求事項が記載されている部分である。なお「5.10 UOUP」は，由来不明のユーザインタフェースの評価の方法の記載である。

　本規格の具体的な理解には，「医療機器－パート2：医療機器へのユーザビリティエンジニアリングの適用に関するガイダンス（IEC/TR62366-2：2016）」や，本規格のAnnexを本文と対比しながら読み進めるのがよい。

　IEC 62366-1：2015 Annexの標題は以下のようである。

　A　一般手引及び根拠
　B　ユーザビリティに関連する考えられる危険状態の例
　C　由来不明のユーザインタフェース（UOUP）の評価
　D　医療機器の使用法の種類及び例
　E　基本要件の参照

ユーザインタフェース設計サイクルと第4章「原則」

> ユーザビリティエンジニアリングプロセスを確立し，文書化し，実施し，維持しなければならない。

4.1 一般要求事項
4.1.1 ユーザビリティエンジニアリングプロセス
製造業者は，患者，使用者及びユーザビリティに関係するその他の人々の安全を確保するため，ユーザビリティエンジニアリングプロセスを確立し，文書化し，実施し，維持しなければならない。
輸送，保管，設置，操作，保守及び修理，処分を含めて医療機器と使用者との相互作用に対応しなければならない。
ユーザビリティエンジニアリング活動は，教育，訓練，技能又は経験に基づく資格をもった人が，計画し実施し，文書化しなければならない。

4.1.2 ユーザインターフェース設計に関連するリスクコントロール
使用に関するリスクを低減するために，次の優先順位で次の選択肢の1つ又は複数を採用すること。
・設計による本質安全性
・医療機器自体又は製造プロセスにおける保護対策
・安全のための情報

4.1.3 ユーザビリティに関連する安全のための情報
安全のための情報をリスクコントロール策として使う場合は，ユーザビリティエンジニアリングプロセスによって，その情報が意図する使用環境の状況において，意図するユーザプロファイルのユーザによって次のようになされるようにしなければならない。
知覚可能で，理解可能で，医療機器の正しい使用を支援すること。

4.2 ユーザビリティエンジニアリングファイル
ユーザビリティエンジニアリングプロセスの結果は，ユーザビリティエンジニアリングファイルに記録しなければならない。

4.3 ユーザビリティエンジニアリング作業の調整

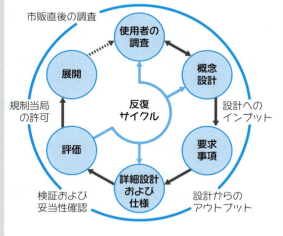

ユーザインタフェース設計サイクル

✓ ISO 13485に対応したQMSを構築する際，ISO 14971のリスクマネジメントとともにIEC 62366-1の要求事項を盛り込むこと。

本図では，「ユーザインタフェース設計サイクル」と本規格の第4章「原則」を示した。

この設計サイクルは，旧規格となったIEC 62366のAnnex D（ユーザビリティエンジニアリングプロセスの手引）から引用したが，医療機器のユーザビリティ設計をその手順のサイクルとして描いていて，ユーザビリティエンジニアリングプロセスを概念としてとらえる際参考になるので，あえて記載した。ユーザインタフェースの設計は，ISO 13485の製品実現のサイクルと大きく異なるものではなく，むしろ類似性が高く，

そこに組み込みやすいことがわかる。この設計サイクルのポイントは「反復サイクル」で，各手順で問題が発覚したらいつでも前の手順に戻り，解決しなければならないことを意味している。

第4章「原則」には，「4.1 一般要求事項」，「4.2 ユーザビリティエンジニアリングファイル」と，「4.3 ユーザビリティエンジニアリング作業の調整」の要求があり，その中の一般要求事項は3つの要求に分かれる。

その1つは，ユーザビリティエンジニアリングプロセスについてで，「製造業者は，患者，使用者及びユーザビリティに関係するその他の人々の安全を確保するため，ユーザビリティエンジニアリングプロセスを確立し，文書化し，実施し，維持しなければならない」と書かれている。また，「そのプロセスには，輸送・保管・設置・操作・保守及び修理・処分を含めて医療機器と使用者との相互作用に対応すること」ともあるので，そのプロセスは製品のライフサイクル全体で対応することを求めている。加えて，「ユーザビリティエンジニアリング活動は，教育，訓練，技能又は経験に基づく資格をもった人が，計画し実施し，文書化しなければならない」とあり，組織は資格者を定義し，その記録を残さなければならない。

ユーザビリティエンジニアリングプロセスを具体的に構築するには，各企業がISO 13485に対応した品質マネジメントシステムを構築する際に，その中にISO 14971のリスクマネジメントのプロセスとともにIEC 62366-1の要求事項を盛り込むことになる。

もし，すでに設計管理のプロセスをもっているなら，その中にIEC 62366-1に書かれたユーザビリティの要求事項を入れ，再構築すればよい。

2つ目の要求事項は，ユーザインターフェース設計に関連するリスクコントロールについてであり，「使用に関するリスクを低減するために，次の優先順位で次の選択肢の1つ又は複数を採用すること。設計による本質安全性，医療機器自体又は製造プロセスにおける保護対策，安全のための情報」とあるように，リスクコントロールの手段はISO 14971のそれと同じであることに気づく。

3つ目の要求事項は，ユーザビリティに関連する安全のための情報で，「安全のための情報をリスクコントロール策として使う場合は，ユーザビリティエンジニアリングプロセスによって，その情報が意図する使用環境の状況において，意図するユーザプロファイルのユーザによって次のようになされるようにしなければならない。知覚可能で，理解可能で，医療機器の正しい使用を支援すること」とあるように，2つ目の要求事項を補足している。

第4章「原則」の他の要求は，「ユーザビリティエンジニアリングプロセスの結果は，ユーザビリティエンジニアリングファイルに記録しなければならない」とあるように，ユーザビリティエンジニアリングファイル作成要求と，ユーザビリティエンジニアリング作業の調整の要求であり，この作業の調整でもリスクベースのアプローチが可能であることが表されている。

▶ ユーザビリティエンジニアリングプロセスの実施-1

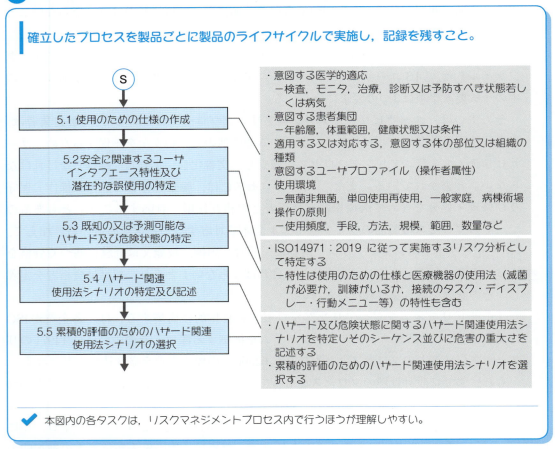

確立したプロセスを製品ごとに製品のライフサイクルで実施し，記録を残すこと。

- 意図する医学的適応
    - 検査，モニタ，治療，診断又は予防すべき状態若しくは病気
- 意図する患者集団
    - 年齢層，体重範囲，健康状態又は条件
- 適用する又は対応する，意図する体の部位又は組織の種類
- 意図するユーザプロファイル（操作者属性）
- 使用環境
    - 無菌非無菌，単回使用再使用，一般家庭，病棟術場
- 操作の原則
    - 使用頻度，手段，方法，規模，範囲，数量など
- ISO14971：2019 に従って実施するリスク分析として特定する
    - 特性は使用のための仕様と医療機器の使用法（滅菌が必要か，訓練がいるか，接続のタスク・ディスプレー・行動メニュー等）の特性も含む
- ハザード及び危険状態に関するハザード関連使用法シナリオを特定しそのシーケンス並びに危害の重大さを記述する
- 累積的評価のためのハザード関連使用法シナリオを選択する

✔ 本図内の各タスクは，リスクマネジメントプロセス内で行うほうが理解しやすい。

　本図では，ユーザビリティエンジニアリングプロセスの前半をフローチャート化し，各々の項目（タスク）に説明を加えた。
　ユーザビリティエンジニアリングプロセスのスタートは，医療機器の使い方に関する最も重要な特性を特定することで，医療機器の機能の基本となるものである。この情報は，「5.1 使用のための仕様の作成」にまとめられ，その内容は以下のとおりである。

- 意図する医学的適応
    - 検査，モニタ，治療，診断又は予防すべき状態もしくは病気
- 意図する患者集団
    - 年齢層，体重範囲，健康状態又は条件
- 適用する又は対応する，意図する体の部位又は組織の種類
- 意図するユーザプロファイル（操作者属性）
- 使用環境
    - 無菌非無菌，単回使用再使用，一般家庭，病棟術場
- 操作の原則

使用頻度，手段，方法，規模，範囲，数量など

次のタスクが，「5.2 安全に関連するユーザインタフェース特性及び潜在的な誤使用の特定」で，ISO 14971：2019に従って実施するリスク分析として安全に関連するユーザインタフェースを特定する。

この特性は使用のための仕様と医療機器の使用法（滅菌が必要か，訓練が必要か，接続のタスク・ディスプレー・行動メニュー等）の特性も含む。潜在的な誤使用の特定の要因と例を以下に示す。

電子血圧計の例

潜在的な誤使用の要因	潜在的な誤使用の例
操作手順の複雑さ	ボタンが複数あり，スタートボタンを間違える
操作前状態が不明瞭	カフが正しい位置か判断できず装着ミスをする
操作に負荷，コツが必要	測定の姿勢や機器の位置で値が異なり正しく測定できない

次のタスクの，「5.3 既知の又は予測可能なハザード及び危険状態の特定」も，ISO 14971：2019のリスク分析の一部として実施する。

上記の電子血圧計の例でいうと，潜在的な誤使用の要因がハザード，潜在的な誤使用が一連の事象ともいえ，次の危険状態も容易に特定できると思う。

その次のタスクが，「5.4 ハザード関連使用法シナリオの特定及び記述」と「5.5 累積的評価のためのハザード関連使用法シナリオの選択」である。

「製造業者は，特定されたハザード及び危険状態に関する，妥当に予測可能なハザード関連使用法シナリオを特定し，記述しなければならない。特定された各ハザード関連使用法シナリオの記述には，すべてのタスク及びそのシーケンス，並びにこれに伴う危害の重大さを含めなければならない」，また，「製造業者は，累積的評価に含めるハザード関連使用法シナリオを選択しなければならない」と規格書の説明であるが，この前のタスクはISO 14971：2019のリスク評価とリスクコントロールと理解し，後のタスクはその検証方法の記載であると理解できる。

ユーザビリティエンジニアリングプロセスの実施-2

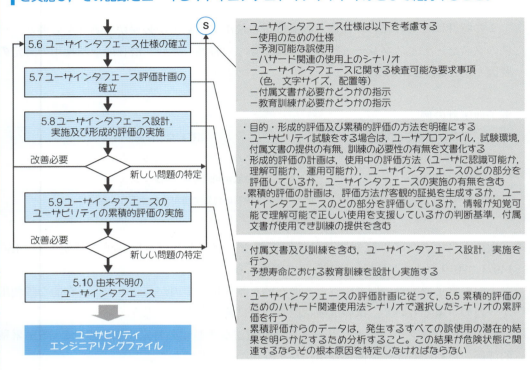

本図が示すユーザビリティエンジニアリングプロセスの次のタスクは、「5.6 ユーザインタフェース仕様の確立」、「5.7 ユーザインタフェース評価計画の確立」、から「5.8 ユーザインタフェース設計、実施及び形成的評価の実施」とつながる。このタスク要求の概要は、ユーザインタフェースの仕様を明確にし、その評価方法も先に決め、それに基づき設計、実施し、それを評価することを繰り返すことである。

下表には、各々のタスクの規格書内の説明の概要を抜粋した。

ユーザビリティエンジニアリングプロセスのタスク名	このタスクで行うことの概要説明
5.6 ユーザインタフェース仕様の確立	・ユーザインタフェース仕様は以下を考慮する －使用のための仕様 －予測可能な誤使用 －ハザード関連の使用上のシナリオ －ユーザインタフェースに関する検査可能な要求事項（色，文字サイズ，配置等） －付属文書が必要かどうかの指示 －教育訓練が必要かどうかの指示

5.7 ユーザインタフェース評価計画の確立	・目的・形成的評価及び累積的評価の方法を明確にする ・ユーザビリティ試験をする場合は，ユーザプロファイル，試験環境，付属文書の提供の有無，訓練の必要性の有無を文書化する ・形成的評価の計画は，使用中の評価方法（ユーザに認識可能か，理解可能か，運用可能か），ユーザインタフェースのどの部分を評価しているか，ユーザインタフェースの実施の有無を含む ・累積的評価の計画は，評価方法が客観的証拠を生成するか，ユーザインタフェースのどの部分を評価しているか，情報が知覚可能で理解可能で正しい使用を支援しているかの判断基準，付属文書が使用でき訓練の提供を含む
5.8 ユーザインタフェース設計，実施及び形成的評価の実施	・付属文書及び訓練を含む，ユーザインタフェース設計，実施を行う ・予想寿命における教育訓練を設計し実施する

　ユーザビリティエンジニアリングプロセスの最後のタスクが，「5.9 ユーザインタフェースのユーザビリティの累積的評価の実施」で，このタスクで行うことの概要は，ユーザインタフェースの評価計画に従って，「5.5 累積的評価のためのハザード関連使用法シナリオの選択」で選択したシナリオの累積評価を行うことで，累積評価からのデータは，発生するすべての誤使用の潜在的結果を明らかにするために分析することであり，この結果が危険状態に関連するならその根本原因を特定しなければならない。

　以下，ここで使われている「形成的評価」と「累積的評価」の用語の定義を規格書から転記した。

> 形成的評価
> 　ユーザインタフェース設計の強度，弱点，及び予期しない誤使用を調査する意図で行われるユーザインタフェース評価。
> 累積的評価（JISでは，総括的評価と訳されている。）
> 　ユーザインタフェースを安全に使用できるという客観的証拠を得ることを意図して，ユーザインタフェース開発の終了時に実施されるユーザインタフェース評価。

　形成的評価は，ユーザビリティエンジニアリングプロセス内で複数回行われ，リスクマネジメントでいえば，リスクが受容可能になるまで行われる残留リスク評価と概念が同じであり，累積的評価は，同じく全体的な残留リスクの受容性評価やQMSの妥当性確認の概念と同じであると理解するとよい。

　もし，当該の機器で由来不明のユーザインタフェースが使われている場合は，「5.10 由来不明のユーザインタフェース」の実行が要求される。なお各要求事項の適合性は，ユーザビリティエンジニアリングファイルの検査によって確認されるので，ユーザビリティエンジニアリングファイルの維持も重要な要求事項と認識していただきたい。

▶ 理解を深める情報1：ユーザビリティエンジニアリングプロセスとリスクマネジメントプロセスの関係

両規格は，IEC 62366-1：2015/Amd1：2020の「図A.5-リスクマネジメントプロセス（ISO14971：2019）とユーザビリティエンジニアリングプロセス（IEC62366-1）との関係」内の記載のA，B，C，D，Eの関係である。

```
       (S)                インプットA              (S)
        ┆- - - - - - - - - - - - - - - →  ┌─────────────────┐
        ┆                                 │ 5.1 使用のための仕様の作成 │
        ┆                                 └─────────┬───────┘
        ▼                                           ▼
  ┌──────────────┐                          ┌─────────────────┐
  │ 5.2 意図する使用及び合理的に │                          │ 5.2 安全に関連するユーザ │
  │ 予見可能な誤使用を特定する │                          │ インタフェース特性及び │
  └──────┬───────┘                          │ 潜在的な誤使用の特定 │
         ▼              B                   └─────────┬───────┘
  ┌──────────────┐  ←─────────→             ▼
  │ 5.3 安全に関わる特質の明確化 │                          ┌─────────────────┐
  └──────┬───────┘              C            │ 5.3 既知の又は予測可能な │
         ▼              ←─────────→           │ ハザード及び危険状態の特定 │
  ┌──────────────┐                          └─────────┬───────┘
  │ 5.4 ハザード及び危険状態を │                                    ▼
  │ 特定する     │           D              ┌─────────────────┐
  └──────┬───────┘                          │ 5.4 ハザード関連 │
         ▼              E                   │ 使用法シナリオの特定及び記述 │
  ┌──────────────┐  - - - - - - →          └─────────┬───────┘
  │ 5.5 各危険状態に対する │       特定した危険状態に             ▼
  │ リスクを推定する │       至る一連の事象は       ┌─────────────────┐
  └──────┬───────┘       ハザード関連使用        │ 5.5 累積的評価のためのハザード関連 │
         ▼               シナリオのインプット      │ 使用法シナリオの選択 │
      ◇6 リスク                              └─────────┬───────┘
      コントロール                                       ▼
      は必要か                                    設計開発のプロセスへ
        │はい
        ▼
   意思決定のプロセスへ
```

✓ 「ハザード関連使用法シナリオの特定及び記述」は，ISO14971の一連の事象の特定及び記載と同じ概念と考えてよい。

　本図には，IEC 62366-1：2015/Amd1：2020の「図 A.5 - リスクマネジメントプロセス（ISO 14971：2019）とユーザビリティエンジニアリングプロセス（IEC 62366-1）との関係」を一部修正し引用したが，その相互の関係がインプットとその受理の関係（A，E），情報の相互の流れの関係（B，C），情報の一方向の流れの関係（D）で表されている。

　この図を見ても，リスクマネジメントプロセスとユーザビリティエンジニアリングプロセスの関連は深く，リスクマネジメントプロセスのリスクアセスメントプロセスは，ユーザビリティエンジニアリングプロセスの図示までのプロセスを包含すると理解し，同じように実行したほうがよいと考える。

　以下に，両規格の各タスクの関連を表した。

5.6 医療機器-第1部:医療機器へのユーザビリティエンジニアリングの適用の規格 (IEC 62366-1:2015/Amd1:2020)

	ISO 14971:2019 のタスク名(Ⅰ)	IEC 62366-1:2015 のタスク名(Ⅱ)	両タスクの関係
A	5.2 意図する使用及び合理的に予見可能な誤使用を特定する	5.1 使用のための仕様の作成	ⅡはⅠのインプットの関係
B	5.3 安全に関わる特質の明確化	5.2 安全に関連するユーザインタフェース特性及び潜在的な誤使用の特定	Ⅱ.Ⅰは情報の相互利用の関係
C	5.4 ハザード及び危険状態を特定する	5.3 既知の又は予測可能なハザード及び危険状態の特定	Ⅱ.Ⅰは情報の相互利用の関係
D	5.4 ハザード及び危険状態を特定する	5.4 ハザード関連使用法シナリオの特定及び記述	ⅡからⅠへの情報の利用の関係
E	5.5 各危険状態に対するリスクを推定する	5.5 累積的評価のためのハザード関連使用法シナリオの選択	Ⅱは のインプットの関係

▶ 理解を深める情報2:ハザード関連の使用法シナリオとリスクマネジメントプロセスの関係

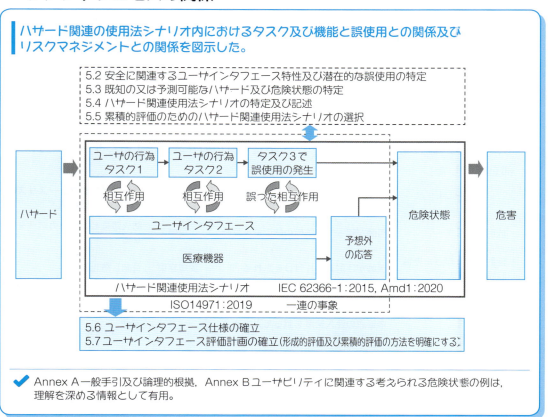

本図には,ハザード関連の使用法シナリオ内におけるタスクおよび機能と誤使用との関係を図示するとともに,IEC 62366-1:2015/Amd1:2020の「図A.3-ハザード

関連の使用法シナリオ内におけるタスク及び機能と誤使用との関係」をもとに，ISO 14971：2019のハザード，一連の事象，および危害との関連を書き加えた．

「使用法シナリオ」は，ユーザが医療機器と相互に作用して，規定された結果を達成する仕様と理解してよいが，図A.3は，使用法シナリオのうちのハザード関連使用法シナリオで，ユーザのタスクと医療機器の機能との相互に作用を示したものである．

本図のポイントの1つは，IEC 62366-1：2015/Amd1：2020の「ハザード関連使用法シナリオ」とISO 14971：2019の「一連の事象」のタスクの範囲の違いが図示されていること，もう1つが，リスクマネジメントで定義されている，ハザード，危険状態，および危害とハザード関連使用法シナリオとの関連が図示されている点であり，リスクマネジメントとユーザビリティエンジニアリングの関連がよくわかる．

また，図示されているハザード関連使用法シナリオの実線枠は，5.4 ハザード関連使用法シナリオの特定および記述，および5.5 累積的評価のためのハザード関連使用法シナリオの選択だけでなく，5.2 安全に関連するユーザインタフェース特性及び潜在的な誤使用の特定と，5.3 既知の又は予測可能なハザード及び危険状態の特定も含んだ説明枠だと理解したほうが，ユーザビリティエンジニアリングプロセスを理解しやすい．

加えて，IEC 62366-1：2015/Amd1：2020のAnnex A「一般手引及び論理的根拠」，Annex B「ユーザビリティに関連する考えられる危険状態の例」は，本規格の理解を深める情報として有用である．

下表には，Annex B「ユーザビリティに関連する考えられる危険状態の例」のうちの，「表 8.2-誤使用又はユーザビリティ不良が原因のリスクによるハザードの例」の一部を転載した．

ハザード	ハザード関連使用法シナリオの内容	危害	ユーザインタフェースリスク管理策
放射エネルギー	医師が誤って無防備の防火策を作動	火傷	防火策にヒンジ止カバーを被せる
注射針のとがった先端（注射針の感染）	医師が注射針の片付けを忘れる	皮膚穿束	針刺し防止機構
薬剤（モルヒネ）の正しくないアウトプット	輸液ポンプの表示をはっきりと読むことができなくて，救急医がモルヒネ輸液の注入速度を誤って入力する	呼吸停止	ディスプレイにバックライトを取り付ける設計による本質安全

理解を深める情報3：ユーザーと医療機器との相互作用モデルと誤使用の関連

ユーザーと医療機器はそのユーザインタフェースで相互作用し，誤使用はユーザーの「知覚の誤りによる誤使用」，「認知の誤りによる誤使用」，「行為の誤りによる誤使用」に分類できる。

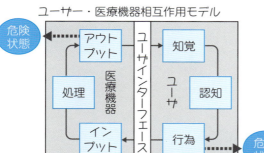

ユーザー・医療機器相互作用モデル

1. 知覚の誤りによる誤使用
   - 視覚的情報の見落し
     - 見ることができない
     - ディスプレイが部分的に覆われている
     - ディスプレイ上で光が反射している
   - 聴覚情報の聞き落とし
     - 聞くことができない
     - 周囲騒音による
     - 情報の詰めすぎによる

2. 認知の誤りによる誤使用
   - 記憶障害
     - 以前取得した知識を思い出せない
     - 計画された段階を省略（忘れた）
   - ルールに基づく障害
     - 一般的に認められている適切な規則の不正使用
     - 以前取得した知識を思い出せない
   - 知識に基づく障害
     - 異常な状況下での即興的操作
     - 誤ったメンタルモデルによる情報の誤解

3. 行為の誤りによる誤使用
   - 制御装置に届かない
     - 見ることができない
     - 部品が遠すぎる
   - 間違った部品との接触
     - 部品が近すぎる
   - 部品に不適切な力をかける
     - 必要な力が実際の使用条件と一致しない
   - 制御装置が作動しない
     - 作動できない
     - 必要な力が意図するユーザの特性に一致しない

✔ 直感的でない・学習が困難なディスプレイ等のために誤使用が生まれ，この誤使用はユーザの緊急時・疲労時・まれな使用時に顕著となる。

　本図には，IEC 62366-1：2015/Amd1：2020の「図 A.1-ユーザー・医療機器相互作用のモデル」を引用したが，誤使用がどのような仕組みで発生するかをユーザの「知覚」，「認知」，およびそれに伴う「行為」に分解し説明している。どのようにして誤使用が発生するかが設計開発時点においてわかっていれば，それをコントロールできるので，誤使用を特定する際に重要な視点となる。

　ユーザは医療機器のユーザインタフェースを介して判断・行動するが，設計者が作成したユーザインタフェースの「誤使用」の可能性を検証する際，当該の医療機器のユーザインタフェースで「知覚の誤りによる誤使用」があるとするとどんな誤りが発生するか？「認知の誤りによる誤使用」があるとするとどんな誤りが発生するか？「行為の誤りによる誤使用」があるとするとどんな誤りが発生するか？ 等の質問は 誤使用の特定に役立つので実行されるとよい。

また，本図には3つの誤りの例を記載したので，本説明の理解を深める際の参考としていただきたい。

　ユーザビリティが悪い，直感的でない・学習が困難なディスプレイ等のために誤使用が生まれるが，この誤使用はユーザの緊急時・疲労時・まれな使用時に顕著となることも再認識する必要があり，ユーザビリティの検証時には，このような視点も忘れてはならない。

付　録

| 付録1 | 基本要件基準に関するチェックリスト雛形 |
| 付録2 | 受付時確認項目チェックリスト
後発医療機器承認申請チェックリスト |

薬生機審発 0818 第 1 号
令和 3 年 8 月 18 日

参考

基本要件基準に関するチェックリスト雛形

第一章　一般的要求事項

基本要件	当該機器への適用・不適用	適合の方法	特定文書の確認
（設計） 第一条　医療機器（専ら動物のために使用されることが目的とされているものを除く。以下同じ。）は、当該医療機器の意図された使用条件及び用途に従い、また、必要に応じ、技術知識及び経験を有し、並びに教育及び訓練を受けた意図された使用者によって適正に使用された場合において、患者の臨床状態及び安全を損なわないよう、使用者（当該医療機器の使用に関して専門的知識を要する場合にあっては当該専門的知識を有する者に限る。以下同じ。）及び第三者（当該医療機器の使用に当たって安全や健康に影響を受ける者に限る。第四条において同じ。）の安全や健康を害することがないよう、並びに使用の際に発生する危険性の程度が、その使用によって患者の得られる有用性に比して許容できる範囲内にあり、高水準の健康及び安全の確保が可能なように設計及び製造されていなければならない。			
（リスクマネジメント） 第二条　医療機器の設計及び製造に係る製造販売業者又は製造業者（以下「製造販売業者等」という。）は、最新の技術に立脚して医療機器の安全性を確保しなければならない。危険性の低減が要求される場合、製造販売業者等は各危害についての残存する危険性が許容される範囲内にあると判断されるように危険性を管理しなければならない。この場合において、製造販売業者等は次の各号に掲げる事項を当該各号の順序に従い、危険性の管理に適用しなければならない。 一　既知又は予見し得る危害を識別し、意図された使用方法及び予測し得る誤使用に起因する危険性を評価すること。 二　前号により評価された危険性を本質的な安全設計及び製造を通じて、合理的に実行可能な限り除去すること。 三　前号に基づく危険性の除去を行った			

PMDA 様式(Ver. 2015 年 3 月 9 日)

後に残存する危険性を適切な防護手段（警報装置を含む。）により、合理的に実行可能な限り低減すること。 四　第二号に基づく危険性の除去を行った後に残存する危険性を示すこと。			
(医療機器の性能及び機能) 第三条　医療機器は、製造販売業者等の意図する性能を発揮できなければならず、医療機器としての機能を発揮できるよう設計及び製造されなければならない。			
(製品の有効期間又は耐用期間) 第四条　製造販売業者等が設定した医療機器の製品の有効期間又は耐用期間内において当該医療機器が製造販売業者等の指示に従って、通常の使用条件の下で発生しうる負荷を受け、かつ、製造販売業者等の指示に従って適切に保守された場合に、医療機器の特性及び性能は、患者、使用者及び第三者の健康及び安全を脅かす有害な影響を与える程度に劣化等による悪影響を受けるものであってはならない。			
(輸送及び保管等) 第五条　医療機器は、製造販売業者等の指示及び情報に従った条件の下で輸送及び保管され、かつ意図された使用方法で使用された場合において、その特性及び性能が低下しないよう設計、製造及び包装されていなければならない。			
(医療機器の有効性) 第六条　医療機器の既知又は予測することができる全ての危険性及び不具合は、通常の使用条件の下で、合理的に実行可能な限り低減され、当該医療機器の意図された有効性と比較した場合に受容できるものでなければならない。			

第二章　設計及び製造要求事項

（医療機器の化学的特性等）			
第七条　医療機器は、使用材料の選定について、必要に応じ、次の各号に掲げる事項について注意が払われた上で、設計及び製造されていなければならない。 　一　毒性及び可燃性 　二　使用材料と生体組織、細胞及び体液との間の適合性 　三　硬度、摩耗及び疲労度等			
2　分析機器等（専ら疾病の診断に使用されることが目的とされている医療機器のうち、人の身体に直接使用されることのないものをいう。以下同じ。）は、必要に応じ、当該分析機器等に使用材料と検体及び分析の対象となる物（生体組織、細胞、体液、微生物等を含む。）との間の不適合により生じる性能の低下を考慮し、設計及び製造されていなければならない。			
3　医療機器は、その使用目的に応じ、当該医療機器の輸送、保管及び使用に携わる者及び患者に対して汚染物質及び残留物質（以下「汚染物質等」という。）が及ぼす危険性を最小限に抑えるように設計、製造及び包装されていなければならず、また、汚染物質等に接触する生体組織、接触時間及び接触頻度について注意が払われていなければならない。			
4　医療機器は、通常の使用手順の中で当該医療機器と同時に使用される物質又はガスと安全に併用できるよう設計及び製造されていなければならず、また、医療機器の用途が医薬品の投与である場合、当該医療機器は、当該医薬品の承認内容及び関連する基準に照らして適切な投与が可能であり、その用途に沿って当該医療機器の性能が維持されるよう、設計及び製造されていなければならない。			
5　医療機器がある物質を必須な要素として含有し、当該物質が単独で用いられる場合に医薬品に該当し、かつ、当該医療機器の性能を補助する目的で人体に作用を及ぼす場合、当該医療機器（当該物質を含む。）の安全性、品質及び性能は、当該医療機器の使用目的に照らし、適正に検証されなければならない。			

6　医療機器は、当該医療機器から溶出又は漏出する物質が及ぼす危険性が合理的に実行可能な限り、適切に低減するよう設計及び製造されていなければならない。特に発がん性、変異原性又は生殖毒性を有する物質には特別な注意を払わなければならない。			
7　医療機器は、当該医療機器自体及びその目的とする使用環境に照らして、偶発的にある種の物質がその医療機器へ侵入する危険性又はその医療機器から浸出することにより発生する危険性を、合理的に実行可能な限り、適切に低減できるよう設計及び製造されていなければならない。			
（微生物汚染等の防止）			
第八条　医療機器及び当該医療機器の製造工程は、患者、使用者及び第三者（当該医療機器の使用に当たって感染の危険性がある者に限る。以下この条において同じ。）に対する感染の危険性がある場合、これらの危険性を、合理的に実行可能な限り、適切に除去又は低減するよう、次の各号を考慮して設計されていなければならない。 　一　取扱いを容易にすること。 　二　必要に応じ、使用中の医療機器からの微生物漏出又は曝露を、合理的に実行可能な限り、適切に低減すること。 　三　必要に応じ、患者、使用者及び第三者による医療機器又は検体への微生物汚染を防止すること。			
2　医療機器に組み込まれた動物由来の組織、細胞及び物質（以下「動物由来組織等」という。）は、当該動物由来組織等の使用目的に応じて獣医学的に管理及び監視された動物から採取されなければならない。製造販売業者等は、動物由来組織等を採取した動物の原産地に関する情報を保持し、動物由来組織等の処理、保存、試験及び取扱いにおいて、患者、使用者及び第三者に対する最適な安全性を確保し、かつ、ウイルスその他の感染性病原体対策のため、妥当性が確認されている方法を用いて、当該医療機器の製造工程においてそれらの除去又は不活化を図ることにより安全性を確保しなければならない。ただし、分析機器等であって、使用に当たりウイルスその他の感染性病原体が必要なもの又はそれ			

らの除去若しくは不活化により性能が低下するものについては、この限りでない。			
3　医療機器に組み込まれたヒト由来の組織、細胞及び物質(以下「ヒト由来組織等」という。)は、適切な入手先から入手されたものでなければならない。製造販売業者等は、ドナー又はヒト由来の物質の選択、ヒト由来組織等の処理、保存、試験及び取扱いにおいて、患者、使用者及び第三者に対する最適な安全性を確保し、かつ、ウイルスその他の感染性病原体対策のため、妥当性が確認されている方法を用いて、当該医療機器の製造工程においてそれらの除去又は不活化を図ることにより安全性を確保しなければならない。ただし、分析機器等であって、使用に当たりウイルスその他の感染性病原体が必要なもの又はそれらの除去若しくは不活化により性能が低下するものについては、この限りでない。			
4　製造販売業者等は、医療機器に組み込まれた微生物由来組織等(微生物由来の細胞及び物質をいう。)の処理、保存、試験及び取扱いにおいて、患者、使用者及び第三者に対する最適な安全性を確保し、かつ、ウイルス及びその他の感染性病原体対策のため、妥当性が確認されている方法を用いて、当該医療機器の製造工程においてそれらの除去又は不活化を図ることにより安全性を確保しなければならない。ただし、分析機器等であって、使用に当たりウイルスその他の感染性病原体が必要なもの又はそれらの除去若しくは不活化により性能が低下するものについては、この限りでない。			
5　特別な微生物学的状態にあることを表示した医療機器は、販売時及び製造販売業者等により指示された条件で輸送及び保管する時に当該医療機器の特別な微生物学的状態を維持できるように設計、製造及び包装されていなければならない。			
6　滅菌状態で出荷される医療機器は、再使用が不可能である包装がなされるよう設計及び製造されたければならない。当該医療機器の包装は適切な手順に従って、包装の破損又は開封がなされない限り、販売された時点で無菌であり、製造販売業者によって指示された輸送及び保管条件の下で無菌状態が維持され、かつ、再使用が不可能であるようにされてなければならない。			

7　滅菌又は特別な微生物学的状態にあることを表示した医療機器は、妥当性が確認されている適切な方法により滅菌又は特別な微生物学的状態にするための処理が行われた上で製造され、必要に応じて滅菌されていなければならない。			
8　滅菌を施さなければならない医療機器は、適切に管理された状態で製造されなければならない。			
9　非滅菌医療機器の包装は、当該医療機器の品質を落とさないよう所定の清浄度を維持するものでなければならない。使用前に滅菌を施さなければならない医療機器の包装は、微生物汚染の危険性を最小限に抑え得るようなものでなければならない。この場合の包装は、滅菌方法を考慮した適切なものでなければならない。			
１０　同一又は類似製品が、滅菌及び非滅菌の両方の状態で販売される場合、両者は、包装及びラベルによってそれぞれが区別できるようにしなければならない。			
（使用環境に対する配慮）			
第九条　医療機器が、他の医療機器、体外診断用医薬品その他の装置等と併用される場合は、当該医療機器と当該装置等が安全に接続され、かつ、当該併用により当該医療機器及び当該装置等の性能が損なわれないようにしなければならない。			
2　前項の場合の使用上の制限事項は、医療機器に添付する文書又はその容器若しくは被包（第十七条において「添付文書等」という。）に記載されていなければならない。			
3　医療機器は、使用者が操作する液体又はガスの移送のための接続部又は機械的に結合される接続部について、不適切な接続から生じる危険性を最小限に抑えられるよう、設計及び製造されていなければならない。			
4　医療機器は、その使用に当たって患者、使用者及び第三者（医療機器の使用に当たって次の各号に掲げる危険性がある者に限る。）に生じる次の各号に掲げる危険性が、合理的かつ適切に除去又は低減されるように設計及び製造されなければならない。 　一　物理的及び人間工学的特性に関連した傷害の危険性			

二　医療機器の意図された使用目的における人間工学的特性、人的要因及びその使用環境に起因した誤使用の危険性			
三　通常の状態で使用中に接触する可能性のある原材料、物質及びガスとの同時使用に関連する危険性			
四　通常の使用条件の下で、曝露された物質、液体又はガスと接触して使用することに関連する危険性			
五　プログラムと当該プログラムの実行環境との間で発生しうる干渉に関連する危険性			
六　物質が偶然に医療機器に侵入する危険性			
七　検体を誤認する危険性			
八　研究又は治療のために通常使用される他の医療機器又は体外診断用医薬品と相互干渉する危険性			
九　保守又は較正が不可能な場合、使用材料が劣化する場合又は測定若しくは制御の機構の精度が低下する場合などに発生する危険性			
5　医療機器は、通常の使用及び単一の故障状態において、火災又は爆発の危険性を最小限度に抑えるよう設計及び製造されていなければならない。可燃性物質又は爆発誘因物質とともに使用される（これらの物質に曝露し、又にこれらの物質と併用される場合を含む。）ことが意図されている医療機器についてに、細心の注意を払って設計及び製造しなればならない。			
6　医療機器は、意図する性能を発揮するために必要な調整、較正及び保守が安全に実施できるよう設計及び製造されていなければならない。			
7　医療機器は、すべての廃棄物の安全な処理を容易にできるように設計及び製造されていなければならない。			
（測定又は診断機能に対する配慮）			
第十条　測定機能を有する医療機器及び診断用医療機器（専ら疾病の診断に使用されることが目的とされている医療機器をい			

う。)は、当該医療機器の使用目的に照らし、適切な科学的及び技術的方法に基づいて、十分な正確性、精度及び安定性を有するよう、設計及び製造されていなければならない。正確性の限界は、製造販売業者等によって示されなければならない。			
2　分析機器等は、適切な科学的及び技術的方法に基づいて、その性能が使用目的に合致するように、設計及び製造されていなければならない。設計に当たっては、感度、特異性、正確性に係る真度及び精度(反復性及び再現性を含む。)並びに既知の干渉要因の管理及び検出限界に適切な注意を払わなければならない。また、その性能は、製造販売業者等が設定する当該医療機器の有効期間又は耐用期間内において維持されなければならない。			
3　分析機器等の性能が較正器又は標準物質の使用に依存している場合、これらの較正器又は標準物質に割り当てられている値の遡及性は、利用可能な標準的な測定方法又は高次の標準物質を用いて保証されなければならない。			
4　測定装置、モニタリング装置又は表示装置の目盛りは、当該医療機器の使用目的に応じ、人間工学的な観点から設計されなければならない。			
5　数値で表現された値については、可能な限り標準化された一般的な単位を使用し、医療機器の使用者に理解されるものでなければならない。			
(放射線に対する防御)			
第十一条　医療機器(分析機器等を除く。)は、その使用目的に沿って、治療及び診断のために適正な水準の放射線の照射を妨げることなく、患者、使用者及び第三者(医療機器の使用に当たって放射線被曝の危険性がある者に限る。第六項において同じ。)への放射線被曝が、合理的に実行可能な限り適切に低減するよう、設計、製造及び包装されていなければならない。			
2　分析機器等は、その使用目的に沿って、測定等のために、適正な水準の放射線の放射を妨げることなく、患者、使用者及び第三者(分析機器等の使用に当たって放射線被曝の危険性がある者に限る。)への放射線被曝が、合理的に実行可能な限り適切に低減するよう、設計、製造及び包装されていなければならない。			

3　医療機器の放射線出力について、医療上その有用性が放射線の照射に伴う危険性を上回ると判断される特定の医療目的のために、障害発生の恐れ又は潜在的な危害が生じる水準の可視又は不可視の放射線が照射されるよう設計されている場合においては、線量が使用者によって制御できるように設計されていなければならない。当該医療機器は、関連する可変パラメータの許容される公差内で再現性が保証されるよう設計及び製造されていなければならない。			
4　医療機器が、障害発生のおそれがある水準又は潜在的な危害が生じる水準の可視又は不可視の放射線を照射する場合には、照射を確認するための視覚的表示又は聴覚的警報を、合理的に実行可能な限り具備していなければならない。			
5　分析機器等は、照射する放射線の特性及び線量を合理的に実行可能な限り適切に制御又は調整できるよう、設計及び製造されていなければならない。			
6　医療機器は、意図しない二次放射線又は散乱線による患者、使用者及び第三者への被曝を、合理的に実行可能な限り低減するよう設計及び製造されていなければならない。			
7　放射線を照射する医療機器の取扱説明書には、照射する放射線の性質、患者及び使用者に対する防護手段、誤使用の防止法並びに据付中の固有の危険性の排除方法について、詳細な情報が記載されていなければならない。			
8　電離放射線を照射する医療機器は、合理的に実行可能な限り、その使用目的に照らして、照射する放射線の線量、幾何学的及びエネルギー分布又は線質を変更及び制御できるよう、設計及び製造されなければならない。			
9　電離放射線を照射する診断用医療機器は、患者及び使用者の電離放射線の被曝を最小限に抑え、所定の診断目的を達成するため、適切な画像又は出力信号の質を高めるよう設計及び製造されていなければならない。			
10　電離放射線を照射する治療用医療機器は、照射すべき線量、ビームの種類及びエネルギー並びに必要に応じ放射線ビームのエネルギー分布を確実にモニタリン			

グし、かつ制御できるよう設計及び製造されていなければならない。			
(プログラムを用いた医療機器に対する配慮)			
第十二条 プログラムを用いた医療機器(医療機器プログラム又はこれを記録した記録媒体たる医療機器を含む。以下同じ。)は、その使用目的に照らし、システムの再現性、信頼性及び性能が確保されるよう設計されていなければならない。また、システムに一つでも故障が発生した場合、当該故障から生じる可能性がある危険性を、合理的に実行可能な限り除去又は低減できるよう、適切な手段が講じられていなければならない。			
2 プログラムを用いた医療機器については、最新の技術に基づく開発のライフサイクル、リスクマネジメント並びに当該医療機器を適切に動作させるための確認及び検証の方法を考慮し、その品質及び性能についての検証が実施されていなければならない。			
(能動型医療機器及び当該能動型医療機器に接続された医療機器に対する配慮)			
第十三条 能動型医療機器は、当該能動型医療機器に一つでも故障が発生した場合、当該故障から生じる可能性がある危険性を、合理的に実行可能な限り適切に除去又は低減できるよう、適切な手段が講じられていなければならない。			
2 内部電源医療機器の電圧等の変動が、患者の安全に直接影響を及ぼす場合、電力供給状況を判別する手段が講じられていなければならない。			
3 外部電源医療機器で、停電が患者の安全に直接影響を及ぼす場合、停電による電力供給不能を知らせる警報システムが内蔵されていなければならない。			
4 患者の臨床パラメータの一つ以上をモニタに表示する医療機器は、患者が死亡又は重篤な健康障害につながる状態に陥った場合、それを使用者に知らせる適切な警報システムが具備されていなければならない。			
5 医療機器は、通常の使用環境において、当該医療機器又は他の製品の作動を損なうおそれのある電磁的干渉の発生リスクを合理的に実行可能な限り低減するよう、設計及び製造されていなければならない。			

6　医療機器は、意図された方法で操作できるために、電磁的妨害に対する十分な内在的耐性を維持するように設計及び製造されていなければならない。			
7　医療機器は、製造販売業者等の指示に基づき正常に据付けられ、及び保守され、かつ、通常の使用条件下又は当該医療機器に一つでも故障が発生した状態で使用される場合において、患者、使用者及び第三者（医療機器の使用に当たって偶発的に感電するおそれがある者に限る。）が偶発的に感電するおそれを合理的に実行可能な限り防止できるよう、設計及び製造されていなければならない。			
（機械的危険性に対する配慮）			
第十四条　医療機器は、動作抵抗、不安定性及び可動部分に関連する機械的危険性から、患者、使用者及び第三者（医療機器の使用に当たって機械的危険性がある者に限る。以下この条において同じ。）を防護するよう設計及び製造されていなければならない。			
2　分析機器等は、可動部分に起因する危険性又は破壊、分離若しくは物質の漏出に起因する危険性がある場合には、その危険を防止するための、適切な仕組みが組み込まれていなければならない。			
3　医療機器は、振動発生が仕様上の性能の一つである場合を除き、特に発生源における振動抑制のための技術進歩や既存の技術に照らして、医療機器自体から発生する振動に起因する危険性を合理的に実行可能な限り最も低い水準に抑えられるよう設計及び製造されていなければならない。			
4　医療機器は、雑音発生が仕様上の性能の一つである場合を除き、特に発生源における雑音抑制のための技術進歩や既存の技術に照らして、医療機器自体から発生する雑音に起因する危険性を、合理的に実行可能な限り最も低い水準に抑えるよう設計及び製造されていなければならない。			
5　使用者又は第三者が操作しなければならない電気、ガス又は水圧式若しくは空圧式のエネルギー源に接続する端末及び接続部は、可能性のある全ての危険性が最小限に抑えられるよう、設計及び製造されていなければならない。			

6　医療機器は、使用前又は使用中に接続することが意図されている特定部分の誤接続の危険性について、合理的に実行可能な限り最も低い水準に抑えられるよう設計及び製造されていなければならない。			
7　医療機器のうち容易に触れることのできる部分(意図的に加熱又は一定温度を維持する部分を除く。)及びその周辺部は、通常の使用において、潜在的に危険な温度に達することのないようにしなければならない。			
(エネルギー又は物質を供給する医療機器に対する配慮)			
第十五条　患者にエネルギー又は物質を供給する医療機器は、患者及び使用者の安全を保証するため、供給量の設定及び維持ができるよう設計及び製造されていなければならない。			
2　医療機器には、危険が及ぶ恐れのある不適正なエネルギー又は物質の供給を防止又は警告する手段が具備され、エネルギー源又は物質の供給源からの危険量のエネルギーや物質の偶発的な放出を可能な限り防止する適切な手段が講じられていなければならない。			
3　医療機器には、制御器及び表示器の機能が明確に記されていなければならない。操作に必要な指示を医療機器に表示する場合、或いは操作又は調整用のパラメータを視覚的に示す場合、これらの情報は、使用者(医療機器の使用にあたって患者の安全及び健康等に影響を及ぼす場合に限り、患者も含む。)にとって、容易に理解できるものでなければならない。			
(一般使用者が使用することを意図した医療機器に対する配慮)			
第十六条　一般使用者が使用することを意図した医療機器(医療機器のうち、自己検査医療機器又は自己投薬医療機器その他のその使用に当たり専門的な知識を必ずしも有しない者が使用することを意図したものをいう。以下同じ。)は、当該医療機器の使用者が利用可能な技能及び手段並びに通常生じ得る使用者の技術及び環境の変化の影響に配慮し、用途に沿って適正に操作できるように設計及び製造されていなければならない。			
2　一般使用者が使用することを意図した医療機器は、当該医療機器の使用、検体の使用(検体を使用する当該医療機器に限る。)及び検査結果の解釈に当たって、使			

用者が誤使用する危険性を合理的に実行可能な限り低減するように設計及び製造されていなければならない。			
3　一般使用者が使用することを意図した医療機器については、合理的に実行可能な限り、製造販売業者等が意図したように機能することを使用者が検証できる手順を定めておかなければならない。			
(添付文書等による使用者への情報提供)			
第十七条　製造販売業者等は、医療機器が製造販売される際に、使用者の医療機器に関する訓練及び知識の程度を考慮し、当該医療機器の添付文書等により、製造販売業者名、安全な使用方法及びその性能を確認するために必要な情報を、使用者が容易に理解できるように提供しなければならない。			
(性能評価及び臨床試験)			
第十八条　医療機器の性能評価を行うために収集されるすべてのデータは、医薬品、医療機器等の品質、有効性及び安全性の確保等に関する法律(昭和三十五年法律第百四十五号)その他関係法令の定めるところに従って収集されなければならない。			
2　臨床試験は、医療機器の臨床試験の実施の基準に関する省令(平成十七年厚生労働省令第三十六号)に従って実行されなければならない。			
3　医療機器は、第一項及び第二項に定めるもののほか、医療機器の製造販売後の調査及び試験の実施の基準に関する省令(平成十七年厚生労働省令第三十八号 及び医薬品、医薬部外品、化粧品、医療機器及び再生医療等製品の製造販売後安全管理の基準に関する省令(平成十六年厚生労働省令第百三十五号)に基づき、当該医療機器に応じて必要とされる試験成績及びデータその他の記録により継続的に評価されなければならない。			

付録2 423

平成 26 年 3 月 31 日　作成
平成 27 年 3 月 11 日　改訂（法改正対応）
平成 27 年 12 月 25 日　改訂（青字箇所）

受付時確認項目チェックリスト

後発医療機器承認申請チェックリスト

> 【留意事項】
> QMS調査申請が必要な品目については、承認申請後10日以内のQMS調査申請が可能か確認の上、承認申請すること。(関連チェック項目 No.33 及び No.35)
>
> ＜参考＞
> 平成27年7月10日付薬食機参発0710第1号 薬食監麻発0710第18号通知「後発医療機器及び改良医療機器（臨床試験データが不要な場合に限る。）に係る製造販売承認申請時のQMS適合性調査申請について（再周知）」

		No	チェック項目	はい	いいえ	添付不要または対応不要
承認申請時の書類構成						
	全般的事項	1	申請書正本1通、副本2通が提出されているか			
		2	正本は、申請書、添付資料、別添資料、参考資料、その他資料からなり、それぞれの原本が添付されているか			
		3	一変申請の場合の正本には、2に加えて、当該申請品目に係る承認書の写し（変更した項目別の最新の承認書の写し）が添付されているか			
		4	副本は、申請書のみとなっているか			
		5	副本は、正本と同一の記載となっているか			
		6	審査用資料として正本全体の写しが2部提出されているか（一変の場合に正本に添付する当該品目に係る承認書写しを除く）			
		7	新規申請品目について製造販売業許可証の写しが1部提出されているか			
承認申請書						
	収入印紙	8	手数料区分を確認のうえ所要額の収入印紙が正本に貼付されているか			
	様式	9	様式は適切か ＜医療機器製造販売承認申請＞ 　新規：様式第六十三の八（一）、一変：様式第六十三の九（一） ＜外国製造医療機器製造販売承認申請＞ 　新規：様式第六十三の二十二（一）、一変：様式第六十三の二十三（一）			
	承認番号欄・承認年月日欄	10	一変の場合、承認番号、承認年月日が記載されているか			
	類別欄	11	医薬品、医療機器等の品質、有効性及び安全性の確保等に関する法律（以下、医薬品医療機器法）施行令別表第一の番号及び類別名（例：機械器具○△△）が正しく記載されているか			
		12	（組み合わせ品の場合） 一品目が複数の類別にまたがる場合は、名称欄に記載する一般的名称から判断した類別を記載しているか			
	名称欄	13	販売名が記載され、英数字のみの販売名になっていないか			
	使用目的又は効果欄	14	使用目的又は効果が記載されているか			
	形状、構造及び原理欄	15	形状、構造及び原理が記載されているか			

	No	チェック項目	はい	いいえ	添付不要または対応不要
	16	（組み合わせ品の場合）該当する構成医療機器の名称のみが記載され、且つ、当該構成医療機器に関する承認（認証・製造販売届出）番号等の記載事項は「製造方法」欄に集約された記載となっているか。または、組み合わせ医療機器通知（平成21年3月31日付け薬食機発第0331002号）による記載となっているか			
原材料欄	17	「形状、構造及び原理」欄に記載した内容に対応して原材料が記載されているか。（医療機器プログラム等、記載不要な場合は除く。）			
性能及び安全性に関する規格欄	18	性能及び安全性に関する規格が記載されているか			
使用方法欄	19	使用方法が記載されているか			
製造方法欄	20	構成品の滅菌状況等の確認が必要な組合せ医療機器（平成21年3月31日付 薬食機発第0331002号通知）については、工程フロー図または表等で記載されているか			
	21	（滅菌医療機器の場合）滅菌方法が「放射線」及び「その他」の場合には、その滅菌方法が具体的に記載されているか。（放射線：γ線、電子線、その他：プラズマガス、等）			
製造販売する品目の製造所欄	22	製造販売する品目の製造所が記載されているか			
	23	（滅菌医療機器の場合）滅菌方法について、「放射線」、「EOG（エチレンオキサイドガス）」、「湿熱」、「その他」の別が、登録製造所毎に記載されているか			
備考欄	24	認証基準が制定されているクラスⅡ、Ⅲの医療機器を承認申請する場合、認証基準に適合しない理由が記載され、かつ不適合事項を説明した資料が添付されているか			
	25	クラス分類が記載されているか。複数の一般的名称を含む品目の場合、最も高いクラス分類を記載しているか。参照：クラス分類通知（平成16年7月20日 薬食発第0720022号通知）、承認申請書の作成に際し留意すべき事項（平成26年11月20日薬食機参発1120第1号通知）			
	26	「特定保守管理医療機器」に該当する場合にはその旨が記載されているか			
	27	「生物由来材料又はそれに相当するものを含有するもの」は、「生物由来材料等含有」と記載されているか			
	28	遺伝子組み換え技術を利用して製造する医療機器については、遺伝子組み換え技術利用医療機器と記載しているか			
	29	「新規原材料を有する場合」はその旨が記載されているか			
	30	（製造販売業許可に関する記載）申請者（外国製造販売承認申請の場合は選任製造販売業者）の製造販売業許可番号、許可の区分（一種又は二種）及び主たる事業所の所在地は、許可証に記載された内容と一致しているか			
	31	製造販売業許可申請中の場合は、「システム受付番号」、「申請年月日」が記載されているか			
	32	外観が把握できる写真または図版（CG等）による「外観写真（または図版（CG）等）添付」の旨が記載され、添付されているか（マル製申請等、外観に変更のない一変申請は除く）			
	33	（QMS適合性調査申請について）①QMS適合性調査の有無が記載されているか ②有の場合、同時（10日以内）に申請を行うことができるか ③提出資料一覧（H26.10.31 最終改正 H27.3.4付「QMS適合性調査の申請に当たって提出 すべき資料について」の別紙3）を確認の上、事前に準備できているか			

	No	チェック項目	はい	いいえ	添付不要または対応不要
	34	QMS適合性調査「有」、または有効な基準適合証により適合性調査省略予定で「無」を記載した場合に、QMS適合性調査申請提出予定先が記載されているか 【記載例】 QMS適合性調査申請提出予定先：総合機構、登録認証機関名			
	35	QMS適合性調査「無」を記載した場合に、その理由が記載されているか 【記載例】 ・平成26年11月19日付 薬食監麻発1119第7号・薬食機参発1119第3号 第1．2．（1）による ・平成●年●月●日認証申請品目「△△△△」において、登録認証機関「◇◇◇◇」へQMS適合性調査申請中（申請予定）であるため ・平成■年■月■日承認申請品目「〇〇〇〇」において、総合機構へQMS適合性調査申請中（システム受付番号●●●）であるため ・調査結果を利用するQMS調査が、本申請から10日以内に申請予定であるため ・製造方法欄、製造販売する品目の製造所欄に変更がない承認事項一部変更承認申請であるため ・平成26年11月21日付 薬食監麻発1121第25号 2．Q15（もしくはQ17、Q54）による			
	36	（基準適合証によりQMS適合性調査「無」とする場合） 承認申請書の受付時点で有効な基準適合証の番号及び交付年月日を記載し、当該基準適合証の写しが1部添付されているか			
	37	一変の場合、「変更事項新旧対照表」及び「承認経過表」が添付されているか			
	38	（複数販売名申請の場合） 販売名ごとの個別申請とし、複数販売名とする理由及び販売名の一覧表（当該申請の販売名を含む）が記載されているか			
	39	（販売名追加申請の場合） ①「承認番号〇〇〇の販売名追加申請」又は「平成〇年〇月〇日の承認申請の販売名追加申請」と記載されているか			
	40	②複数販売名とする理由及び販売名の一覧表（当該申請の販売名を含む）が記載されているか			
申請年月日	41	申請年月日は正しく記載されているか（鑑・DTD（FD申請の場合）・STED1.1項備考欄）			
申請者・連絡先等	42	申請者の業者コード（9桁）が正しく記載されているか（下3桁は000となっているか）			
	43	申請者の住所（法人にあっては主たる事務所の所在地）、法人名、代表者氏名が記載され、捺印されているか（なお、外国製造販売承認申請の場合にあっては、申請者は署名でも可。）			
	44	連絡先の氏名、電話番号、FAX番号が正しく記載されているか（会社住所と連絡先が異なる場合は連絡先住所も記載されているか）			
	45	外国製造販売承認申請の場合、選任製造販売業者の住所（法人にあっては主たる事業所の所在地）、法人名、代表者氏名が記載され、捺印されているか			
厚生労働大臣	46	厚生労働大臣名が正しく記載されているか、もしくは「厚生労働大臣殿」と記載されているか			
医療機器承認審査・調査申請書					
様式	47	様式は適切か（様式第六十三の十五） （外国製造販売承認申請の場合は、様式第六十三の二十八）			

		No	チェック項目	はい	いいえ	添付不要または対応不要
	提出部数	48	正本1通が提出されているか。複数品目を同時に申請し且つ品目全てを審査・調査申請書に記載する場合には、審査・調査申請書の販売名欄の最初に記載された品目に係る承認申請書に正本が添付されているか。（2品目以降は審査・調査申請書（写）を添付し、赤枠で囲む。）			
	区分欄	49	「区分」欄には医薬品医療機器法関係手数料令の条項が正確に記載されているか（例：33条1項1号イ(1))			
	類別欄	50	「類別」欄には、承認申請書の「類別」欄の記述と整合した内容が記載されているか			
	名称欄	51	「名称（一般的名称、販売名）」欄には、承認申請書の「名称（一般的名称、販売名）」欄の記述と整合した内容が記載されているか			
	審査手数料又は調査手数料欄	52	「審査手数料又は調査手数料の金額」欄に医薬品医療機器法関係手数料令に対応した正しい金額が記載されているか			
	申請日	53	申請年月日が正しく記載されているか			
	申請者・連絡先等	54	申請者の住所（法人にあっては主たる事務所の所在地）、法人名、代表者氏名が記載され、捺印されているか。なお、外国製造販売承認申請の場合にあっては、申請者は署名でも可			
		55	担当者の氏名、電話番号、FAX番号が記載されているか			
	貼付書類	56	機構の指定口座に払い込んだことを証する書類が貼付されているか			
添付資料						
	全般的事項	57	用紙JIS A4、邦文、目次が記載され、両面印刷で頁は通しでつけているか			
		58	添付資料一覧表と参考資料一覧表が作成されているか			
		59	実施されたすべての試験において、試験検体が説明されているか。申請品目以外の機器を検体に用いた場合、使用した試験検体の妥当性が記載されているか			
		60	海外の試験データや文献等を添付する場合、その邦訳(要約版)が添付されているか			
	STED形式の添付資料					
		61	添付資料（STED)は、通知を参照して作成されているか。申請品目の特性に応じて、添付が不要な項目を除いて作成されているか ＜後発医療機器（基準あり含む）＞ 平成27年1月20日 薬食機参発0120第9号通知　別添2 http://www.pmda.go.jp/operations/shonin/info/iryokiki/tsuchi/file/20150120-9.pdf なお、「後発・一変申請」の場合、変更箇所の評価に必要な内容範囲で可とする。（平成24年2月7日薬食機発0207第1号）			
	1.3 類似医療機器との比較	62	一覧表が作成されているか			
		63	比較対象とした資料の出典が記載されているか			
	2. 基本要件基準への適合性	64	「自己宣言書（適合宣言書）」の原本を添付しているか			
		65	適合宣言書 下記基準が記載され、基準名、発出番号、日付などが正確に記載されているか ・基本要件：「医薬品医療機器法第41条第3項の規定により厚生労働大臣が定める医療機器の基準（平成17年厚生労働省告示第122号）」 ・機器・体外診QMS省令に定める基準：「医療機器及び体外診断用医薬品の製造管理及び品質管理の基準に関する省令（平成16年厚生労働省令第169号）」			

		No	チェック項目	はい	いいえ	添付不要または対応不要
		66	適合宣言書 ・医薬品医療機器法第42条第2項に基づく基準に該当する品目の場合、その名称、告示番号等が記載されているか			
		67	適合宣言書 ・承認基準に適合する品目の場合、基準の名称及び通知発簡年月日、番号を記載しているか			
		68	適合宣言書 ・承認申請者(法人にあっては、その代表者)の記名・捺印、もしくは署名がされているか			
4. 設計検証及び妥当性確認文書の概要		69	新規原材料を使用している場合、生物学的安全性評価が行われているか			
試験成績書						
		70	正本に原本が添付されているか。正本に原本が添付できない場合、原本の写しであることの陳述書が添付されているか(昭和62年9月21日付薬発第821号通知に基づくマルT申請は除く。)			
		71	申請書に資料として添付する試験成績書には、必要な事項(少なくとも、題目、試験所の名称、試験所の所在地(外部試験施設で実施された場合)、試験報告書の識別(一連番号等)、試験方法、試験検体情報、試験の実施日、試験の結果、発行者の署名等)が記載されているか			
外国製造販売承認申請の場合の証明書類等						
		72	申請者が法人であるときは、法人であることを証する書類が添付されているか			
		73	申請者(申請者が法人であるときは、その業務を行う役員を含む。)が、法第23条の2の17第2項に規定する者であるかないかを明らかにする書類が添付されているか。外国語文によるものにあっては、邦文による翻訳文が添付されているか			
		74	選任製造販売業者を選任したことを証する書類が添付されているか			
		75	一変の場合、チェック項目No72～74の内容に変更がない等、当該証明書類添付の省略理由が承認申請書 備考欄または陳述書等で説明されているか			

あとがき

　本書は，著者が信頼に足り，かつ正確で目的に対し十分な価値があると判断した情報をもとに誠意をもって執筆しましたが，その正確性や信頼性を保証するものではありません。

　特に各法令や各標準規格については常に法や規格の原文を正としますので，原文の確認や改正等による変更に注意をお願いいたします。加えて，本書の内容をもとに行った事業行為や判断に対して著者や出版社は一切の責任を負うものでもありません。本書の利用に際しては，貴社または各自の判断・責任でなさるよう，また必要な場合は，弁護士，会計士，税理士等にご相談のうえ，お取扱いいただきますようにお願いいたします。

　本書の一部または全部を，写真複写，複写，あるいは他のいかなる手段で複製すること，また許可なく再配布することを禁じます。

索 引

英数字

41条基準 … 171
42条基準（品質基準）… 173
510K … 198, 207, 209
90日ルール … 210
A1 … 50, 52
A2 … 50, 52
A3 … 50, 52
AIDC … 281
ANSI … 290
ASEANの法規制 … 267
ASEANの医療機器登録 … 268
Authorized Representative … 249
B1 … 50, 52
B2 … 50, 52
B3 … 50, 52
C1 … 50, 52
C2 … 50, 52
CEマーキング … 237, 239, 252
CEマーク … 251
CFDA … 258
CFR … 196
Clearance Letter … 210
DHF … 221, 316
DHR … 221, 316
DI … 282
DMR … 221, 316
DPC … 48
DPC点数表 … 49
EIR … 204
EN規格 … 247, 291, 292
EUDAMED … 238, 254
EU指令 … 291
EUにおける上市プロセス … 237
F … 50, 52
FD&CA … 196
FDA … 196
FDA Inspection … 200
FDAガイダンスとIEC 62304の関係 … 390
FDAの業務 … 199
FDAの査察 … 200, 203
FDAの組織 … 198
FMEA … 335
Form 482 … 201
Form 483 … 204
FTA … 335
GCP … 40
GCP/GLP/GPSPに関する相談 … 42
GCP省令 … 124
GHTF … 77, 78
Global Harmonization Task Force … 72
GLP … 39
GLP省令 … 124
GMDN … 76
GPSP … 40
GS1-128バーコード … 282
GS-1コード … 170
GSPR … 245
GTIN … 282
GVP … 40
GVP省令 … 87
GVP省令が求める手順書 … 100
GVP省令に基づく体制構築 … 96
GVP省令が求めていること … 99
IEC … 32, 293
IEC 60601 … 363
IEC 60601-1 … 32, 362
IEC 60601-1, IEC 60601-1-6とIEC 62366-1
　との関連 … 395
IEC 60601-1：2012（第3.1版）
　… 357, 361, 362, 365, 368
IEC 62304 … 32, 372, 373, 382, 387, 390
IEC 62304：2006/Amd 1：2015 … 370, 388

索引

IEC 62366	32
IEC 62366-1	396
IEC 62366-1：2015	392
IEC規格	286
ISO	32, 293
ISO 13485	32
ISO 13485：2016	150, 296, 299, 300
ISO 13485とQSRの比較	324
ISO 14971	32
ISO 14971：2019	327, 329
ISO 9001	32, 40
ISO/IEC化	291
ISO/TR 24971：2020	329
ISO規格	286
ITU	293
ITU規格	286
JEITA	289
JIS	290
JIS Q 管理システム	290
JIS T 0601-1	362
JISC	289
JMDNコード	76, 77
MDDからMDRへ	232
MDR（欧州医療機器規則）	228, 232
MDR	198, 202, 217
MDR規制3要素	234
MDRによる医療機器の定義	239
MDRによる製造業者の定義	238
MDRのクラス分類	241
MDRの構成	235
NIST	290
NLF	230
NMPA	257
Notified Body	246, 250
PACMP	133
PDCA	150, 299
PHA	335
PI	282
PL訴訟	275, 276
PL法	31, 271
PL法対策	279
PMA	198, 207, 211
PMDA	41, 59, 61, 65
PMDA相談	136
PMDA対面助言	134
Pre-Market Approval	211
Product Classification Database	208
QMS	40, 296, 299
QMS省令	64, 149
QMS省令適合	70
QMS省令適合性調査	162
QMS省令とISO 13485の違い	320
QMS省令における製造販売業者と製造業者との関係	159
QMS体制省令	87, 96
QMS体制省令が求めていること	97
QMS体制省令に基づく体制構築	96
QMS適合性調査	43, 149, 152, 153, 155
QMSとリスクマネジメント	377
QOL	30
QSIT	201, 202, 216
QSITの7つのサブシステム	202
QSR	198, 216, 219, 220, 322
QSRの構成	323
QSRの要求事項とISO 13485との違い	220, 221, 222, 223, 224
QSRを含んだQMSの構築方法	325
Quality Management System（QMS）	40
R	50, 52
SOUP	386, 387
SPD	27
STED	126, 127, 143
UDI	281
UDIラベル	283
V＆V	220, 221, 222, 223, 315
V字開発モデル	383, 384
Warning Letter	203
WTO/TBT	286

ア行

安全	331
安全管理責任者	89, 92, 95

索引 | 431

安全性確認相談……………………………42
安全性と性能の要求事項への適合…………245
安定供給……………………………………36
医機連…………………………………35, 289
一部変更（一変）前適合性調査……………153
一変時適合性調査……………………………158
一般医療機器……………………………74, 87, 119
一般医療機器の届出制度……………………148
一般医療機器の販売…………………………112
一般診療所……………………………………23
一般的名称……………………73, 76, 81, 84
医薬品医療機器総合機構……………41, 59, 61
医薬品医療機器等法施行規則………………64
医薬品医療機器等法施行令……………64, 73
医薬品医療機器等法……………31, 64, 66, 68
医薬品医療機器等法違反の罰則……………193
医薬品等適正広告基準………………………189
医用検体検査機器……………………………12
医療機器プログラムの除外基準……………178
医療機器及び体外診断用医薬品の製造管理
　　及び品質管理の基準に関する省令………149
医療機器卸業…………………………………27
医療機器規制国際整合化会議……………72, 77
医療機器規則（MDR）……………………230
医療機器指令（MDD）……………………229
医療機器製造販売業許可……………………16
医療機器製造販売業者の規模………………17
医療機器ディーラー…………………………28
医療機器等基準関連情報……………………84
医療機器の固有識別…………………………281
医療機器の三原則……………………………69
医療機器の分類方法…………………………85
医療機器ファイル……………………………316
医療機器プログラム…………………………176
医療機器プログラムのQMS適合性調査……185
医療機器プログラムの一般的名称…………179
医療機器プログラムの業許可………………180
医療機器プログラムの承認，認証…………182
医療機器プログラムの添付文書……………185
医療機器プログラムの認証基準，
　　基本要件基準…………………………184

医療機器プログラムの法定表示……………185
医療機器法規制の変革（MDDからMDRへ）
　　……………………………………………232
医療技術評価提案書…………………………58
医療給付………………………………………48
医療供給体制…………………………………24
医療費…………………………………………4
医療費に占める医療機器の割合……………5
医療保険者……………………………………47
医療保険制度…………………………………45
インシデント記録……………………………218
インフラストラクチャー……………………305
欧州医療機器規則（MDR）…………………228
欧州医療機器データベース…………238, 254
欧州規格………………………………………292
欧州の法規制…………………………………227

カ行

外国製造業者の登録…………………………109
外国製造業登録…………………………87, 110
改正薬機法……………………………………67
開発期間………………………………………43
開発設計フェーズ……………………………41
開発前相談……………………………………41
改良医療機器……………………………40, 122
拡販・再審査フェーズ………………………43
画像診断システム……………………………12
簡易相談………………………………………41
監査指導………………………………………154
管理医療機器……………………………44, 74, 87
管理医療機器の販売…………………………112
管理監督者……………………………………102
管理監督者の責任……………………………319
管理責任者……………………………………102
機械系卸………………………………………28
機械読取可能形式……………………………281
機器識別情報…………………………………282
危険状態………………………………………331
技術文書………………………………………247
基準適合証……………………………………164
基準適合性調査………………………………125

基礎安全及び基本性能 ……………………… 359
既存機能区分 …………………………………51
基本要件 ……………………………………… 70
基本要件基準 ………………………………… 171
ギャップ解消アクティビティ ……………… 378
ギャップ分析 ………………………………… 378
給付 ……………………………………………47
教育訓練 ……………………………………… 305
業許可 ………………………………… 70, 86, 118
業種別QMS適合性調査 ……………………… 157
許可申請 ……………………………………… 103
記録 …………………………………………… 302
クラスⅠ ……………………………… 39, 77, 78
クラスⅡ ……………………………… 39, 77, 78
クラスⅢ ……………………………… 39, 77, 78
クラスⅣ ……………………………… 39, 77, 78
クラス分類 ……………………………… 76, 77, 78
クラス分類表 …………………………… 82, 83, 85
クラス分類ルール ……………………………… 79
経営者のコミットメント …………………… 303
経営者の責任 ………………………… 303, 337
原価計算方式 ………………………………… 58
研究開発フェーズ …………………………… 41
健康保険制度 ………………………………… 40
限定第3種医療機器製造販売業者 ……… 87, 88
現物給付 ………………………………… 46, 48
広告 …………………………………………… 187
広告の定義 …………………………………… 189
厚生労働省 …………………………… 59, 60, 65
高度管理医療機器 …………………………… 74, 87
高度管理医療機器の販売 …………………… 111
後発医療機器 ………………………………… 122
高齢化率 ………………………………………… 3
国際医療機器名称 ……………………………… 76
国際規格 ……………………………… 31, 287
国際電気標準会議 ……………………… 32, 362
国際標準化規格 ……………………… 286, 295
国際標準化規格が発行されるまでのプロセス
　…………………………………………… 287
国際標準化機構 ……………………………… 32
国内品質業務運営責任者 …………… 89, 92, 94
国民皆保険制度 ……………………………… 45
国民健康保険 ………………………………… 46
誇大広告等 …………………………………… 187
国家食品薬品監督管理局 …………… 257, 258
国家薬品監督管理局 ………………………… 257
コメディカル ………………………………… 25

サ行

サーベイランス調査 ………………………… 154
材料価格基準 ………………………………… 49
材料価格算定 ………………………………… 57
先駆け審査指定制度 ………………………… 132
作業環境 ……………………………………… 305
査察準備 ……………………………………… 202
サプライチェーン …………………………… 37
サマリー・テクニカル・ドキュメント
　……………………………………… 127, 144
参入方法 ……………………………………… 37
残留リスク …………………………………… 333
残留リスク評価 ……………………… 352, 353
資格要件 ……………………………………… 92
資源の運用管理 ……………………………… 305
事故報告 ……………………………………… 253
施設査察報告書 ……………………………… 204
実地調査 ……………………………………… 154
指定管理医療機器 ……………………… 44, 74, 174
指定管理医療機器の認証制度 ……………… 137
指定高度管理医療機器 ………………… 74, 174
指定高度管理医療機器の認証制度 ………… 137
指定代理人 …………………………………… 249
指定保守管理医療機器 ……………………… 74
市販後調査 …………………………………… 253
市販前承認 …………………………………… 211
市販トレーニングフェーズ ………………… 43
収支構造 ……………………………………… 18
修理業許可 ……………………………… 86, 114
修理業者 ……………………………………… 16
修理業の許可要件 …………………………… 116
修理区分 ……………………………………… 115
修理責任技術者 ……………………………… 117

主要6カ国における医療機器登録の申請費用と審査期間	270
生涯医療費	4
条件付き早期承認制度	132
承認基準	173
承認後変更管理実施計画書	133
承認審査	123
承認審査期間	131
承認等前適合性調査	158
承認・認証前適合性調査	153
承認の要件	129
処置用機器	12
書面調査	154
資料充足性・申請区分相談	42
新医療機器	40, 121
審査	121
審査期間	43
審査支払機関	47
申請区分	120
診断系医療機器	6
人的資源	305
信頼性基準適合性調査相談	42, 125
信頼性調査	124
診療報酬制度	47
診療報酬点数表	48
生産規模	18
生産フェーズ	43
製造業者	16
製造業登録	104
製造識別情報	282
製造の要求事項	308
製造販売業者	16, 87
製造販売業許可	86, 87
製造販売業三役	87, 89, 90, 92, 102
製造販売業者によるサプライヤー製造所等の管理	321
製造販売業者の法令遵守体制の強化	98
製造販売後安全管理業務手順書	99, 100
製造販売承認	119
製造販売承認申請に必要な資料	126, 143
製造販売届チェックリスト	148
製造販売認証申請書	144
製造販売認証申請に必要な資料の構成	143
製造物責任法	271
生体機能補助・代行機器	12
生体現象計測・監視システム	13
成長率予測	6
性能試験相談	42
製品化プロセス	41, 42, 136
製品群区分	76, 77
製品群省令	165
製品実現	306
製品仕様	41
生物由来製品	74
世界市場	6
責任技術者	106, 107, 116
責任技術者と国内品質業務運営責任者の兼務要件	108
責任者の設置	89
施行規則第43条	124
設計・開発の要求事項	308
設計検証	42
設計バリデーション	315
設計ベリフィケーション	315
設置管理医療機器	74
全体的な残留リスクの評価	333
選任責任としての能力と経験の必要性	98
全般相談	41
総括製造販売責任者の権限の明確化	98
総括製造販売責任者	89, 92, 93
測定・分析及び改善	310
ソフトウェア	72
ソフトウェア安全性クラス分類	374, 376, 385
ソフトウェア開発プロセス	383
ソフトウェアライフサイクルモデル	380, 381, 385
ソフトウェアライフサイクルプロセス	380
ソフトウェアリスクマネジメントプロセス	379, 386

■タ行

第69条調査	153

第1種医療機器製造販売業許可 …… 16, 87, 88
第3種医療機器製造販売業許可 …… 16, 87, 88
第2種医療機器製造販売業許可 …… 16, 87, 88
大分類別市場規模 ……………………………… 9
対面助言準備相談 ……………………………… 41
貸与業許可 ……………………………………… 86
貸与業の許可・届出 ………………………… 111
代理人 …………………………………………… 215
立入検査 ………………………………………… 154
探索的治験相談 ………………………………… 42
単体プログラム ……………………………… 180
単体プログラムの記録媒体 ………………… 180
地域医療支援病院 ……………………………… 23
治験 ………………………………………… 40, 42
治験相談 ………………………………………… 42
中医協 …………………………………………… 43
注意事項等情報 ……………………………… 167
中央社会保険医療協議会 …………………… 43
中国の医療機器取扱制度 …………………… 265
治療系医療機器 ………………………………… 6
追加調査 ……………………………………… 154
通常調査 ……………………………………… 154
定額支払い制度 ………………………………… 49
定期適合性調査 …………………………… 153, 158
適合性調査 ……………………………… 152, 153, 156
適合性評価 …………………………………… 250
適合性評価基準 ……………………………… 162
適合性評価手順 ……………………………… 242
適合宣言 ……………………………………… 251
出来高払い方式 ………………………………… 48
デバイスラグ …………………………………… 44
電子情報技術産業協会 ……………………… 289
添付文書 ……………………………………… 167
添付文書の電子化 …………………………… 168
登録権者 ……………………………………… 105
登録申請 ……………………………………… 108
登録認証機関 …………………………… 64, 139
登録要件 ……………………………………… 106
特定医療材料 …………………………………… 58
特定機能病院 …………………………………… 23
特定診療報酬医療機器 ………………………… 51

特定生物由来製品 ………………………… 74, 76
特定保健医療材料 ……………………………… 48
特定保守管理医療機器 ………………………… 74
特定保守管理医療機器の販売 ……………… 111
トップマネジメント ………………… 303, 337
届出 ………………………………………… 119, 148
取り決め文書の記載例 ……………………… 160
トレーサビリティ …………………………… 223
トレーサビリティマトリックス手法 ……… 224

ナ行

内部監査 ……………………………………… 310
日本医療機器産業連合会 ……………… 35, 289
日本工業規格 ………………………………… 290
日本工業標準調査会 ………………………… 289
日本の標準化機関 …………………………… 289
ニューアプローチ指令 ……………… 228, 229
認証 ………………………………………… 40, 119
認証期間および費用 ………………………… 147
認証基準 ……………………………………… 174
認証業務 ……………………………………… 140
認証審査 ……………………………………… 138
認証申請チェックリスト …………………… 144
認証制度 ……………………………………… 137
認証の要件 …………………………………… 145

ハ行

ハザード ……………………………………… 331
ハザード関連の使用法シナリオ …………… 405
ハザードリスト ……………………………… 342
罰則 …………………………………………… 193
バリデーション ……………………………… 315
販売業許可 ……………………………………… 86
販売業の許可・届出 ………………………… 111
被保険者 ………………………………………… 47
病院数 …………………………………………… 22
標準的製品化プロセス ………………………… 41
病床数 …………………………………………… 22
非臨床試験 ………………………………… 39, 41
品質管理監督システム ……………………… 319
品質管理規則マニュアル …………………… 197

索 引　435

品質管理システム……………………………40
品質基準…………………………… 173, 174
品質システム監査方法………………………201
品質相談……………………………………42
品質マネジメントシステム
　………………… 32, 149, 296, 299, 301, 302
ファストトラック制度…………… 291, 292
物流管理……………………………………27
プログラム………………… 71, 72, 73, 176
プログラムを記録した記録媒体……………73
プロセスアプローチ………………………297
文書化………………………………………302
文書管理……………………………………302
文書・記録の管理…………………………321
米国規格協会………………………………290
米国食品医薬品局…………………………196
米国での医療機器の定義…………………206
米国における上市プロセス………………205
米国の医療機器のクラス分類……………207
ベネフィット………………………………331
ベネフィット・リスク分析………………349
ベリフィケーション………………………315
変更計画の確認……………………………133
変更に係る事前届出制度…………………133
貿易収支……………………………………8
貿易の技術的障害に関する協定…………286
包括的診療報酬制度………………………48
法定表示事項………………………………169
法的分類区分………………………………39
法令…………………………………………64
保険収載フェーズ…………………………43
保険制度………………………………31, 45
保険適用……………………………………50
保険適用希望書……………………………55
保険適用審査………………………………55
保険適用分類………………………………52

■マ行

マネジメントレビュー……………………303
無体物………………………………………71
滅菌医療機器…………………………76, 77

■ヤ行

薬事承認……………………………………40
薬事審査……………………………………40
薬事に関する業務の責任役員の明確化……98
有害事象ファイル…………………………218
有害事象報告………………………………202
ユーザーと医療機器との相互作用モデルと
　誤使用…………………………………407
ユーザインタフェース設計サイクル……398
ユーザビリティエンジニアリング………392
ユーザビリティエンジニアリングプロセス
　……………………… 393, 400, 402, 404
輸入超過…………………………………8, 10

■ラ行

ラベリング………………… 167, 169, 224
リスク………………………………………331
リスクコントロール…………… 333, 349, 352
リスク評価………………………… 333, 347
リスク分析……… 333, 340, 342, 344, 345, 346
リスクベースアプローチ…………………297
リスクマネジメント…………… 331, 333, 354
リスクマネジメントアクティビティ……378
リスクマネジメント計画…………………338
リスクマネジメント計画書…………338, 339
リスクマネジメントのレビュー……334, 353
リスクマネジメントファイル……………338
リスクマネジメントプロセス… 333, 334, 337
臨床試験……………………………………255
臨床試験要否相談…………………………42
臨床評価……………………………………255
類似機能区分比例方式……………………58
令和3年改正QMS省令…………………150
レガシーソフトウェア……………………378
レガシーソフトウェアを使用する根拠…378
レビュー……………………………………315
連邦規則集…………………………………196
連邦食品医薬品化粧品法…………………196
老人保健施設………………………………25

監修者・著者略歴

宇喜多 義敬（うきた よしたか）　1, 2, 3, 5章執筆担当

宇喜多白川医療設計株式会社代表取締役社長

　1974年慶應義塾大学工学部卒業。同年ソニー株式会社入社。1984年にプロジェクトリーダーとして，世界初のポータブルCDプレーヤ"CD walkman" D-50を開発，1990年に推進者として世界初のポータブルCR-ROMプレーヤ"電子ブックプレーヤ　DD-1 電子辞書"を提案・開発，2004年に世界初の電子ペーパー読書端末"Librie"で電子出版事業を興すなど，多数の新規市場創出で業績をあげる。

　その後，2006年にテルモ株式会社入社，研究開発センター副所長，2008年に設立したMEセンターの初代センター長 兼 研究開発センター副所長，2009年に執行役員 ヘルスケアーカンパニー統轄，MEセンター担当を経て，2011年にUPMコンサルテーション，2014年宇喜多白川医療設計株式会社，2018年株式会社UPMCを設立し，各社代表取締役を務める。

　現在多くの企業で医療機器業界参入の戦略立案，QMS構築などの指導や医療機器の設計開発を行っていると共に，2016年1月より国立大学法人山梨大学客員教授として，同校の医療機器設計開発人材養成講座の講師も務める。

著者略歴

縣　晴輝（あがた はるき）　4章執筆担当，3章担当

　2002年慶應義塾大学環境情報学部後，株式会社オサチに入社。医療機器薬事業務およびQMS業務の担当として，国内外の薬事申請および業許可・医師主導臨床試験の立案・作成，QMSの構築・維持に携わる。

　宇喜多白川医療設計株式会社，品質マネジメントシステム，規格法規制，薬事申請業務担当。

廣島 義徳（ひろしま よしのり）　5章担当

　1986年神奈川大学法学部後，株式会社シーイーシー入社。2007年テルモ株式会社入社，医療機器の品質マネジメントシステム，FDA対応，ユーザビリティエンジニアリング対応，ソフトウェアライフサイクルプロセス対応，コンピュータ化システムバリデーションなどに携わる。

　宇喜多白川医療設計株式会社，執行役員。

磯貝　洋（いそがい ひろし）　5章担当

　2013年工学院大学工学部後，山陽精工株式会社に入社。

　宇喜多白川医療設計株式会社，設計開発，医療機器の安全規格，形式試験およびリスクマネージメント担当。

読者アンケートのご案内

本書に関するご意見・ご感想をお聞かせください。
アンケートにご回答いただいた方の中から抽選で毎月30名様に「図書カード1,000円分」をプレゼントいたします。

左記QRコードもしくは下記URLから
アンケートページにアクセスしてご回答ください
https://form.jiho.jp/questionnaire/54347.html
アンケート受付期間：2024年5月31日23:59まで

※プレゼントの当選発表は賞品の発送をもって代えさせていただきます。
※プレゼントのお届け先は日本国内に限らせていただきます。
※プレゼントは予告なく中止または内容が変更となる場合がございます。
※本アンケートはパソコン・スマートフォン等からのご回答となります。
　まれに機種によってはご回答いただけない場合がございます。
※インターネット接続料及び通信料はご愛読者様のご負担となります。

図解で学ぶ 医療機器業界参入の必要知識 第3版
法令・規制，技術規格と市場

定価　本体11,000円（税別）

2013年 6 月20日　初版発行
2017年 9 月20日　第 2 版発行
2022年 5 月31日　第 3 版発行

監　修	宇喜多 義敬（うきた よしたか）
著　者	宇喜多白川医療設計株式会社（うきた しらかわ いりょうせっけい）
発行人	武田 信
発行所	株式会社 じ ほ う

101-8421　東京都千代田区神田猿楽町1-5-15（猿楽町SSビル）
振替　00190-0-900481
＜大阪支局＞
541-0044　大阪市中央区伏見町2-1-1（三井住友銀行高麗橋ビル）
お問い合わせ　https://www.jiho.co.jp/contact/

©2022　　　　組版　スタジオ・コア　　印刷　シナノ印刷（株）
Printed in Japan

本書の複写にかかる複製，上映，譲渡，公衆送信（送信可能化を含む）の各権利は株式会社じほうが管理の委託を受けています。

JCOPY ＜出版者著作権管理機構 委託出版物＞
本書の無断複製は著作権法上での例外を除き禁じられています。
複製される場合は，そのつど事前に，出版者著作権管理機構（電話 03-5244-5088，FAX 03-5244-5089，e-mail：info@jcopy.or.jp）の許諾を得てください。

万一落丁，乱丁の場合は，お取替えいたします。
ISBN 978-4-8407-5434-7